M000012393

Eugenia

DU MÊME AUTEUR

ROMANS

L'absente, Éditions Julliard, 2016 ; J'ai lu, 2017.

Échapper, Éditions Julliard, 2015 ; J'ai lu, 2016.

Vertiges, Éditions Julliard, 2013 ; J'ai lu, 2015.

L'hiver des hommes, Éditions Julliard, 2012 ; J'ai lu, 2013.

Colères, Éditions Julliard, 2011.

Le chagrin, Éditions Julliard, 2010 ; J'ai lu, 2011.

Écrire, Éditions Julliard, 2005.

Le cahier de Turin, Éditions Julliard, 2003 ; J'ai lu, 2012.

Méfiez-vous des écrivains, Éditions Julliard, 2002 ; J'ai lu, 2011.

Trois couples en quête d'orages, Éditions Julliard, 2000 ; J'ai lu, 2011.

Un jour, je te tuerai, Éditions Julliard, 1999 ; J'ai lu, 2011.

Des hommes éblouissants, Éditions Julliard, 1997.

Mon premier jour de bonheur, Éditions Julliard, 1996.

Comme des héros, Fayard, coll. « Libres », 1996.

Je voudrais descendre, Éditions du Seuil, coll. « Cadre rouge », 1993.

Priez pour nous, Bernard Barrault, 1990 ; J'ai lu, 2011.

DOCUMENTS

Survivre avec les loups. La véritable histoire de Misha Defonseca, XO Éditions, 2011.

L'affaire de Poitiers, Bernard Barrault, 1988.

Hienghène, le désespoir calédonien, Bernard Barrault, 1988.

RÉCIT

Il ne m'est rien arrivé (Récit d'un voyage dans les pays en guerre de l'ex-Yougoslavie), Mercure de France, coll. « Bleue », 1994.

LIONEL DUROY

Eugenia

ROMAN

À Betty Mialet et Bernard Barrault,
qui m'accompagnent depuis trente ans.

Mihail est mort hier, le 29 mai 1945, renversé par un camion.

C'est Andrei qui m'a prévenue.

J'ai décroché le téléphone, pensant que ce devait être Mihail – il n'y avait pratiquement que lui qui m'appelait.

— Jana ? C'est moi... J'ai eu peur de ne pas te trouver.

— Qu'est-ce qui ne va pas ?

Mon petit frère s'efforce de ne jamais se plaindre, mais là j'ai deviné qu'il se retenait de pleurer.

— Tu n'as pas écouté la radio ?

— Non, pas ce soir. Pourquoi ?

— Ne l'allume pas, je vais venir.

— Non, tu me dis d'abord ce qui est arrivé. C'est Stefan ? Ils ont retrouvé Stefan sous les décombres de Berlin ?

— Attends-moi, je suis chez toi dans dix minutes... Non, ce n'est pas Stefan.

— Alors c'est papa ou maman. Tu me dis tout de suite ce qui est arrivé, Andrei. Tu m'entends ? Tout de suite !

— C'est Mihail, Jana. Mihail... Ils ne parleraient pas de nos parents à la radio. Mais je ne peux pas... Je ne peux pas te le dire comme ça.

J'ai entendu qu'il étouffait un sanglot.

— Mihail s'est fait agresser, c'est ça ?

— Oh Jana... Ils disent qu'il est mort... Ils disent... Attends-moi, je vais venir. Attends-moi, surtout.

J'ai reconnu cette espèce d'aboiement affreux qui jaillissait de moi, celui des femmes quand on leur apprenait que leur mari, ou leur fils, venait d'être tué, celui de maman quand elle a su que Stefan était porté disparu, et ça je ne le voulais pas, à aucun prix. Les femmes qui se tordent et sanglotent, tandis que les hommes se taisent. Jusqu'à la nausée le théâtre des femmes. Alors machinalement j'ai allumé la radio et je me suis assise. Tout mon corps s'est mis à trembler et j'ai croisé les bras pour le contenir. Une voix que j'ai immédiatement identifiée comme celle de Mircea Eliade évoquait la place de l'accident dans l'œuvre de Mihail. « Mon ami Mihail Sebastian, répétait-il, mon très cher ami », de ce ton doucereux de repentance qu'il adopte depuis que sa « très chère » Allemagne a cessé d'exister. « Dans toute l'œuvre de Sebastian, disait-il, voyez la place qu'occupe la rencontre fortuite, le hasard, l'heureux accident, n'est-ce pas, susceptible de libérer son personnage de l'univers oppressant et clos dans lequel il se débat. »

— Monsieur Eliade, a repris le journaliste, lui aussi plein de componction, comment parler d'« heureux accident » en ce jour funeste ?

— Mais qui vous dit que Sebastian n'espérait pas ce moment ! Qui vous dit qu'il ne l'attendait pas comme une délivrance !

Soudain, ce fut de nouveau le Mircea sûr de lui des grandes années de la Garde de fer, l'implacable laudateur de Codreanu et d'Hitler, celui qui avait prétendu, un soir d'août 1941, qu'il était « sain » que les juifs payent enfin pour tout le mal qu'ils avaient fait aux différents peuples d'Europe qui les avaient accueillis.

— Et tu me dis cela à moi, ton ami, avait doucement rétorqué Mihail.

— Je dis cela à Iosif Hechter, Mihail. N'es-tu pas Iosif Hechter, par le sang qui te coule dans les veines, avant d'être l'écrivain Mihail Sebastian ?

Sur la fin, Mihail ne voulait plus le voir, et quand Eliade revenait pour quelques jours à Bucarest, de Lisbonne où il était attaché culturel à l'ambassade de Roumanie, les deux « amis » s'évitaient.

Et puis je n'ai plus voulu entendre ce type, et je me suis mise à tourner dans ma petite cuisine. J'avais hâte qu'Andrei soit là, qu'il remplisse de sa présence et de ses mots le vide dans lequel je commençais à me sentir tomber. Cependant, les phrases d'Eliade me revenaient. Il avait raison, bien sûr, toute sa vie Mihail avait espéré une heureuse rencontre, un heureux accident qui le sortirait de sa mélancolie. Et c'est à ce moment-là seulement, sotte que je suis, que j'ai fait le rapprochement avec le titre de son dernier roman, *L'Accident*, sorti en 1939, juste avant la guerre. Oh mon Dieu ! Je me suis précipitée sur le livre. C'était idiot, je savais bien que Mihail n'y annonçait pas sa propre mort, je l'avais lu et relu, espérant au contraire y trouver pour nous deux des raisons d'espérer. L'accident qui ouvre le roman, c'est celui d'une jeune femme,

Nora, qui chute lourdement de la plateforme d'un tramway dans une rue de Bucarest et que Paul, le double de Mihail, finit par raccompagner chez elle, faute d'autres volontaires. Paul est affreusement désagréable avec Nora (comme Mihail l'était avec moi les premiers temps), car il vit alors la fin d'une histoire tumultueuse avec une artiste peintre, Ann, qui le trompe un soir sur deux, se moque de lui, mais ne le lâche pas d'une semelle, comme si elle prenait plaisir à le martyriser. À la fin du roman, et bien qu'il soit toujours épris d'Ann (c'est en tout cas mon avis), Paul s'abandonne aux bras maternants de Nora et il jure qu'on ne l'y reprendra plus – « jamais, jamais ». C'est un dénouement pitoyable, un arrangement de petit épargnant qui ne ressemble en rien à l'homme qu'était Mihail.

D'ailleurs, nous nous étions disputés à ce propos.

— Paul va s'ennuyer à mourir avec sa Nora, et vous le savez bien, Mihail.

— Nora est loyale. Avec elle, au moins, il ne souffrira plus.

— *Jamais, jamais*, je sais, j'ai lu. Mais c'est à Ann qu'il pensera en lui faisant l'amour.

— Ce n'est pas dans mon livre.

— Non, mais dans votre tête. Je ne crois pas à votre morale de boy-scout, sinon je ne vous aurais pas croisé il y a deux jours au bras de Leny Caler, et je ne serais pas dans votre lit en ce bel après-midi de janvier.

Il m'avait priée d'en sortir, de me rhabiller et de le laisser travailler. Il en était aux ultimes répliques de *L'Étoile sans nom*, sa dernière pièce, dont il envisageait de confier le rôle principal à Leny Caler, justement, et il voulait essayer de finir dans la nuit.

Je me suis rappelé la scène et, dans le même mouvement de la pensée, qu'il venait de mourir. Je ne dirais pas que je l'avais oublié, mais un instant encore il avait été vivant, nu près de moi, les cheveux en désordre et cherchant ses cigarettes.

J'étais en train de songer que j'allais appeler Leny, partir pour Bucarest me réfugier chez elle – au début, elle m'avait regardée de haut, peut-être jalouse de ma jeunesse, ou blessée de me trouver chez Mihail, quoiqu'elle-même couchât avec tous les hommes de théâtre qui la courtisaient, puis finalement j'étais devenue sa « petite Eugenia », son « trrrésor » (disait-elle en français) –, quand Andrei est apparu.

Je me suis approchée pour l'embrasser, et lui d'habitude si pudique m'a prise dans ses bras.

— J'ai tellement de peine pour toi, l'ai-je entendu murmurer.

Comme je tremblais au point de claquer des dents, il m'a serrée plus fort. Andrei est mon petit frère, mais il a une tête de plus que moi. Au contraire de Stefan, notre aîné, qui était large et court comme notre père (tiens, voilà que je parle de Stefan comme s'il était mort), Andrei est un long jeune homme aux traits délicats. Souvent, je me dis qu'il n'y a rien de mauvais en lui, aucun calcul, et en même temps c'est impossible, chaque individu a sa part sombre, je le sais bien. À moins qu'il soit un ange, comme l'étaient Eminescu ou Rilke, et que cet état lui épargne les mesquineries qui nous font honte. Lui aussi écrit de la poésie, il espère être publié maintenant que la guerre est finie et, en attendant, il se laisse volontiers inviter sur l'une ou l'autre scène de Jassy encore à peu près d'aplomb après les bombardements allemands et l'arrivée des troupes soviétiques pour lire des poèmes d'Eminescu, de Gulian, ou, comme la semaine dernière, les *Élégies de Duino* (que je ne connaissais pas, qu'il m'a fait découvrir).

— Qu'est-ce que tu vas faire, Jana ?

— Partir pour Bucarest.

— Tu veux que je vienne avec toi ?

— Non, là-bas il y a Leny, et puis tu le connaissais si peu...

« Si mal », ai-je failli dire.

Andrei ne l'avait vu qu'une fois, en septembre 1938 au théâtre Comœdia de Bucarest, après l'ultime répétition de *Jouons aux vacances*, sa première pièce. Andrei n'avait que dix-neuf ans, alors, et je lui avais proposé de m'accompagner pour le sortir un peu de Jassy où il venait de passer tout l'été dans la boutique de nos parents. Il avait été séduit par Leny Caler qui tenait le rôle principal (Mihail prétendait l'avoir écrit pour elle), mais n'avait pas beaucoup aimé la pièce qu'il avait jugée trop « démonstrative ».

Et, bien sûr, il ne s'en était pas caché.

Il devait être en train de se remémorer ce moment, lui aussi, tout en me gardant dans ses bras, car alors je l'ai brusquement senti s'animer.

— Je n'aurais pas dû le critiquer ce soir-là, a-t-il dit en s'écartant légèrement, ça ne se fait pas, à la veille d'une première. D'ailleurs, tu te souviens, il n'a rien répondu. Il est parti vers les loges et il ne m'a plus adressé la parole de toute la soirée.

— Il n'a rien répondu parce qu'il pensait que tu avais raison.

— Ça, je ne le crois pas, non.

— Si. Mihail n'était jamais satisfait de son travail. La pièce est magnifique, tu te trompais, il n'a eu que de bonnes critiques, mais il estimait, comme toi, qu'elle manquait de grâce, de poésie, qu'il aurait pu faire beaucoup mieux.

— Je regrette de l'avoir blessé.

— Il était bien plus dur avec lui-même que tu ne l'as été, Andrei. Je peux t'assurer que tu ne l'as pas blessé. La vérité, c'est qu'il en était arrivé à ne plus croire en l'écriture non plus et que cela le laissait sans ressource, au bord du gouffre. Pendant un temps, l'écriture l'a sauvé, il a pensé qu'elle était cette chose tant attendue, tant espérée, qu'elle allait le porter, lui donner éternellement l'envie de vivre. Et puis non, le miracle n'a pas duré. L'écriture l'a enthousiasmé quand il écrivait ses premiers romans, au tout début des années 1930, bien avant de se mettre au théâtre, mais elle ne lui a pas apporté la tranquillité, et encore moins le bonheur.

— Toi, au moins, tu l'as rendu heureux, Jana.

— J'aimerais pouvoir le croire. Je l'ai aimé, oui. Lui, je ne sais pas. La seule femme qu'il a vraiment aimée, désirée de toutes ses forces, c'est Leny. Il a pensé que Leny était l'« heureux accident » qu'il attendait. Mais Leny ne peut pas être la femme d'un seul homme, pas plus qu'Ann dans son roman. C'était un combat perdu d'avance.

— Jana, personne n'est de taille à sauver quelqu'un qui ne veut pas vivre.

— Je ne sais pas. J'ai espéré l'être, mais il m'a très vite découragée. Il était capable de me dire des choses effrayantes sans même se rendre compte de la peine qu'il me faisait. « Voyez-vous, Eugenia, m'a-t-il expliqué un jour, en substituant un grand malheur à mon impuissance, la guerre a fini par m'éloigner de moi-même. Elle me donne une bonne raison de vivre – attendre qu'elle finisse, échapper aux rafles, à la mort –, moi qui depuis tant d'années n'attendais plus rien. » Ce jour-là, je me suis vraiment interrogée sur ce que je faisais avec lui.

1

Avec le recul, je me demande comment notre professeur de littérature, Mme Costinas, a pu avoir l'inconscience d'inviter un écrivain juif à l'université de Jassy en 1935.

Elle nous avait demandé de bien lire son roman avant la rencontre et, entendant son nom – Mihail Sebastian –, il ne m'avait pas effleuré qu'il pouvait être juif.

J'étais allée acheter le livre mais je ne l'avais pas encore ouvert quand mon frère Stefan l'a vu, posé sur le buffet de la salle à manger. Maman et moi étions occupées à disposer la table pour le dîner. Papa était en bas, en train de finir ses comptes ou de fermer la boutique, il attendait généralement le dernier moment pour monter.

— Dis donc, maman, tu lis des écrivains youpins maintenant ?

— De quoi parles-tu, mon chéri ?

— Le bouquin, là, *Depuis deux mille ans*...

— C'est à moi, ai-je dit. Mais ce n'est pas un écrivain juif, on va l'étudier en cours.

— Ce n'est pas un youpin, Sebastian ? Tu rigoles ou quoi !

Il a retourné le livre en gloussant.

— Je voudrais bien voir ça... Je voudrais bien voir ça..., a-t-il répété en lisant ce qui était écrit au dos.

Puis, comme il ne trouvait pas ce qu'il cherchait, il l'a reposé sur le buffet sans cesser de ricaner.

— Iosif Hechter ! Ils n'ont même pas osé mettre son véritable nom, ces enfoirés.

— S'il était juif, me suis-je défendue, madame Costinas nous l'aurait dit.

— Qu'est-ce que tu paries ?

— Tu vois des juifs partout, a observé maman, nous en avons suffisamment comme ça sans devoir en inventer. Ça m'étonnerait bien qu'à l'université les professeurs recommandent des écrivains juifs.

— Iosif Hechter, a répété Stefan.

Et, en haussant brusquement le ton :

— C'est roumain, ça, selon vous, Iosif Hechter ?

— Qui te dit qu'il s'appelle comme ça ? ai-je crié à mon tour, exaspérée par sa gouaille.

Papa est entré sur ces entrefaites, légèrement essoufflé et le sourire aux lèvres.

— Eh bien, que se passe-t-il dans cette maison ?

— Rien du tout, a tranché maman. Va donc te laver les mains, le dîner est prêt.

Certains airs de notre père avaient le don de l'agacer, en particulier quand il semblait ravi, comme ce soir-là, tandis qu'elle n'aimait rien tant que l'assommer de ses angoisses, aussi bien quant à l'avenir de leurs trois enfants qu'à propos du magasin. Papa feignait alors la gravité, il s'asseyait près d'elle, avançait des solutions qu'elle s'empressait de contredire, jusqu'à ce qu'elle s'avoue vaincue par l'optimisme de son mari : « Au fond, tu as raison, lâchait-elle alors en se levant, mettant un terme à la discussion, je ne sais pas pourquoi je vois toujours les choses en noir. »

Sans laisser à notre père le temps de réagir, Stefan s'est de nouveau dressé sur ses ergots, gonflant le torse et la voix :

— Il se passe que madame Costinas, titulaire de la chaire de littérature roumaine à l'université – tiens-toi bien, papa –, recommande maintenant à ses étudiants la lecture d'un youpin !

— Je voudrais bien voir ça, a rétorqué tranquillement papa, tout en se dirigeant vers le cabinet de toilette.

Alors Stefan est allé prendre le roman et l'a soigneusement déposé à droite de l'assiette de notre père. Je me souviens qu'Andrei est sorti de sa chambre à ce moment-là, grand adolescent un peu ahuri, qu'il a demandé à Stefan si c'était un cadeau et que celui-ci ne lui a pas répondu.

À son retour, papa s'est emparé du livre tout en s'asseyant et en nous priant d'en faire autant (c'était la règle, nous devions attendre que nos parents soient assis pour nous attabler).

— Sebastian..., Sebastian..., a-t-il dit, tandis que maman commençait à remplir nos assiettes, mais c'est le bouquin qui fait scandale à Bucarest ! Ça fait des mois que les journaux ne parlent que de cette histoire. Tu n'es pas au courant, mon fils ?

— Un youpin !

— Absolument !

— Qu'est-ce que je vous disais !

Stefan a frappé du plat de la main sur la table, au comble de l'excitation.

— Un youpin, a repris papa, qui a été assez stupide pour publier une préface de son maître, l'illustre Nae Ionescu, qui met le bouquin en pièces, paraît-il. C'est ce qu'on raconte, hein, je ne l'ai pas lu.

— Ça alors ! a réagi notre mère. Stefan a raison : tu ne trouves pas sidérant que cette madame Costinas ose demander à nos enfants de lire un juif ? Un écrivain juif ! Comme s'il n'y avait pas suffisamment d'auteurs roumains…

— Carmen, l'a reprise doucement papa, je te signale que depuis 1919 les juifs installés sur notre sol ont obtenu la nationalité roumaine. Sur le plan strict du droit, on ne peut donc plus dire…

— Eh bien moi je peux vous assurer qu'ils ne vont pas la garder longtemps, leur nationalité roumaine ! l'a interrompu Stefan, feignant l'indignation.

— C'est bien possible, mon fils, c'est bien possible, et je pense même qu'ici, à Jassy, nous aurions tout intérêt à prendre rapidement certaines mesures si l'on ne veut pas se retrouver sous leur coupe. Je lisais l'autre jour, dans je ne sais plus quel quotidien, qu'au dernier recensement les israélites étaient près de cinquante mille, soit déjà bien plus nombreux que nous autres chrétiens…

J'écris ces pages à Bucarest, dans l'appartement de Leny Caler, au lendemain des obsèques de Mihail. Je n'avais que dix-huit ans alors, exactement dix années de moins qu'aujourd'hui, j'étais en première année de littérature à l'université de Jassy et j'entendais prononcer pour la première fois le nom de Mihail Sebastian – Iosif Hechter pour l'état civil (Stefan ne s'était pas trompé). Si l'on m'avait dit à cette époque que je tomberais amoureuse d'un « youpin » – car c'était toujours ainsi que nous désignions les rares juifs qui fréquentaient l'université au risque de se prendre des coups de bâton –, je me serais sentie insultée. C'est pourquoi j'essaie de me remémorer le regard que nous portions sur les juifs en cette année 1935. Nous avions intégré qu'ils étaient profondément différents de nous : soit immensément riches, comme les frères Braustein qui possédaient le palais du même nom en plein centre-ville, ou encore la famille Neuschotz qui commerçait avec le monde entier ; soit misérables, comme ceux qui survivaient dans les quartiers périphériques de Târgul Cucului, de Nicolina ou de Păcurari. Il ne nous serait jamais venu à l'esprit, par exemple, d'aller nous promener dans les ruelles tortueuses de Târgul Cucului où s'entassaient des centaines de familles juives, logées dans des maisons minuscules faites de brique ou de torchis et où parents, enfants et bêtes dormaient dans la même pièce pour se tenir chaud. On disait ces faubourgs si boueux l'hiver que même les charrettes ne s'y risquaient plus, et si poussiéreux l'été que l'air y était irrespirable. Bien sûr, entre ces deux extrêmes, une classe moyenne juive avait pignon sur rue – des médecins, ou des commerçants, comme l'étaient nos parents. Les juifs tenaient généralement les horlogeries, les pharmacies, les cabinets médicaux et dentaires, les studios de photographie, les enseignes de gramophones et de TSF, les commerces d'instruments de musique, les imprimeries, enfin bref, tout ce qui nécessitait d'avoir de solides connaissances, tandis que la cordonnerie, la serrurerie, le métier de barbier, ou encore la blanchisserie, qui ne réclamaient qu'un bref apprentissage, étaient le lot des Roumains.

Ce n'était pas que les juifs étaient plus intelligents, ou raffinés, que les Roumains, non, c'était la conséquence d'une loi qui leur interdisait de posséder de la terre dans un pays où l'économie reposait essentiellement sur l'agriculture, de sorte que s'ils voulaient échapper à la grande pauvreté des faubourgs, l'unique solution dont ils disposaient était de se tourner vers les études. Leur « réussite » était en quelque sorte le résultat inattendu d'une mesure discriminatoire. Cela n'en suscitait pas moins chez les Roumains un sourd ressentiment, de la jalousie, mais que l'on se gardait d'exprimer trop haut car, au fond, l'on était satisfait que M. Finchelstein ait su réparer notre montre, ou que M. Caufman, le pharmacien, ait le don de soulager nos maux d'estomac avec ses potions. Nos parents, qui possédaient des vignes sur la colline de Copou et tenaient un commerce de vins rue Lăpuşneanu, l'une des plus élégantes de Jassy, se trouvaient dans le même embarras à l'égard des juifs. Ils estimaient qu'il y en avait beaucoup trop, que la réussite de certains était insolente, que la misère et la saleté des autres étaient une menace pour notre santé, que nous n'étions plus chez nous, mais en même temps ils taisaient leurs sentiments car une bonne partie de leur clientèle était juive, à commencer par la famille Neuschotz, ou par notre voisin immédiat, le pharmacien, M. Mayer, qu'ils saluaient chaque matin – notre père avec une bonhomie exagérée qui agaçait maman ; notre mère sèchement, cherchant à peine à dissimuler la contrariété que lui causait la vue de M. Mayer avec ses cheveux crépus et ses grosses lunettes.

Certes, nous savions que depuis 1919 tous ces juifs étaient officiellement roumains, comme notre père l'avait rappelé, mais nous savions aussi que la Roumanie avait dû prendre la décision de les naturaliser sous la pression de la France, sa grande amie, son alliée dans la victoire de 1918 contre l'Allemagne, et qu'en vérité ce n'était le souhait ni de nos dirigeants ni de la majorité du peuple roumain. Pour nous, ces juifs venus de Galicie, de Russie, de Hongrie, de Pologne, d'on ne savait trop où encore, qui avaient envahi notre ville sans vergogne et dressé leurs synagogues ici et là, demeuraient des juifs, des étrangers, et ne seraient jamais de véritables Roumains.

De toute notre famille, Stefan était le seul à s'être engagé contre ce qu'il nommait le « péril youpin ». Il avait pris conscience depuis longtemps qu'en interdisant aux juifs de posséder de la terre, nous avions fait d'eux sans le vouloir des intellectuels, une élite, encore embryonnaire, sans doute, mais qui pourrait bien un jour s'emparer de notre pays « et le presser comme un citron à son seul profit ».

Il prétendait que sans ses amis politiques, qui avaient dénoncé le danger dès 1920, lui n'aurait pas pu s'inscrire en médecine car toutes les places auraient été prises par des juifs. Ses « amis » étaient alors les deux personnalités politiques dont on parlait le plus dans les journaux, toutes deux issues de Jassy : le professeur Constantin Alexandru Cuza, doyen de la faculté de droit et futur vice-Premier ministre, et l'un de ses anciens étudiants, devenu le héraut de la jeunesse nationaliste, Corneliu Zelea Codreanu.

Pour protéger notre « roumanité » et s'opposer à la « tyrannie talmudique », le professeur Cuza avait créé son propre parti, la Ligue de défense nationale chrétienne, à laquelle avait aussitôt adhéré le jeune Codreanu. Au printemps de l'année 1923 (notre frère Stefan n'avait alors qu'une dizaine d'années), Cuza et Codreanu avaient lancé une première campagne contre la naturalisation des juifs et leur présence massive dans toutes les disciplines enseignées à l'université de Jassy. Leurs discours avaient rapidement enflammé les rancœurs et, en quelques semaines seulement, les étudiants chrétiens s'étaient soulevés contre les « youpins ». La fin de l'année universitaire avait été marquée par des violences inouïes – un étudiant juif avait été défenestré, la plupart avaient été battus, parfois au point d'être ramassés inanimés dans les couloirs, leurs papiers d'identité brûlés, leurs livres jetés par les fenêtres.

Après ça, le professeur Cuza avait exigé qu'un *numerus clausus* soit imposé aux juifs. D'accord avec cette proposition, son collègue de la faculté de médecine, le doyen Constantin Bacaloglu, avait aussitôt renchéri en décrétant que désormais aucun étudiant juif ne pourrait plus disséquer un cadavre de chrétien. Aux étudiants juifs de se procurer des cadavres de juifs s'ils voulaient passer leurs examens. Stefan, qui nous racontait ces combats (que nous trouvions légitimes), considérait que la question des dissections avait été décisive pour son propre avenir en « vidant » littéralement la faculté de médecine de ses étudiants juifs.

Cependant, le roi s'était ému des violences de Jassy et la police, qui n'était pas intervenue pour séparer les belligérants, finit par arrêter plusieurs étudiants de la ligue nationaliste du professeur Cuza. Codreanu prévint aussitôt que leur procès serait pour lui l'occasion de défendre devant tout le pays la cause de la « roumanité ». Il le fit de la façon la plus radicale, la plus inimaginable qui soit : le 23 octobre 1924, tandis que l'on jugeait ses camarades, il abattit de plusieurs coups de pistolet le préfet de Jassy, Constantin Manciu, sous le prétexte qu'il n'était pas tolérable que la police de la nation « martyrise ses meilleurs enfants ».

Qu'allait-il advenir après cette folie ? Dans le camp nationaliste, on s'apprêtait à faire du procès de Codreanu une nouvelle tribune « contre les sangsues du peuple roumain », tandis que chez les juifs on espérait que cet assassinat, en frappant les consciences, imposerait des limites à la violence.

Une année plus tard, au milieu de l'été 1925, et à l'issue d'un procès de six jours, Corneliu Zelea Codreanu fut acquitté. Les juges considérèrent qu'il avait agi en état de « légitime défense ». Nos parents se souvenaient parfaitement de cette décision (moi, non, je n'avais que huit ans), et s'ils convenaient avec embarras que les juges avaient été étonnamment cléments, ils s'en sortaient avec une phrase du genre : « S'ils ne nous imposaient pas tous ces juifs, aussi, de tels excès ne se produiraient pas. Ils poussent les gens à bout, et ensuite ils s'étonnent qu'un Codreanu réagisse... »

Écrivant ces lignes aujourd'hui, vingt ans après cet acquittement extravagant, je mesure combien le destin du jeune assassin Codreanu a pu sembler miraculeux sur le moment. Il se disait en « croisade » contre les juifs, il avait le soutien de notre Église orthodoxe, et voilà que le Ciel lui-même semblait dicter sa loi à la justice des hommes.

Grandi, auréolé d'un charisme qui fait de lui une sorte de prophète, Codreanu rompt alors avec son maître Cuza, qu'il juge trop timoré, pour créer son propre mouvement, la Légion de l'archange Michel. Les nouveaux « légionnaires », qui formeront bientôt les troupes de la Garde de fer du même Codreanu, endossent le costume traditionnel des paysans – blouse blanche décorée de broderies colorées sur pantalon blanc – pour parcourir les campagnes en chantant et recruter des adeptes, chaque nouveau membre recevant un sachet de terre, symbole de son engagement pour la défense du sol contre l'« envahisseur juif ».

Lorsque la Garde de fer succède à la Légion de l'archange Michel, Stefan y adhère. Il a dix-huit ans, il s'apprête à entrer en médecine, et il voit en Codreanu l'homme qui purifiera la Roumanie de ses étrangers, de ses « parasites », et en fera un pays puissant, protégé de Dieu, appelé à faire régner l'ordre dans le monde. Quant à moi, j'ai treize ans, et je me rappelle la fierté de nos parents lorsque Stefan revêt la chemise verte de la Garde de fer et s'en va, le cou ceint de la croix, visiter avec ses camarades les villages alentour pour convaincre les jeunes paysans de rejoindre le mouvement de Codreanu, que l'on appelle désormais le « Capitaine ». Des prêtres orthodoxes accompagnent la petite troupe, et c'est avec des chants et des prières que l'on recrute, bien plus qu'avec des discours. Dans mon souvenir, et bien qu'animée d'une haine têtue contre « les youpins qui sucent le sang de notre pays », la Garde est alors vécue sous notre toit comme une organisation de jeunesse patronnée par l'Église.

Puis, en trois ou quatre années seulement, le mouvement se radicalise, et Stefan avec lui. La Garde de fer, qui regarde vers l'Allemagne où

Hitler fait figure d'homme providentiel (il accède au pouvoir le 30 janvier 1933), rêve de confier le pays à son « Capitaine ». Avec les juifs, ce sont désormais les partis politiques et la démocratie parlementaire qui sont accusés de tous les maux. La Garde se revendique maintenant du fascisme, et si Codreanu ne semble pas encore envisager de se débarrasser de la monarchie – c'est alors le règne de Carol II –, il ne cache plus son ambition de prendre le pouvoir. En 1933 et 1934, toutes les discussions, en famille comme ailleurs, tournent autour du destin de Codreanu. Faut-il que le roi l'appelle pour en faire son Premier ministre ? N'est-ce pas la meilleure solution pour en finir avec les partis et leurs petits arrangements ? Mais les manifestations gardistes sont si violentes que c'est exactement le contraire qui survient : le 9 décembre 1933, le Premier ministre, Ion Gheorghe Duca, décide d'interdire la Garde de fer. Trois semaines plus tard, alors qu'il sort d'une entrevue avec le roi, le même Duca est abattu par trois membres de la Garde de fer.

J'ai seize ans cette année-là et, me remémorant aujourd'hui l'annonce par notre père de cet assassinat, je me rappelle que je ne trouve d'abord rien à répondre (je ne mets aucun visage sur le nom de Duca), puis j'adhère à l'explication de Stefan : le pays est malade de ses « politiciens dégénérés », si l'on ne se donne pas les moyens de le sauver, nous courons à notre perte. Le meurtre peut donc être un moyen légitime de sauver la Roumanie. Stefan le soutient, et notre père ne lui oppose aucun argument. Il se tait, tout simplement.

Codreanu va-t-il être condamné ? Non, une nouvelle fois la justice l'innocente, comme si véritablement il jouissait de la protection divine – ce que soutiennent d'ailleurs nos religieux.

En mars 1935, lorsque nous découvrons en famille que sous le nom de Mihail Sebastian se dissimule un écrivain juif, la Garde de fer est aux portes du pouvoir. Après avoir séduit les étudiants, puis la jeunesse paysanne avec l'aide de l'Église, elle a reçu la caution de très nombreux intellectuels, professeurs d'université, philosophes, chercheurs, écrivains et gens de théâtre. C'est ce qui permet à Stefan, j'en prends mieux conscience à présent, d'être aussi sûr de lui lorsqu'il prétend, au début du dîner, que les juifs ne vont pas conserver longtemps leur nationalité roumaine.

Notre père souhaite manifestement qu'il dise vrai et, connaissant maman, je peux supposer qu'elle aussi attend avec impatience qu'on remette les juifs sur le chemin de l'exil.

Puis la conversation s'est poursuivie ce soir-là, et je dois tenter maintenant de la reconstituer.

— Si j'étais toi, je refuserais de lire ce bouquin, m'a dit Stefan plus calmement, et je convaincrais les autres d'en faire autant.

— Stefan, voyons, tu vas lui faire rater son année, c'est tout ce qu'elle aura gagné, a protesté maman.

— Pas si toute la classe la suit.

— Je vais lire le livre, ai-je tranché. Madame Costinas est un très bon professeur, tout le monde l'aime, je ne ferai sûrement pas quelque chose contre elle.

— Comme tu veux, c'est ton problème. Mais le youpin, lui, ne va pas s'en tirer comme ça.

— Il est l'invité de madame Costinas, en quoi ça te regarde ? ai-je bondi, sentant monter la colère.

— Tout ce qui concerne la présence des juifs sur notre sol me regarde, Jana. Au premier chef. Et permets-moi de te dire que je regrette vivement qu'il n'en soit pas de même pour toi.

Soudain, le ton de Stefan a jeté un froid autour de la table. Papa a cessé de sourire en l'écoutant, et maman a cherché son regard, comme si quelque chose venait de lui échapper. Cependant, aucun des deux ne l'a repris, et c'est Andrei qui a rompu le silence :

— Qu'est-ce qui te prend de parler comme ça à Jana ?

— Pardon ?

On aurait dit que Stefan découvrait brusquement la présence d'Andrei.

— Ma façon de parler ne te convient pas ?

— Comme si tu ne la connaissais plus... Monsieur « regrette vivement ». Tu es en train de la menacer, là ? Tu te prends pour un type de la police ? Est-ce que ça veut dire que tu vas la frapper, elle aussi, parce qu'elle laisse son professeur recevoir un juif ?

Manifestement, Stefan ne voulait pas d'un échange avec Andrei qu'il trouvait sans doute trop insignifiant, trop jeune.

— Dans les temps que nous traversons, a-t-il lâché à la cantonade, j'estime que la tiédeur est une forme de trahison. Cela nous concerne tous, dans le pays comme à la maison. Je dis bien tous. Et toi, Andrei, a-t-il ajouté, en le fixant cette fois, tu ferais bien d'y réfléchir, parce que le jour n'est plus très loin où tu vas devoir choisir ton camp.

J'ai croisé le regard d'Andrei et deviné qu'il s'apprêtait à répliquer.

— Ne lui réponds pas, ai-je dit sèchement. Ça va comme ça.

Il s'est tu. Je me souviens que personne n'avait encore touché à son assiette.

— Mangez, tout va être froid, a marmonné maman en piquant du nez dans sa soupe.

Puis, dans un soupir, comme pour elle-même :

— Mon Dieu, je ne comprends pas comment on peut en arriver à de telles extrémités.

2

Mme Costinas est entrée la première et, sur ses talons, un homme plutôt menu tenant son chapeau d'une main, son cartable de l'autre.

— Je vous présente monsieur Mihail Sebastian, a-t-elle dit. Il a eu la gentillesse de faire le voyage de Bucarest à Jassy pour cette rencontre, je vous demanderai donc de bien vouloir vous lever pour l'accueillir.

Toute l'assemblée s'est aussitôt dressée, du moins est-ce ce que j'ai cru, avant de constater qu'ici et là certains étaient restés assis.

Mihail Sebastian a souri et pendant quelques instants son regard s'est promené parmi nous.

Nous étions trente-huit inscrits au cours de Mme Costinas, un peu plus de filles que de garçons, et je crois que ce jour-là la classe était au complet.

— Merci ! Je vous en prie, rasseyez-vous.

Il a retiré son pardessus, est allé l'accrocher à la patère ainsi que son chapeau, et Mme Costinas l'a prié de prendre place derrière le bureau, sur l'estrade. Elle-même souhaitait rester près de la porte, c'est ce qu'elle lui a signifié d'une mimique, en réponse à son geste l'invitant à venir s'asseoir près de lui.

Puis, debout, notre professeur a dit quelques mots de présentation : « Monsieur Mihail Sebastian, de son véritable nom Iosif Hechter, est né à Brăila le 18 octobre 1907. Il a passé là-bas sa jeunesse, avant d'étudier le droit et la philosophie à Bucarest. Sa rencontre, l'année de ses dix-neuf ans, avec le philosophe Nae Ionescu, l'un de ses professeurs, a été déterminante dans sa vocation d'écrivain. Dès 1927, à l'âge de vingt ans, et tout en poursuivant ses études, il collabore au quotidien que dirige Nae Ionescu, *Cuvântul*, écrivant aussi bien des articles politiques que des critiques littéraires, musicales, ou des billets d'humeur. Après un premier roman remarqué, *Femmes*, en 1933, il vient donc de publier *Depuis deux mille ans*, préfacé par monsieur Nae Ionescu – ouvrage qui est l'objet de notre rencontre. »

Parvenue à ce moment de son propos, Mme Costinas a semblé chercher comment poursuivre. « Je ne vous cache pas, a-t-elle commencé, la voix légèrement altérée par une émotion qui s'est lue sur son visage, que ce roman m'a énormément troublée. » Puis elle s'est de nouveau interrompue, a baissé les yeux, observant ses mains. Longue femme blonde au teint pâle, poétesse, Mme Costinas laisse transparaître tout ce qui la traverse et c'est pourquoi, je crois, elle est à la fois aimée de ses étudiants et souvent moquée par les garçons. « Monsieur Sebastian, a-t-elle repris lentement, s'interroge sur la souffrance des juifs et sur les raisons de l'animosité qu'ils suscitent chez l'Autre – je veux dire, chez ceux qui ne sont pas juifs. Je pense aux événements violents qui émaillent la vie de notre université, ici même, à Jassy, depuis des années, n'est-ce pas, mais aussi à ce qui s'est passé récemment à Berlin où des commerçants juifs ont été frappés et ont vu leurs magasins saccagés. »

Elle s'est encore tue, et je me suis demandé où elle voulait en venir. Les raisons de notre « animosité » contre les juifs, pour reprendre son expression, ne me semblaient pas si difficiles à formuler : ils occupaient des places de choix qu'auraient dû occuper des Roumains, et sinon ils accaparaient sans vergogne les faubourgs de nos villes, nous imposant leurs synagogues et le spectacle de leur misère. Même si la suffisance de Stefan m'exaspérait, nous étions au fond d'accord avec lui : il existait un « problème juif » en Roumanie qu'il faudrait un jour régler si nous tenions à rester maîtres chez nous.

« Si le livre de monsieur Sebastian m'a troublée, s'est enfin décidée Irina Costinas, c'est qu'il nous incite pour la première fois à penser les choses différemment. Comment nier à monsieur Sebastian, qui est né sur notre sol, qui a grandi sur notre sol, qui partage notre langue et notre culture, la qualité de Roumain ? Et si nous le reconnaissons Roumain à part entière, comment ne pas nous interroger sur l'origine de notre animosité à l'égard du juif qu'il n'en demeure pas moins ? Qui rejetons-nous quand nous rejetons Iosif Hechter ? Voilà, à mon sens, la question essentielle que nous pose le roman de monsieur Sebastian et que Nae Ionescu ne semble pas avoir entendue. Nous parlerons de sa préface qui ne nous incite pas à réfléchir, je le dis tout de suite, mais nous conforte au contraire dans notre rejet des juifs au nom d'intuitions abusivement élevées, ici, au rang de vérités. J'en reviens donc à la seule question qui vaille à mes yeux : qui rejetons-nous quand nous rejetons Iosif Hechter ? Je m'interroge, et je souhaiterais que nous nous interrogions tous ensemble durant le débat qui suivra l'exposé de monsieur Sebastian. Ne serait-ce pas une part de nous-mêmes que nous lui prêtons malgré lui ? Comme si, au fil des siècles, nous avions pris pour habitude de porter au crédit des juifs tout ce que nous n'aimons pas en nous, tout ce que nous voudrions détruire en nous. Comme s'il nous avait fallu désigner un bouc émissaire pour, en quelque sorte, nous délester de notre part sombre. »

Durant ce long développement dont je retrouve les mots aujourd'hui mais qui m'avait paru incompréhensible sur le moment, Mme Costinas ne s'était pas tournée un seul instant vers M. Sebastian, me donnant l'impression qu'elle était intimidée par sa présence.

Quant à moi, avais-je pensé, tandis qu'Irina Costinas partait dans des explications de plus en plus obscures, ce qui m'a troublée dans *Depuis deux mille ans* c'est d'être précipitée dans la tête d'un juif, de devoir soudain regarder le monde avec les yeux d'un juif. J'avais souligné un passage à cet égard, me demandant quelle question je pourrais bien poser à M. Sebastian après l'avoir lu à haute voix, et pendant que notre professeur parlait je le relus discrètement :

> Boulevard Elisabeta, un groupe d'adolescents en uniforme vendait des journaux.
>
> — Les mystères du sacrifice rituel ! Mort aux youtres !
>
> Je ne sais pas pourquoi je me suis arrêté. D'habitude, je passe mon chemin tranquillement, parce que ce cri est déjà ancien, presque familier. Cette fois-ci, je suis

resté là, surpris, comme si je comprenais soudain, pour la première fois, le sens de ces syllabes. Étrange. Ces gens parlent de mort, et précisément de la mienne. Et moi, je passe à côté d'eux sans faire attention, l'esprit ailleurs, les entendant à peine.

Pourquoi est-il si facile, dans une rue roumaine, de crier « À mort ! » sans que personne daigne tourner la tête ? La mort, me semble-t-il, est tout de même une chose assez sérieuse. Un chien écrasé sous les roues d'une auto, cela suffit déjà pour un instant de silence. Si quelqu'un s'installait à un carrefour pour scander, par exemple, « Mort aux hérissons ! », je suppose que les passants montreraient un minimum d'étonnement.

Réflexion faite, ce qui est grave, ce n'est pas que trois gars puissent se poster à un coin de rue pour hurler « Mort aux youpins ! », mais que leur cri puisse passer inaperçu, banal comme la cloche d'un tramway.

« Mais je vais m'arrêter là, ai-je entendu dire Mme Costinas (me tirant de ma lecture), et laisser la parole à notre invité. »

Alors M. Sebastian s'est mis à parler. De Brăila, la ville où il a vu le jour. « Connaissez-vous Brăila ? – Non », me suis-je entendue répondre tout haut, provoquant quelques rires dans la classe, et là de nouveau, non, non, tandis que je m'efforce de reconstituer la scène, attablée au bureau de Leny Caler. Non, je ne connaissais pas Brăila, et jamais je ne la connaîtrai, ai-je songé, le cœur brusquement douloureux, car j'avais supplié Mihail de m'y emmener et qu'il n'en a pas trouvé le temps avant d'être tué. « Brăila est un port sur le Danube, en amont de l'estuaire, a-t-il poursuivi, comme si à notre âge nous ne connaissions pas la géographie de notre propre pays. Mon grand-père paternel y était docker et je le revois, rentrant à la maison, blanchi de la tête aux pieds par la poussière des sacs de blé et de maïs qu'il avait charriés depuis le matin. »

Soudain, j'ai reconnu ses mots à propos de ce grand-père, ceux du livre exactement – « Il vivait dehors, vent debout, les pieds sur la pierre et la terre, scrutant l'horizon inondé des marais, parlant fort pour couvrir le grondement du fleuve, les sirènes des vapeurs, le vrombissement des élévateurs » – et une émotion confuse m'a saisie, comme si j'établissais seulement le lien entre ce petit homme, assis là, s'exprimant posément, et ce texte qui m'avait remuée jusqu'à la colère, jusqu'aux larmes parfois. Mais contre qui suis-je en colère ? m'étais-je demandé. Et sur qui est-ce que je pleure, au juste ?

Il s'est tu, et comme il baissait les yeux j'ai pu l'observer à loisir. Il n'a que vingt-sept ans, ai-je calculé, mais il en fait beaucoup plus, étranglé par sa cravate, serré dans ce costume sombre qui lui donne l'air d'un notaire. Il n'est pas beau – noiraud, poupin, le front bas, les cheveux huilés lissés en arrière… Se peut-il que les mots d'un tel homme m'aient touchée au point de me tirer des larmes ?

Puis il a évoqué ses origines maternelles, et il m'a semblé que, *malgré moi*, je l'écoutais. Une part de mon être le rejetait (après tout c'était un juif, ce n'était qu'un juif), mais une autre était intriguée, et il m'a traversé l'esprit que c'était peut-être cette déchirure intime, inexplicable, qui m'avait mise en colère en le lisant. Il émanait de lui une étonnante retenue – était-elle due à la tristesse de son regard, ou à sa voix qui par moments s'éteignait au point d'être inaudible ? Du côté de sa mère, donc, ils étaient arrivés à pied de Bucovine, fuyant le ghetto, et s'étaient arrêtés à Brăila on ne savait trop pourquoi, parce qu'ils n'en pouvaient plus de marcher peut-être. Du ghetto, ils avaient conservé l'habitude du silence, du recueillement et de la lecture des livres talmudiques sous le halo de la lampe. Son grand-père maternel était horloger-bijoutier, quand l'autre n'était que docker, n'est-ce pas, ce qui n'avait pas facilité les rapports entre les deux familles, les uns susceptibles et de santé fragile, les autres vigoureux, durs à la tâche, presque grossiers.

De ses deux grands-mères, il a gardé un fort souvenir, l'une « entièrement résignée dans la vieillesse, sans regrets, sans vanités tardives, toujours vêtue du même genre de robe noire fermée dans le dos avec des boutons ordinaires », l'autre « encore vive, orgueilleuse, portant des chapeaux de soie, de grandes boucles d'oreilles serties de diamants, un collier en or, des lunettes à monture d'or, un bracelet orné d'un rubis (tous ces joyaux, œuvres de son mari, ai-je besoin de vous le préciser, a glissé M. Sebastian, accompagnant son propos d'un imperceptible sourire) ».

« Pourquoi est-ce que je vous raconte tout cela ? a-t-il finalement observé. Eh bien parce que je tire du destin de mes grands-parents mon droit à vivre ici, en Roumanie, plutôt que n'importe où ailleurs dans le monde. » Il venait de parler fermement, avec une pointe de défi dans le regard, et il a semblé se demander s'il devait ajouter quelque chose, puis il s'est décidé : « Il ne se passe pas de jour sans que mes pensées me ramènent à Brăila, a-t-il énoncé plus bas, sur le ton de la confidence. Voyez-vous, si un jour Brăila devait m'être défendue, eh bien je crois que je me surprendrais à douter de ma propre existence, et sans doute perdrais-je pied. N'éprouvons-nous pas tous la nécessité d'être de quelque part ? »

Je me rappelle le silence qui a suivi cette déclaration. Mme Costinas elle-même en paraissait embarrassée.

Cependant, sans s'y arrêter plus que cela, Mihail Sebastian se mit à lire un passage de *Depuis deux mille ans*, de sa voix si étonnamment douce et tranquille :

> Qui plus que moi a eu besoin d'une patrie, d'une terre, d'un espace peuplé de plantes et d'animaux ? La part d'abstraction en moi a été corrigée, et en grande partie guérie, par un simple site danubien. Toute fièvre a été calmée, bridée. J'ignore comment j'aurais été si j'étais né ailleurs. Je sais seulement que j'aurais été un autre. Contre mon goût judaïque des catastrophes intimes, le fleuve a dressé l'exemple de sa royale indifférence. À mes complications intérieures, il a opposé la simplicité de ses paysages. À mes incertitudes, à mes angoisses, il a montré le jeu des flots, éphémère et éternel.

Il finissait de lire quand nous avons entendu les échos d'une bousculade dans le couloir. Je me rappelle m'être aussitôt tournée vers Mme Costinas (comme si notre professeur avait le pouvoir de tout expliquer), de sorte que c'est son beau visage, aux traits déformés par l'effroi, que je revois à l'instant où la porte s'est ouverte, comme sous l'effet d'une formidable bourrasque, et qu'une quinzaine d'étudiants armés de bâtons ont fait irruption dans notre salle en hurlant : « Dehors le youpin ! À mort les youtres et ceux qui les protègent ! »

Mme Costinas a tenté de s'interposer, de leur barrer le chemin, nous l'avons entendue crier :

« Sortez ! Je vous interdis ! Vous n'avez pas le droit ! », avant de la voir tournoyer sur elle-même, comme emportée par le courant furieux d'un torrent, puis disparaître. Je connaissais certains des garçons, des amis de Stefan que j'avais vus à la maison, ils ne me faisaient pas peur, et j'ai bondi au secours de notre professeur, me faufilant entre coudes et genoux. Dans le même instant, les premiers avaient atteint l'estrade, et tandis qu'agenouillée j'empêchais la troupe de piétiner Mme Costinas, je les ai vus arracher M. Sebastian du bureau et le précipiter au bas de l'estrade. Ils le tenaient à plusieurs par le col de sa chemise et les revers de son costume, les uns et les autres vociférant dans une inextricable cohue : « Sale youtre, cancrelat, sangsue, on va te passer l'envie de revenir ! »

— Aidez-moi, Eugenia. Ne les laissez pas faire ça, je vous en supplie.

Je le sais aujourd'hui, c'est à ce moment-là, entendant les mots d'Irina Costinas, observant son indignation, que quelque chose a brusquement cédé en moi, quelque chose de mon indifférence pour ces gens que nous appelions en famille les « youpins ». Comme si l'indignation de Mme Costinas, parce qu'elle était pour moi cette femme irréprochable et que je n'avais que dix-huit ans, m'ouvrait soudain les yeux sur une vérité, ou plutôt un mensonge appris dès la petite enfance, à savoir que les juifs étaient des êtres à part dont la vie n'avait pas le même prix que la nôtre. Sinon pourquoi, sachant que la mortalité infantile était bien plus élevée dans les petites maisons de Târgul Cucului que dans nos beaux quartiers de Jassy, aurions-nous continué à dormir sur nos deux oreilles ? Sinon pourquoi, passant devant un étudiant juif laissé en sang sur le trottoir, nous empressions-nous de regarder ailleurs ?

Il est inoubliable le moment où nos paupières se dessillent, où nous comprenons que nous nous sommes trompés, que nous avons été abusés. Je ne saurais pas décrire précisément le chemin qu'emprunte cette soudaine prise de conscience, mais nous avons alors le sentiment que tout s'illumine en nous brusquement, que le cœur et la raison s'enflamment ensemble d'un seul coup, et qu'une colère toute neuve nous habite, nous déborde, dont nous ne savons encore que faire.

Sans doute ai-je été portée par cette colère dans les heures et les jours qui ont suivi cet événement, mais aussi, et de façon plus impérieuse, par la volonté de ne pas décevoir Mme Costinas.

Ils avaient entraîné M. Sebastian à l'extérieur, l'opération n'avait pas duré plus de deux ou trois minutes, et maintenant un silence affreux s'était abattu sur la classe. Les étudiants semblaient abasourdis par le spectacle de notre professeure recroquevillée au sol dans un coin de la pièce tandis que sur l'estrade le bureau avait été renversé et que la chaise gisait à quelques pas. Deux ou trois filles se sont approchées timidement et nous avons aidé Mme Costinas à se relever.

Elle a pris le temps d'arranger ses cheveux, de vérifier sa tenue.

— Allons le chercher, a-t-elle dit dans un souffle. Accompagnez-moi si vous voulez.

Les étudiants n'étaient pas bien loin, au fond du couloir, sur le large palier de l'escalier, formant un groupe compact. On pouvait supposer qu'ils avaient coincé M. Sebastian contre le mur puisque certains continuaient d'éructer, de brandir leurs bâtons, mais on ne voyait rien de lui.

Elle s'est approchée dans sa robe de laine claire, sur ses talons hauts.

— Monsieur Sebastian est mon invité, je vous ordonne de le libérer.

Quelques têtes se sont tournées.

— Les youtres aux cochons ! a lancé un garçon.

— Si les cochons en veulent bien, a rétorqué un autre, déclenchant des éclats de rire.

Alors Mme Costinas s'est avancée, forçant le passage, moi juste dans ses pas. Les premiers se sont écartés, manifestement embarrassés – devaient-ils l'empêcher, la repousser ? Plus en avant, les meneurs eux-mêmes paraissaient pris de court – Irina Costinas est une artiste reconnue en Roumanie, pouvaient-ils la frapper comme ils avaient frappé quelques jours plus tôt un bibliothécaire qui tentait de protéger un étudiant juif ? Nous profitions d'un instant de flottement, et tandis que nous progressions, si près des garçons que je pouvais sentir leur souffle sur mes joues, j'ai croisé le regard de deux amis de Stefan et noté qu'ils m'avaient reconnue. Je me souviens d'avoir pensé que ces deux-là, au moins, n'oseraient rien, ne tenteraient rien. Ils connaissaient nos parents, je les avais vus rire avec mon père.

Mihail Sebastian se trouvait en effet contre le mur, il se tenait aussi droit qu'il le pouvait après les coups reçus et il observait ses agresseurs avec la réserve dont il avait fait preuve durant sa conférence, à la fois présent et ailleurs. Il saignait de la bouche et du cuir chevelu, sa chemise était tachée et une manche de son veston à demi-arrachée.

Mme Costinas a giflé du revers de la main l'étudiant qui le retenait encore, sans même lui jeter un regard, et l'imbécile a feint d'en rire.

Il y a eu cet échange entre elle et M. Sebastian.

— Je suis tellement désolée…

— Je vous en prie, évitons de nous apitoyer, cela ne ferait qu'ajouter à l'indécence de la situation.

Quelques étudiants ont gloussé.

— Partez, disparaissez, a-t-elle lancé à leur intention en accompagnant ses mots d'un geste circulaire du bras comme pour chasser des mouches.

— Tant qu'il restera un juif sur notre sol, nous lui ferons passer l'envie de nous sucer le sang, a prévenu le grand qu'elle avait souffleté.

— Vous êtes la honte de ce pays, lui a-t-elle rétorqué calmement, cherchant son regard cette fois.

Il y a eu un instant de lourd silence, nous avons vu le garçon dilater ses narines, gonfler la poitrine, se hausser, me donnant le sentiment qu'il cherchait une réplique à la hauteur de l'insulte.

— Madame, a-t-il finalement proclamé avec autant de solennité qu'il le pouvait, je peux vous assurer qu'un jour vous regretterez ce que vous venez de dire.

— Mon Dieu, a-t-elle soufflé, jusqu'où ironsnous dans la vulgarité ! Partez, disparaissez, vous me faites horreur.

Alors elle a pris d'autorité M. Sebastian sous le bras et ils ont commencé à descendre lentement l'escalier sans qu'aucun des garçons ne tente quoi que ce soit pour les retenir.

Puis, comme je les suivais, elle s'est retournée vers moi.

— Eugenia, soyez gentille, allez récupérer le pardessus et le cartable de monsieur Sebastian s'il vous plaît. Oh, et prenez aussi mes affaires, manteau et sac, n'est-ce pas ?

Un instant plus tard, je les ai rejoints dans le grand hall de l'université. Lui se tamponnait doucement les lèvres avec son mouchoir et le sang qui coulait de ses cheveux avait été nettoyé. Elle l'a aidé à passer son manteau, avant d'enfiler le sien, et tous les trois nous avons regagné la rue.

C'est là, sur le trottoir, à quelques pas de l'arrêt du tramway où se pressait une foule d'étudiants, qu'elle s'est soudain souvenue avoir laissé sa classe en plan.

— Mais où ai-je la tête, moi ! Je dois remonter prévenir vos camarades que la rencontre est terminée. Je peux vous confier un moment monsieur Sebastian, Eugenia ?

Elle nous a plantés là, et d'un seul coup je me suis sentie transie de timidité. Lui et moi n'avions pas encore échangé une parole, lui qui était juif et moi l'enfant d'une famille qui jamais n'aurait eu l'idée d'inviter un juif à sa table.

— Eh bien, a-t-il dit, me voilà sous votre protection.

Nos regards se sont croisés et j'ai pensé qu'il allait lire dans le mien toute la vérité sur la fille que j'étais encore quelques heures plus tôt. Je tremblais intérieurement, tandis que lui me souriait derrière son mouchoir.

— Je plaisantais, je peux très bien me débrouiller tout seul, n'ayez aucune crainte.

Comment pouvait-il dire une chose pareille alors que sans Mme Costinas... Il a dû deviner mon étonnement, car il a ajouté, sans rire cette fois-ci :

— Ils nous frapperont encore et encore, et puis quoi ? Ils finiront bien par se lasser, soyez-en certaine.

— C'est affreux, suis-je parvenue à articuler, heureuse de cette occasion qui m'était offerte de lui manifester ma compassion.

— Non, s'il vous plaît, prenons tout cela avec humour. Imaginez combien nous serions ridicules si nous protestions contre la pluie chaque fois qu'elle nous mouille. Eh bien, croyez-moi, ce qui s'est produit ce matin ne représente rien de plus qu'une averse.

À ce moment-là, une nouvelle vague d'étudiants a jailli de l'université dans un tohu-bohu d'interpellations et de rires, nous bousculant au passage, prenant d'assaut les deux tramways qui venaient de stopper et me dispensant de répondre à M. Sebastian. Il devait être midi, les cours ne reprendraient qu'à quatorze heures. C'était le moment de la journée que je préférais et s'il n'y avait pas eu cet événement qui venait de bouleverser ma vie et me liait désormais à notre professeur (et à cet homme qui m'était pourtant tellement étranger), j'aurais probablement déjeuné dehors avec quelques étudiants de ma classe avant de fumer une ou deux cigarettes. Le printemps était en avance cette année et si vous écoutiez les conversations dans la rue, les gens ne parlaient plus que de cela, du retour inespéré du soleil qui nous avait débarrassés en quelques heures des paquets de neige sale qui encombraient nos trottoirs depuis décembre.

— Allons-y ! a dit Mme Costinas, surgissant de la mêlée.

Elle a hélé un taxi, debout devant le tramway qu'elle empêchait de partir, se fichant complètement du machiniste qui agitait sa clochette, et un instant plus tard nous roulions vers une destination inconnue, tous les trois serrés à l'arrière de l'auto.

— Jamais je ne me pardonnerai de vous avoir attiré dans ce guet-apens, Mihail, a-t-elle dit gravement. Je suis tellement désolée...

— Ne soyez pas désolée. J'aurais été profondément attristé que vous renonciez par peur.

— Je ne pensais pas qu'ils oseraient. Tout le monde à l'université connaît mes convictions et jamais ces voyous ne m'avaient posé la moindre difficulté.

— Je vous encourage à continuer, et si vous voulez bien me réinviter...

— Certainement pas ! Oh, c'est insupportable, insupportable...

De façon tout à fait inattendue elle a étouffé un sanglot et j'ai vu qu'elle cherchait précipitamment un mouchoir dans son sac.

M. Sebastian a vu comme moi, bien entendu, mais il n'a rien tenté pour la réconforter.

— Je vais vous passer de quoi vous changer, a-t-elle repris après avoir séché ses larmes. Vous ne voulez pas rester deux ou trois jours à la maison pour vous reposer ?

— Merci, non. Je vais reprendre mon train comme prévu.

Nous allions donc chez elle, c'est ce que j'ai compris. Mme Costinas ne semblait pas trouver incongru que je les accompagne – à moins qu'elle m'ait complètement oubliée. Mon Dieu ! À cette seule pensée, j'ai senti que tout mon corps se couvrait de transpiration.

— Je vais peut-être descendre là, ai-je dit beaucoup trop fort, sans préambule, au comble de la confusion.

— Pardon ? Mais pourquoi voulez-vous descendre, Eugenia ? Non, s'il vous plaît, restez. Je vous appellerai un taxi pour le retour si vous voulez.

Et comme nous étions assises de part et d'autre de M. Sebastian, elle a tendu le bras pour me presser brièvement le poignet.

— Vous ne devinez pas combien votre présence m'a été précieuse. Je vous savais derrière moi, vous me donniez la force d'avancer.

J'ai dû rougir, et c'est à cet instant-là seulement que je me suis rappelé les autres filles. Deux ou trois s'étaient bien approchées pour aider Mme Costinas à se relever. Elles avaient dû nous suivre dans le couloir, mais jusqu'où ? À quel moment avaient-elles décidé de tourner les talons ? De fait, je m'étais retrouvée seule avec notre professeur. J'ai été tentée de lui dire que c'était à moi de la remercier, mais nous arrivions et déjà le chauffeur descendait pour nous ouvrir.

Elle habitait une de ces rues étroites et pentues, au-dessus de l'hôpital Saint-Spiridon, tout près de la petite maison de mon écrivain préféré, Ion Creangă, devant laquelle je venais parfois m'asseoir.

Je n'ai pas pu m'empêcher de le lui faire remarquer.

— Tout juste ! Il habitait à deux rues de là, m'a-t-elle confirmé, nous indiquant la direction. Vous aimez Creangă ?

— Beaucoup ! C'est lui qui m'a fait découvrir le plaisir des livres.

Tandis que des livres il n'y en avait guère que dans ma chambre – Creangă, Istrati et Eminescu occupant l'essentiel de mon étagère –, les murs du salon de Mme Costinas en étaient tapissés.

Elle nous a priés de nous asseoir, disant qu'elle allait commencer par chercher des vêtements présentables pour « Mihail ». Cela faisait deux fois qu'elle l'appelait par son prénom et quand elle est revenue avec deux ou trois chemises d'homme et une veste, je me suis enhardie à l'interroger.

— Au fait, madame, vous connaissiez monsieur Sebastian avant de l'inviter ?

— Mon frère..., a-t-il commencé.

— Son frère aîné était en faculté de médecine avec mon mari. Je connaissais peu Mihail – nous avions dû nous voir... quoi ? deux ou trois fois ? a-t-elle avancé en se tournant vers lui – mais nous étions très proches de Poldy avant qu'il ne parte pour la France.

— Vous avez donc un frère, ai-je dit pour ne pas rester stupidement muette.

— Deux, m'a-t-il corrigé tout se levant pour prendre la chemise que lui tendait Mme Costinas. Un plus âgé qui habite maintenant la France, Poldy, et un de dix années de moins que moi.

— Ilis n'est pas beaucoup plus grand que vous, ça devrait convenir, a dit Mme Costinas en l'entraînant vers une autre pièce. Prenez votre temps, faites-vous beau, et ensuite nous regarderons ce que nous pouvons faire pour vos blessures.

Puis elle a traversé la pièce dans l'autre sens pour entrer dans la cuisine.

— Venez, Eugenia, vous allez m'aider.

Comment aurais-je pu imaginer me retrouver un jour en train de préparer de la polenta et des beignets de viande à l'ail avec mon professeur de littérature ? Tout était allé très vite et cependant, maintenant qu'une porte s'était ouverte, j'aurais voulu courir encore plus vite vers la lumière. Elle irradiait de cette femme en laquelle j'avais immédiatement placé ma confiance. Il avait suffi des événements de la matinée, et de ces quelques mots – « Aidez-moi, Eugenia. Ne les laissez pas faire ça, je vous en supplie » – pour que mon petit monde vole en morceaux. L'indignation de Mme Costinas, en me révélant soudain l'horreur du « ça », avait éveillé en moi une conscience qui ne s'éteindrait plus, je le savais. D'ailleurs, je ne pouvais déjà plus penser aux miens, à mes parents, à mon frère Stefan, à notre vie familiale, sans éprouver un sentiment d'étouffement. Un instant, j'ai été tentée de tout dire à Mme Costinas, mais à l'idée qu'elle me juge, à la seule pensée de son regard, je n'en ai pas trouvé le courage.

Elle était en train de me raconter que son mari, Ilis, était bien meilleur cuisinier qu'elle quand M. Sebastian a reparu, parfaitement élégant de nouveau, bien que flottant un peu dans son nouveau veston.

— C'est parfait, Mihail. C'est parfait. Approchez-vous que je regarde votre cuir chevelu…

Elle a estimé qu'il n'y avait pas grand-chose à faire et lui, manifestement, ne souhaitait pas qu'elle s'étende sur le sujet.

Nous avons déjeuné dans la cuisine. J'ai demandé pourquoi Poldy était parti poursuivre en France ses études de médecine, et quand Irina Costinas s'est écriée : « Mais parce qu'il ne s'écoulait pas une semaine sans qu'il soit chassé des cours et battu ! », mon sang s'est figé. S'ils savaient, ai-je pensé, s'ils entendaient Stefan... et pour la première fois j'ai eu honte d'être la sœur de ce garçon.

— Il a fait le choix de partir, a remarqué doucement M. Sebastian.

— Vous, Mihail, ne l'avez jamais envisagé ? s'est enquise Mme Costinas.

— Jamais. J'aime la France, mais comme je le disais tout à l'heure je me sens trop incertain pour m'éloigner des lieux de mon enfance.

— Et en même temps si courageux ! a-t-elle repris. Il faut l'être pour oser publier aujourd'hui *Depuis deux mille ans*.

— Vous confondez la nécessité et le courage. Poldy est courageux, lui, il a pris le parti de tourner le dos à son pays pour gagner la liberté de vivre comme il l'entend. Moi, je n'ai pas cette force, j'ai besoin de la proximité du Danube pour garder les pieds sur terre. Je n'avais pas le choix, écrire ce livre, en espérant être compris.

— On pourrait inverser le raisonnement et dire que Poldy a fui sans combattre – ne le prenez pas mal, n'est-ce pas, ce n'est qu'une discussion et vous savez combien j'estime Poldy – tandis que vous, Mihail, avez choisi de résister de l'intérieur.

— On pourrait, oui, mais ce serait faux. L'exil est le choix royal, celui de celles et ceux qui ont suffisamment de force en eux-mêmes pour affronter le vaste monde, tandis que moi je tente de négocier petitement ma place ici, en Roumanie, avec des voyous dénués de cœur et d'âme, parce que je sais que l'exil me tuerait.

Mme Costinas a paru si touchée que pour toute réponse elle a brièvement posé sa main sur la sienne.

— Le mois prochain, a-t-elle repris après un silence qui devenait embarrassant, Ilis et moi devons aller à Bucarest, j'espère bien que vous nous réserverez une soirée, Mihail ?

— Ce sera un plaisir.

— Où habitez-vous maintenant ?

— En plein centre, rue Victoriei. À deux pas de la rédaction de *Cuvântul* dans lequel j'écris, mais vous le savez sans doute…

— Et vous n'allez pas cesser votre collaboration ?

— Pourquoi ça ?

— C'est tout de même le journal de Nae Ionescu qui vous a fait cette préface ignoble !

— La préface est en effet assassine, mais Nae demeure un homme dont l'intelligence me fascine. Notre amitié est pleine de tensions, c'est vrai, mais il en faudrait plus pour que je me décide à rompre.

Irina Costinas en est restée un instant froissée, elle aurait trouvé manifestement plus équitable que Mihail Sebastian se brouille à jamais avec ce Nae Ionescu.

Puis, comme si elle se rappelait soudain ma présence :

— Vous aimez Bucarest, Eugenia ?

— Je n'y suis allée qu'une fois, à douze ou treize ans.

— Ah bon.

Elle n'a pas réfléchi plus de quelques secondes.

— Si je vous demandais de nous accompagner, vous accepteriez ? Ne soyez pas gênée, je serais très fière de voyager avec une de mes étudiantes. Ce seront les vacances, vous ne raterez rien.

Elle l'avait proposé avec tellement de naturel et de gentillesse que je me suis entendue accepter, comme si ça ne représentait pas plus qu'une invitation à partager un gâteau chez Tufli, la délicieuse confiserie du Jockey Club.

— Eugenia, quel bonheur d'avoir pu faire votre connaissance ! a-t-elle conclu. Et maintenant la gare, votre train part dans une heure, Mihail.

— Ne bougez pas. Appelez-moi un taxi et ce sera parfait.

J'étais à la fois si excitée et émue d'être étroitement associée à ces personnes dont le destin était tellement plus ardent que le nôtre que j'ai offert à M. Sebastian de l'accompagner.

Lui m'a souri distraitement, tandis qu'Irina Costinas abondait.

— Bien sûr ! Allez-y ensemble.

Je me rappelle au mot près cette première conversation en tête à tête avec Mihail, au mois de mars 1935, dans l'auto qui nous conduisait à la gare.

— Je n'ai pas compris ce que vous m'expliquiez ce matin sur le trottoir, devant l'université. Cela vous est indifférent d'être battu ?

— Je préférerais ne pas l'être.

Il ne me regardait pas, il fixait la route, tenant son cartable et son chapeau sur ses genoux.

— Mais vous me disiez que ça ne représentait pour vous rien de plus qu'une averse. Vous ne trouvez pas cela révoltant ?

— La révolte... La révolte peut être utile dans certaines confrontations, mais dans le cas présent elle serait idiote. Elle m'isolerait dans ma condition – dans ma condition de juif, je veux dire (et là il s'était enfin tourné vers moi), au lieu de me permettre d'accéder à ce qui se joue dans la tête de ceux qui me frappent. La révolte, cela reviendrait à me draper dans la jouissance de l'injustice, dans le plaisir secret de souffrir, même s'il y a quelque chose d'étrange à associer ces deux mots, plaisir et souffrance. C'est pourquoi je préfère prendre la chose avec humour et, dans le même temps, essayer de saisir pourquoi des gens qui ne me connaissent pas, auxquels je n'ai causé aucun tort, veulent me voir disparaître.

De fait, il n'y avait aucune colère dans ses yeux. J'avais cherché ce que je pourrais bien dire pour lui signifier qu'en ce qui me concernait je ne voulais pas le voir disparaître, mais sachant maintenant combien l'agaçait tout ce qui touchait à l'émotion, je n'avais rien trouvé.

— Je vais vous répéter une chose que j'ai écrite dans *Depuis deux mille ans*, avait-il ajouté, et comme cela vous me comprendrez peut-être un peu mieux : « Je voudrais être antisémite pendant cinq minutes pour sentir en moi un ennemi à supprimer. » Quand j'observais leurs visages, ce matin, pendant qu'ils m'insultaient et que certains me frappaient, j'essayais de toutes mes forces de partager leur enthousiasme, d'adhérer à leur combat. De toutes mes forces, sachant que tant que je ne penserais pas comme eux, ne serait-ce qu'un instant, je ne trouverais pas les mots pour expliquer la haine qu'ils me vouent, et peut-être même la justifier.

Il s'était interrompu.

— Quoique je me sente parfois si mal en ma propre compagnie, avait-il ajouté plus bas, qu'il m'arrive d'être tout près de les comprendre. Non, pardonnez-moi, oubliez ce que je viens de dire, vous êtes bien trop jeune pour entendre de telles choses.

Nous arrivions.

— Conduisez mademoiselle où elle le souhaite, avait-il commandé au chauffeur en lui tendant un billet.

Et à moi :

— Au revoir, Eugenia, ce fut un plaisir.

3

Voilà deux semaines que je me suis mise à écrire. Chaque matin le soleil de juin inonde la pièce où je travaille, je devrais être tentée de sortir mais c'est comme si je ne voulais pas de ce printemps. J'entends les manifestations de joie qui montent de la rue, les gens n'en finissent pas de fêter la victoire, l'écrasement de l'Allemagne, mais c'est comme si je ne voulais pas non plus de la victoire.

Leny m'a dit hier soir, rentrant essoufflée et joyeuse d'une folle journée dans les rues de Bucarest, qu'ils envisageaient de reprendre *Jouons aux vacances*, la première pièce de Mihail, et qu'elle et ses amis du théâtre juif cherchaient une scène qui n'ait pas trop souffert des bombardements. Je n'ai pas osé lui demander quel personnage elle incarnerait. En 1938, elle avait été Corina, la femme inespérée dont rêvait Mihail dans la vraie vie et que l'on retrouvait dans toute son œuvre sous divers prénoms – Ann dans *L'Accident*, ou encore Mona dans *L'Étoile sans nom*. La femme inespérée et inaccessible, miraculeusement conquise le temps des vacances dans *Jouons aux vacances*, ou d'une seule nuit dans *L'Étoile sans nom*, et qui fatalement le quitterait. Leny Caler, rencontrée durant l'hiver 1935, juste avant l'affreux épisode de Jassy, avait été cette femme-là dans la vie de Mihail. Après quelques semaines seulement d'un amour incandescent (dont il écrivait dans son *Journal* à la date du 10 juin 1935 : « Me voilà amoureux, jaloux de tous les hommes avec lesquels elle a couché, me souciant à chaque instant de ce qu'elle fait, ou de ce qu'elle pourrait faire, heureux quand elle sourit, malheureux quand elle est trop gaie, tremblant quand j'entends sa voix au téléphone »), elle l'avait trompé et n'avait plus cessé de le martyriser. Il disait avoir écrit pour elle le rôle de Corina, et même s'il le niait ce sont encore les traits de sa chère Leny que je prêtais à Ann, l'amoureuse cruelle et volage de *L'Accident*, et à Mona, l'Étoile (filante) de sa pièce. Bon, mais quel personnage incarnerait-elle dans *Jouons aux vacances* ? Sept années s'étaient écoulées depuis la première, elle était maintenant trop âgée pour jouer une Corina d'à peine vingt-cinq ans.

Elle s'est affalée dans le fauteuil devant mon bureau (le sien en réalité) et sans même enlever son petit chapeau mauve s'est allumé une cigarette.

— C'est bien, non ?

— Qu'est-ce qui est bien, Leny ?

— Que Mihail soit de nouveau joué.

— Qu'est-ce que ça peut lui faire ? Il est mort.

— Comme si je ne le savais pas.

— Tu le sais, mais ça ne t'empêche pas de vivre, tandis que moi, si. Même respirer m'est devenu douloureux.

— Demain tu vas venir avec moi, ma petite chérie, les terrasses des cafés sont pleines de gens qui rient et s'embrassent, à tous les coins de rue, on croise des petits bals et des fanfares, c'est impossible de résister à la joie. Aujourd'hui, je me suis même laissé embrasser par un beau soldat soviétique, comme ça, sur le trottoir. Tiens, d'ailleurs ce sont ses cigarettes. Tu en veux une ?

Elle m'a lancé le paquet.

— Je t'envie d'être comme tu es, Leny, tellement préoccupée de toi-même que rien ne semble t'atteindre.

— Eugenia, si je m'étais laissé atteindre par toutes les horreurs de ces dernières années, je n'aurais fait que pleurer. Et pendant que tu pleures, la vie continue, tu sais, elle ne t'attend pas.

— Le chagrin ne se commande pas.

— Oh si ! Et toi, j'ai l'impression que tu t'y accroches. Qu'est-ce que tu écris, là, tous les jours, enfermée dans cette pièce, au lieu de venir rire avec nous ?

— Je m'accroche au chagrin, tu as raison, parce que ça m'est insupportable d'imaginer qu'on pourrait oublier ces années si étroitement associées pour moi au souvenir de Mihail. Oublier notre inhumanité, sous le prétexte que l'Histoire s'est brusquement retournée et qu'il est entendu qu'on ne recommencera plus jamais. On ne recommencera plus jamais à tuer les juifs parce qu'ils sont juifs, à tuer les Tsiganes parce qu'ils sont tsiganes etc. Je veux bien le croire, mais tout cela a eu lieu, sous nos yeux. Pas un jour je n'ai pleuré durant la guerre, enfin si, certains jours, et aujourd'hui, si je me laissais aller, je ne ferais plus que ça.

— Nous avons le devoir de vivre, ma chérie.

— Nous n'avons aucun devoir, vis comme tu l'entends et n'essaie pas de te justifier. Je t'envie, j'aimerais être comme toi, je viens de te le dire.

— C'est drôle, j'ai eu la même conversation avec Mihail le jour où nous avons appris la chute de Berlin. J'ai voulu l'entraîner dans la rue, on entendait les gens hurler, chanter, souffler dans des trompettes, taper sur des casseroles – « Viens Mihail, sortons, maintenant nous avons le devoir de vivre ! » Et il m'a répondu à peu près comme toi : « Je ne me sens aucun devoir, et surtout pas celui de vivre. Ferme la fenêtre, s'il te plaît, je n'ai pas envie d'entendre leurs cris. »

— Mihail avait trouvé dans la guerre une bonne raison de vivre : attendre qu'elle finisse en se demandant chaque matin s'il serait encore là le soir. La paix revenue, il s'est retrouvé face à lui-même, face à ce qu'il nommait son « impuissance ».

Un sourire est soudain venu illuminer le visage de Leny.

— Quel homme impossible il était ! Avec lui les choses les plus naturelles devenaient abyssales. Est-ce qu'il te faisait vraiment l'amour, Eugenia ? Je veux dire...

— Quelle question ! Je ne connais que toi pour oser demander une chose pareille.

— Oh, ne sois pas choquée, nous sommes devenues comme des sœurs avec les années, non ? Il m'est arrivé si souvent de vous découvrir au lit, et tu me laissais m'asseoir et nous bavardions tous les trois... Le contraire aussi est arrivé.

— Quoi, le contraire ? Une seule fois, Leny. Et je t'ai vraiment détestée ce jour-là. Je pensais que tu ne couchais plus avec lui. Non seulement j'étais jalouse, mais je savais qu'il rêvait de toi en me prenant dans ses bras.

— Tu n'as pas répondu à ma question. Avec moi, les premiers temps, c'était très bien. Enfin pas mal. Ensuite, plus jamais. Tu sais ce que j'ai fait un jour ? Il était assis là à mon bureau, comme toi ce soir, exactement. Je suis allée dans la cuisine comme si j'allais préparer du thé, c'était un après-midi, et dix minutes plus tard je suis revenue toute nue, perchée sur des talons aiguilles. Je pensais qu'il allait me sauter dessus, mais pas du tout. Il a allumé une cigarette et j'ai vu que ses mains tremblaient. On aurait dit que je lui faisais peur.

— Tu lui faisais peur, Leny. Il savait que tu couchais avec tous les hommes qui te plaisaient et ce jour-là il a dû deviner dans la seconde que beaucoup d'autres avant lui t'avaient vue perchée sur tes talons, comme une pute...

— Et alors ?

— Et alors son désir pour toi était associé à une souffrance qui lui glaçait le cœur. Comment aurait-il pu te faire l'amour dans ces conditions ? La chose ne t'avait jamais traversé l'esprit ?

— Je ne sais pas. Non. Et donc avec toi c'était facile ?

— Tu m'embêtes avec ça. Je me demande comment je me débrouille pour t'aimer, Leny. Quand je fais silencieusement l'inventaire de la femme que tu es, je m'aperçois que je n'aime ni ce que tu dis ni ce que tu fais. Et pourtant je t'aime. Tu es même la seule personne, avec mon petit frère Andrei, dont je ressente le besoin.

— Viens t'asseoir près de moi, ma chérie. Tu as l'air si triste et si fatiguée.

— Non, je n'ai pas envie. C'est drôle, je viens de penser que Mihail disait la même chose.

— La même chose à propos de quoi ?

— De toi, de ton physique. Il disait : « Il y a quelque chose de mystérieux en Leny, rien de ce qui la constitue ne retient le regard par une beauté particulière et cependant l'ensemble me bouleverse. »

— Il avait raison, je ne suis pas belle mais je plais aux hommes.

— Arrête de ramener toujours tes hommes. Nous parlons de Mihail, là. Tu plaisais à Mihail, voilà tout. Tu lui plaisais tellement, Leny ! Je me souviens du premier jour où je vous ai vus tous les deux au salon de thé de l'hôtel Capsa – sa fierté lorsqu'il t'a présentée ! « Mon amie, la comédienne Leny Caler. » Te prenant aussitôt par la main pour bien nous signifier que tu lui appartenais, que vous étiez amants.

Mme Costinas et moi nous étions promenées toute la matinée dans le quartier Lipscani où tous les petits marchands semblent s'être donné rendez-vous : modistes, ferblantiers, bottiers, fourreurs, barbiers, droguistes… Mme Costinas avait insisté pour m'offrir du parfum, puis nous avions déjeuné dans une guinguette au bord des eaux boueuses et malodorantes de la Dâmboviţa. Son mari était parti de son côté mais il avait promis de nous rejoindre au Capsa pour saluer Mihail. Nous étions à Bucarest depuis deux jours et dès le voyage en train j'avais bien compris que quelque chose n'allait pas entre elle et lui. Il s'efforçait de couper court aux conversations en se plongeant dans un livre dont il oubliait de tourner les pages (j'avais remarqué son manège), et si par hasard sa femme le pressait doucement de répondre, en lui caressant le genou par exemple, il prenait aussitôt l'air excédé pour maugréer quelques mots inaudibles. Je n'en revenais pas qu'on puisse traiter avec tant de désinvolture une femme de la qualité (et de la beauté) d'Irina Costinas.

— Ilis est soucieux en ce moment, m'avait-elle expliqué, ne le prenez pas mal, Eugenia, ce n'est évidemment pas contre vous.

Vers quinze heures, nous avions tranquillement remonté la rue Victoriei en direction de l'hôtel Capsa et, à un moment, comme nous attendions pour traverser, Mme Costinas avait passé son bras sous le mien. J'en avais été si touchée que je n'avais plus osé bouger.

— Vous ne pouvez pas savoir combien votre présence me réconforte, m'avait-elle glissé à l'oreille. Vous êtes une jeune fille merveilleuse.

— Vous le pensez vraiment ? avais-je trouvé la force de lui demander un instant plus tard.

— Quoi ? Qu'est-ce que je pense vraiment ?

— Ce que vous venez de me dire, que je suis une jeune fille merveilleuse ?

— Oh oui Eugenia ! D'honnêteté, de spontanéité... Je suis trop jeune pour être votre mère, mais j'imagine quel bonheur ce doit être.

Une fois encore j'avais rougi, priant silencieusement le Ciel pour que jamais Mme Costinas ne rencontre mes parents. Contrairement à ce qu'elle se figurait, ni ma mère ni mon père ne se réjouissaient désormais de m'avoir pour fille. Mon « honnêteté », ma prétendue « spontanéité », ils en avaient fait les frais au soir de la venue à l'université de Mihail Sebastian et, depuis, la vie à la maison était ponctuée de silences et de claquements de portes. Cette journée avait suffi pour faire de moi une personne différente de celle qu'ils avaient croisée le matin même au petit déjeuner. J'étais rentrée pour le dîner à la fois complètement exaltée par ma rencontre avec Mme Costinas et profondément révoltée par les violences auxquelles j'avais assisté, ma révolte toute neuve se nourrissant bien entendu de ma dévotion pour mon professeur, même si je n'en avais pas clairement conscience (ce n'était pas la première fois qu'un juif se faisait frapper sur mon chemin, mais c'était la première fois que je ne détournais pas le regard et me retrouvais à le défendre).

À la vue du sourire idiot que m'avait adressé Stefan à l'instant où nous nous mettions à table, j'avais aussitôt pris la mouche.

— Tu es pour quelque chose dans ce qui s'est passé dans ma classe aujourd'hui ?

— Que s'est-il donc passé dans ta classe, Jana ?

— Arrête avec ce sourire ! Contre monsieur Sebastian.

— Ah, le youpin… L'écrivain youpin… Est-ce que je ne t'avais pas prévenue ?

— Pardon ? Tu es en train de me dire que c'est toi qui as envoyé ces salauds…

— Jana ! avait protesté maman en tapant du plat de la main sur la table. Je te prie d'être polie !

— Maman, il est en train de m'avouer qu'il a envoyé ses amis saboter la rencontre organisée par madame Costinas et tu me demandes d'être polie ?

— Est-ce que je ne t'avais pas prévenue ? a répété Stefan.

— Mon Dieu ! avais-je hurlé en me levant. Je ne peux pas rester à table cinq minutes de plus en face de cette ordure !

— Jana ! avait tonné cette fois papa. Sois polie s'il te plaît et assieds-toi.

— Parce que toi et maman vous trouvez normal ce qu'a fait Stefan ! Ça ne vous choque pas !

— Stefan s'est engagé pour la survie du pays et il va au bout de ses idées – personnellement je trouve cela courageux, si tu veux mon avis.

— Ah bon ! C'est courageux d'envoyer quinze garçons armés de bâtons frapper un homme seul et désarmé ?

— Assieds-toi, s'il te plaît.

— Sûrement pas. Je ne dînerai sûrement pas en face de ce type.

— Écoute, Jana, avait repris calmement notre père, tu sais parfaitement qu'il y a un problème juif en Roumanie, toute la question est donc de savoir si on renonce à notre avenir ou si on décide de se battre. Je t'avoue que si Codreanu était né trente ans plus tôt, je l'aurais sans doute suivi – tout comme le fait ton frère aujourd'hui.

— Tu es au courant que Codreanu appelle à tuer les juifs, papa ?

— Ça, je ne le crois pas, non.

— Si, si, Jana a parfaitement raison, avait repris Stefan. C'est bien, Jana, je vois que tu as de bonnes lectures. « Procurons-nous des pistolets et tirons sur eux, donnant ainsi un terrifiant exemple dont se souviendra longtemps l'histoire roumaine. » Citation puisée à la meilleure source !

— C'est de Codreanu ? s'était enquis notre père, manifestement embarrassé.

— De Ion Mota, son second. Un de nos chefs les plus respectés.

— Quant à moi, je n'en demande pas tant, avait maugréé papa, piquant du nez dans son assiette. Les mettre dehors me suffirait largement. Qu'ils retournent d'où ils viennent, tout simplement. Qu'en penses-tu, Carmen ?

— J'aimerais que Jana s'asseye et qu'on puisse dîner normalement, avait rétorqué maman. Voilà ce que j'en pense.

— C'est ça, oui, dînons *normalement* et parlons *normalement* à la table d'un criminel.

J'avais croisé le regard d'Andrei et vu qu'il me souriait, comme illuminé.

— Pour la dernière fois, Jana, assieds-toi ! avait ordonné papa.

— Eh bien dînez *normalement*, avais-je poursuivi sans lui prêter attention, mais sans moi. Bon appétit !

Là-dessus, j'avais dévalé l'escalier et m'étais retrouvée dehors. La rue Lăpuşneanu était silencieuse à cette heure-ci, toutes ses boutiques fermées mais joliment éclairées. Je l'avais remontée jusqu'au Jockey Club, mon cœur cognant dans ma poitrine. Puis, trop bouleversée pour savoir ce que je faisais, j'avais emprunté le boulevard Carol en direction des hauteurs de Copou. Et c'est en arrivant devant l'université et en me remémorant Mme Costinas hélant un taxi que j'avais compris ce qui m'avait ramenée jusqu'ici : la revoir, tout lui raconter, et lire encore une fois dans son regard l'admiration et la reconnaissance que j'y avais lues lorsqu'elle m'avait glissé dans l'auto qui nous conduisait chez elle : « Je vous savais derrière moi, Eugenia, vous me donniez la force d'avancer. » En me pressant furtivement le poignet.

Oh oui, la revoir, être de nouveau dans sa lumière, loin des miens, voilà ce que j'aurais voulu. Mais je n'avais pas eu le courage d'aller sonner à sa porte et j'étais rentrée me coucher au milieu de la nuit.

Les jours suivants, et sans que mes parents n'osent plus rien me dire, j'avais dîné seule dans ma chambre, remplissant mon assiette à la cuisine avant qu'ils se mettent à table. J'avais vécu dans l'attente de ce voyage à Bucarest avec Mme Costinas et son mari.

En pénétrant dans le salon de thé de l'hôtel Capsa, c'est d'abord Leny qui avait attiré mon attention. Elle était déjà très connue, souvent à l'affiche du Théâtre national de Jassy où je l'avais vue jouer dans *La Cerisaie* de Tchekhov.

— Regardez, avais-je glissé à Mme Costinas, il y a Leny Caler là-bas !

— Mais oui, avec monsieur Sebastian.

Il s'était aussitôt levé en nous apercevant et j'avais noté combien il était fier de nous présenter Leny.

Puis, après quelques échanges polis autour du temps qui tournait à l'orage et de la nouvelle ligne aérienne Jassy-Bucarest qui permettait de gagner quatre heures sur le chemin de fer, la conversation était revenue à Nae Ionescu, le philosophe qui avait écrit cette préface « assassine » au roman de M. Sebastian. Il ne s'écoulait plus de jours sans qu'on parlât de lui, paraissait-il, car il s'était encore radicalisé pour devenir l'un des « penseurs » de la Garde de fer.

— Je suis allé hier à sa leçon, avait raconté Mihail Sebastian en baissant la voix comme s'il craignait qu'on l'entendît des autres tables, et c'était du pur Codreanu. « Ne peuvent exister que la conquête du pouvoir, sa confiscation et la confusion du parti avec l'ensemble de la collectivité... On appelle nation une collectivité qui renferme en elle-même l'idée de guerre. Une nation se définit par l'équation ami-ennemi. La démocratie détruit l'unité de la nation et la livre, affaiblie, à la puissance cosmopolite juive etc. » J'étais effondré.

Écoutant Mihail Sebastian, je songeais à la fameuse préface que j'avais enfin lue et dont la cruauté m'avait stupéfaite. « Judas souffre et *doit* souffrir – parce qu'il est Judas. Dès lors, le juif souffre. » Partant de cet axiome, Nae Ionescu en arrivait à écrire ces mots glaçants à son « ami » :

« Tu es malade, Iosif Hechter. Tu es malade parce que tu ne peux que souffrir et que ta souffrance est sans issue. Nous, les chrétiens, souffrons aussi, mais il existe une issue pour nous : la rédemption. Je le sais, toi tu espères, tu espères que celui que tu attends viendra un jour, le Messie sur son cheval blanc – et alors tu domineras le monde. Tu espères, c'est la seule chose qu'il te reste.

« Moi, je ne peux rien pour toi, parce que je sais que ce Messie-là ne viendra pas. Le Messie est déjà venu, Iosif Hechter, mais toi tu ne l'as pas reconnu. C'est tout ce qu'on te demandait en échange des innombrables bontés que Dieu a eues pour toi : veiller. Et tu n'as pas veillé. Ou bien tu n'as pas vu parce que l'orgueil avait déposé des écailles sur tes yeux. »

Stupéfaite par la cruauté de ce texte, oui, mais aussi par l'appel au meurtre de masse, à peine voilé, qu'il contenait :

« Chrétiens et juifs sont deux corps étrangers l'un à l'autre, qui ne peuvent pas fusionner en une synthèse, entre lesquels il ne peut y avoir de paix que... par la disparition de l'un des deux. »

Et pour conclure, cette phrase, que j'avais jugée terrifiante et qui me semble aujourd'hui affreusement prémonitoire :

« À présent, Iosif Hechter, ne sens-tu pas que le froid et les ténèbres te saisissent ? »

(Nae Ionescu, mort en 1940, aurait-il eu l'intuition du lugubre « Nacht und Nebel » des nazis ? me dis-je à l'instant, penchée sur mon travail.)

— Monsieur Sebastian, avais-je observé, profitant d'un silence, j'ai réfléchi à ce que vous m'expliquiez l'autre jour, à Jassy : votre désir de sentir en vous un ennemi à supprimer. Ne serait-ce que cinq minutes, disiez-vous. Jusqu'où allez-vous pousser l'expérience ?

Leny m'avait regardée avec surprise (c'était la première fois que j'ouvrais la bouche) et elle avait éclaté de rire.

— Mihail est insensé, n'est-ce pas ?

— J'avoue que je partage votre avis, avait abondé Irina Costinas, scrutant M. Sebastian qui se taisait.

— Eugenia, s'était-il finalement décidé (et je m'étais sentie confuse d'être ainsi la seule distinguée parmi les trois femmes), je suis bien conscient que mon ami Nae m'a déjà condamné. Mais en théorie, sur le papier. C'est une chose de prononcer une sentence de mort, c'en est une autre de l'exécuter. Vous me demandez jusqu'où je vais pousser l'expérience. Je me demande, moi, jusqu'où ils vont aller dans leur volonté d'extermination et si, un jour, l'Histoire leur donnera tort. C'est paradoxal pour un homme déjà condamné, mais j'aimerais malgré tout survivre pour connaître l'épilogue.

Je m'étais contentée d'acquiescer, espérant que mes deux voisines trouveraient que dire après ça, mais elles m'avaient paru paralysées l'une et l'autre. C'est Ilis qui nous avait sorties d'embarras, un Ilis rayonnant, pour la première fois depuis le début de notre séjour à Bucarest.

— Mihail, quel plaisir de vous voir ! Comment allez-vous ?

L'échange avait alors rapidement glissé sur Poldy, le frère aîné, qui avait ouvert un cabinet médical dans la région parisienne et ne comptait pas revenir en Roumanie. Sous l'influence de Codreanu et de ses légionnaires de la Garde de fer, notre pays regardait de plus en plus ostensiblement vers l'Allemagne, avait expliqué Mihail Sebastian, l'Allemagne qui s'apprêtait à prendre de nouvelles mesures raciales pour écarter les juifs de l'administration et leur interdire d'exercer la plupart des métiers intellectuels, dont la médecine. Si nous suivions notre voisin, chez nous non plus il n'y aurait bientôt plus aucun avenir pour les juifs.

— Et vous-même, pourrez-vous encore exercer votre profession ? s'était inquiété Ilis.

J'avais ainsi découvert que M. Sebastian était avocat, en plus d'être écrivain et chroniqueur dans différents journaux.

Ilis n'avait pas la délicatesse de sa femme, et comme il engageait M. Sebastian à rejoindre son frère en France, prétendant qu'à sa place c'est ce qu'il ferait, et pas plus tard qu'aujourd'hui, celui-ci lui avait aimablement répété ce qu'il nous avait dit un mois plus tôt :

— Mais vous n'êtes pas à ma place, cher ami. Bien que juif, je suis roumain, et je préfère survivre en Roumanie que vivre confortablement en France.

4

C'était un mois de janvier glacial à Bucarest et moi je courais à un rendez-vous avec une femme qui avait peut-être une chambre à me louer, quand je l'avais aperçu sortant d'un cinéma du boulevard Regina Elisabeta. Son pardessus sombre, son chapeau – aucun doute, c'était bien lui. Quelques jours plus tôt, comme le roi venait de nommer à la tête du gouvernement le professeur Cuza, bien connu à Jassy pour avoir mené la chasse aux juifs à l'université, Irina Costinas et moi nous étions demandé ce qu'il devenait. Deux années s'étaient écoulées depuis notre dernière rencontre, Irina avait espéré qu'il se soit décidé à rejoindre son frère en France – et soudain il se tenait là, sur le trottoir. Il avait allumé une cigarette. J'avais hésité à l'aborder, j'étais déjà en retard, mais alors, relevant le menton, il m'avait découverte, interdite, à trois pas de lui.

— Bonjour monsieur. Quelle heureuse surprise de vous rencontrer !

— Pardon ? À qui ai-je l'honneur ?

— Vous ne me reconnaissez pas ? Eugenia, Jassy...

— Oh, bien sûr ! Je suis confus. Comment allez-vous Eugenia ?

— Je suis malheureusement très pressée, je dois trouver rapidement un endroit où loger, mais si vous voulez...

— Alors je ne veux pas vous retarder.

Il avait ébauché un sourire, imperceptiblement soulevé son chapeau et pris la direction inverse de la mienne.

Tandis qu'il s'éloignait, toute ma conversation avec Irina m'était revenue. Désormais, avec l'arrivée de Cuza au gouvernement – l'homme qui avait lancé le slogan « La Roumanie aux Roumains » et désigné les juifs comme des « sangsues » –, on pouvait craindre le pire pour eux. « J'espère que Mihail est en France, avait-elle répété. Les malheureux vont devoir se terrer, raser les murs... Et regardez dans quelle incapacité nous sommes de les aider... Que pouvons-nous contre la puissance d'un État ? Rien. Presque rien. »

Elle avait employé cette expression épouvantable de « raser les murs ». Comme on le dit des rats. Et soudain il m'avait semblé que M. Sebastian, remontant lentement le boulevard Regina Elisabeta, rasait les murs, en effet.

Alors je m'étais mise à courir derrière lui, affolée à la pensée qu'il ait pu croire une seule seconde que parce qu'il était juif... Oh, mon Dieu ! Et m'apercevant seulement à ce moment-là que, en plus du reste, il claudiquait.

— Attendez, ne partez pas comme ça... Nous allons nous revoir, n'est-ce pas ? Vous ne voulez pas me donner votre adresse ?

— Mais si, naturellement.

Il avait sorti son portefeuille, en avait extrait sa carte et me l'avait tendue.

— Merci. Vous savez, nous parlons souvent de vous avec Irina.

— Eh bien…

— Vous boitez. Vous vous êtes blessé ?

— À ski, figurez-vous. J'étais à Braşov pour Noël et j'ai fait une mauvaise chute.

Il m'avait de nouveau souri, mais le regard complètement ailleurs.

— Je peux vous accompagner ?

— Si vous voulez.

Et un instant plus tard, comme si la mémoire lui revenait subitement :

— Vous n'aviez pas un rendez-vous ?

— Je ne vais pas y aller.

Nous avions marché silencieusement jusque chez lui, rue Victoriei, et arrivés devant la porte de son immeuble, comme il soulevait déjà son chapeau pour me saluer, je m'étais jetée à l'eau.

— Invitez-moi à prendre le thé. Vous voulez bien ?

— Je comptais travailler un peu.

— Je ne vous embêterai pas longtemps.

Il habitait au sixième étage, un grand studio que même la lumière terne de janvier parvenait à illuminer.

Une table de travail recouverte d'un chaos inextricable de livres et de journaux, d'autres livres posés en pile sur le plancher, et encore ici et là des revues, des journaux. Un unique fauteuil tournant le dos à la fenêtre et, dans le coin à droite, son lit défait, un cendrier plein de mégots sur la table de nuit.

— Je n'attendais personne, s'était-il excusé.

— Je vois ça.

— Donnez-moi votre manteau et prenez le fauteuil. Je reviens tout de suite.

Mais plutôt que de m'asseoir, j'avais commencé à ouvrir quelques livres. Tiens, il lisait Proust et Balzac en français, et le *Journal* de Jules Renard... Camil Petrescu, Max Blecher, Mircea Eliade... Puis, continuant de fureter, j'étais passée derrière sa table et là, au milieu des coupures de journaux, mon œil avait été attiré par un cahier d'écolier dont la page de gauche était couverte d'une écriture minuscule :

Jeudi 30 décembre 1937.

On retire aux journalistes juifs leur permis de transport en chemin de fer. On interdit aux juifs la profession de journaliste.

— Au fond, me dit Camil, tu dois bien avouer qu'il y avait de l'abus.

J'avoue. Comment ne pas avouer ! J'avoue tout ce qu'on veut.

Toute la journée à la maison, à lire *Sparkenbroke*, de Charles Morgan. Un livre tellement loin de l'heure présente ! À des millions de lieues !

Dimanche 2 janvier 1938.

Toujours à la maison, à cause de ma jambe qui ne guérit pas. Cela m'inquiète.

On m'a retiré mon permis de transport. Nos noms dans tous les journaux – comme des délinquants.

Le réveillon chez Leny. J'ai remarqué de nombreux détails à son propos, mais à quoi bon les noter ? En finir avec elle est une affaire de sérieux. À trente ans, je n'ai plus le droit de me conduire comme un gamin.

Je devrais écrire mon article pour *Revista Fundaţiilor*. Mais sera-t-il publié ? Je ne pense pas pouvoir garder ma place. Que m'apportera cette nouvelle année, commencée dans la dépression ?

Pas un coup de fil, de personne. Mircea, Nina, Marietta, Haig, Lilly, Camil – tous morts. Je les comprends si bien !

Quelle coïncidence, il lisait *Sparkenbroke*, comme mon petit frère Andrei qui m'en avait fait l'éloge la veille de mon départ pour Bucarest. Le mythe de Tristan et Iseult débarrassé du désir physique... Andrei était enthousiasmé, on pouvait donc s'aimer passionnément sans coucher ensemble, la splendeur des mots transcendant la trivialité de l'acte sexuel. Le roman était posé là, à côté du cahier, et j'étais occupée à le feuilleter quand M. Sebastian était reparu, les bras chargés d'un lourd plateau.

— Prenez le fauteuil, m'avait-il de nouveau recommandé, moi je vais m'asseoir sur le lit et, ma foi, le thé sera très bien par terre.

— Vous lisez Charles Morgan, comme mon petit frère.

— Un livre magnifique, oui, portant haut les vertus de l'amour platonique. Malheureusement pour moi je suis trop humain, trop stupidement humain pour atteindre à cette altitude.

— Pourquoi « malheureusement » ? Vous parlez comme mon frère que je soupçonne de n'avoir jamais approché une femme. Qu'y a-t-il de plus exaltant que le désir ?

— De plus avilissant, vous voulez dire.

— Oh non, je ne dirais sûrement pas une chose pareille ! Je ne trouve rien d'avilissant à guetter l'arrivée d'un amant.

Qu'est-ce que j'en savais ? Je n'avais connu que deux garçons et aucun n'avait été mon amant.

— Laissons cela. Venez donc vous asseoir et me raconter ce qui vous amène à Bucarest.

Je me trouvais encore debout, derrière sa table, et cet échange autour du roman de Charles Morgan n'avait été pour moi qu'un subterfuge pour dissimuler ma confusion d'avoir lu quelque chose que je n'aurais pas dû lire. Tandis que nous parlions, je tremblais intérieurement, balançant entre la tentation de ne rien dire et celle d'avouer, tout en sachant déjà que j'allais avouer car ne pas le faire m'aurait donné le sentiment de tromper cet homme, et même de le mépriser, moi aussi.

Écrivant cette scène, je cherche à me remémorer mes sentiments à l'égard de Mihail en cet après-midi de janvier 1938 où, pour la première fois, j'entrais chez lui. S'il n'avait pas déjà compté pour moi, la question de mon honnêteté à son égard se serait-elle posée ? Oui, même avec mon pire ennemi elle se serait posée, car c'était ma conscience qui me rappelait à l'ordre – comment me décharger d'une faute qui me salissait à mes propres yeux ? Cependant, je me souviens d'avoir été traversée par la pensée que, si je ne disais rien, ce secret affecterait à jamais notre relation. Comme si, déjà, je voulais qu'il m'élise – et pour cela être parfaitement loyale, que rien n'entache nos premiers pas. Qu'il m'élise *contre* Leny, bien entendu – ne venais-je pas de découvrir qu'il voulait la quitter ? – puisque contrairement à elle j'avais l'intuition que je saurais le sauver du sombre fatalisme dans lequel je le voyais s'enfoncer depuis notre première rencontre à Jassy. D'ailleurs, n'était-ce pas l'intuition que je saurais le sauver qui m'avait donné l'audace de forcer sa porte – « Invitez-moi à prendre le thé » ? Et ne lui avais-je pas déjà tendu la main, plus ou moins consciemment, en exaltant la beauté du désir, moi qui n'avais jamais couché avec aucun homme ?

— Tenez, votre thé.

Il me proposait une tasse, et moi j'étais toujours là-bas, debout.

— Attendez, je dois d'abord vous dire quelque chose. Tout à l'heure, pendant que vous étiez à la cuisine, j'ai lu ce qui était écrit dans ce cahier, là. Je le regrette, je n'aurais pas dû. Accepterez-vous de me pardonner ?

— Qu'est-ce que vous avez lu, Eugenia, je ne comprends pas...

Il avait posé la tasse, s'était levé et m'avait rejointe.

— Ah, mon journal... Vous avez lu mon journal... Je ne pensais pas l'avoir laissé traîner.

— Seulement cette page, monsieur.

Il avait relevé la tête et m'avait regardée de tout près, comme incrédule.

— Je me doute bien que vous n'avez pas eu le temps de tout lire !

Et là, d'un seul coup, il avait été secoué d'un rire bref.

— Ça n'a aucune importance, voyons, si ce n'est l'ennui que vous avez dû en éprouver... Bon, venez vous asseoir maintenant. Et puis cessez de m'appeler monsieur, je ne suis tout de même pas si vieux.

Une fois assis l'un en face de l'autre, il y avait eu un long silence – lui remuait son thé, le visage fermé.

— Comment pouvez-vous croire que je me suis ennuyée...

— Pardon ?

— À lire votre journal. Comment pouvez-vous croire que je me suis ennuyée ?

— Il m'arrive d'en relire des passages, tout n'est pas mauvais, mais parfois j'en ressors accablé.

— Moi, je suis effrayée du peu que j'ai lu. Je n'aimerais pas que vous me confondiez avec tous ces gens qui ont cessé de vous téléphoner parce que votre nom a été publié dans les journaux.

Il m'avait souri. Un instant ses traits s'étaient détendus.

— Merci, Eugenia. Merci.

— J'ai honte de ce qui se passe dans notre pays.

— Je partage votre honte.

Il s'était levé pour retourner vers sa table et j'avais pu l'observer tout à loisir fouillant parmi les documents qui s'y entassaient. Il était à peine plus grand que moi, menu, étroit d'épaules, de fines attaches, des gestes empreints de délicatesse, et cependant il émanait de sa personne quelque chose d'irréductible. Son visage reflétait le combat qu'avaient dû se livrer en lui la grâce et la nécessité – le regard était demeuré tendre, voire enfantin, quand le front, les pommettes et la mâchoire semblaient s'être resserrés dans un réflexe de défense. Je m'étais souvenue de ses lèvres fendues par les coups, à Jassy, et j'avais noté qu'il avait une jolie bouche.

— Tenez, avait-il dit en revenant s'asseoir sur son coin de lit, écoutez cela, Eugenia, de mon ami Mircea Eliade dans le dernier numéro de *Buna Vestire* : « La nation roumaine peut-elle finir sa vie minée par la misère, la syphilis, envahie par les juifs, dépecée par les étrangers ? La révolution légionnaire a pour objectif suprême la rédemption de la nation, comme l'a dit notre “Capitaine”,

Corneliu Zelea Codreanu. Voilà pourquoi je crois au triomphe du mouvement légionnaire. » Et ceci encore, de mon autre ami Emil Cioran, dans son dernier livre : *Transfiguration de la Roumanie*. « Le juif n'est pas notre semblable, et quelle que soit l'intimité que nous nous autorisons avec lui, un abîme nous en sépare, qu'on le veuille ou non. C'est comme si les juifs provenaient d'une autre espèce de singes que la nôtre et avaient été initialement condamnés à une tragédie stérile, à des espoirs toujours inaccomplis. Humainement, nous ne pouvons nous rapprocher d'eux, parce que le juif est d'abord un juif, et seulement ensuite un homme. »

Comme il se taisait et cherchait un autre passage dans le livre de Cioran, je m'étais remémorée l'espèce de soulagement, et même d'apaisement que j'avais ressenti le jour où j'avais compris qu'un juif pouvait être également roumain. Qu'une qualité n'excluait pas l'autre. Grâce à Mme Costinas. On m'avait appris le contraire depuis la petite enfance, qu'un juif était un être à part, comme l'écrivait Cioran, sans attaches, vivant sur le dos des nations qui avaient eu la faiblesse de le laisser entrer. Je suppose que ma raison n'avait jamais admis complètement la chose puisque rien ne m'indiquait qu'un juif fût différent d'un Roumain (les deux avaient bien une tête, deux bras et deux jambes), car la « leçon » de Mme Costinas m'avait comme libérée d'un souci.

— Écoutez encore ceci, de Cioran, avait repris Mihail Sebastian : « Dans toutes les défaites nationales, les seuls qui ne perdent pas la tête, ce sont les juifs. La défaite de l'Allemagne dans la guerre a tant coûté aux Allemands que le désespoir les a jetés dans le vice et la décomposition. Pendant ce temps, les juifs accumulaient des fortunes et occupaient des positions de direction. Si vraiment ils sentaient plus profondément qu'ils ont le droit de participer à la vie d'une nation, ils n'accepteraient pas avec tant de cynisme les persécutions et l'exil. Ne se sentant nulle part chez eux, ils ignorent la tragédie de l'aliénation. Les juifs constituent le seul peuple qui ne se sente pas lié au paysage. Aucune partie du monde ne leur a modelé l'esprit ; c'est pourquoi ils sont les mêmes dans n'importe quel pays. »

Tout m'était alors revenu de l'attachement de Sebastian à Brăila, sa ville natale, au bord du Danube.

— Si Cioran est votre ami, pourquoi ne lui avez-vous pas expliqué la place que tiennent Brăila et le Danube dans votre vie ?

— Cioran n'a pas besoin de moi pour vérifier qu'il se trompe, il n'a qu'à aller se promener dans nos cimetières et compter les tombes des soldats juifs morts entre 1916 et 1918. Quand il s'est agi de faire la guerre à l'Allemagne, il ne s'est trouvé aucun Cioran pour écrire que les juifs ne se sentaient pas liés aux paysages de la Roumanie. Non, là il allait de soi que les juifs allaient mourir comme les autres. La haine que nous éveillons est irrationnelle mais indispensable à l'idéologie de la nation théorisée par Nae Ionescu pour ses amis légionnaires : une collectivité qui renferme en elle-même l'idée de guerre, une équation ami-ennemi. L'ami sera bientôt l'Allemagne d'Hitler, et l'ennemi le reste du monde. Et savez-vous quel sera le rôle dévolu au juif ? Celui du traître, celui de l'ennemi intérieur, puisque le juif, qui n'est lié à aucun paysage, n'est-ce pas, vendra bien entendu les richesses de la Roumanie à l'Anglais, au Français ou au Russe, selon le tour que prendra la guerre. Cioran l'écrit ici, écoutez bien : « Il est des moments historiques qui font fatalement du juif un traître. » Est-ce que ce n'est pas un appel au meurtre alors que l'on parle chaque jour de l'imminence d'un embrasement de l'Europe ?

Tout semblait annoncer une immense catastrophe, il n'avait pas tort, et cependant nous continuions d'échafauder des projets, de nous figurer un avenir. Les événements survenaient par vagues, chacune douchant un peu plus cruellement nos espoirs, mais aussitôt l'alerte passée nous reprenions confiance – après tout, les théâtres jouaient à guichets fermés, les trains et les tramways circulaient, l'écrivain français Paul Morand louait le raffinement de Bucarest dans un livre qui venait d'être traduit et que l'on s'arrachait, les restaurants ne désemplissaient pas et l'on pouvait ignorer les défilés légionnaires en changeant de trottoir. Avant l'arrivée de Cuza au gouvernement, il y avait eu les cérémonies pour la mort de Ion Mota, le lieutenant de Codreanu, l'homme qui avait écrit : « Procurons-nous des pistolets et tirons sur les juifs, donnant ainsi un terrifiant exemple dont se souviendra longtemps l'histoire roumaine. » Mota et un autre grand légionnaire, Vasile Marin, étaient partis se battre en Espagne aux côtés de Franco et tous les deux avaient été tués. Leurs obsèques, au milieu de l'hiver 1937, avaient donné lieu à de telles manifestations de recueillement et de dévotion à travers tout le pays qu'on avait craint un moment que la Garde de fer en profite pour renverser le roi et s'emparer du pouvoir. Carol II avait laissé faire, donnant une fois de plus le sentiment qu'il jouait la Garde de fer contre les partis traditionnels qui l'empêchaient de gouverner comme il l'aurait voulu. Pourtant, il n'ignorait rien du danger que représentait Codreanu dont les hommes étaient venus jusque sous les fenêtres du palais menacer de pendre sa maîtresse, la « youpine » Magda Lupescu, parce qu'elle était « une honte pour le pays ».

Mihail avait posé le livre de Cioran et maintenant il buvait son thé.

— Vous ne m'avez toujours pas dit ce qui me vaut le plaisir de notre rencontre.

— Oh, un séminaire que je vais suivre ici au deuxième semestre. Pour avoir toutes les chances de devenir professeur.

— Professeur ?

— De littérature.

— Avez-vous l'intention d'écrire, également ?

— Sûrement pas ! Je n'ai rien à dire.

— J'imagine que nous avons tous quelque chose à dire, non ?

— Écririez-vous si vous n'étiez pas juif dans ce pays qui vous menace ?

Il m'avait tendu son paquet de cigarettes et tous les deux en avions pris une. La première bouffée m'avait légèrement enivrée, j'avais senti que la tension accumulée se relâchait et je m'étais laissée aller à m'adosser.

— Je suppose que oui, avait-il rétorqué en me fixant derrière les volutes de fumée. J'envie les gens qui se trouvent en harmonie avec ce que la vie nous offre. Moi, je suis un mauvais vivant, j'ai besoin de m'accrocher aux souvenirs, à ce que la vie nous enlève, à ce que nous perdons irrémédiablement, pour me trouver des raisons d'exister.

Sans l'écriture qui m'enchaîne aux miens et m'enracine là même où ils ont vécu, je me demanderais chaque matin ce que je fais ici.

Il avait marqué un long silence, sans cesser de fumer et de me regarder.

— Et vous, Eugenia, quelle sorte de vivante êtes-vous ?

— Je suis facilement heureuse, je crois même que tout pourrait me satisfaire si je n'étais pas née au milieu de ces gens qui attisent la haine. Pourquoi sommes-nous sans cesse en train de nous entre-tuer ? Je suis née pendant la guerre, en 1917, mon père en est rentré vivant, par miracle, nous a-t-il souvent dit, et voilà que de nouveau on parle de guerre.

— Il y a quelque chose de dérisoire, dans ce contexte, à continuer d'écrire, n'est-ce pas ?

— Mais non, au contraire ! (Je m'étais redressée tel un ressort et avais écrasé ma cigarette.) Pourquoi dites-vous ça ? S'ils brûlent les livres, en Allemagne, c'est bien qu'il y a dans les livres une vérité qui leur est insupportable ! Qu'écrivez-vous en ce moment ?

— Si je vous le dis, vous allez sourire... En pleine montée de la terreur pour nous les juifs, j'écris une histoire d'amour. Enfin non, c'est encore pire, je tente de récrire une histoire d'amour.

— Pourquoi « récrire » ?

— Parce qu'on m'en a volé le manuscrit lors de mon dernier séjour à Paris. J'attendais un taxi devant la gare avec mes deux valises. Quand je me suis retourné, il n'y en avait plus qu'une. Celle où se trouvait le texte de *L'Accident* avait disparu.

— Mon Dieu !

— Oui. Pendant plusieurs jours j'ai espéré qu'on me le rapporterait. Dans la même valise se trouvait mon journal, le cahier qui précédait celui dans lequel vous avez lu ces quelques lignes tout à l'heure. En le feuilletant il aurait été facile de m'identifier et d'appeler mon éditeur parisien. Aujourd'hui encore, je continue de rêver qu'on sonne à ma porte et qu'un homme me tend mon manuscrit – cent onze pages, dans une chemise rouge. Durant tout mon séjour en France j'en suis resté hébété, incapable de penser à autre chose. J'étais comme un homme qu'on aurait amputé d'un bras, paralysé par la perte et impuissant à entreprendre quoi que ce soit. En rentrant à Bucarest, je n'arrivais toujours pas à y croire et à plusieurs reprises je me suis surpris à bondir de mon lit, au milieu de la nuit, persuadé qu'en ouvrant le tiroir de droite de ma table j'allais y découvrir la chemise rouge. C'était tellement insupportable cette absence ! Tellement douloureux ! Bon, et puis je me suis mis à le récrire, cherchant à recomposer les phrases perdues, à retomber sur mes enchaînements, guidé par la mémoire visuelle que j'ai conservée de certaines pages, tel paragraphe en haut de celle-ci, tel dialogue en ouverture de ce chapitre, etc.

Il s'était subitement interrompu.

— Je me suis mis à le récrire, mais pouvez-vous comprendre cela, Eugenia : convaincu que jamais je ne réussirai à égaler la perfection du premier jet. Comme si la perte de ce texte l'avait auréolé d'une qualité unique, à jamais disparue.

— Si c'est une histoire d'amour, pourquoi lui avez-vous donné ce titre, *L'Accident* ?

— Parce que Paul, qui souffre des infidélités de la femme qu'il aime, Ann, va être sauvé par Nora, rencontrée à la faveur d'un accident. C'est la première scène du livre : Nora tombe de la plateforme d'un tramway en voulant descendre avant l'arrêt. Or, parmi les quelques personnes qui passaient par là, se trouve Paul.

Ai-je entendu, cet après-midi-là, que Mihail évoquait les infidélités de Leny à travers celles d'Ann, l'héroïne de son roman ? Oui, dans mon souvenir, venant de lire qu'il voulait « en finir » avec Leny, le rapprochement entre les deux femmes a été immédiat.

Il écrivait donc un roman sur la perte de Leny, et voilà qu'il avait perdu ce roman. À présent, il avait auréolé ce texte disparu d'une telle lumière qu'il ne parviendrait jamais à l'égaler en le récrivant, il en était certain. Comment ne pas entendre que sans le vouloir il confondait dans un même désarroi la perte de son texte et celle de Leny ? Elle non plus, il ne parviendrait jamais à l'égaler à travers un autre amour. Dans l'instant même où il me parlait de Nora j'avais su qu'elle ne serait pas de taille à le distraire de Leny. Jamais l'homme qu'était Mihail, retenu à la terre de Brăila, à la vie des siens par la puissance du souvenir et de la mélancolie, ne se consolerait de la perte de Leny. Il allait tout tenter, au contraire, pour ne pas l'oublier, il allait faire d'elle une œuvre irremplaçable, comme il le faisait sous mes yeux du manuscrit qu'il lui avait consacré et qu'il avait évidemment perdu – sinon, comment aurait-il pu le placer si haut ?

— Est-ce que nous n'embellissons pas toujours l'objet perdu ? avais-je observé.

— Pourquoi me dites-vous ça ?

— Je me rappelle avec quelle nostalgie vous nous parliez de Brăila, du fleuve, des sirènes des vapeurs, de l'horizon inondé des marais, de la maison de votre grand-père…

— Alors que Brăila n'est qu'un pauvre port, brûlant et poussiéreux l'été, affreusement humide l'hiver et qu'aucun voyageur n'aurait l'idée de s'y arrêter. C'est cela que vous pensez, n'est-ce pas ?

— Je ne sais pas, je ne connais pas Brăila, mais chaque fois que je vous ai entendu évoquer cet endroit j'ai ressenti votre émotion.

Une pensée désagréable avait dû le traverser car il s'était brusquement assombri.

— Bon, je dois travailler maintenant.

— Pardonnez-moi d'être restée si longtemps.

Nous nous étions levés, il m'avait apporté mon manteau.

— Ce fut un plaisir, Eugenia.

— Je ne le crois pas, non. Je vous ai beaucoup fait parler de sujets pénibles et maintenant je vous laisse, plus triste encore qu'au moment où nous nous sommes rencontrés.

Il avait semblé surpris par ma déclaration.

— Mais non…

— Pourquoi n'irions-nous pas ensemble au cinéma, un soir, ou au théâtre ?

— Pourquoi pas ? Une rumeur prétend que l'on pourrait couper le téléphone aux juifs – qui en abusent, paraît-il, comme du reste. Mais pour le moment mon téléphone fonctionne et je vous ai donné ma carte. Appelez-moi si vous voulez. Au revoir, Eugenia.

5

J'avais hâte de trouver une chambre pour échapper au foyer universitaire où nous étions trois étudiantes dans la même pièce, et du matin au soir j'épluchais les petites annonces. Si la chambre n'était pas encore louée, je courais la visiter, mais jusqu'ici aucune ne m'avait emballée, soit qu'elles n'offrissent aucune intimité (à l'étage même des propriétaires), soit qu'elles fussent trop sombres, ou trop petites, ou trop chères.

Le début des cours avait été repoussé du fait du mécontentement des légionnaires que le roi avait refusé d'associer au nouveau gouvernement du professeur Cuza, bien qu'ils aient obtenu près de 16 % des voix aux élections législatives de décembre. Les légionnaires menaient la chasse aux professeurs qui ne leur plaisaient pas, les juifs en particulier, mais aussi ceux qu'ils soupçonnaient de sympathie pour le communisme, leur interdisant l'accès à l'université. Plus généralement, ils menaçaient de bloquer tout le pays si Carol II ne leur confiait pas le pouvoir. Les journaux rapportaient que le général Ion Antonescu, nouveau ministre de la Défense, avait approché secrètement

Codreanu, le « Capitaine », pour lui demander de calmer ses troupes. Antonescu aurait brandi la menace d'une violente riposte policière, faisant valoir que son collègue de l'Intérieur, Armand Călinescu, fidèle du roi, n'allait pas tolérer longtemps ces débordements.

On sentait le pays au bord de l'éclatement, tiraillé par des forces qui s'excluaient l'une l'autre, et cependant depuis quelques jours Bucarest se réveillait chaque matin sous un soleil d'hiver à peine voilé dont les scintillements, sur les capots des autos et les vitrines des magasins, donnaient à la ville un air de fête. En quête d'une chambre, je la parcourais à bord de nos vieux tramways, sur la plateforme le plus souvent par manque de places à l'intérieur, emmitouflée jusqu'aux yeux dans la grosse écharpe de laine que m'avait tricotée maman, et songeant invariablement à Nora, l'héroïne de M. Sebastian. Elle avait donc sauté en marche pour être plus vite chez elle, et en fait de gagner quelques minutes elle avait gagné Paul qui, je le sais aujourd'hui (puisque j'ai eu tout le loisir de lire et relire *L'Accident*), était en train de courir derrière sa chère Ann. L'accident allait bouleverser l'existence de Paul, mais aussi, bien sûr, celle de Nora. Ainsi la vie nous promenait-elle à sa guise – on suivait une direction, quand surgissait un événement parfaitement imprévisible qui nous emmenait dans une autre. N'était-ce pas ce qui m'était arrivé la semaine précédente quand j'étais tombée tout à fait par hasard sur M. Sebastian ? Oui, enfin non. Je gardais de cette rencontre le souvenir d'un moment d'une grande intensité, durant lequel j'avais dû mobiliser toutes mes forces pour paraître à la hauteur, quand lui ne devait déjà plus y penser. Je lui avais forcé la main pour monter chez lui et, deux heures plus tard, non seulement il ne m'avait pas retenue, mais il m'avait priée de le laisser travailler. S'il était Paul, je n'étais pas Nora.

Le lendemain, j'avais appelé Irina Costinas à Jassy. Il avait été entendu entre nous que je lui donnerais régulièrement de mes nouvelles – c'était elle qui m'avait conseillé d'ajouter ce séminaire à mes études, allant jusqu'à téléphoner à sa collègue de Bucarest pour me recommander. Pour le coup, ma rencontre avec Irina avait donné un tour inattendu à ma vie. Quelques semaines après ce dîner où j'avais insulté Stefan et quitté la table, Irina m'avait proposé de venir vivre un peu chez eux, le temps que les choses se calment à la maison. Notre voyage à Bucarest, intervenu entre-temps, nous avait beaucoup rapprochées. Puis, tandis que j'occupais leur chambre d'amis, elle et son mari s'étaient séparés, notre amitié s'en était trouvée renforcée, l'une réconfortant l'autre, et je n'étais plus jamais retournée vivre chez moi. Sans doute mes parents avaient-ils conscience de la profondeur du fossé qui s'était soudainement ouvert entre nous car jamais ils n'étaient revenus sur ce dîner ni ne m'avaient demandé de reprendre ma place dans la famille, de sorte que nous entretenions depuis une relation polie, parfois même joyeuse, mais toute empreinte de prudence pour ne pas rouvrir la plaie.

— Écoutez ça, Irina : hier, j'ai passé l'après-midi chez monsieur Sebastian !

— Oh, il est encore à Bucarest ! Comment va-t-il ?

— Je l'ai trouvé abattu par les événements, mais aussi très préoccupé par son travail. Saviez-vous qu'il a perdu le manuscrit du livre qu'il était en train d'écrire ?

— Non. Bien sûr que non. Je n'ai plus aucun contact avec lui, ni avec Poldy d'ailleurs. Si vous le revoyez, je vous en prie, dites-lui de partir, il se prépare ici des choses terribles contre les juifs.

— Il le sait. Je l'ai même entendu prononcer le mot de meurtre.

— Dites-lui de rejoindre son frère à Paris. J'ai vu que son nom avait été publié dans les journaux parmi ceux de cent vingt autres journalistes juifs désormais exclus de la profession. Il en va de même pour l'ordre des avocats qui a radié tous les avocats juifs, plus de mille cinq cents. Ils veulent affamer les juifs, se débarrasser d'eux d'une façon ou d'une autre, il faut à tout prix qu'il s'en aille.

— Je le lui dirai, mais je ne sais pas quand je vais le revoir.

— Puisque vous connaissez son adresse, mettez-lui un mot. Écrivez-lui que c'est moi qui le lui demande. Nous sommes très inquiets, Eugenia. Vous comprenez ? Vous m'entendez ?

— J'ai bien compris, je vous promets de lui écrire.

Lorsque Irina employait le « nous », je savais qu'elle parlait de ses amis communistes passés dans la clandestinité et qui étaient restés en lien avec leur chef historique, Ana Pauker, juive, communiste de la première heure, partie se réfugier à Moscou après sa libération des prisons roumaines. Depuis combien de temps Irina était-elle membre du Parti communiste ? Elle ne me l'avait pas dit, nous n'en parlions qu'à demi-mot, mais je l'admirais plus encore depuis que je savais.

Notre conversation téléphonique m'avait laissée confuse. Quelle fille étais-je donc, inconsciente et futile, pour me préoccuper d'emmener M. Sebastian au cinéma quand il courait un grand danger ? Je lui avais écrit le jour même une lettre très alarmiste que j'étais allée remettre à la concierge de son immeuble, lui glissant au passage l'adresse de mon foyer universitaire pour le cas où il souhaiterait des indications supplémentaires. Cela faisait bien maintenant une dizaine de jours et je n'avais pas eu de réponse.

Irina m'avait rappelée vers la fin de ce mois de janvier 1938 pour prendre de mes nouvelles. Les cours n'avaient toujours pas commencé – les légionnaires de la Garde de fer étaient partout dans Bucarest avec leurs affreuses chemises vertes et leurs matraques, faisant régner la terreur –, mais j'avais enfin trouvé une chambre indépendante au dernier étage d'un bel immeuble dont les fenêtres donnaient sur le parc Cişmigiu. Comme nous évoquions le sort de M. Sebastian, dont je n'avais toujours aucun signe, elle m'avait indiqué que plusieurs avocats juifs qui avaient tenté d'entrer au palais de justice, en dépit des nouvelles lois, avaient été si violemment battus que certains se trouvaient à l'hôpital entre la vie et la mort. Les journaux n'en avaient rien dit, l'information lui avait été rapportée par ses « amis ». « Eugenia, j'aimerais être certaine que Mihail Sebastian n'est plus à Bucarest. – Je vous promets de m'en assurer. »

Puisqu'il semblait se moquer de mon existence, je m'étais efforcée de ne plus penser à lui, mais à présent je le devais, pour Irina, et la mieux placée pour me renseigner sur sa situation était évidemment la concierge de son immeuble.

— Monsieur Sebastian ? Bien sûr qu'il est ici ! Peut-être plus pour longtemps, mais il est ici.

— Je vous avais donné une lettre pour lui…

— Oh, je me souviens très bien de vous. Je la lui ai remise avec son courrier.

— Et donc il s'apprête à partir ?

— Ça, je n'en sais rien. Il n'est pas homme à bavarder.

— Mais vous disiez à l'instant qu'il n'était peut-être plus ici pour longtemps…

— Parce qu'il n'a pas payé son terme ce mois-ci.

— Ah, pardon, je n'avais pas compris.

— Le propriétaire est encore passé hier et il n'est pas commode.

J'aurais dû monter frapper à sa porte, mais je m'étais enfuie. Comment prendre innocemment de ses nouvelles maintenant que je savais une chose que je n'aurais pas dû savoir ? Décidément, ma curiosité semblait vouée à contrarier notre relation. J'avais une partie de l'information – il habitait encore Bucarest, mais sans le sou, peut-être affamé déjà –, cependant je ne savais rien de la seule chose qui souciait Irina : quand allait-il quitter le pays ?

Je traversais le parc Cişmigiu dont seules les allées principales avaient été déneigées – plus un oiseau avec cette température, plus un enfant non plus à cette heure avancée de l'après-midi – et j'étais arrivée à quelques pas de mon immeuble quand une décision s'était imposée à moi : j'allais retourner rue Victoriei, guetter sa sortie sur le trottoir d'en face et feindre de tomber sur lui par hasard. Ainsi j'aurais rempli ma mission et pourrais m'endormir la conscience tranquille.

Seulement j'avais sous-estimé le froid et j'étais prête à repartir, grelottante et la goutte au nez dans l'encoignure d'un porche, quand il avait surgi – chapeau et pardessus.

— Monsieur Sebastian ! avais-je crié.

Pendant qu'il cherchait d'où provenait l'appel dans l'obscurité de la rue, j'avais traversé et m'étais plantée devant lui.

— C'est moi, Eugenia, quelle chance de vous rencontrer !

— Mon Dieu, c'est donc le Ciel qui vous envoie.

— Pourquoi dites-vous ça ?

— Parce que vous allez m'accompagner. Vous voulez bien ?

— Avec plaisir !

— Venez, nous sommes déjà très en retard.

Il avait passé son bras sous le mien et nous étions partis en direction du palais royal. À ce moment-là seulement j'avais remarqué qu'il portait un nœud papillon plutôt que son habituelle cravate.

— Mais où allons-nous ? Vous ne m'avez pas dit.

— Dîner chez Haig Acterian et Marietta Sadova.

— Marietta Sadova... la comédienne ?

— Oui. Elle est la femme d'Acterian, mais vous le savez, je suppose.

Non, je ne savais même pas quel homme de théâtre était Acterian (à ma grande honte, quand j'y songe aujourd'hui), mais Marietta était une star, aussi connue que Leny Caler.

— C'est impossible, je ne suis pas habillée pour un dîner.

— Aucune importance, vous êtes jeune, on pardonne tout à la jeunesse.

— Et en plus j'ai froid, je crois que je me suis enrhumée.

— Tenez ! Gardez-le.

Il m'avait tendu un mouchoir soigneusement plié et parfumé.

— Pourquoi m'emmenez-vous à ce dîner ?

— Parce que je ne me sens pas la force d'y aller seul et que le hasard vous a mise sur mon chemin.

— Et si vous ne m'aviez pas rencontrée ?

— Je vous ai rencontrée.

— Il y a plusieurs jours je vous ai écrit et vous ne m'avez pas répondu.

— Pardonnez-moi, je comptais le faire. Écoutez-moi bien, Eugenia : si je quittais la Roumanie et tout ce qui m'y retient, je n'écrirais plus. Et si je n'écris plus, qu'est-ce que je fais de mes jours ? Remerciez madame Costinas, mais dites-lui que je ne partirai pas.

Nous avions dépassé le palais de Carol II et l'Athénée Palace, juste en face, et maintenant nous tournions à gauche dans la rue du général Berthelot.

— C'est ici.

Je n'avais pas pu retenir une exclamation de surprise. Ils habitaient un hôtel particulier dont toutes les fenêtres étaient illuminées ce soir-là.

— Ne soyez pas intimidée, surtout, m'avait-il glissé à l'oreille comme nous nous avancions vers le perron, et dites-vous que je préfère votre compagnie à celle de la plupart des personnes présentes ici.

Une joyeuse rumeur avait salué notre arrivée, nous soufflant au visage des parfums mêlés d'alcool et de cigarettes américaines.

— Mihail, quel plaisir ! Nous commencions à nous inquiéter.

— Bonsoir mon vieux. Eugenia, je vous présente notre hôte, Haig Acterian. Haig, voici Eugenia, une amie très chère. Nous sommes tombés nez à nez dans la rue il y a dix minutes et je l'ai convaincue de m'accompagner.

— Mais tu as parfaitement bien fait, cher Mihail ! Parfaitement ! Bonsoir mademoiselle, ravi de faire votre connaissance.

— Donnez-moi donc votre manteau et votre écharpe que je vous débarrasse...

Celle qui avait parlé était Marietta Sadova dont la voix de stentor, beaucoup trop haut perchée, venait de faire taire celle de son mari. Elle avait confié nos affaires à un domestique en livrée et à présent nous étions pris dans un tourbillon d'exclamations, de baisers légers, de baisemains et d'éclats de rire dont il aurait sans doute fallu que j'identifie les auteurs, que je retienne prénoms et patronymes calmement déclinés par un Mihail Sebastian que toute cette agitation ne paraissait pas troubler. Avec le recul des années, je peux dire que se trouvaient autour de nous ce soir-là l'écrivain Camil Petrescu, Mircea Eliade et Nina Mares, sa femme, la comédienne Lilly Popovici, le metteur en scène Sică Alexandrescu, le prince Antoine Bibesco et son épouse, la princesse Élisabeth, l'auteur dramatique Nicuşor Constantinescu (dont le nom me disait vaguement quelque chose), Acterian et Marietta, et d'autres encore.

Aujourd'hui, je ne m'explique pas comment Leny, également présente à cette réception, ne vint pas nous saluer. Sans doute préféra-t-elle nous observer de loin tout à loisir. Ce ne fut qu'une fois les invités attablés, et tandis que je tentais de me familiariser avec tous ces nouveaux visages, que je la reconnus, assise à la droite de Sică Alexandrescu avec lequel elle semblait beaucoup s'amuser (je sus plus tard que leur liaison se termina ce soir-là, et en grande partie par ma faute).

De façon surprenante, et alors que Camil Petrescu n'en finissait pas d'évoquer son dernier succès littéraire, ce fut Nina, la femme de Mircea Eliade, qui plaça soudain Mihail au centre de la conversation en lui demandant où en était sa pièce de théâtre. Tiens, avais-je pensé, l'écoutant bafouiller maladroitement, on dirait qu'elle cherche à réparer une faute dont elle – ou son mari – se serait rendue coupable.

— Dans la situation actuelle, lui rétorqua aimablement Mihail, il ne me semble pas envisageable qu'elle puisse être jouée.

— Il pourrait y avoir des exceptions, pour quelques artistes du moins... Qu'en pensez-vous ?

Nina avait lancé ce « Qu'en pensez-vous ? » à la cantonade, fuyant le tête-à-tête avec Mihail, mais d'une voix si mal assurée qu'il s'en était suivi un silence embarrassé.

— J'ai dit à Mihail ce que j'en pensais, rétorqua sèchement Mircea, manifestement mal à l'aise.

— Et peut-on savoir ce que vous en pensez, cher Mircea ? s'enquit avec un délicieux sourire la princesse Bibesco.

— Mon ami Mircea pense qu'il est grand temps que je m'exile, répondit à sa place M. Sebastian.

Dans l'instant, je vis s'éteindre le sourire de la princesse tandis que Leny et Sică Alexandrescu, qui me faisaient face, se figèrent.

Mircea, objet de tous les regards, allait-il reprendre la parole pour s'expliquer ?

Non, en bonne hôtesse, ce fut Marietta Sadova qui rompit le silence alors qu'on desservait le potage et que des domestiques disposaient sur la table de lourds plateaux de gibier.

— Mihail, je serais la première à regretter ton départ, tu t'en doutes, commença-t-elle, de sa voix pleine d'emphase, mais nous devons admettre que nous sommes en pleine révolution, n'est-ce pas, et que si nous voulons que la révolution l'emporte il ne peut y avoir d'exception à la règle. Aujourd'hui que le mouvement est en marche, il faut aller jusqu'au bout et, quels que soient nos liens avec certains juifs, je le dis avec regret, débarrasser une fois pour toutes notre pays d'une population qui vit ici à nos dépens.

— Marietta, voyons, tu déraisonnes, intervint Haig, Mihail est notre ami et tu ne peux pas...

— Laisse-moi finir, s'il te plaît ! Mihail est notre ami, c'est entendu, je n'ai rien contre lui et il le sait – il y a quelques semaines encore il fut même question que je prenne le rôle principal dans sa pièce à la place de Leny. N'est-ce pas, Leny ? Je vois que tu acquiesces, merci ma chérie, merci. Mais doit-on supporter que notre pays croule sous le poids des juifs au prétexte que nous avons quelques illustres amis juifs ? Ils sont partout, ils tiennent le crédit, ils tiennent le pétrole, les forages, les mines, le chemin de fer, les compagnies maritimes et d'aviation, les hôtels, ils occupent tous les postes stratégiques, y compris le lit du roi avec cette putain de Magda Lupescu, pendant que notre reine légitime est en exil, la malheureuse – peut-on encore prétendre que nous sommes maîtres chez nous ? Sûrement pas ! Ils nous enlèvent littéralement le pain de la bouche quand nous autres, Roumains de sang, peinons à trouver de quoi survivre. Et il faudrait ne rien dire ? Et il faudrait continuer de se taire ? Continuer de supporter ça ? Non, non et non ! Zut à la fin, qu'ils s'en aillent, ça n'a que trop duré ! Qu'ils aillent en France, tiens ! Après tout, c'est monsieur Clemenceau qui nous a forcé la main en 1919 pour que nous les gardions chez nous. Eh bien moi je dis que nous les avons suffisamment gardés ! Nous les avons gardés vingt ans ! Est-ce que ce n'est pas assez ? Quel pays a fait autant que nous pour les juifs ? Les Allemands ? Les Polonais ? Pensez-vous, ils les mettent à la porte et c'est nous qui les récupérons, pauvres nigauds que nous sommes. Voilà la vérité, et je n'ai pas peur de la dire ! Alors non, chacun son tour de se faire manger la laine sur le dos par les juifs ! Chacun son tour ! Allez, ouste, puisque les Français nous donnent des leçons, eh bien tous les juifs en France et la Roumanie aux Roumains ! Nous n'allons pas agoniser plus longtemps pour les beaux yeux de ce monsieur Clemenceau qui, de surcroît, n'est plus de ce monde.

Sur la fin, elle avait perdu la mesure, éructant tout en ricanant péniblement, en proie à ce qui semblait bien être une crise d'hystérie. Quant à moi, j'avais senti monter la colère, revivant sans doute, à trois années d'intervalle, le mémorable dîner qui avait marqué ma rupture avec mon frère Stefan.

Tandis que le silence venait de retomber, je m'étais entendue soudain parler, mais malgré moi, comme si s'exprimaient tout haut les pensées qui me traversaient – je jure ici que je n'avais rien prémédité.

— Madame Sadova, savez-vous comment les habitants de Chişinău se sont débarrassés de leurs juifs en 1903 ?

— Pardon ? Que dites-vous ma petite ?

Elle était encore enfiévrée, roulant des yeux, toute à sa fureur.

— Les habitants de Chişinău, dans notre belle province de Bessarabie, savez-vous comment ils se sont débarrassés de leurs juifs en 1903 ? Vous ne savez pas ? Je vais vous le dire. Eux, comme vous aujourd'hui, prétendaient qu'ils mouraient de faim du fait des juifs. Eh bien ils ont trouvé un moyen beaucoup plus efficace que de les pousser à partir en les privant de tous leurs droits, en les affamant, comme nous le faisons aujourd'hui : ils les ont massacrés. Ils les ont tout simplement massacrés, madame Sadova. Je suis tombée récemment sur l'article du correspondant du *New York Times* qui se trouvait justement à Chişinău ce jour-là. Je regrette de ne pas avoir cet article sur moi car j'aurais pu vous le lire. Mais je vais vous le résumer : conduits par nos prêtres orthodoxes, au cri de « Tuons les juifs », les habitants de Chişinău ont fondu sur les juifs du ghetto qui, n'ayant pas été prévenus, n'avaient rien prévu pour se protéger. Le journaliste évoque « des scènes d'horreur indescriptibles », « des bébés littéralement déchiquetés par la foule » – j'ai retenu ses mots, je vous les livre fidèlement. Il écrit qu'au coucher du soleil « des piles de cadavres d'enfants, d'adultes et de vieillards jonchaient les rues ». Et voyez-vous, le résultat fut à la hauteur de l'entreprise puisque dès le lendemain, nous dit le journaliste, il n'y avait plus un juif à Chişinău. Ceux qui n'avaient pas été tués s'étaient enfuis.

Je tremblais en finissant, et aussi bien j'aurais pu me lever et partir, mais il se produisit alors un événement tout à fait inattendu : Leny Caler, qui ne m'avait donc ni saluée ni adressé la parole, se leva très tranquillement, fit le tour des convives qui tous semblaient abasourdis, et vint m'embrasser.

Antoine Bibesco, dont je ne connaissais pas encore le caractère fantasque, se mit alors à applaudir tout en éclatant d'un rire clair – « Magnifique ! Magnifique ! » –, de sorte que les deux initiatives, celle de Leny puis la sienne, eurent le don de faire retomber la tension.

— Eh bien voyez-vous, chère Marietta, reprit alors la princesse Bibesco dont le visage de nouveau s'était illuminé, moi j'aime passionnément les juifs et j'ose espérer qu'ils ne quitteront pas la Roumanie. Je les aime passionnément parce qu'ils éloignent l'horizon. Songez à ce que serait le monde sans eux : une mosaïque de petits peuples à l'esprit étriqué, retranchés derrière leurs frontières et s'adonnant cycliquement à la guerre pour quelques hectares supplémentaires. Les juifs se jouent des frontières, ils sont partout chez eux, là où ils arrivent ils entreprennent et si l'on ne veut plus d'eux ils s'en vont et recommencent ailleurs. Ce sont d'infatigables voyageurs, d'inépuisables bâtisseurs que rien n'effraie ni ne décourage – ni l'aridité de la terre ni la langue de leurs nouveaux voisins qu'ils assimilent en quelques mois. Oh oui, chère Marietta, je les aime passionnément parce qu'ils incarnent à mes yeux la diversité culturelle et l'immensité du monde quand partout nous nous heurtons à de petits patriotes à béret basque et chemise verte, brune ou noire, dont le grand rêve semble se résumer à nous faire marcher au pas au son de leurs sinistres fanfares.

Mircea Eliade, dont une photo était parue quelques jours plus tôt dans les journaux haranguant les « petits patriotes à béret basque et chemise verte » de Codreanu pâlit mais ne releva pas. Les Bibesco représentaient assurément ce cosmopolitisme tant décrié par les idéologues de la Garde de fer : lui successivement diplomate à Paris, Petrograd, Londres, Washington et, dernièrement, Madrid ; elle, née Asquith, fille de Lord Asquith, Premier ministre du Royaume-Uni, poétesse, auteure de théâtre et de romans, amie de tout ce que le vaste monde compte d'esprits libres, de Proust à Léon Blum.

— Mon cher Mihail, poursuivit Antoine Bibesco que la situation paraissait beaucoup amuser, j'espère malgré tout que ces contretemps ne vous empêchent pas d'écrire...

— Écrire est la seule chose qu'on ne m'ait pas encore défendue.

Il avait énoncé cela en souriant, égal à lui-même, et ce fut comme si la princesse Bibesco lui savait gré de son élégance.

— Eh bien moi je voudrais vous répéter, cher et précieux ami (elle tendit alors le bras pour venir effleurer du bout des doigts le poignet de M. Sebastian), combien nous serions heureux, Antoine et moi, de vous accueillir à Mogoşoaia pour le temps que vous voudrez. Ce serait un honneur pour nous de vous avoir. Le palais est vaste, vous y seriez parfaitement bien pour travailler.

Situé à une demi-heure seulement de la ville, le palais des Bibesco, somptueux édifice byzantin entouré d'un parc centenaire et surplombant un lac, était bien connu des Bucarestois pour ses réceptions où se croisaient toutes sortes d'artistes, de savants, de diplomates et de têtes couronnées.

Sur ces mots de la princesse, on quitta la table pour passer au salon où l'on put fumer et continuer de bavarder tout à notre aise en buvant un peu de liqueur.

Antoine Bibesco vint s'enquérir de qui j'étais exactement, et comme je ne parvenais pas à le lui dire, m'embrouillant pitoyablement dans ma propre biographie, il conclut notre échange par un compliment qui me fit rougir : « En tout cas bravo, vous avez été très courageuse. »

J'avais bien remarqué que Leny me tournait autour, et aussitôt le prince envolé elle prit sa place. « Redites-moi votre prénom. – Eugenia, madame. » Elle aussi était curieuse de savoir d'où je sortais, et surtout depuis quand est-ce que je connaissais M. Sebastian.

— En somme, c'est une amitié très récente, conclut-elle de mes explications.

— Enfin, une amitié, je ne sais pas... J'ai une immense estime pour monsieur Sebastian, mais je ne crois pas beaucoup compter à ses yeux.

— Pourquoi dites-vous ça ? Il est bien arrivé avec vous !

— Le hasard l'a voulu, rien d'autre que le hasard.

— En tout cas, vous formiez un joli couple, c'est ce que j'ai pensé quand je vous ai vus entrer.

— Oh...

— Vous rougissez ! Quel âge avez-vous, Eugenia ?

— Vingt et un ans, madame.

— Je vous autorise à m'appeler Leny... Eh bien non seulement vous êtes courageuse, mais véritablement adorable.

Comment Leny se débrouilla-t-elle pour se retrouver au bras de Mihail Sebastian quand, un peu plus tard, nous fûmes sur le trottoir après avoir chaleureusement embrassé Marietta et Haig ? Elle devait m'avouer bien plus tard que, me voyant avec Mihail, elle avait été reprise d'un irrépressible désir pour lui et avait plaqué le soir même le malheureux Sică Alexandrescu. Comme nous partions tous les trois, je compris qu'ils allaient passer la nuit ensemble, mais on aurait dit Leny soucieuse de ne pas me blesser, et même de me garder une place dans le cœur de son amant. Elle lui dit combien elle me trouvait intéressante et jolie, et c'est elle qui insista pour qu'ils me raccompagnent jusqu'à la porte de mon immeuble.

6

Codreanu arrêté ! Codreanu condamné à dix années de travaux forcés ! Qui aurait pu imaginer un tel rebondissement six mois plut tôt alors qu'on disait le « Capitaine » sur le point d'être nommé Premier ministre ?

Cette fois le roi était bien décidé à rétablir l'ordre, prétendaient les journaux légitimistes, et, de fait, jamais la Roumanie n'avait traversé de tels bouleversements en un si court laps de temps.

Après quelques semaines seulement au pouvoir, le gouvernement Cuza avait été congédié et le professeur renvoyé à ses chers étudiants de Jassy. Irina et moi nous en étions réjouies, nous figurant que le roi n'était pas favorable aux dernières mesures contre les juifs, d'autant plus qu'en provoquant une fuite massive des capitaux elles avaient entraîné un début de crise économique.

Mais contrairement à ce que nous espérions, Carol II n'avait pas fait appel aux démocrates pour succéder à l'équipe de Cuza : le 10 février de cette année 1938, décidément imprévisible, il avait résolu d'en finir avec les partis traditionnels, accusés d'avoir précipité le pays dans l'anarchie, et d'instaurer une monarchie autoritaire. Tous les partis politiques allaient être dissous au profit d'un parti unique au service du roi qui désormais n'allait plus seulement régner, mais bel et bien gouverner, entouré de ministres qui n'auraient à rendre compte qu'à sa seule personne. Une dictature royale, en quelque sorte.

Comme beaucoup de Bucarestois, c'est à partir de ce mois de février que je pris l'habitude d'aller me planter devant les grilles du palais royal pour en savoir un peu plus sur ce qui se tramait. Censurés, voire fermés par décret, les journaux ne se risquaient plus à critiquer le souverain et sa camarilla, et l'on en apprenait plus en observant le ballet des limousines dans la cour d'honneur, et en échangeant les dernières rumeurs avec la foule qui se pressait là tous les jours en fin d'après-midi, qu'en lisant la presse.

C'est ainsi que je sus, bien avant que les journaux l'annoncent, que le nouveau Premier ministre du roi allait être le patriarche de l'Église orthodoxe roumaine, Miron Cristea, un vieillard de plus de soixante-dix ans qui avait déclaré quelque temps plus tôt à propos des juifs : « Pour quelle raison ne nous débarrasserions-nous pas de ces parasites qui sucent le sang du Roumain chrétien ? Il est logique et sain de prendre des mesures contre eux. »

Si Cristea souhaitait se débarrasser des juifs, ça n'était pas la priorité du roi qui entendait, lui, se débarrasser d'abord de Codreanu et de sa Garde de fer, ce pourquoi il avait maintenu au gouvernement l'inflexible et loyal Armand Călinescu. Ainsi le nouveau gouvernement adressait-il au peuple roumain un message paradoxal : les mesures contre les juifs étaient toutes maintenues, mais les légionnaires qui les avaient inspirées désormais interdits.

Je me trouvais une nouvelle fois devant les grilles du palais, parmi la foule, un soir d'avril, lorsque la rumeur de l'arrestation de Codreanu se répandit. Cela paraissait impensable : Codreanu en prison, ses « chemises vertes » allaient mettre le pays à feu et à sang, et les premières victimes risquaient bien d'être juives. Comme je m'attardais, n'en croyant pas mes oreilles tout en constatant que des camions de l'armée et de la police affluaient sur la place, j'aperçus devant moi un chapeau que je crus reconnaître. Je me faufilai jusqu'à sa hauteur, me tournai discrètement : c'était lui.

— Monsieur Sebastian !

— Oh, un visage ami ! C'est devenu si rare par les temps qui courent... Comment allez-vous Eugenia ?

— Venez, ne restons pas là, vous avez entendu pour Codreanu ? Je crois qu'ils sont en train de boucler la place.

Entre-temps, la foule avait commencé à refluer vers le bas de la rue Victoriei et, comprenant que nous ne pourrions plus nous échapper par là, je l'avais entraîné dans la direction opposée. Nous avions pu contourner le palais par le haut, échappant de justesse aux militaires qui prenaient déjà position et, quelques instants plus tard, nous marchions tranquillement autour des étangs du parc Cişmigiu. Le printemps était enfin là et des couples s'attardaient aux terrasses des kiosques sous des lanternes qu'on avait suspendues aux arbres. Le contraste était étonnant entre l'agitation qui avait brusquement enflammé le périmètre du palais et la paix qui régnait ici.

— Le printemps, l'insupportable printemps...

— Pourquoi dites-vous ça ? Le printemps nous montre combien la vie pourrait être joyeuse, et tellement plus généreuse, si les hommes n'étaient pas si bêtes.

— Oui, plus qu'aucune autre saison le printemps nous met le nez dans notre misère. Parmi toutes les créatures, je n'en connais d'ailleurs qu'une seule pour oser crier « À mort ! » quand les bourgeons sont en fleurs – l'homme, évidemment. Vous noterez, n'est-ce pas, que toutes les autres espèces en profitent pour s'aimer et procréer. Quant à moi, le printemps me met le nez dans mon impuissance. Songez, Eugenia, que depuis notre dernière rencontre je n'ai pas dû écrire plus d'une vingtaine de pages...

— De votre roman, de *L'Accident* ?

— De *L'Accident*, oui. Je ne me remets pas d'avoir perdu ce manuscrit, et maintenant je traîne ce texte comme un boulet. Je n'entends plus mes personnages, je ne les vois plus, m'approcher chaque matin de ma table est un calvaire. Je me surprends même à trembler certains jours, imaginez-vous ça ? Alors qu'il était là, si vivant, avant qu'on me le vole. Si vivant...

Il se parlait à lui-même, il n'attendait rien de moi et je m'étais tue.

— L'autre soir, reprit-il, je suis allé avec une amie écouter George Enescu à l'Athénée. Comme le public, debout, lui demandait de rejouer *La Fontaine d'Aréthuse* qu'il venait d'interpréter magnifiquement, mon amie m'a soufflé à l'oreille : « Seriez-vous capable, Mihail, de répéter une chose dans laquelle vous avez mis une première fois toute votre âme, tout votre talent ? – Non !

Définitivement non ! », lui ai-je répondu, avant de comprendre que c'est pourtant ce que je tente de faire depuis plusieurs mois avec *L'Accident*. Sans y parvenir, naturellement.

— Ne le prenez pas mal, juste comme une réflexion qui me vient à l'instant : je me demande si ce n'est pas le poids du souvenir qui vous rend impuissant. Si vous décidiez d'oublier ce manuscrit volé et d'écrire le livre à votre guise, est-ce que vous ne retrouveriez pas le désir et le plaisir que vous sentiez si vivants en vous ?

Il n'avait pas répondu, mais après un moment avait glissé son bras sous le mien.

— Leny n'a pas tort, vous êtes une jeune personne intelligente et pleine de tact.

— Prenons un verre avant qu'ils ferment le parc, vous voulez bien ?

Nous avions commandé deux verres de blanc de Copou, ce vin sec et parfumé que produisait mon père, et allumé une cigarette.

— Leny Caler semble vous être très attachée, n'est-ce pas ?

— Leny est imprévisible, Eugenia. Un jour elle vous aime passionnément, mais le lendemain elle en aime un autre tout autant. Voyez-vous, il est bientôt vingt heures, et c'est à cette heure que je peux enfin respirer car je sais qu'elle est dans sa loge, occupée à se préparer pour entrer en scène, et non dans les bras d'un homme. Je devrais me résoudre à l'oublier, elle aussi, j'en prends régulièrement la décision, mais si par malchance je la croise quelque part je renonce aussitôt à toutes mes bonnes résolutions.

Nous avions échangé un regard et, pour la première fois, l'idée m'avait traversée que je saurais bien mieux aimer cet homme que la grande et belle Leny, aussi éblouissante fût-elle. Était-ce à dire que j'étais amoureuse ? Oui, sans doute, mais je n'en avais qu'une conscience confuse. Je découvrais mon désir d'aimer, de réconforter, de consoler. Si seulement on m'en donnait l'opportunité, je saurais combler un homme en dépit de mon jeune âge – voilà ce que je pensais, observant celui-ci fumer, le visage douloureux.

— Vous êtes très beau, comme cela, monsieur Sebastian, dans le crépuscule, avec votre chapeau et votre cigarette. Vous me faites penser à Humphrey Bogart.

Il m'avait souri, et il s'apprêtait à parler quand des coups de feu avaient éclaté dans la nuit, aussitôt suivis d'explosions puis du hurlement habituel des sirènes. Les dernières personnes qui se promenaient s'étaient mises à courir et nous les avions suivies après avoir vidé nos verres et payé. Comme nous sortions du parc, nous avions pu voir que la police était partout, fermant certaines rues, contrôlant les gens qui fuyaient ici et là.

— Allons chez moi, c'est tout près, avais-je proposé.

Tant d'années après, je me rappelle la satisfaction que j'avais ressentie à être celle qui allait le protéger. Et d'ailleurs, surmontant ma timidité, j'avais pris Mihail par la main pour l'entraîner jusqu'à mon immeuble, deux ou trois rues plus loin.

Il avait aimé ma chambre, tout de suite il me l'avait dit, sans deviner à quel point cela me touchait. Je le revois au milieu de la pièce, son chapeau à la main, allant se pencher discrètement sur mon bureau où reposaient mes stylos et mes cours sous la lampe de travail, puis levant les yeux sur l'étagère de mes livres, puis se tournant pour embrasser l'ensemble : le coin du lit avec le halo orangé de la lumière de chevet ; celui de la musique où deux vieux fauteuils de cuir, sous un lampadaire rococo, entouraient mon phono ; enfin, entre les fenêtres mansardées, sur une petite desserte de verre, ma collection de flacons d'alcool et de parfum dont les éclats ambrés flamboyaient.

— Comme c'est charmant, chez vous, Eugenia...

— Je suis contente que ça vous plaise. Vous savez, je n'ai pas d'argent, alors j'ai tout acheté chez le brocanteur de la rue Lipscani, il est venu jusqu'ici avec sa charrette et nous avons monté les affaires ensemble. Vous le connaissez, cet homme ?

— Non, et je serais bien incapable de faire une chose pareille.

— Quoi ? Acheter des vieux meubles ?

— Non, en faire ce que vous en avez fait !

— Donnez-moi votre manteau et asseyez-vous, comme ça vous me direz si les fauteuils sont agréables.

Il n'avait plus son visage tendu et douloureux du parc, il semblait un peu étourdi d'être là.

— Vous êtes bien ? Vous n'avez pas envie de repartir ?

— Vous ne ressemblez à personne de mes amies, Eugenia, et cela fait bien longtemps que je ne m'étais pas retrouvé dans une chambre d'étudiant, d'étudiante en l'occurrence.

Qu'avais-je fait ensuite ? Dans mon souvenir, j'étais allée nous réchauffer quelque chose à la cuisine pendant qu'il fumait une cigarette. Puis nous avions dîné l'un à côté de l'autre, nos assiettes sur les genoux.

— De quelle sorte de famille venez-vous ? s'était-il enquis. Au fond, je ne sais presque rien de vous.

— D'une famille que jamais je ne vous présenterai.

Les mots avaient jailli, comme s'ils se tenaient prêts depuis longtemps. Qu'avait-il pensé ? Par discrétion, sans doute, il n'avait pas relevé.

— Je me souviens de vous à Jassy, avait-il repris un instant plus tard, quand nous attendions un taxi devant l'université et que je tentais maladroitement de faire bonne figure en dépit des coups reçus. Je cherchais que vous dire pour vous faire rire, vous aviez l'air tellement consternée.

Il m'avait souri, mais moi non – soudain mon cœur s'était mis à cogner.

— Vous n'allez pas me détester si je vous dis un secret ?

— Comment savoir tant que vous ne me l'avez pas dit ?

Son rire léger, comme si nous jouions.

— C'est mon frère qui avait envoyé les garçons pour vous frapper. Mon propre frère.

Je m'étais figuré pouvoir avouer cette horreur sans flancher, portée par ma vieille colère contre Stefan, mes yeux furieux plantés dans ceux de mon invité, mais à peine la phrase terminée, et peut-être parce qu'une expression d'incrédulité désarmante était apparue sur le visage de Mihail, toutes les digues en moi avaient cédé d'un coup sous un flot de dégoût et de chagrin.

— Je vous en prie, ne pleurez pas.

— Je ne pensais pas, je ne voulais pas pleurer, mais c'est insupportable, insupportable...

— Oui. Je comprends votre tristesse. Votre honte. Si cela peut vous réconforter, je ne vous déteste pas. Comment le pourrais-je ?

— Voilà, c'est fini, excusez-moi.

— Peut-être pourrions-nous boire un peu de vin après ça. Qu'en pensez-vous ?

— Oh oui, bien sûr ! J'ai rapporté de chez moi du massandra de Crimée, une merveilleuse bouteille, paraît-il, nous allons l'ouvrir. Et puis reprendre une cigarette.

Nous nous étions enivrés silencieusement, mais quand il s'était levé pour partir j'avais aussitôt recouvré mes esprits.

— Non, je vous l'interdis ! S'ils vous trouvent cette nuit, ils vous tueront. Vous n'entendez pas les coups de feu ? Ils n'iront pas se coucher tant qu'on ne leur aura pas rendu leur « Capitaine ». Vous allez dormir ici, avec moi. Le lit n'est pas très grand mais on se serrera.

— Eugenia, vous entendez ce que vous dites ?

— Oui, j'entends, je vous prie de dormir avec moi. Parce que je ne veux pas qu'ils vous attrapent. Et parce que j'en ai envie. Prenez-moi dans vos bras, s'il vous plaît. Prenez-moi dans vos bras et serrez-moi.

Il s'était exécuté, mais sans élan, sans tendresse.

— C'est si pénible, pour vous, d'imaginer dormir avec moi ?

— Je suis un homme et vous êtes encore une très jeune fille.

— Ce n'est pas l'âge qui compte. Est-ce que vous m'aimez un peu ? Est-ce que je vous plais ? Ce sont les deux seules questions que vous devriez vous poser.

Il avait ri, de ce rire clair que j'aimais déjà, tout en me gardant contre lui.

— Vous êtes encore une enfant, Eugenia. Vous ne savez pas ? Je vais vous présenter à mon jeune frère, Benu, Benjamin, il a votre âge, je crois que vous iriez très bien ensemble.

— Vous êtes idiot. C'est à vous que je pense tous les jours, pas à votre jeune frère dont j'ignorais même l'existence.

— Mais c'est une déclaration ! Vous me faites une déclaration d'amour, Eugenia !

Il avait de nouveau ri et s'était écarté pour chercher mon regard.

— Je ne sais pas. Je n'ai jamais vraiment aimé aucun homme, c'est peut-être la première fois. Je ne sais pas si je vous aime, je voudrais m'endormir dans vos bras, voilà tout ce que je voudrais ce soir.

— Eh bien d'accord, vous allez vous endormir dans mes bras.

Sur cette promesse, il m'avait déposé un baiser sur le front et un moment plus tard nous nous étions allongés, étroitement enlacés mais tout habillés, comme un couple de voyageurs dans une gare de transit.

Qu'allait être ma vie ? Trois années durant j'avais grandi dans la lumière d'Irina Costinas, m'imaginant un jour professeur de littérature à l'université, comme elle. Trois années durant j'avais appris à reconsidérer le monde à travers les yeux de penseurs et d'écrivains dont je n'avais jamais entendu prononcer les noms à la maison mais dont les livres reposaient sur les étagères d'Irina. En même temps que je découvrais *Histoire et conscience de classe*, de Georg Lukacs, j'avais dévoré les quatre volumes de *Pelle le conquérant*, de Martin Andersen Nexo. Puis j'avais ouvert Émile Zola et ne l'avais plus lâché, découvert Upton Sinclair et passé toute une nuit à lire *La Jungle*, puis Theodore Dreiser (*Sister Carrie*), Jaroslav Hasek (*Le Brave Soldat Chvéïk*), Maxime Gorki (*La Mère*), John Dos Passos (*42e parallèle*), Evgueni Zamiatine (*L'Inondation*), Alfred Döblin (*Berlin Alexanderplatz*) et tant d'autres, et tant d'autres. Plus les mois passaient, plus je me sentais déchirée entre l'ivresse que me procuraient ces lectures et ma conscience que le monde était au bord du gouffre, en proie à une souffrance qu'aucun régime, qu'aucun génie, ne semblait capable de soulager.

Certains soirs, saisie par ma propre impuissance devant l'immensité de la tâche à accomplir (et m'en voulant du plaisir que je prenais à larmoyer sur le malheur des autres grâce au talent d'un Zola ou d'un Dreiser), je me rassurais en me disant que je deviendrais une « éveilleuse de consciences », tout comme Irina. Certes, je n'allais pas sauver le monde, ni même mon pays, ni même ma ville, ni même ma rue, mais j'allais ouvrir chaque année les yeux d'une poignée d'étudiants (comme Irina l'avait fait pour moi) et ainsi semer à travers le monde quelques petites graines qui à leur tour…

Oui, mais alors ça ne serait que cela ma vie ? Rien de plus grand ? Rien de plus extraordinaire ? Irina elle-même ne s'était pas satisfaite de si peu puisqu'elle s'était engagée dans la clandestinité pour défendre ce monde plus juste, plus attentif aux pauvres, dont rêvaient les premiers communistes. Devenir une sorte d'Ana Pauker, héroïne révolutionnaire, me tentait certains jours, mais je ne me voyais pas en payer le prix : Ana Pauker avait fait de la prison – aujourd'hui, à quarante-cinq ans, elle était condamnée à vivre en exil, elle n'avait sans doute aucune vie sentimentale, sans cesse sollicitée pour mener une lutte qui ne lui avait valu jusqu'ici que des coups.

D'autres jours, j'enviais les miens. Quand maman me priait de venir dîner (je savais que Stefan serait absent, elle n'avait pas besoin de me le préciser), je retrouvais la maison avec plaisir. C'était réconfortant de les entendre décliner les mêmes soucis minuscules depuis mes sept ans, l'âge où l'on se met soudain à comprendre ce que se disent les parents. La grêle était tombée sur Copou et avait beaucoup endommagé les raisins (mais quand ce n'était pas la grêle, c'était le vent de Sibérie qui les avait gâtés). Un autre magasin de vins et spiritueux était sur le point d'ouvrir boulevard Ştefan cel Mare, à moins que ce soit rue Cuza Vodă (mais chaque année, depuis ma première corde à sauter, on redoutait ce concurrent qui finalement n'ouvrait jamais). Allait-on repeindre la devanture cet été, ou essayer de tenir une année de plus par mesure d'économie ? (Quand Carmen était pour attendre, Gheorghe était contre, ou vice versa.) Maman continuait d'entretenir soigneusement sa peur obsessionnelle (de la faillite, de l'échec de ses enfants, de la maladie etc.) pour pouvoir mieux s'agacer de l'optimisme à tout crin auquel elle condamnait papa. Oui, tout cela me donnait un sentiment de paisible éternité, et si Irina ne m'avait pas initiée aux convulsions du monde j'aurais peut-être été tentée de placer mes pas dans ceux de maman (quarante-cinq ans également, tiens, comme Ana Pauker), sans trop me poser de questions. Mais à présent il était trop tard.

Et c'était avec Andrei que je terminais ces soirées, une fois nos parents partis se coucher. Andrei qui avait essayé de lire Proudhon et Marx sur mes conseils, mais qui décidément comprenait mieux la poésie. Il prétendait que Mihai Eminescu avait somptueusement exprimé, en quelques strophes seulement, ce que Marx avait laborieusement tenté de démontrer en centaines de pages, et il était capable de déclamer de mémoire des dizaines de vers d'*Empereur et prolétaire* :

Brisez l'ordre établi, cruel et injuste
Qui divise le monde en miséreux et riches.
Et puisque après la mort aucune récompense ne vous attend,
Faites que dans ce monde il y ait une part équitable,
Égale pour chacun et que nous vivions en frères !

Comme c'était étrange que notre famille se soit ainsi scindée en deux : d'un côté Stefan et nos parents, favorables à l'édification d'un mur à nos frontières afin qu'aucun étranger, qu'aucun juif, ne vienne plus souiller le pur sang roumain ; de l'autre Andrei et moi, convaincus de la primauté de l'humanité sur les nations, rêvant d'un souffle de fraternité entre les peuples qui balaierait les patriotismes et les égoïsmes, à l'image de la littérature qui se joue des frontières – comme les oiseaux. Moi, j'avais eu Irina pour m'indiquer le chemin, mais Andrei était né comme ça, sans rien de mauvais en lui, je l'aurais juré, survolant le monde de sa belle âme, ne voyant pas ce qui le différenciait d'un juif, d'un Bulgare, d'un Turc ou d'un Allemand. Écouter Andrei était pour moi la preuve ultime que nous avions raison contre Stefan et nos parents, que Jean-Jacques Rousseau avait eu raison d'écrire que l'homme naît « naturellement bon » et que c'est la société qui « le déprave et le pervertit ». Mon jeune frère était demeuré miraculeusement sourd aux discours de haine, aux discours patriotiques, il incarnait à mes yeux l'homme originel vers lequel nous devions revenir après nous être délestés de ces « préjugés, sources de tous nos vices » dont parle si bien Rousseau.

Bon, mais en ce printemps 1938, que faisais-je pour « revenir à cet homme originel » ? Provisoirement installée à Bucarest, et bien loin encore d'avoir les diplômes suffisants pour enseigner à l'université, je me demandais à quoi allaient ressembler pour moi les années futures. Je n'étais plus certaine de vouloir m'enfermer quarante années durant dans le professorat et, d'un autre côté, j'en savais suffisamment sur le monde, et sur les périls qui le menaçaient, pour me sentir coupable de ne rien tenter afin de le sauver. Pour ne rien arranger à mon désarroi, j'étais éprise d'un homme qui était amoureux d'une autre et me regardait comme une enfant, éventuellement capable de convenir à son petit frère.

7

Je passais devant l'Athénée Palace en courant, en retard à mon cours, quand j'avais entendu qu'on me hélait.

— Mademoiselle ! Mademoiselle !

C'était un chasseur de l'hôtel, le visage écarlate d'avoir dû me poursuivre sous le soleil d'un après-midi de mai.

— Une dame me prie de vous demander de la rejoindre, elle vous a aperçue à travers la vitrine...

— Une dame ?

— Absolument, mademoiselle, si vous voulez bien me suivre.

Il m'avait fallu un moment, après avoir franchi la porte à tambour, pour distinguer les personnes qui se pressaient là, dans la pénombre fraîche du grand hall, autour de tables basses que l'on avait disposées de part et d'autre des colonnes de marbre.

— Voici cette dame, mademoiselle.

Leny ! Leny qui s'était levée comme un ressort et m'avait embrassée avec effusion. Elle était en compagnie d'un homme à la figure étroite et grise qui, lui, n'avait pas bougé.

— Mitică, je vous présente ma petite protégée, Eugenia. Eugenia comment, d'ailleurs ? C'est à peine croyable mais je ne sais pas ton nom...

— Rădulescu.

— Eugenia Rădulescu, de Jassy. Eh bien je peux vous assurer, Mitică, que dans quelques années vous entendrez parler de cette jeune personne.

Il avait à peine ébauché un sourire, manifestement agacé par cette intrusion dans leur conversation, et tandis que nous échangions un regard, je m'étais fait la réflexion que son visage ne m'était pas inconnu.

— Assieds-toi, ma chérie, tu vas prendre un verre avec nous.

— Je suis désolée, Leny, mais j'ai cours dans dix minutes...

— Oh non, s'il te plaît ! Cela fait plusieurs jours que je veux t'appeler... J'ai des choses importantes à te dire.

— Bon. Alors tant pis pour mon cours.

Pour ne pas demeurer stupide devant la carte j'avais dit que je prendrais la même chose qu'elle. C'était la première fois que j'entrais à l'Athénée Palace et je me demandais de quoi il fallait être fait pour trouver naturel tout ce luxe. Leny et cet homme y semblaient parfaitement à leur aise tandis que moi, avec mes grosses bottines d'hiver, mon chemisier défraîchi qui bâillait sur mon soutien-gorge et ma besace de soldat pleine de livres et de cahiers je ne savais pas comment me tenir dans mon fauteuil.

— Bon, tu es au courant de l'arrestation de Nae Ionescu, je suppose...

— Pardon ? L'ami de Mihail, enfin... son faux ami, le type qui avait écrit sa préface ?

— Le philosophe et directeur du quotidien *Cuvântul*, m'avait froidement corrigée l'homme.

— Oui, ils l'ont arrêté cette nuit, à la veille du procès de Codreanu.

— Alors il faut encore s'attendre à des violences, avais-je observé, les légionnaires ne vont sûrement pas se laisser faire.

— Sûrement pas, en effet ! avait renchéri notre interlocuteur. Je crois que le roi et son cher Călinescu sous-estiment la puissance de la Garde de fer. À ce propos, mademoiselle, j'ai entendu que vous étiez originaire de Jassy. Vous ne seriez pas de la famille de Stefan Rădulescu par hasard ?

— Stefan est mon frère aîné, si.

— Alors ça c'est amusant, j'ai fait sa connaissance ici même il y a deux mois ! Il m'a été présenté par Horia Sima, notre « Capitaine » en second, si j'ose dire.

— Stefan était à Bucarest ?

— Assis là, à votre place. Vous n'étiez pas au courant ?

— Je ne vois plus mon frère. Et si vous voulez tout savoir, j'ai honte de porter le même nom que lui.

L'homme s'était aussitôt raidi.

— Vous avez grand tort, mademoiselle. J'ai la plus haute estime pour ces jeunes gens qui seraient prêts à donner leur sang pour la grande Roumanie.

— Et moi le plus profond mépris.

J'avais énoncé cela en le fusillant du regard. Mais l'émotion avait été trop forte, je tremblais à tel point que j'avais dû reposer mon verre sans pouvoir y tremper les lèvres, et j'étais furieuse contre moi-même. J'aurais tellement voulu offrir le spectacle d'une fille métallique, inflexible dans ses jugements.

— Ma chère Leny, avait repris ce Mitică avec un affreux sourire et tout en se détournant de moi, je préfère vous laisser en tête à tête avec cette demoiselle. Si vous m'y autorisez, je vous rappellerai un de ces prochains jours.

Là-dessus il s'était levé, avait brièvement baisé la main de Leny et était parti sans me saluer.

— Mais qui est ce type, Leny ? m'étais-je écriée après m'être assurée qu'il avait quitté l'hôtel.

— Je te l'ai présenté. Tu ne connais pas Demetru « Mitică » Theodorescu ?

— Mais non ! Mais qu'est-ce que tu fais avec ce bonhomme ? Un légionnaire ! Un salaud de légionnaire !

— Chut ! Ne parle pas si fort, ma chérie. Il ne l'a pas toujours été, légionnaire. Quand je l'ai connu il se vantait de traduire Engels pour une revue étudiante.

— Ne me dis pas qu'il est ton ami !

— Il a été mon amant - il y a longtemps. Et si j'ai bien compris, il voudrait le redevenir depuis qu'il m'a vue sur scène, l'autre soir. C'est d'ailleurs pourquoi il vient de m'inviter à déjeuner, sans parler des fleurs qu'il me fait livrer tous les matins.

— Qu'est-ce qu'il fait dans la vie ?

— Journaliste à *Cuvântul*, grand ami de Nae Ionescu. Et mauvais écrivain.

— Mon Dieu ! Et toi qui es juive tu peux déjeuner en face de ce personnage ? Le seul souvenir de son regard me glace le sang, Leny. Si un jour ces hommes arrivent au pouvoir ils nous fusilleront sans scrupules. Tu n'as pas vu son mépris quand il a compris que je ne pensais pas comme mon imbécile de frère ? D'un seul coup j'étais bonne à jeter, je pouvais disparaître.

— Je ne savais pas que tu avais un frère légionnaire.

— Je préférerais l'oublier.

— Proche d'Horia Sima, en plus. Tu sais que Sima est le nouveau commandant de la Légion depuis l'arrestation de Codreanu ?

— Non, et je m'en fiche. Mais dis-moi une chose : si ce Mitică Theodorescu travaille à *Cuvântul*, il connaît forcément Mihail Sebastian.

— Bien sûr qu'ils se connaissent. Mihail ne l'appelle jamais que « le chacal ».

— Ah, c'est bien ! J'admire Mihail. Il ne s'énerve jamais et son mépris tranquille les tient en respect. Tu te souviens, au dîner chez Haig et Marietta, comment il a forcé Eliade à manger son chapeau ? Cet Eliade qui haranguait les légionnaires trois jours plus tôt et qui, là, n'a même pas osé dire à son « cher ami juif » qu'il n'avait plus sa place dans leur grande et sacro-sainte Roumanie. Des chacals, oui, il a bien raison. Je ne sais pas ce que nous deviendrons si le pays tombe entre leurs mains.

Elle m'avait souri.

— Comme tu es charmante, Eugenia, toujours prête à partir en guerre contre les moulins à vent ! Il ne faut pas croire tout ce que les hommes prétendent – que le vent tourne, et ils changent d'avis. Aujourd'hui ils sont fascinés par Hitler, ils ne parlent que de grandeur et de pureté du sang, mais qu'un autre messie survienne et ils le suivront comme des moutons. J'avais quatorze ans en 1918 et je me rappelle comment tous portaient aux nues Clemenceau. Un dieu vivant, bien plus grand que notre pauvre roi Ferdinand. Il nous avait permis la victoire après la défaite, et papa en aurait presque oublié qu'il était juif, le pauvre, tellement lui et ses camarades étaient rentrés du front soudés comme des frères. Il me racontait que la communauté avait ouvert les synagogues pour en faire des hôpitaux. Et regarde aujourd'hui : les mêmes hommes crachent sur les synagogues et sur la mémoire de Clemenceau.

— Qu'est-ce que tu voulais me dire de si important ?

— Ah oui, tiens-toi bien : nous allons monter *Jouons aux vacances* au théâtre Comœdia.

— Oh Leny, mais c'est formidable ! Formidable ! Alors ça veut dire que Mihail n'est plus interdit, que les juifs peuvent de nouveau travailler ?

— Ça, je ne sais pas. Personne n'est capable de nous dire quoi que ce soit sur le statut des juifs depuis que le roi gouverne, mais le ministère ne s'est pas opposé à ce que Sică mette en scène *Jouons aux vacances*.

— Mihail doit être tellement content ! J'aurais voulu être là quand il a appris la nouvelle...

Elle s'était encore gentiment moquée de moi.

— Parce que toi tu as déjà vu Mihail « tellement content » ?

— Oui, le jour où je t'ai rencontrée avec lui pour la première fois.

— Attends...

— Au salon de thé de l'hôtel Capsa, tu ne te souviens pas ? J'étais avec Irina Costinas et son mari, enfin... son ex-mari.

— Ah oui. Oh là là, ça remonte loin... On venait de se rencontrer, c'était le grand amour.

— Comme il te regardait, Leny ! Comme il était heureux et fier ! Bon, mais qu'est-ce qu'il a dit quand il a su pour sa pièce ?

— Il se fiche un peu du théâtre, tu sais, ce qu'il voudrait c'est réussir son roman. Il prétend que le théâtre c'est juste pour manger et payer son loyer. Et puis je ne sais pas s'il a vraiment confiance en Sică.

— Sică est cet homme à côté duquel tu étais assise chez Haig et Marietta ?

— Oui, Alexandrescu.

— Que tu as quitté ce soir-là pour retourner avec Mihail.

— Et ça, tu penses que ce n'est pas bien du tout, n'est-ce pas ? Je n'ai qu'à voir l'œil noir que tu viens de me lancer…

— En tout cas, moi, je ne pourrais pas faire une chose pareille. Je t'envie de te sentir si libre, et si indifférente au mal que tu peux faire.

— Bon, assez bavardé, finis vite ton verre, ma petite chérie, et viens avec moi, nous avons l'après-midi devant nous, je vais t'habiller comme une vraie femme.

— Parce que je te fais honte. C'est ça ?

— Quelle idée ! Comment pourrais-tu faire honte à qui que ce soit, fraîche et jolie comme tu l'es ? Non, parce que je veux que les hommes te regardent.

— Je me moque que les hommes me regardent.

Mais elle s'était levée pour sortir et je l'avais suivie. Des militaires en armes avaient pris position devant le palais de Carol II, interdisant l'accès au trottoir, de sorte que pour gagner la rue Victoriei nous avions dû contourner la vaste place de l'Athénée écrasée de soleil et passer sous la monumentale statue de bronze de Carol Ier, grand-oncle de notre souverain, immortalisé en chef militaire sur son cheval. Tiens, avais-je constaté, des fenêtres de son bureau Carol II possède donc une vue imprenable sur son illustre prédécesseur, l'homme qui a régné près d'un demi-siècle et arraché à l'Empire ottoman l'indépendance de la Roumanie. J'avais imaginé combien ce vis-à-vis devait être irritant pour notre petit roi, lui qui passait ses nuits à jouer au poker et ses journées à monter de pitoyables complots pour conserver le peu d'autorité dont il disposait encore. « Un jouisseur et un voyou », disait de lui Irina.

— Mais tu ne te moques pas que Mihail te regarde, avait repris Leny en glissant son bras sous le mien comme nous rejoignions enfin la rue la plus prisée de Bucarest pour ses boutiques de luxe.

— Pourquoi dis-tu ça ? Mihail se fiche complètement de moi.

J'étais tranquille, elle n'avait pas pu me voir rougir parmi tous ces badauds élégants que les fiacres et les autos devaient carillonner pour se frayer un passage.

— Oui, bon…

— Il n'aime que toi, Leny, et tu le martyrises.

— Je le martyrise ! Tu ne crois pas que tu exagères un peu ? Tiens, viens, entrons chez madame Graziani, je sais qu'elle a de très belles choses en provenance de Berlin et de Paris.

Aujourd'hui encore, j'ai du mal à m'expliquer comment j'ai pu me plier deux heures durant aux quatre volontés de Leny, moi si jalouse de mon intégrité. Tandis que j'essayais docilement tout ce qu'elle me choisissait, j'avais conscience que ce qui se jouait là ne me ressemblait pas. Et cependant, j'éprouvais quelque chose que je n'avais jamais ressenti à lui obéir, de l'ordre d'un plaisir inavouable, passant un vêtement après l'autre pour venir faire quelques pas au milieu de la boutique et l'entendre me dire : « On le prend ! On le prend ! Ça te va merveilleusement, ma chérie. Quel décolleté délicieux ! N'est-ce pas, madame Graziani ? » Ou, fronçant les sourcils : « Non, enlève-moi ça, c'est affreux ! » J'étais sa « petite chérie », comme elle disait, mais elle n'était ni ma mère ni son substitut (il m'était arrivé de faire des courses avec ma mère et jamais je n'avais rencontré ce plaisir confus, indicible), alors qu'incarnait-elle pour que je me prête à tous ses désirs ? Aujourd'hui, je pressens que Leny fut d'emblée pour moi celle qui allait m'ouvrir le cœur de Mihail, la détentrice de tous ses secrets. Les premiers temps – et ce jour-là, rue Victoriei, nous étions aux premiers temps – parce qu'elle couchait avec lui et moi pas encore. Elle prétendait vouloir que les hommes me regardent, mais c'est à Mihail que nous songions l'une et l'autre. En vérité, elle s'amusait à la pensée de me mettre dans son lit – à présent, la connaissant si bien, j'en suis certaine – et moi sans me l'avouer j'entrais dans son jeu. Par la suite, Leny a conservé à mes yeux ce statut de déesse de l'amour parce que même devenu mon amant, Mihail n'a jamais renoncé à son désir pour elle. Comme s'il attendait de cette femme, devant laquelle il tremblait, qu'il n'était plus capable d'aimer, un plaisir qu'aucune autre ne pouvait lui donner. C'est pourquoi, je crois, je n'ai jamais protesté lorsqu'elle nous trouvait au lit, l'après-midi, et s'asseyait sans façon à côté de nous. Pourquoi ne s'est-elle pas mise nue pour se glisser entre nous ? Un moment, nous n'aurions plus fait qu'une, et peut-être aurais-je compris ce qu'il y avait en elle que je n'avais pas, ou ne savais pas donner.

Jouons aux vacances. Les répétitions avaient commencé au début de l'été, Leny dans le rôle de Corina. Quant à moi, j'étais retournée à Jassy, et j'y serais sans doute restée si Leny ne m'avait pas appelée pour me proposer d'être plus ou moins l'assistante de Sică qui se heurtait, paraît-il, aux remarques acerbes de Mihail et commençait à perdre confiance.

— Leny, je n'y connais rien, à la mise en scène.

— Ce n'est pas ce qu'on te demande. Ton rôle serait de traduire la pensée de Mihail. Sică l'exaspère, il trouve qu'il manque de subtilité, et du coup il ne veut plus venir aux répétitions. Je suis certaine que, toi, tu saurais les faire travailler ensemble. Sică n'est pas aussi stupide que le croit Mihail.

J'avais demandé à réfléchir, tout au plaisir de retrouver les miens. Irina se rendait maintenant à Moscou une fois par mois, clandestinement, en passant par Paris, et j'avais été touchée qu'elle me le dise, sachant qu'elle risquait la prison si la police l'apprenait. Elle obéissait à un colonel du renseignement soviétique, son « officier traitant », avec lequel elle avait une liaison. Son ex-mari, Ilis, était désormais père d'une petite fille de quelques mois conçue avec une infirmière de l'hôpital Saint-Spiridon où il travaillait. Irina m'avait révélé qu'elle ne pouvait pas avoir d'enfant, ce qui ne prêterait pas à conséquence, cette fois-ci, car le nouvel homme de sa vie – dont elle semblait sérieusement éprise – en avait déjà trois. Devenir communiste à mon tour donnerait-il un sens à ma vie ? J'y avais songé en l'écoutant, enviant l'intensité de sa nouvelle existence, sans pour autant franchir le pas. Puis j'étais parvenue à formuler ce qui me retenait : je ne voulais pas être le petit soldat d'une cause, devoir obéir et me taire, je voulais garder la liberté de dire tout haut ce que je pensais, comme les écrivains qui m'avaient tout appris de la vie. Alors, écrire ? Mais écrire quoi ? J'allais fêter mes vingt-deux ans et je n'avais rien vécu, élevée douillettement par un couple de petits commerçants qui ne voyaient pas plus loin que le bout de la rue Lăpuşneanu.

Chez papa et maman, justement, la grande affaire était plus que jamais Stefan. Ils baissaient la voix aussitôt qu'il s'agissait de lui, balançant entre peur et fierté. Depuis la condamnation de Codreanu à dix années de travaux forcés, Stefan avait pris du galon chez les légionnaires. Horia Sima, le nouveau « Capitaine », avait passé toute une nuit à la maison à parler avec lui autour de la table de la salle à manger (papa avait conservé comme un trésor une feuille de papier sur laquelle Sima avait griffonné des hiéroglyphes durant cette nuit mémorable) – à la suite de quoi Stefan avait disparu. Il aurait accompagné Sima à Berlin et, au retour de ce voyage, la Garde de fer aurait décidé de reprendre ses manifestations de rue et ses opérations violentes, en dépit des consignes de Codreanu qui avait demandé à ses hommes de se calmer de crainte d'en payer les conséquences dans son cachot du fort de Jilava.

Cependant, après trois semaines à Jassy dans la torpeur de l'été, avec Andrei pour unique confident (Irina était repartie pour Moscou et l'université ne rouvrirait qu'en octobre), la proposition de Leny m'avait soudain paru inespérée et, quand j'avais suggéré à mon petit frère de m'accompagner à Bucarest, je l'avais vu s'illuminer.

Une soirée avec Sică, dès mon arrivée, m'avait rassurée : non seulement cet homme était charmant, mais il savait écouter et jusque tard dans la nuit nous avions échangé nos points de vue sur l'« obsession de l'île » chez Sebastian. S'il subsiste un espoir de bonheur dans ce monde où chaque individu est menacé par la masse des autres, c'est en parvenant à s'en échapper à la faveur d'un « accident ». Les personnages de *Jouons aux vacances* se retrouvent au mois d'août dans une banale pension de famille à la montagne. Il ne se passerait rien, ils ne trouveraient sans doute rien à se dire, chacun apportant avec lui ses soucis et ses habitudes, si l'un d'entre eux ne s'employait pas à les couper petit à petit du monde en débranchant le téléphone, en sabotant le poste de radio, en démontant la boîte aux lettres etc. Les voilà finalement nus et bien forcés de se regarder, voire de s'écouter. Contre toute attente, car ils n'ont rien en commun, Corina et Stefan vont s'aimer, mais quand arrive le dernier jour des vacances ils décident de se séparer, l'un et l'autre conscients que ce ne fut qu'un merveilleux rêve arraché au chaos :

> Corina : Je reviendrai, Stefan. Toujours. Sans arrêt. Il me suffira de fermer les yeux pour revenir. Et tu seras toujours là, sur la terrasse, à ta place, dans ta chaise longue, un livre à la main, paresseux, rêveur et mal embouché, comme le premier jour. Le premier jour... Stefan ! J'ai une dernière prière à te faire. Un dernier enfantillage.
>
> Stefan : Je t'écoute.
>
> Corina : Ne m'accompagne pas. Reste ici. Je voudrais que nous nous séparions ici. Tiens, prends ton

livre. Prends tes lunettes de soleil. Assieds-toi. Comme ce jour-là. Comme le premier matin. Et lis. Regarde ton livre, pas moi. Je t'en supplie, Stefan, promets-moi de ne pas lever la tête. De ne pas bouger. Je n'étais peut-être moi-même qu'un personnage de roman, du roman que tu lis... Tout n'était peut-être qu'une illusion, qu'une plaisanterie, juste un jeu...

Mihail avait bien voulu remettre les pieds aux répétitions quand il avait appris la place que j'allais y tenir. Au début, nous étions assis l'un à côté de l'autre, Sică, debout, bien loin de nous, occupé à conseiller les comédiens et Mihail me déversant sa colère dans le creux de l'oreille : « Ils jouent faux, ils appuient, c'est insupportable... Et il les laisse faire ! Regardez, Eugenia, on dirait qu'ils cherchent l'approbation de la salle comme *Guignol*, c'est ridicule. Même Leny ! Même Vraca ! Ces deux-là ont du talent, pourtant, mais encore faut-il qu'ils soient dirigés... »

J'étais profondément d'accord, jouée à la façon d'un texte de boulevard sa pièce perdait toute sa grâce, toute son émotion. Alors j'avais suggéré à Sică qu'on reprenne tout depuis le début : la lecture de l'œuvre autour d'une table. Il avait entendu, l'initiative était venue de lui, et c'était durant cette lecture, en présence de Mihail, que par petites touches nous avions fait entrer chacun dans la peau de son personnage.

Je disais à Mihail :

— Et maintenant, lisez vous-même s'il vous plaît, nous avons besoin d'entendre la voix de madame Vintilă (ou de Corina, ou de Stefan) telle qu'elle s'exprimait en vous quand vous écriviez la scène.

Mihail lisait, et aussitôt nous étions transportés.

Après trois ou quatre jours de ce régime, les répétitions avaient repris, et cette fois les voix sonnaient juste, nous y étions.

Presque tous les soirs, nous dînions tous ensemble. Je me rappelle ce jour de la fin août où Mihail nous a annoncé que Mircea Eliade venait d'être arrêté. Il avait rejoint Nae Ionescu dans sa prison. À quoi tout cela rimait-il ? Six mois plus tôt, et même six ans plus tôt déjà, ces deux hommes donnaient à Mihail le choix entre l'exil et la mort (« À présent, Iosif Hechter, ne sens-tu pas que le froid et les ténèbres te saisissent ? »), et voilà que Mihail s'apprêtait à tenir l'affiche au théâtre quand eux se retrouvaient derrière les barreaux. Le régime semblait de nouveau tolérer les juifs (sans qu'aucun des décrets pris contre eux ne fût abrogé) et on emprisonnait les tenants de « la Roumanie aux Roumains » que l'on protégeait depuis vingt ans. À quoi jouait donc le roi ? Et combien de temps allait durer cette sinistre comédie ? Car, dans le même temps, les journaux légitimistes évoquaient une prochaine rencontre entre Carol II et Hitler, indiquant clairement de quel côté penchait le cœur de notre souverain.

Je recopie ici le premier placard publicitaire paru dans les journaux, soigneusement découpé et conservé par mes soins :

Théâtre Comœdia
Mercredi 14 septembre 1938
Ouverture de la saison d'hiver
JOUONS AUX VACANCES
de Mihail Sebastian
(avec Leny Caler, George Vraca, Mişu Fotino
et V. Maximilian)

Le lundi 12 septembre, deux jours avant la première, demeurera à jamais pour moi un anniversaire.

Cet après-midi-là, après la répétition, Mihail me prend à part. Il a observé quelques détails à corriger mais il aimerait que les suggestions viennent de moi.

— Vous voulez bien, Eugenia ? Si c'est moi qui prends la parole, à la veille de l'ouverture, cela risque de déstabiliser les comédiens.

— Bien sûr. Expliquez-moi.

Il m'avait entraînée chez lui, rue Victoriei, et nous nous étions mis au travail.

J'étais occupée à noter ses remarques pour chaque comédien quand soudain la voix d'Hitler était entrée par la fenêtre encore grande ouverte sur l'été. Elle montait de chez son voisin du dessous.

Mihail s'était interrompu, il s'était levé pour aller fermer, puis il avait allumé une cigarette, debout au milieu de la pièce. La main qui tenait la cigarette tremblait, et je me souviens comme il était devenu pâle.

Mais la voix d'Hitler, gutturale, terrifiante, pleine d'aboiements, continuait d'être parfaitement audible – elle s'infiltrait par les interstices du plancher, par les tuyauteries, elle occupait toute la pièce, il était impossible d'y échapper. Et sans cesse les hourras d'une foule qu'on devinait immense le pressaient de poursuivre, d'en dire plus, de hurler toujours plus fort, de porter toujours plus haut les couleurs de la grande Allemagne nazie. Hitler était en train de clôturer le congrès annuel de Nuremberg, je le savais, les journaux du matin l'avaient annoncé et son discours, retransmis à la radio, n'allait sûrement pas durer moins d'une heure.

— Venez, avais-je dit résolument, continuons de travailler.

— Ce cinglé menace d'écraser toute l'Europe et vous voudriez que je prenne au sérieux une pièce de théâtre ?

Comme il ne bougeait pas, je m'étais levée et j'étais allée le prendre dans mes bras.

— Je vous aime, Mihail. Vous m'entendez ? Je vous aime plus que tout, je suis là, nous ne le laisserons pas nous écraser.

Il avait à peine réussi à rire.

— Eugenia, vous êtes comme ces fleurs qui poussent au beau milieu des chemins, vous vous dressez là, innocente, toute fière et joyeuse dans vos pétales délicats, sans imaginer une seconde que le premier cheval qui va passer au galop...

— Chut ! Taisez-vous ! Venez avec moi.

Je l'avais entraîné sur le lit, j'avais collé mes lèvres sur les siennes et, pendant que nous nous embrassions, commencé à le déshabiller. Hitler continuait d'aboyer et moi pour la première fois je faisais l'amour à Mihail, sans lui avoir demandé son avis, sans hâte, me retenant et le suppliant de se retenir aussi pour que le plaisir dure jusqu'à ce qu'on ne l'entende plus.

8

Mihail avait raison : comment prendre au sérieux une pièce de théâtre quand Hitler était sur le point de soumettre toute l'Europe à l'ordre nazi ?

Cependant, le succès est là. Au milieu de ce mois de septembre 1938 toutes les critiques s'accordent pour encenser *Jouons aux vacances*. « Une œuvre magistrale », « émouvante », « drôle et profonde », « parfaitement maîtrisée de bout en bout », peut-on lire dans *Curentul*, dans *România*, et jusque dans les publications les plus antisémites telles que *Poruncă Vremii* et *Frontul*.

Oui, mais quelques jours plus tard à Munich, les 29 et 30 septembre, Édouard Daladier et Neville Chamberlain abandonnent la Tchécoslovaquie à Hitler en échange d'une paix qui nous fait honte.

Je me rappelle l'effondrement silencieux de Mihail écoutant la foule acclamer Chamberlain à son retour de Munich. Dès sa descente d'avion, n'est-ce pas, sur le tarmac même de l'aéroport de Londres. Mon Dieu, les foules, est-ce qu'elles n'expriment pas ce que chacun dissimule en lui de plus misérable ? Celle de Nuremberg deux semaines plus tôt, et ce jour-là celle de Londres.

Le lendemain, je vois Mihail écrire fiévreusement dans son journal. Nous venons de dormir ensemble, je l'observe du lit, attablé à son bureau, les cheveux en bataille pour une fois, son pyjama déboutonné, lui si soigné d'ordinaire. Qu'écrit-il ? Je n'oserai pas le lui demander.

Mais à présent qu'il n'est plus là, que plus jamais je n'aurai la joie profonde de le regarder travailler, je veux savoir. Benu, son jeune frère, a bien voulu me prêter le journal de Mihail quelques jours après son enterrement – une dizaine de cahiers d'écolier. Je les ai déposés là, sur la table de Leny que je continue d'occuper en ce mois d'août 1945 – et jusqu'à quand, d'ailleurs ? « J'adore te savoir chez moi, ma petite chérie, savoir que chaque soir je vais te retrouver, reste autant que tu voudras. » Leny me relie à la mémoire de Mihail. Je suis encore incapable d'imaginer ma vie sans lui, ma vie *après* lui.

J'ouvre le cahier de l'année 1938. Je tourne délicatement les pages – l'encre noire de son vieux Parker, sa petite écriture illisible. Ah, voilà, septembre.

> Mardi 27 septembre.
>
> Coup de fil de Poldy. Il pense que la France va décréter ce soir la mobilisation générale et que la guerre éclatera samedi. Il me demande ce qu'il doit faire de maman. Il voudrait la renvoyer ici, mais j'ai peur, à Dieu ne plaise ! que la guerre la surprenne en route, en Italie par exemple. Seule, ne parlant que le roumain, effrayée, sans argent, que deviendrait-elle ?

Rien les 29 et 30 septembre pendant qu'à Munich Français et Britanniques trahissent la Tchécoslovaquie dont ils s'étaient engagés à garantir les frontières.

Mais le lendemain, si. Voilà donc ce qu'écrivait Mihail tandis que, feignant de dormir, j'embrassais de loin son cher visage plein de colère :

> Samedi 1er octobre.
>
> La paix. Une espèce de paix. Je n'ai pas le cœur à me réjouir. Les accords de Munich ne nous envoient pas à la guerre, ils nous laissent vivre – mais ils nous préparent des jours affreux. Nous allons savoir désormais ce qu'est la pression hitlérienne. Il serait logique que la France penche à droite et qu'on assiste en Roumanie à un réveil brutal de l'antisémitisme. Un nouveau gouvernement Goga-Cuza ne serait pas fait pour m'étonner, pas plus qu'une lente transition vers un régime « légionnaire » convenablement aménagé.
>
> Mais qui vivra...

Munich nous prépare des jours affreux, oui. Des atrocités que jamais nous n'aurions pu imaginer.

Cependant, après les retours triomphants de Chamberlain et de Daladier, seule la voix de Winston Churchill jette une ombre sur le soulagement des démocraties. « Ils devaient choisir entre le déshonneur et la guerre, confie-t-il au *Times*. Ils ont choisi le déshonneur, et ils auront la guerre. » Cependant, Churchill non plus n'imagine pas alors – car c'est inimaginable – l'ampleur des crimes que certains vont être amenés à commettre au nom de la haine de l'autre.

Et voilà, après le déshonneur, nous avons eu la guerre, en effet, et maintenant nous savons pour les crimes. Nous savons pour Auschwitz, pour Treblinka, pour les ghettos de Varsovie, de Minsk et d'ailleurs, nous savons pour les massacres d'Odessa, pour les pogroms de Jassy et de Bucarest. Nous savons, nous savons, et chaque jour qui passe durant cet été 1945 nous en apprend un peu plus. Tandis que Leny s'efforce de vivre et les Roumains d'oublier (oh, comme j'aime Leny à certains moments, et comme je la trouve indécente à d'autres !), moi je suis enfermée dans cette pièce depuis des semaines, occupée à me souvenir. Mihail avait comme moi le culte de la mémoire, et pour cela aussi il me manque à chaque instant. Du premier moment de notre rencontre à sa mort, quelques jours seulement après la capitulation de l'Allemagne, je l'aurai vu prendre des notes dans ses cahiers. Il voulait ne rien oublier, des déchaînements hystériques de Marietta contre « les juifs ventrus et leurs grosses juives pleines de bijoux », à ce que lui-même a pensé tout bas ce jour de septembre 1941 quand il a su qu'il devrait porter l'étoile jaune cousue sur ses vêtements : « Moi, j'ai envie de laisser tomber, de dire : Tirez, tuez-nous, finissez-en ! » Je pensais qu'il écrirait un jour le cruel et pitoyable *Guerre et Paix* de la Roumanie de Carol II et du maréchal Antonescu, mais il a été tué avant même d'avoir pu en former les premiers mots.

Je suis touchée de tomber sur cette référence à sa mère. Je me souviens que son retour de France a été semé d'embûches – nous n'étions qu'en octobre 1938 mais déjà la plupart des pays d'Europe, obéissant à Hitler, expulsaient ou refoulaient leurs juifs. La mère de Mihail avait été bloquée à la frontière, placée dans une sorte de camp, et il avait dû appeler un ami qui connaissait notre ministre de l'Intérieur pour obtenir qu'on la laisse revenir à Bucarest. C'est le lendemain de son arrivée, le 17 octobre, que je l'ai rencontrée pour la première fois rue Antim, dans le petit appartement en rez-de-chaussée de la famille Hechter, lui horloger, elle modiste.

— Quel âge avez-vous donc, ma petite ?

— Vingt-deux ans, madame.

— Eh bien, je doute que vous soyez en mesure de tenir une maison.

Elle n'était pas commode, mais ce qu'elle pouvait dire n'avait plus aucune influence sur ce que décidait Mihail.

Deux mois après les accords de Munich, et alors que l'Allemagne vient d'occuper les Sudètes, Carol II rencontre Hitler à Berchtesgaden, le 24 novembre 1938, et lui livre les gisements de pétrole du pays en échange de la garantie de nos frontières contre la Russie soviétique. Le roi, qui a bien compris que la France tutélaire d'autrefois a cessé d'exister, place donc la Roumanie sous la protection de l'Allemagne nazie.

C'est au lendemain de cette rencontre que se produit un événement inconcevable qui précipite tout le pays dans la stupeur et l'effroi. Dans la nuit du 29 au 30 novembre, Codreanu et dix-sept chefs légionnaires sont assassinés dans la prison de Jilava. Personne ne croit à la version officielle selon laquelle ils auraient été abattus lors d'une tentative d'évasion (d'autant moins qu'on apprendra très vite qu'ils sont morts par strangulation) et dans tous les cercles, dans tous les foyers, on cherche à comprendre le sens d'une telle tragédie. Il ne fait guère de doute que l'ordre est venu de Carol II lui-même, et que l'opération a été supervisée par Armand Călinescu, son plus fidèle ministre.

Est-ce le signe qu'après l'avoir si longtemps tolérée, et même utilisée, le pouvoir veut en finir définitivement avec la Garde de fer ? Nos amis du théâtre Comœdia et les quelques personnes que nous fréquentions alors, Mihail et moi, étaient partagés. Certains avançaient l'hypothèse qu'Hitler avait très bien pu demander au roi d'associer la Garde à son gouvernement, mais que celui-ci ne le voulant à aucun prix aurait inventé cette tentative d'évasion pour se débarrasser du problème. D'autres pensaient au contraire qu'Hitler, en affichant son indifférence pour la Garde, aurait implicitement « autorisé » le roi à la décapiter.

En dépit de la méthode employée, nous aurions pu nous réjouir de l'anéantissement de la Légion – du moins de ce que nous prenions pour son anéantissement, mais comment se réjouir de quoi que ce soit quand le roi venait de lier notre destin à celui de l'Allemagne nazie ?

Carol II semblait gouverner au jour le jour, à tâtons, plongeant le pays dans une extrême confusion. Il faisait assassiner les chefs de la Légion mais ordonnait dans le même temps de libérer certains théoriciens du mouvement, tel Mircea Eliade. Mircea, qui, après avoir tourné le dos à Mihail, s'était ostensiblement levé pour lui donner l'accolade lors d'un banquet réunissant les écrivains du moment les plus en vue.

C'était décembre, la dernière représentation de *Jouons aux vacances* avait été donnée la veille, et bien que juif, rayé de la Société des écrivains roumains, de la Société des journalistes et de l'ordre des avocats, Mihail était de nouveau invité dans certains salons de Bucarest. En attendant de savoir à quel saint se vouer, on paraissait soucieux de donner des gages ici et là.

Mircea était libre, mais à Jassy la police du roi recherchait Stefan pour le mettre en prison. J'avais eu maman au téléphone, en larmes. Les hommes de la Sécurité avaient perquisitionné la maison et interrogé séparément nos parents. Ils ne savaient rien, ils n'avaient pu que répéter ce qui se murmurait partout, à savoir qu'Horia Sima et ses proches lieutenants, dont faisait partie Stefan, avaient fui la Roumanie pour se réfugier à Berlin dès l'annonce du massacre à la prison de Jilava.

Quant à moi, j'avais raté la rentrée universitaire et je ne me voyais pas retourner à Jassy (pour y faire quoi ?) alors que je rêvais secrètement de vivre avec Mihail. Je marchais dans la rue et je souriais en pensant à lui. Je m'endormais avec son visage et je me réveillais remplie de l'espoir de le croiser dans la journée. Ne serait-ce que le croiser ! Grâce à Sică Alexandrescu, qui m'avait prise sous son aile et voulait manifestement me garder à Bucarest, j'avais pu entrer comme stagiaire à l'agence de presse Rador. Son patron, M. Hurtig, m'avait promis de m'engager après six mois si je donnais satisfaction et, d'ici là, il me versait un salaire qui suffisait à payer ma nourriture et ma chambre. Mon travail n'était pas bien compliqué, il consistait à rédiger sous forme de dépêches les communiqués émanant du palais et des différents ministères. Nous étions partenaires de l'agence Reuters qui recevait notre fil et nous envoyait le sien, de sorte que je passais une bonne partie de mon temps dans la petite pièce assourdissante des téléscripteurs à lire les nouvelles du monde en provenance de Londres.

Mon effarement, puis mes larmes silencieuses, le matin du 15 mars 1939 en découvrant que les troupes allemandes venaient d'entrer dans Prague. Le correspondant de Reuters sur place écrivait : « Depuis huit heures ce matin la croix gammée flotte sur le château royal. » Aux termes des accords de Munich, Hitler ne s'était-il pas engagé à se limiter aux Sudètes ? Il venait de trahir sa propre parole – voilà en quelles mains nous avait placés le roi.

La nouvelle ne serait pas connue avant plusieurs heures et je pouvais être celle qui l'annoncerait à Mihail. J'étais anéantie, mais en même temps je tenais un prétexte pour l'appeler. Et voilà que mon cœur s'enflammait ! Mais quelle fille étais-je donc ? « Innocente, disait-il, comme ces fleurs qui poussent au beau milieu des chemins. » Affreuse, oui, calculatrice, prête à utiliser le malheur de ces pauvres Tchèques pour servir mon dessein minuscule. Non, je n'allais pas l'appeler. D'ailleurs, je savais qu'il s'était enfin remis à son roman, cet *Accident*, commencé deux ans plus tôt et victime de multiples déboires, et il m'en voudrait de le distraire en plein travail. « C'est pour m'annoncer ça que vous me dérangez ? Je l'aurais appris bien assez tôt, Eugenia... » Voilà tout ce que j'aurais gagné. Non, je n'allais pas l'appeler.

Deux ou trois heures plus tard, le téléphone avait sonné sur mon bureau.

— Hurtig à l'appareil. Eugenia, je vous passe monsieur Sebastian, l'écrivain.

— C'est vous, Mihail ? Justement...

— Bonjour Eugenia. Je viens d'appeler Hurtig pour savoir ce qui se passe à Prague, il me dit que vous en saurez sûrement plus que lui.

— J'hésitais à vous téléphoner, je pensais que vous étiez en train d'écrire. Hitler est à Prague depuis ce matin.

— Je vous en prie, dites-moi ce que vous savez.

Je lui avais lu toutes les dépêches de la matinée en provenance de Londres.

— Voilà, je n'en sais pas plus.

— Mon Dieu, quelle honte ! J'entends déjà les protestations de Chamberlain et de Daladier... Ils vont se dresser sur leurs pauvres ergots. Nous, Roumains, allons nous taire, bien entendu. Puis demain ce sera au tour de la Pologne, et cette fois nous aurons la guerre.

Tandis qu'il parlait, je voyais la pieuvre nazie s'étendre sur l'Europe. Un an plus tôt, presque jour pour jour, il y avait eu l'« Anschluss » – l'annexion de l'Autriche. À présent c'était la Tchécoslovaquie, et demain ce serait la Pologne, oui. La France et l'Angleterre entreraient-elles en guerre pour la Pologne ? Mihail semblait en être certain. Mais pour nous, Roumains, à quoi ressemblerait la guerre ? Allions-nous prendre les armes au côté d'Hitler, ou nous réveiller enfin pour soutenir la France, notre alliée de toujours ? Dans ce cas, combien de temps faudrait-il à l'Allemagne pour nous écraser ? Quelques heures ? Un jour ? Deux jours ? J'étais à la fois tétanisée et complètement perdue.

— J'ai besoin de vous voir. Que vous m'expliquiez.

— Je vais quitter Bucarest pour quelque temps, Eugenia, tout cela m'atteint profondément. À vrai dire, je ne sais même pas où nous trouvons la force de traîner nos pauvres vies.

— Où allez-vous partir ?

— À Brăila. La maison de mon grand-père n'est plus habitable, trop abîmée par les pluies et le vent, mais il y a dans la rue juste au-dessus un hôtel que j'aime, dont les fenêtres donnent sur le

Danube et les marais, au-delà du fleuve, je vais m'y installer et écrire. L'écriture reste encore au moins cela pour moi, un refuge.

— Vous allez me manquer.

Pendant quelques secondes, l'écoutant respirer, j'avais espéré un mot de lui. Un « Vous aussi allez me manquer » qui m'aurait accompagnée et soutenue durant toute son absence. Mais je n'allais pas lui manquer, non, et comme il cherchait manifestement comment prendre congé, je l'avais sorti d'embarras.

— Eh bien au revoir, Mihail, travaillez bien.

— Au revoir, Eugenia.

« J'ai besoin de vous voir. Que vous m'expliquiez. » Après avoir raccroché, je m'étais répété stupidement mes deux petites phrases, dix fois, vingt fois, marchant en rond dans mon bureau de l'agence Rador. Sans doute est-ce que je voulais qu'il m'explique ce que nous allions devenir si la guerre éclatait, si toute l'Europe s'embrasait, mais j'aurais surtout voulu l'entendre me dire que nous serions ensemble dans cette apocalypse, que nous traverserions les flammes ensemble et, si la chose devait se produire, que nous mourrions ensemble. J'aurais voulu qu'il me dise quelle place je tenais dans sa vie. Nous étions amants depuis six mois, mais ce « nous » me paraissait être de plus en plus illusoire. J'étais son amante, oh oui, toujours pleine de désir pour lui, mais si je ne venais pas sonner à sa porte, lui ne venait pas me chercher. Une seule fois, pendant trois semaines, j'avais fait l'expérience de ne plus passer chez lui, eh bien je n'avais reçu aucun signe de sa part. Au bout de combien de temps se serait-il étonné de mon absence ?

Je le lui avais demandé et il avait souri.

— Venez, allons nous promener un peu, je ne suis pas sorti de la journée.

Il ne trouvait pas désagréable de se promener avec moi, et si j'osais le prendre par le bras je le voyais sourire discrètement dans l'ombre portée de son chapeau, manifestement satisfait, ou amusé, que l'on puisse nous prendre pour un couple.

— Les gens doivent se demander si vous n'êtes pas plutôt ma fille, m'avait-il dit un jour.

— Décidément vous êtes idiot, Mihail.

— Vous faites si jeune, et moi si vieux !

Nous allions au parc Cişmigiu, prendre un verre à la buvette ou simplement nous asseoir sur un banc sous le pâle soleil d'automne. J'aimais qu'il me parle de son travail, non pas de sa difficulté à écrire qui faisait qu'aussitôt il devenait nerveux et allumait une cigarette, mais de ces moments où il entrevoyait soudain tout son livre, son prochain livre. La scène d'ouverture, si présente qu'il se mettait à courir dans la rue pour rejoindre son appartement et en poser les premiers mots, vite, vite, avant qu'ils s'échappent. Et pendant qu'il courait, en colère contre lui-même d'être sorti une fois de plus sans rien pour écrire, les premières répliques qui se bousculaient déjà dans sa tête entre son narrateur et une femme surgie de nulle part mais qu'il aurait pu cependant décrire, les premières répliques, oui, et les traits de cette femme, l'émotion invraisemblable qu'elle éveillait en lui subitement mais qu'il allait perdre parce qu'il aurait fallu au moins cent capteurs branchés sur son cerveau pour enregistrer le flot de scènes, de dialogues et d'images qui affluaient en lui. Le livre était là tout entier, fourmillant de personnages, plein de sensualité comme un fruit mûr, mais son existence était aussi éphémère qu'une apparition de la Très Sainte Mère de Dieu car, à peine attablé, on aurait dit que le génie qui volait un instant plus tôt sur le trottoir venait de se métamorphoser en un lourd paysan dont la lenteur était en train d'étouffer, comme à dessein, l'excitation flamboyante qui avait bien failli lui exploser le cœur.

— Eugenia, vous connaissez, n'est-ce pas, ce mot de Jules Renard à propos du prétendu talent des écrivains : « En littérature, il n'y a que des bœufs. Les génies sont les plus gros, ceux qui peinent dix-huit heures par jour d'une manière infatigable. » Eh bien une fois à ma table, je suis un bœuf.

— Ce n'est pas vrai, un jour je vous ai regardé, vous écriviez très vite.

— Vous mentez ! Je ne pourrais pas écrire en votre présence, ni en la présence de qui que ce soit d'ailleurs.

— Un matin, depuis le lit... Vous étiez beau. Vous ne voulez pas qu'on aille faire l'amour chez moi ?

— Pardon ? Là, tout de suite ?

— Oui, j'en ai très envie.

Il ne disait pas non, mais lui ne le proposait jamais.

Nous faisions l'amour, ou plutôt je lui faisais l'amour, je le caressais et je l'embrassais comme s'il était la fille et moi le garçon. Ensuite, je disposais deux verres de vin sur la table de nuit, j'apportais les cigarettes, et nous restions un moment à bavarder allongés nus sur le lit. C'était délicieux.

— Maintenant, décrivez-moi la femme, vous voulez bien ?

— Quelle femme ?

— Celle de votre prochain roman, celle dont vous me parliez tout à l'heure sur le banc.

Il ne s'entendait pas dresser le portrait de Leny, moqueuse et fuyante, cherchant le regard des hommes puis s'en amusant, venant leur souffler au visage la fumée de sa cigarette, son petit chapeau, ses grands yeux soudain brûlants de désir, ses lèvres écarlates, s'abandonnant dans les bras de l'un, longue et souple comme une liane, puis s'enivrant dans ceux d'un autre, tricheuse, secrète, imprévisible, butinant comme elle l'entendait mais ne se laissant jamais attraper.

— Une femme qui vous aimerait et ne demanderait qu'à vous appartenir vous ennuierait profondément, n'est-ce pas ?

— Pourquoi dites-vous ça ? C'est tout ce que je souhaiterais au contraire.

— Si je couchais avec Sică, ou avec monsieur Hurtig, tiens, qui ne serait pas contre à mon avis, vous me supplieriez à genou ? Vous m'écririez des lettres enflammées ?

— Eugenia, vous perdez la raison. Pourquoi coucheriez-vous avec ces hommes ? C'est ridicule, voyons.

— Parce que je suis cette femme qui vous aime et que je ne vous intéresse pas. Ce qui vous bouleverse chez une femme c'est qu'elle se conduise comme une putain, qu'elle vous échappe. Tous ces hommes qui la baisent, cela vous est insupportable, vous n'en dormez plus, vous la cherchez dans la nuit, vous pensez mourir de chagrin...

— Taisez-vous.

— Je ne vous en veux pas. Je pense que moi aussi, si j'étais un homme, je préférerais Leny à la fille sage et loyale que je suis. Leny est bien plus romanesque.

— J'aime votre sagesse et votre loyauté.

— Moi j'aime tout de vous, Mihail, même ce qui n'est pas aimable.

Il avait eu son petit rire clair.

— Vous êtes un trésor, Eugenia. Je le crois.

— Mais vous n'en êtes pas certain.

À peine dix jours après être parti, il était revenu de Brăila. Le roi avait déclaré la mobilisation générale en prévision de la guerre (avec qui ? contre qui ? il ne le savait peut-être pas lui-même) et Mihail devait rejoindre de toute urgence son régiment.

En fait d'urgence, on lui avait remis son paquetage et il avait été autorisé à rentrer dormir chez lui où je l'avais rejoint pour lui dire au revoir, au cas où la guerre éclaterait au milieu de la nuit. Leny était déjà là, et c'est elle qui m'avait ouvert.

— Viens vite, ma chérie, tu vas nous aider.

Ils avaient disposé sur le lit les pièces de son uniforme et je n'en avais pas cru mes yeux : des hardes grossièrement raccommodées, moisies aux aisselles et que l'on n'avait même pas pris soin de repasser. Des hardes de 1918, voilà tout ce dont disposait l'État pour habiller ses soldats. Une odeur infecte de renfermé s'en dégageait.

— C'est une plaisanterie, n'est-ce pas ?

Leny riait, mais Mihail semblait sincèrement effondré.

— Malheureusement non.

— Mais vous n'allez pas mettre ces horreurs !

— On cherche à trouver des vêtements de la même couleur qui feraient l'affaire, et des souliers... Regarde ce qu'on lui a donné pour partir à la guerre !

Et Leny avait brandi un épouvantable croquenot dont le bout rebiquait.

Un peu plus tard, son jeune frère, Benu, que je voyais pour la première fois, était arrivé avec un sac d'affaires et une paire de chaussures de marche.

Pendant que Mihail tentait de se constituer un uniforme dans la salle de bains, nous avions échangé quelques mots avec Benu. Lui n'était pas encore mobilisé mais il pensait que ça n'allait plus tarder. Il habitait toujours chez ses parents, rue Antim.

— Vous êtes jeune, c'est normal, avait commenté Leny. Mais je suppose que vous avez une amie, une amie de cœur je veux dire.

— Eh bien non, je n'ai pas la chance de Mihail, avait-il rétorqué ingénument en nous considérant l'une et l'autre.

— C'est vrai que Mihail plaît aux femmes, avait convenu Leny.

Manifestement, Benu savait la place que j'occupais dans la vie de son frère, ses parents avaient dû le lui dire, et ce qui le surprenait c'était la présence de Leny.

— Mihail est un artiste, avait-il ajouté après un instant de réflexion, comme pour s'expliquer à lui-même qu'il pouvait donc tout se permettre.

Je me rappelle l'admiration que j'avais lue dans le regard de Benu tandis qu'il prononçait ces derniers mots, et là, soudain, je veux lire ce qu'a noté

Mihail dans son *Journal*, cette nuit-là, après notre départ :

> Je viens de faire un essayage. Déplorable ! J'ai l'air misérable, éclopé, annihilé, défiguré. Je ne suis plus moi : je ne suis rien, rien, rien. Quelque chose qu'on peut tuer dans une bousculade, sans que ça prête à conséquence ; quelque chose qu'on peut traîner dans la boue, jeter dans une étable, oublier dans les champs ; quelque chose n'ayant ni nom, ni identité, ni regard, ni volonté, ni voix, ni vie – un soldat roumain.

Et un peu plus haut :

> Emil Gulian me proposait samedi, au téléphone, de nous réunir, à quelques-uns, et de jurer que ceux qui resteront en vie éditeront les manuscrits de ceux qui seront tombés au combat. Mes manuscrits, je dois avouer que je m'en moque plus ou moins. Mais je ne me moque pas des livres que je n'écrirai peut-être pas.

9

Oh, ce merveilleux printemps 1939 ! La guerre était toute proche, elle menaçait, mais en attendant nous étions libres d'aller et venir, libres de nous aimer à n'importe quelle heure du jour ou de la nuit. D'ailleurs les terrasses des cafés étaient pleines d'amoureux, de dandys et de jeunes femmes élégantes dont on entendait les rires jusque tard le soir, même les vieux couples se promenaient étroitement enlacés, on aurait dit que les Bucarestois, sentant venir la fin du monde, cherchaient à jouir de chaque seconde. On se précipitait à l'Athénée pour entendre Rosa Ponselle chanter des airs d'opéra et voir le jeune Karajan diriger l'orchestre. Il se murmurait que si le palais avait accueilli avec empressement la soprano américaine pour quelques représentations exceptionnelles, c'est que nous n'étions pas encore complètement sous la tutelle de Berlin (même si Herbert von Karajan en arrivait). Leny avait rencontré un jeune poète dont elle prétendait ne plus pouvoir se passer. Il l'attendait chaque soir à la sortie de l'Alhambra où elle lisait, seule en scène, des textes de Panaït Istrati. « Oh ma chérie, si tu savais, il me rend folle, je ne pense qu'à lui. » Mihail, qui les avait croisés près de l'université, ne voulait plus entendre parler d'elle.

— Eugenia, j'ai pu obtenir des places pour l'Athénée, accepteriez-vous de m'y accompagner ?

Et moi, comme une idiote : « J'en serais ravie ! », au lieu de lui répondre que je n'étais pas libre, et de le rappeler une heure plus tard pour lui dire que finalement... Mais d'imaginer seulement son désarroi, je n'aurais pas pu.

Jamais je n'étais allée écouter une cantatrice et j'étais sortie éblouie de ce récital. Mihail riait de mon enthousiasme, et quand j'avais compris, au milieu du dîner, qu'il possédait deux 78 tours de Rosa Ponselle, enregistrée à New York, je l'avais supplié de me les prêter.

— J'ai tellement envie de réentendre ce si beau passage ! Vous savez, de *La Traviata*...

Et j'avais chanté tout bas, et il m'avait dit sans se moquer, en me caressant la joue : « Je ne savais pas que vous chantiez si juste... Oui, "Addio del passato", nous allons le réécouter ensemble si vous voulez. »

Nous avions passé la nuit chez lui, à boire et fumer en écoutant Rosa Ponselle.

Un nouvel ordre de mobilisation était arrivé le lendemain vers midi alors que nous émergions d'un lourd sommeil, la pièce dans un désordre inextricable. Je l'avais aidé à revêtir son uniforme – ces bandes molletières impossibles, ces croquenots qui lui donnaient l'air de Charlot – et je m'étais penchée à la fenêtre pour le regarder s'éloigner.

Deux ou trois jours d'affilée, sa mission avait été de garder un pont enjambant le lac de Mogoşoaia (contre quel ennemi ?), armé d'un fusil Lebel de

1917, jusqu'à ce qu'arrive ce qui devait arriver : sortant de son palais au volant de sa Mercedes 380 décapotée, Antoine Bibesco avait reconnu Mihail sous ses hardes de soldat.

— Pouvez-vous m'expliquer ce que vous fichez ici, cher ami ?

— À vrai dire, je ne le sais pas moi-même.

— C'est insensé ! Donnez-moi le numéro de votre régiment... 21e d'infanterie, très bien, je m'en occupe.

Le prince avait adressé l'après-midi même au colonel du 21e un long télégramme lui faisant valoir que « le dramaturge Mihail Sebastian » serait plus utile au pays à sa table de travail qu'à garder un pont où ne passait personne, à part son garde-chasse, quelques oies et lui-même, Antoine Bibesco, ex-ambassadeur à Washington et à Madrid, récemment rappelé à Bucarest.

Mihail avait été libéré le lendemain et aussitôt prié par Élisabeth Bibesco de venir s'installer au palais de Mogoşoaia pour s'y reposer et travailler à sa guise.

— J'ai pensé qu'il vous serait agréable de m'accompagner, Eugenia. La princesse a gardé un très joli souvenir de vous, m'a-t-elle dit.

— Mon Dieu, j'ai peur d'être un peu perdue... De ne pas savoir...

— Il n'y a rien à savoir, les Bibesco n'obéissent à aucun code, tous les deux sont des artistes assez extravagants, vous verrez.

La princesse m'avait accueillie comme si j'étais une amie proche, m'attribuant une chambre dont les fenêtres donnaient sur le lac et qui communiquait avec celle de Mihail. J'avais trouvé sur ma table de nuit son dernier roman, *Portrait of*

Caroline, ainsi qu'un recueil de poésie, les deux ouvrages en langue anglaise.

Le prince achevait une pièce de théâtre qu'il entendait faire lire à Mihail : « Et je compte sur votre sévérité, n'est-ce pas, cher ami ? Je n'aimerais pas me faire éreinter par la critique. » Levé dès l'aube pour se mettre au travail, on pouvait le croiser à l'heure du petit déjeuner dans la vaste cuisine où s'affairaient les domestiques, arpentant la pièce dans un étonnant peignoir rose, une tasse de café à la main – « Ah, Eugenia, rappelez-moi de vous présenter à mon ami Tătărescu, vous n'allez pas passer votre vie à écrire des dépêches » (il voulait parler du ministre, Gheorghe Tătărescu). Ensuite il partait pour le ministère des Affaires étrangères, conduisant lui-même sa longue Mercedes couleur crème capitonnée de rouge.

Élisabeth, elle, n'était guère visible avant quinze heures. Elle écrivait de la poésie et relisait les épreuves de son dernier roman, *The Romantic*. Jamais je n'avais rencontré une femme à l'esprit aussi libre et, j'allais écrire, aussi joyeusement désenchanté, comme si elle ne se faisait plus aucune illusion sur la marche du monde. Irina m'avait libérée du carcan familial, de l'étroitesse d'esprit des miens, m'offrant les outils de la pensée et une éthique qui aurait pu me conduire à devenir communiste. Avec Élisabeth, je découvrais, prise de vertiges, qu'aucun système politique si intelligent, si généreux soit-il, ne résisterait jamais à la perversion des hommes et qu'assurément nous allions à notre perte – ce qui semblait lui être devenu parfaitement indifférent. En qui pouvions-nous placer notre confiance dans l'Europe d'aujourd'hui ? Elle souriait des « âneries » d'Hitler, imitant sa voix gutturale pour aboyer ses slogans dans un allemand parfait, du cynisme de Staline, du goût pour les pompes et les parades de Mussolini, de la bigoterie du « petit » général Franco qui ne l'avait pas empêché d'ordonner le massacre de milliers de Républicains, de la goujaterie de notre roi, en amour comme en diplomatie.

Combien les hommes sont finalement peu de chose nous en avions eu de nouveau l'illustration quand Antoine Bibesco, de retour d'une entrevue avec son ministre de tutelle, nous avait rapporté les dernières nouvelles de Nae Ionescu. Interné au camp de Miercurea-Ciuc, l'idéologue des légionnaires et préfacier glaçant de Mihail avait obtenu, paraît-il, d'être reçu par Armand Călinescu, le Premier ministre du roi. Là, il s'était jeté à ses pieds pour implorer sa libération et demander pardon pour ses apologies répétées d'un fascisme à la roumaine. En vain. Contrairement à Mircea Eliade, libéré du même camp quelques mois plus tôt, Nae y avait été renvoyé.

L'effondrement de son maître de philosophie avait laissé Mihail taciturne. Jusqu'au lendemain.

— Que vaut une idéologie si nous ne sommes pas prêts à mourir pour elle, avait-il remarqué comme nous nous promenions dans le parc en compagnie d'Élisabeth.

— Mon cher Mihail, on ne donne pas sa vie pour une idéologie de pacotille. Nae n'est qu'un joueur, un mauvais joueur de surcroît, il n'a aucune envie de payer pour ses tricheries.

— Beaucoup des hommes qui ont cru en lui sont morts.

— C'est malheureux, oui, des petits soldats qui ne voyaient pas plus loin que Nae et Codreanu.

Les petits soldats, c'est ce qu'il y a de plus répandu parmi les peuples, ils ont besoin de croire aveuglement en un chef, de servir une cause, même si le chef est un tricheur, ou un malade mental comme Hitler, et la cause mauvaise, atroce.

Mihail n'avait pas relevé. J'avais songé à mon frère Stefan.

— La seule mort qui vaille, avait ajouté la princesse, est celle que nous pouvons éventuellement offrir pour nous débarrasser d'une dictature. Si nous en avons le courage, et sachant qu'une nouvelle dictature naîtra peut-être des cendres de la précédente.

Quand je songe aujourd'hui à ces semaines à Mogoşoaia, je me dis qu'elles furent les plus belles de notre rencontre (je ne veux ni parler de *vie commune* avec Mihail car jamais nous n'aurons vécu ensemble, ni d'une *histoire d'amour* car il est mort sans m'avoir jamais dit qu'il m'aimait). Et cependant il passait l'essentiel de son temps enfermé dans sa chambre à écrire, tandis que moi je retournais certains jours travailler à l'agence (Mogoşoaia n'est qu'à une demi-heure du centre de Bucarest), ou restais seule à lire au bord du lac.

Mais il me cherchait quand il quittait sa table, preuve qu'il était heureux de ma présence.

— Ah, Eugenia, je me demandais où vous étiez passée… Que lisez-vous ?

Il se fichait de ce que je lisais, ce qu'il voulait c'est que je l'écoute m'expliquer combien il était fatigué de son roman, toujours cet *Accident* qu'il traînait comme un boulet.

— Cette nuit, je n'ai pas dormi, figurez-vous, je n'ai fait que penser à la pièce de théâtre que je vais écrire ensuite. Je voyais la première scène, dans une petite gare de province, j'avais tous les personnages : le chef de gare, le professeur de mathématiques passionné d'astronomie et venu récupérer un traité sur les étoiles déposé par le wagon postal, un paysan, une lycéenne, et je pouvais déjà imaginer de quelle façon allait apparaître l'Inconnue... Mona. Vous aimez ce prénom de Mona, Eugenia ?

— Ma foi... je ne sais pas trop.

— Elle surgirait du train en robe du soir, suivie du contrôleur car elle était montée sans billet, et le professeur en serait ébloui.

— Il voudrait l'approcher ? La toucher ?

— Oui, bien sûr, et j'avais déjà en tête les premières répliques.

— Et la mettre dans son lit, peut-être, lui que les étoiles fascinent...

— Taisez-vous, vous me déconcentrez. Vous ne pensez décidément qu'à ça !

— Oui.

— Taisez-vous ! Où en étais-je ? Oui, quelque chose s'engagerait entre eux.

— D'incandescent.

— D'incandescent, absolument. Déposée par le hasard dans cette gare rurale minuscule, l'Inconnue ne serait pas insensible à la poésie du professeur évoquant les étoiles. À son érudition.

— Car elle-même serait une étoile, et même une étoile filante, n'est-ce pas ? Comme la Corina de *Jouons aux vacances*, ou la ravissante Ann, volage et cruelle, de *L'Accident*, ou encore... Leny ?

— Vous vous moquez. Et puis ne me parlez plus de Leny.

— Pourtant, je la vois déjà en Mona.

Mais avant d'écrire *L'Étoile sans nom*, Mihail devait finir *L'Accident*, et je me demande soudain (avec tellement de retard !) si en fait ce n'est pas moi qui lui ai inspiré cette Nora, cette lourde Nora, aimante et loyale, que Paul choisit finalement d'aimer pour se consoler de la perte d'Ann. Nous nous étions disputés à propos de Nora. Pour Mihail, je le savais, l'amour et la souffrance allaient de pair car l'être aimé, ne pouvant être possédé, était forcément voué à disparaître. Même s'il prétendait le contraire, il ne croyait pas en un amour durable – or c'est pourtant la morale qu'il choisit de donner à *L'Accident* : Paul prétend aimer Nora et ne se laissera plus jamais distraire par une étoile de passage. « Jamais. Jamais. » Comment n'avais-je pas vu sur le moment ? « C'est moi, Nora, Mihail ? C'est cela que tu penses ? » S'il avait acquiescé, je lui aurais jeté son livre à la figure. Dans toute son œuvre, les femmes aimées disparaissent, ne laissant aucun espoir au personnage masculin, sauf dans *L'Accident* ! Et je serais donc la responsable de la fin sirupeuse et complètement ratée de *L'Accident* ? Mon Dieu, oui, si j'en avais pris conscience alors qu'il était encore vivant, je lui aurais sûrement jeté son livre à la figure.

Notre séjour à Mogoşoaia s'achève le 23 août 1939 dans l'après-midi quand la radio de Londres, interrompant soudain son programme musical, annonce qu'Allemands et Soviétiques viennent de signer un traité de non-agression. Le speaker parle « d'un pacte Molotov-Ribbentrop ».

Jamais je n'oublierai le silence qui a suivi cette nouvelle. Pour une fois, fuyant la chaleur, nous nous étions retranchés tous les quatre dans le frais salon turc autour de cocktails de fruits et d'un assortiment d'amandes et de pistaches.

— Mon Dieu ! avait soupiré la princesse.

Et le prince :

— On le murmurait mais je n'y croyais pas... Alors plus rien ne s'oppose à la guerre.

Désormais couvert à l'est, Hitler allait occuper la Pologne, c'était écrit. Qu'avait-il promis à Staline en échange ? La Roumanie, dont la Bessarabie était revendiquée par Moscou depuis 1918, n'allait-elle pas se retrouver dépecée ? Qu'allait décider le roi qui avait parié sur une alliance avec l'Allemagne nazie pour se protéger de la Russie communiste maintenant que les deux puissances étaient alliées ? Quant à la France et à la Grande-Bretagne, elles ne pouvaient pas, cette fois, se laver les mains du sort de la Pologne – alors oui, toute l'Europe risquait bien de s'embraser.

Partout, la mobilisation générale allait être décrétée.

Appelé dix minutes plus tard pour un Conseil extraordinaire par le ministre lui-même, Antoine Bibesco nous avait ramenés à Bucarest. Tout au long du trajet, à l'arrière de la Mercedes, j'avais imaginé la consternation d'Irina : ces communistes en lesquels elle avait placé toute sa confiance, au point de risquer la prison, désormais main dans la main avec les nazis, l'incarnation du mal absolu... Que pouvait-elle penser ? Dans quel désarroi se débattait-elle ? Je devais essayer de lui parler dès ce soir. Enfin, si elle était à Jassy...

Cependant, les terrasses des cafés étaient pleines de monde, on se bousculait devant les vitrines des magasins, la ville bruissait de mille désirs – on aurait dit que personne ne croyait encore à la guerre. J'avais aidé Mihail à monter ses bagages, lui qui ne voyageait jamais sans une vingtaine de livres de chevet, Proust, Balzac, Malraux, Shakespeare... puis nous étions partis flâner du côté du palais. Une petite foule était déjà massée devant les grilles, tentant d'identifier qui descendait des limousines dont le ballet était incessant.

Je me souviens comme nous avions eu le temps de bien voir Armand Călinescu, le Premier ministre, car à l'instant de s'engouffrer sous le porche il s'était retourné pour prendre un objet qu'il avait dû oublier et que son secrétaire, ou son chauffeur, lui tendait. Un homme de petite taille, Călinescu, mais de belle allure dans son habit anthracite à gilet gris perle, identifiable à son éternel monocle noir. De quoi était-il fait pour aimer une femme, partager une vie de famille (ils avaient un jeune garçon) tout en étant capable d'ordonner l'assassinat de Codreanu et de tous ses compagnons ?

— Vous prétendrez qu'ils ont tenté de s'évader, capitaine. Vous me comprenez ?

— Cela implique que nous leur tirions dans le dos, monsieur le ministre. Et ceci dans leurs cellules. Si je puis me permettre, je proposerais plutôt une mort par strangulation.

— Eh bien parfait, étranglez-les, ce sera moins bruyant.

— Quitte à sortir les corps ensuite dans la forêt environnante et à leur tirer dans le dos pour qu'il n'y ait aucun doute sur la tentative de fuite.

— Faites pour le mieux, mon vieux, et prévenez-moi lorsque l'opération sera terminée.

Et après ça, il était donc rentré tranquillement dîner chez lui, s'était enquis auprès de son fils de ses déclinaisons latines, avant peut-être de faire l'amour à sa femme tout en guettant d'une oreille la sonnerie du téléphone.

— Qu'est-ce que c'était, mon chéri ?

— Oh, rien. J'avais demandé à mon directeur de cabinet qu'il me donne confirmation de l'aboutissement d'un dossier sensible.

— Armand, tu es admirable ! Il semble que rien, jamais, ne puisse te prendre au dépourvu.

Je le revois ce 23 août, s'emparant de l'objet oublié (un briquet ? un coupe-cigare ?), impassible derrière son monocle noir. Pressent-il qu'il ne lui reste alors qu'un peu plus de trois semaines à vivre ? Qu'en dépit des compliments de sa femme et des honneurs multiples qui l'accompagnent il peut être frappé au dépourvu ? Dans les derniers temps de notre vie, la mort nous souffle-t-elle au visage une haleine qu'on ne saurait confondre avec aucune autre ? Ou bien nous murmure-t-elle à l'oreille des mots qui nous glacent le cœur ? Je me le demande.

Dans les jours qui avaient suivi notre retour à Bucarest, Mihail ne m'avait plus fait aucun signe.

Que faisait-il ? Que pensait-il ? Ah, voilà, la réponse figure dans son *Journal* : « Si je dois mourir dans cette guerre, je ne voudrais pas que ce soit sans avoir achevé mon livre. »

Il tentait donc de finir *L'Accident*, je m'en doutais, tandis que de mon côté je suivais l'actualité du monde dans les locaux poussiéreux et vétustes de l'agence Rador.

Constatant qu'Irina ne décrochait pas, j'avais appelé l'université : elle ne s'était pas présentée à la réunion exceptionnelle des professeurs convoquée le vendredi 25 août, et ne s'était pas excusée. L'université n'avait aucune idée de l'endroit où elle pouvait être.

Je me trouvais penchée au-dessus du fil de l'agence Reuters, le 1er septembre de cette année 1939, lorsque la nouvelle était tombée : ce vendredi, aux premières heures du jour, les troupes allemandes avaient franchi la frontière polonaise sans rencontrer de résistances sérieuses et elles avançaient à présent à vive allure vers la Vistule.

On attendait les réactions de Londres et de Paris qui s'étaient engagées à garantir les frontières de la Pologne. On indiquait que dans les deux capitales les gouvernements s'étaient aussitôt réunis en « Conseil exceptionnel ». La grande nouvelle du lendemain, 2 septembre, fut l'annonce d'un ultimatum franco-anglais adressé à Berlin. Hitler allait-il rebrousser chemin ? C'était peu probable. Comme on pouvait s'y attendre, la Grande-Bretagne entra donc officiellement en guerre le 3 septembre à onze heures du matin, tandis que la France attendit dix-sept heures pour en faire autant.

Et nous, Roumains, qu'allions-nous devenir ? Dès l'annonce de la déclaration de guerre de la France j'avais appelé Mihail et nous nous étions retrouvés vers vingt heures devant les grilles du palais royal. Il venait d'apprendre que son frère aîné, Poldy, s'était engagé dans l'armée française et il en était bouleversé. Une grande partie de la journée il avait couru aux nouvelles et il ne comprenait pas l'inconscience des Bucarestois : les rues grouillaient de monde, on se bousculait aux terrasses des restaurants, on continuait de rire, de boire, de vivre, comme si l'avenir nous appartenait alors que demain peut-être nous allions mourir sous les bombes. Des rumeurs prétendaient que, sonné par le pacte germano-soviétique, le roi était sur le point d'engager la Roumanie aux côtés de la France et de l'Angleterre, nos alliés traditionnels. Dans cette hypothèse, les deux puissances envisageaient, disait-on, de débarquer des troupes à Constanţa, sur la mer Noire. C'était à la fois réconfortant et terrifiant car le temps qu'arrive le corps expéditionnaire franco-anglais nous allions être écrasés comme les malheureux Polonais, également pris en étau entre la Wehrmacht et l'Armée rouge.

Parmi la foule qui nous entourait, certains prétendaient que Varsovie était déjà bombardée à l'heure où nous parlions. Il était évident qu'après la Pologne ce serait le tour de la Roumanie. Avec nos fusils Lebel de 1917, sans blindés ni aviation, nous ne résisterions pas plus d'une demi-journée – et combien d'hommes mourraient durant ces quelques heures ? Je ne voulais plus penser, je me pressais contre Mihail tandis que le soir tombait sur la vaste place de l'Athénée. Les fenêtres du bureau du roi étaient illuminées, les sombres autos de ses visiteurs toujours stationnées dans la cour, signe que le souverain était en pleine réflexion. Il fallait patienter, notre destin se jouait sans doute là, ce soir, sous nos yeux. Puis subitement le porche s'illumina, on reconnut quelques visages parmi les partants, dont ceux du général Gheorghe Argesanu et d'Armand Călinescu, les deux hommes prenant le temps d'échanger quelques mots avant de se saluer, et un instant plus tard, au lieu de bloquer le cortège des voitures pour apprendre ce qui venait d'être décidé, la foule s'écarta docilement, silencieusement. Mihail et moi fîmes de même, comme saisis d'impuissance devant l'immensité de la tragédie que nous pressentions.

Puis on éteignit le bureau du roi, un murmure de tristesse, ou de désappointement, s'éleva de la foule et les gens commencèrent à se disperser.

— Voulez-vous que je vous raccompagne chez vous, Eugenia, ou préférez-vous dormir chez moi ?

— Attendez, laissez-moi réfléchir.

— Bien sûr, nous avons tout le temps.

Et il s'était arrêté, comme si en effet...

— Je vous aime aussi pour votre bêtise, Mihail. Venez vite, j'ai froid, vous allez me prendre dans vos bras.

Il avait fallu attendre le 6 septembre pour connaître la position du roi : « Une stricte neutralité », selon les titres des derniers journaux encore autorisés à paraître, tous inféodés au palais.

Comment ça, une stricte neutralité, alors que l'Allemagne prélevait déjà la moitié de notre pétrole pour faire rouler ses tanks et voler ses bombardiers ? Il y avait de quoi sourire, mais c'était tout ce qu'avait trouvé Carol II pour reculer le moment d'un engagement d'un côté ou de l'autre. S'offrir, et nous offrir, quelques semaines de répit avant que les premiers hommes tombent au front.

10

Les rues de Bucarest s'étaient petit à petit remplies de réfugiés polonais. Des familles entières parfois, les trois générations confondues dans l'exode, le père traînant une charrette pleine d'objets hétéroclites et de ballots de linge sur lesquels se tenaient deux ou trois enfants tandis que la mère et les grands-parents suivaient, à pied, ou parfois l'un ou l'autre dans un fauteuil roulant, regards vides, visages creusés. Des hommes poussant une brouette avec un enfant dedans, ou un aïeul. Des couples de vieillards habillés de lourds manteaux d'hiver sous le soleil brûlant et reprenant haleine, ici ou là, à l'ombre d'un immeuble, auprès de trois ou quatre valises. Mais comment étaient-ils arrivés jusqu'ici, et depuis combien de jours marchaient-ils ? Sur les berges de la Dâmboviţa et dans le parc Cişmigiu d'interminables files de gens dépenaillés devant les tentes de la Croix-Rouge dressées à la hâte – des femmes avec des bébés au sein, des couples hagards entourés d'enfants aux visages flétris, des vieillards couchés à même le sol et qu'on aurait dit morts tant ils étaient pâles. Parmi tous ces malheureux, beaucoup de juifs, naturellement, de longs convois de juifs reconnaissables à leurs sombres habits, aux barbes des hommes, à leurs chapeaux, la plupart traînant des chariots pleins de tout ce qu'ils avaient pu y entasser à la hâte.

Ce sont eux, les juifs, qui avaient déclenché les premières colères contre les Polonais, ce peuple « dont l'armée n'avait su que battre en retraite face à la puissante Wehrmacht », racontait-on partout avec plus ou moins d'admiration pour les soldats allemands, et même souvent d'exaltation. Cracovie était tombée le 6 septembre, Varsovie le lendemain et on disait maintenant que les troupes soviétiques, massées sur la frontière orientale de la Pologne, s'apprêtaient à passer à l'offensive.

Mihail m'avait rapporté les propos enflammés de Mircea Eliade croisé chez leur ami commun, l'illustre Camil Petrescu. Le seul avenir souhaitable pour la Roumanie, pensait Eliade, était de se placer sous la tutelle de l'Allemagne nazie qui bientôt fédérerait la nouvelle Europe. Nous n'avions désormais plus rien à craindre de la Russie qui venait de montrer qu'elle abandonnait le bolchevisme au profit du national-socialisme. L'alliance avec l'Allemagne aurait le double avantage de garantir les frontières actuelles de la grande Roumanie (la Russie renonçant à notre province de Bessarabie) et de nous protéger de cette nouvelle invasion de juifs – ils comprendraient vite qu'il n'existait pas de salut pour eux en Roumanie nazie et poursuivraient leur voyage vers cette Palestine que les plus avisés avaient déjà gagnée. « Plutôt un protectorat allemand qu'une Roumanie envahie encore une fois par les youpins », avait conclu Eliade, sans le moindre égard pour Mihail – phrase que je trouve à l'instant retranscrite dans son *Journal* à la date du 20 septembre.

Le lendemain, jeudi 21 septembre 1939, j'étais devant ma machine à écrire, occupée à rédiger une dépêche à propos de je ne sais plus quel déplacement du roi, la radio diffusant dans la pièce des chants religieux, quand soudain le programme avait été interrompu par le hurlement d'une femme, aussitôt suivi d'explications confuses de cette même femme selon lesquelles on venait d'assassiner le Premier ministre, Armand Călinescu. Puis, très étrangement, une voix d'homme lui avait succédé (comme si elle avait été poussée hors du studio), une voix d'homme nous présentant calmement des excuses pour cet « incident regrettable » avant que reprenne la diffusion des chants religieux.

Durant un instant j'étais demeurée stupéfaite. S'il était exact que Călinescu venait d'être tué, Rador devait l'annoncer immédiatement et c'était à moi, de permanence ce jour-là, de rédiger ce que nous appelions une « alerte » : « Călinescu assassiné », avant d'envoyer de plus amples développements très rapidement derrière cette première annonce. Seulement comment vérifier une telle information ?

J'avais résolu d'appeler le restaurant où j'espérais trouver M. Hurtig (il était 13 h 20 précisément). Par chance, il était bien là.

— Passez-le-moi vite, je vous en prie.

J'avais patienté, entendant le brouhaha des conversations et le cliquetis des couverts comme si je me tenais cachée derrière un buffet.

— Oui, Eugenia, que vous arrive-t-il ?

— Călinescu aurait été... assassiné.

— D'où tenez-vous cette ânerie ? Je suis entouré ici de gens des ministères, à toutes les tables, et ce petit monde déjeune très tranquillement.

— Pouvez-vous appeler un ministre ou quelqu'un pour vérifier ? La radio vient de l'annoncer, mais d'une façon vraiment bizarre…

— Je ne vais sûrement pas me ridiculiser… Attendez, restez en ligne…

Il y avait eu un remue-ménage, suivi d'un grand silence (je devais apprendre le soir même de la bouche de M. Hurtig qu'un officier était entré en trombe dans le restaurant, qu'après un instant d'hésitation il avait marché droit sur le général Argesanu qui déjeunait à proximité du téléphone mural contre lequel se tenait mon directeur, de sorte que celui-ci avait entendu le message délivré au général et l'avait vu blêmir).

— Călinescu assassiné, annoncez-le immédiatement, Eugenia. Je rentre à l'agence.

Et maintenant courir jusqu'au lieu du drame. Mon premier reportage. « Allez-y vite, mon petit. Je vous fais confiance, n'est-ce pas, notez tout ce que vous voyez et téléphonez-moi vos observations le plus vite possible. » Călinescu avait été abattu boulevard des Héros (Bulevardul Eroilor), juste avant le pont franchissant la Dâmbovioţa. Il venait de son domicile, un hôtel particulier de Cotroceni, le quartier huppé, où il avait dû déjeuner en tête à tête avec son épouse, et il se rendait au siège du gouvernement quand sa voiture avait été prise sous le feu de plusieurs hommes cachés derrière une charrette.

Le Premier ministre gisait à présent allongé sur l'asphalte, à proximité de son auto immobilisée en travers de la chaussée, portières ouvertes, ce qui laissait penser qu'il avait tenté de fuir avant d'être mortellement touché. Son monocle noir reposait à côté de son visage.

D'importantes forces de police empêchaient d'accéder à la charrette qui avait permis aux tireurs de monter l'embuscade – tous avaient été arrêtés, selon le commandant qui avait accepté de me parler.

— Qui sont-ils ? Quelles sont leurs motivations ?

— Ce sont des légionnaires, mademoiselle. Je suppose que cela doit vous suffire comme explication.

Le visage de Stefan m'avait furtivement traversé l'esprit, j'avais eu le temps de songer *oh mon Dieu, pourvu qu'il ne soit pour rien dans cette horreur*, avant de courir frapper à la porte de la maison la plus proche pour téléphoner à M. Hurtig.

En fait d'arrestation, tous les assassins, sept ou huit hommes, avaient été abattus sur place par l'escorte du Premier ministre et leurs corps gisaient à présent près de la charrette chargée de bois. M. Hurtig avait eu le bon réflexe en exigeant que je reste sur place car ainsi j'avais pu le rappeler et lui décrire le spectacle horrifiant qui s'offrait à moi : ces hommes jeunes, criblés de balles, dont les dépouilles reposaient dans la position où ils avaient rendu leur dernier souffle, l'un les bras en croix, le cou cassé, la bouche ouverte, un autre le visage fracassé contre l'asphalte et baignant dans une flaque de sang, un autre encore en chien de fusil, comme un enfant endormi, un autre agenouillé, curieusement retenu en équilibre par son arme, un peu de salive séchée au coin de la bouche… tandis qu'à quelques mètres d'eux

Armand Călinescu paraissait se reposer paisiblement, lui, couché sur le dos de tout son long. Tous étaient maintenant protégés par un double cordon de militaires derrière lequel une foule de curieux se pressait déjà.

Venant de l'agence officielle Rador, j'avais été autorisée à entrer dans le périmètre de l'attentat. Je n'avais encore jamais vu de morts, jamais ressenti le stupéfiant silence qui émane des morts. Ils semblent être toujours vivants, de chair et d'os, leurs yeux grands ouverts quoique étrangement fixes, leurs cheveux qu'agite par instants une faible brise, leurs lèvres gercées, leurs ongles sales, et c'est pourquoi on se sent le cœur étreint d'une gêne indicible à les approcher, à les contempler – comment osons-nous, alors qu'ils sont là sans défense, livrés à notre regard sans plus rien pour se couvrir ? Comment osons-nous ? La mort est un état si intime, n'est-ce pas, si impudique. Mais en vérité ils nous trompent, ils n'ont laissé là que leur enveloppe, ces statues de chair blême, et tandis que je sentais monter dans mes jambes un tremblement que je ne parvenais pas à maîtriser, je m'étais entendue soudain réciter tout bas ces mots de Rilke que disait mon petit frère Andrei :

Qui
Si je crie
Peut m'entendre ?
Quel ange parmi les anges ?
Et même s'il s'en trouvait un pour soudain
Me prendre contre son cœur ?
Telle présence, j'en mourrais
Car la beauté commence comme la terreur :
À peine supportable.

Criaient-ils en ce moment ? Étaient-ils en train de supplier le Ciel de les accueillir ? Leurs âmes, je veux dire, pendant que leurs corps se vidaient sur l'asphalte et que leur peau, déjà, se parcheminait. Après m'être reprise, j'avais su dresser un tableau précis de la scène à M. Hurtig, m'attachant à lui donner tous les détails qui avaient frappé mon esprit, et cela sans manifester la moindre émotion. À la fin seulement, je lui avais demandé si je pouvais maintenant écrire un article plus personnel sur ce qui m'avait traversé tandis que je marchais parmi tous ces morts.

— Un article plus personnel… mais pour raconter quoi, au juste ?

— Je ne m'étais jamais posé la question de ce corps que nous laissons derrière nous après la mort. Il y a quelque chose d'indécent, d'humiliant, à se retrouver ainsi livré au regard de tous. Notre bouche béante, nos yeux vides, nos membres ridiculement tordus… Est-ce que vous me comprenez, monsieur ? On devrait les couvrir puisqu'ils ne peuvent plus le faire eux-mêmes. On devrait au moins faire cela pour eux. Je veux dire… même si ce sont des criminels.

Il y avait eu un silence.

— J'entends votre émotion, mon petit. J'ai ressenti quelque chose de similaire, en 1917, à votre âge à peu près, quand nous avons ramené du front nos premiers morts. J'ai pensé que moi aussi on allait un jour me découvrir dans cet état, la moitié du visage emporté, ou le ventre ouvert… Oui, je sais tout ça.

Il s'était tu de nouveau. Je l'avais entendu respirer, puis allumer une cigarette.

— Évitez de trop réfléchir, avait-il repris avec brusquerie, vous voulez bien ? On s'habitue, malheureusement. On s'habitue aux pires horreurs, vous verrez. Enfin, je ne vous le souhaite pas. Et maintenant séchez vos larmes et retournez sur les lieux.

— Je ne pleure pas.

— Vous en auriez le droit. Mais quant à écrire sur vos émotions, je dois vous rappeler que nous ne sommes pas un cercle de réflexion mais une agence de presse.

— Oui, j'ai bien compris.

— Retournez sur les lieux et restez-y jusqu'à ce qu'il n'y ait plus aucune trace de l'événement. C'est la règle dans notre métier. Et appelez-moi régulièrement, bien entendu. Je peux compter sur vous, Eugenia ?

— Oui, monsieur. Vous pouvez compter sur moi.

Je n'avais pas pleuré, mais j'avais bien failli lorsqu'il m'avait appelée « mon petit » pour la deuxième fois. Un soudain apitoiement sur moi-même sans rapport avec le spectacle de la mort.

Le meurtre d'Armand Călinescu avait été directement orchestré par Horia Sima et ses lieutenants, tous réfugiés à Berlin – donc Stefan n'y était sûrement pas étranger. Le commando était arrivé d'Allemagne, entraîné et armé. On expliquait que les légionnaires s'étaient ainsi vengés de l'assassinat de leur chef charismatique, Codreanu, ordonné par Călinescu dix mois plus tôt.

Mais selon M. Hurtig, qui s'était discrètement entretenu avec quelques ministres et conseillers du roi, la vengeance des légionnaires avait surtout servi les intérêts de Berlin. Hitler aurait eu vent de contacts secrets entre les Occidentaux et Călinescu afin d'envisager d'incendier les puits de pétrole pour en priver l'Allemagne. Soucieux d'affirmer la neutralité de la Roumanie et de ménager un avenir hypothétique avec nos ex-alliés français, Călinescu n'aurait pas dit non au souhait des Occidentaux. Hitler aurait alors reçu Horia Sima et l'aurait habilement manipulé, lui laissant croire qu'il comprenait sa colère et lui offrant protection et logistique pour abattre l'imprévisible Călinescu.

Nommé par le roi Premier ministre par intérim dans les heures qui avaient suivi l'attentat, le général Gheorghe Argesanu ordonna une répression sans précédent contre les légionnaires. Dès le lendemain de la mort d'Armand Călinescu, les hommes d'Horia Sima furent traqués à travers tout le pays, à Bucarest comme dans les autres villes. La consigne avait été donnée de les fusiller sans autre forme de procès sur le lieu même de leur arrestation et d'abandonner leurs corps sur le trottoir afin que toute la population puisse juger par elle-même du sort que la nation réservait aux « traîtres ». Et c'est ce qui fut fait : en moins de deux jours, près de trois cents légionnaires furent exécutés et leurs dépouilles laissées sur la chaussée, quand elles n'étaient pas suspendues aux lampadaires par les pieds.

« Retournez sur les lieux et restez-y jusqu'à ce qu'il n'y ait plus aucune trace de l'événement », m'avait ordonné M. Hurtig. J'escomptais que les corps des meurtriers seraient emmenés dans la nuit pour être inhumés – ils demeurèrent là au moins trois jours, sous le soleil de septembre, recouverts de mouches et se gonflant comme des ballons au fil des heures sous l'effet de la putréfaction, lâchant par instants d'épouvantables gaz au point qu'on croyait les entendre siffler et les voir remuer. Je ne peux pas oublier le sentiment d'effroi qui m'avait saisie lorsque nous avions vu soudain basculer celui qui était resté longtemps agenouillé, miraculeusement retenu par son fusil. Il était devenu obèse et, après être tombé, il avait roulé sur lui-même durant deux ou trois secondes interminables, comme pris de fou rire, avant de s'immobiliser sur le flanc.

Le périmètre était toujours gardé par des soldats qui avaient accroché au-dessus des cadavres une large pancarte avec cette inscription : TRAÎTRES À LA PATRIE, de sorte que des centaines de curieux se bousculaient pour profiter du spectacle. Les plus avisés avaient apporté des escabeaux qu'ils louaient pour quelques lei à ceux qui protestaient qu'à cause des militaires on ne voyait rien.

Je rentrais dormir chez moi quelques heures quand M. Hurtig m'y autorisait, puis je revenais sur place, seule journaliste admise (avec un photographe du ministère de l'Intérieur qui passait par intermittence) à me tenir à l'intérieur du périmètre. Ne fuis pas, ne flanche pas, me disais-je, garde les yeux ouverts sur la terrifiante réalité roumaine, entends ce qui se dit autour de toi et retiens-le, ainsi tu seras préparée pour ce qui va venir, car le pire est à venir : nous ne sommes même pas encore en guerre et déjà nous nous entre-tuons !

Tandis que la foule protestait pour qu'on la laisse approcher des cadavres en décomposition – mon Dieu ! comment pouvait-on vouloir *cela* ? –, je pensais souvent à Stefan. Était-il mort à l'heure actuelle, ou toujours confortablement installé à Berlin où l'on racontait qu'Horia Sima et ses proches bénéficiaient d'un hôtel de luxe mis à leur disposition par Hitler ? Je balançais entre colère et chagrin, reculant le moment d'appeler mes parents à Jassy. Quelle douleur pour eux si Stefan avait été fusillé rue Lăpuşneanu, devant notre maison, sur notre trottoir. Quelle douleur inconsolable. Mais en même temps, connaissant Stefan, je ne croyais pas la chose possible. Il était un fin calculateur – quand les légionnaires étaient venus frapper Mihail à l'université, pendant le cours d'Irina, il avait supervisé l'opération mais s'était bien gardé de se montrer. De la même façon, il avait dû envoyer ses camarades au casse-pipe tout en choisissant de demeurer dans sa suite berlinoise.

Mihail, que j'avais pu avoir brièvement au téléphone, était dans la même inquiétude pour son « ami » Eliade. Călinescu lui-même avait bien voulu « amnistier » Mircea Eliade (quand il avait renvoyé en camp d'internement Nae Ionescu), mais sans la protection de Călinescu – assassiné par les camarades d'Eliade ! – la vie de ce dernier ne tenait plus qu'à un fil. N'était-il pas un des plus ardents théoriciens de la Légion ? Si l'on fusillait les légionnaires, pourquoi épargnerait-on leur tête pensante ? Nina, la femme d'Eliade, avait appelé tous leurs amis au secours, paraît-il, en les suppliant : « Faites quelque chose, ne les laissez pas tuer Mircea ! » Mihail avait été le seul à rendre visite à Eliade (chacun craignant d'être abattu s'il était trouvé en sa présence au moment où surgirait la police), et il était rentré de cette rencontre complètement déprimé. « Conversation de sourds, il juge légitime qu'on assassine Călinescu, mais criminelle la répression qui s'abat sur la Légion. Son seul espoir réside dans l'invasion de la Roumanie par l'Allemagne. Il l'appelle de ses vœux en me regardant tranquillement, sachant parfaitement que si cela se produisait, nous, juifs, serions massacrés comme sont aujourd'hui massacrés les juifs de Pologne. Voyez-vous, Eugenia, je note tout ce qu'il me dit dans l'espoir de le voir un jour rougir de ses propos, si toutefois je suis encore vivant. »

Enfin, je m'étais décidée à appeler mes parents. Plus d'une année s'était écoulée depuis mon départ de Jassy et jamais nous n'avions laissé passer un mois sans nous téléphoner. Eux me donnaient généralement des nouvelles du magasin, des vignes, des voisins, et moi j'évitais de parler de Mihail, m'en tenant à la vie à Bucarest et à quelques anecdotes sur mes collègues de l'agence, de vieux messieurs qui passaient l'essentiel de leur temps au téléphone avec leurs contacts secrets dans les ministères et ne m'adressaient la parole que pour m'envoyer leur chercher des cigarettes ou me demander de leur préparer un café.

C'est mon père qui avait répondu.

— Ah, Jana, justement je voulais t'appeler... Comment vas-tu, ma chérie ?

— Ça va, papa. C'est toi qui décroches maintenant ?

— Ta mère est au fond de son lit.

Un silence. Moi, soudain, le cœur arrêté.

— Il est arrivé quelque chose ?

— Il est arrivé que la police a débarqué et a retourné toute la maison, de la cave au grenier. Tu connais ta mère.

— La police est venue…

— Et rien de plus, aucune inquiétude.

— Ils cherchaient Stefan, c'est ça ?

— Évitons de prononcer son nom, si tu veux bien, je crains que notre téléphone soit sur écoutes. Ils cherchaient ton frère, oui. Cela dit, que les choses soient claires : nous ne savons pas où il se cache.

— Mais il est vivant ?

— C'est ce que nous espérons, ma chérie.

— Et tu n'en sais pas plus, vraiment ?

— Comme nous l'avons dit à la police, nous ne savons rien.

— Bon, d'accord.

— Je ne peux pas te passer ta mère, mais je dois te passer Andrei qui n'a pas de très bonnes nouvelles, malheureusement.

— Comment ça ?

— Attends, il est à côté de moi.

Des grésillements, et la voix d'Andrei, un peu trop haut perchée, signe de son émotion.

— Ça fait trois jours que je recule le moment de t'appeler…

— Qu'est-ce qu'il y a ? C'est quoi ces mauvaises nouvelles ?

— Je vais te faire de la peine, Jana. Ton amie Irina, Irina Costinas… eh bien elle s'est suicidée.

— Oh non ! Non !

J'aurais voulu ne pas crier, ne pas éclater en sanglots, mais le chagrin m'avait submergée.

— Je suis désolé. Dès que je l'ai appris, je n'ai plus fait que penser à toi, tu sais. Je suis désolé, Jana.

— Mais comment ? Comment ?

— Comment je l'ai appris, tu veux dire ? À l'université. Un communiqué a été affiché pour annoncer son décès.

— Non, comment s'est-elle... tuée ?

— Avec un revolver. À Moscou. Quand j'ai vu l'annonce, j'ai demandé à rencontrer la secrétaire de la présidence qui était son amie, Maria Cozma, on les voyait souvent ensemble au café. C'est elle qui me l'a dit parce que je suis ton frère et qu'elle savait ce qui vous liait.

— C'est trop dur, Andrei. C'est trop dur. Excuse-moi, je ne vais plus pleurer. Attends, je cherche un mouchoir...

— Oui, prends ton temps... Je sais que tu l'aimais beaucoup.

— Plus que ça. Je l'aimais, oui, bien sûr que je l'aimais, mais j'avais besoin de savoir qu'elle existait, que nous pensions l'une à l'autre, que je n'étais pas toute seule. Je lui devais ce que je suis devenue. Elle était pour moi la personne la plus lumineuse au monde, la plus précieuse.

— Oui, je me rappelle quand tu es partie vivre chez elle. Je t'ai même enviée à ce moment-là.

— Je n'avais qu'elle. Les autres sont si petits en comparaison, si seulement préoccupés de leurs petites affaires. Irina m'avait donné l'envie d'aller dans le monde – et tu sais, il y a très peu de personnes capables de te donner cette envie-là.

— Et brusquement, c'est elle qui n'a plus voulu.

— Quand on a su pour le pacte germano-soviétique, il y a un mois, j'ai tout de suite pensé à elle et j'ai essayé de l'appeler. Elle était déjà à Moscou, sûrement, puisqu'elle n'a pas répondu. J'ai imaginé combien elle devait être blessée, effondrée, puis je me suis dit qu'elle saurait faire la part des choses : le communisme ne se résume pas à l'opportunisme de Staline, n'est-ce pas ? Le communisme, c'est une ambition pour le monde de demain, une philosophie de la vie, exigeante et généreuse, qui transcende l'ignominie d'un homme.

— Tout de même, Jana.

— Tout de même quoi ?

— Pactiser avec les nazis, est-ce que ce n'est pas…

— La mort du mouvement, tu veux dire ? Non, sûrement pas. Un jour, Staline sera la honte des communistes, voilà ce que je me répète depuis ce triste 23 août. J'aurais voulu le dire à Irina, et qu'elle m'entende, qu'elle me croie.

11

Que nous préparaient Hitler et Staline ? La menace semblait s'être provisoirement éloignée. Le premier était occupé à s'implanter en Pologne tout en planifiant sa grande offensive à l'ouest, disait-on, tandis que le second, qui escomptait s'emparer de la Finlande en quelques jours, se heurtait à une résistance qui tournait au désastre pour l'Armée rouge. Réunis chez les Bibesco pour un dîner entre amis au palais de Mogoşoaia où nous avions retrouvé Leny et quelques esprits libres, tel l'éditeur Alexandru Rosetti qui était à Mihail ce qu'avait été pour moi Irina (mais ni Mircea Eliade ni Camil Petrescu ni Marietta Sadova ni Haig Acterian), nous nous étions désolés de l'échec du dernier attentat contre Hitler, le 8 novembre, dans la brasserie munichoise où il commémorait comme chaque année son putsch raté de 1923. La bombe avait bien explosé, tuant une dizaine de dignitaires nazis et en blessant une soixantaine d'autres, mais Hitler avait quitté la salle un quart d'heure plus tôt ! Nous avions levé nos verres à la réussite de la prochaine tentative, puis au courage des soldats finlandais qui non seulement ridiculisaient Staline mais le menaçaient directement à présent puisqu'ils avaient franchi la frontière de la puissante Union soviétique et marchaient sur Leningrad.

Tandis que le roi tentait de constituer une Entente des pays neutres en envoyant des émissaires à Rome, Budapest et Sofia (j'étais bien placée pour suivre ces ambassades dont le palais se félicitait abondamment), la vie avait repris un cours normal à Bucarest. Apeurés et décapités, les légionnaires avaient disparu du paysage urbain et politique, les « petits soldats » rasant les murs et s'efforçant de se faire oublier, les chefs toujours embusqués à Berlin en attendant des jours meilleurs.

Le chauffeur des Bibesco nous avait ramenés dans la nuit à Bucarest, Leny, Mihail et moi serrés à l'arrière de la Mercedes, tandis que Rosetti était devant. Une fois celui-ci déposé devant son immeuble, la question s'était posée de savoir laquelle de nous deux dormirait avec Mihail (enfin, moi, je me l'étais posée). J'avais bien vu l'émotion de Mihail lorsque Leny était apparue dans le somptueux salon ottoman de Mogoşoaia. Elle était venue seule, signe que sa liaison avec le poète devait être terminée, et son visage s'était éclairé en nous apercevant. La main de Mihail avait tremblé au moment de poser son verre pour se lever et la saluer – quant à moi, j'aurais dû être furieuse du désordre qu'elle nous apportait, mais au lieu de cela la revoir m'avait causé une sorte de délicieuse ivresse. J'enviais, et je continue d'envier son incroyable liberté, son absence absolue de scrupules comme de calculs – elle prend ce dont elle a envie au moment où elle en a envie, puis quand elle en est lasse, ou n'a plus faim, elle passe à autre chose. Pour moi, si fidèle dans mes attachements, si loyale, et j'allais écrire si « besogneuse » (on ne se remet sans doute jamais d'être fille de petits commerçants), Leny était à la fois un objet d'admiration et d'amour (il me semble que l'agacement est venu plus tard). Qu'elle s'intéresse à moi, qu'elle m'aime, me touche infiniment, bien plus profondément sans doute qu'elle ne l'imagine, et, en retour, je l'aime parce que je sais qu'elle ne me veut aucun mal, qu'elle ne songe qu'à me faire du bien, même si ses désirs peuvent parfois empiéter sur les miens. Toute la soirée elle avait cherché le regard de Mihail et, dans l'auto, elle avait pris sa main. Elle voulait coucher avec lui, c'était évident, et lui, bien sûr, ne rêvait que de cela. Toujours, jusqu'à sa mort, Mihail ne rêverait que de coucher avec Leny.

— On se fait déposer tous les trois chez moi ? avait-elle proposé. Tu es d'accord, ma petite chérie ?

Oui, à ce moment-là précisément je me moquais qu'ils couchent ensemble pourvu qu'ils me gardent avec eux, qu'ils ne m'abandonnent pas, seule dans ma chambre de bonne.

C'était la première fois que j'allais chez Leny, cette maison qui devait disparaître sous les bombardements en 1944. Elle avait fait jouer quelque chose de Mozart, nous avait servi un verre, puis un autre, et une heure plus tard nous fumions tous les trois, allongés sur le tapis et complètement ivres. Je la revois prenant Mihail par la main et l'entraînant, vers sa chambre probablement, mais quand je me réveille, c'est moi qui suis dans le lit de Mihail, son cher visage endormi contre le mien. Et c'est elle qui rit de nos têtes ahuries au petit déjeuner. Elle est levée depuis longtemps, fardée, les lèvres laquées de rose, son merveilleux corps serré dans une robe fourreau ambrée du couturier parisien Jean Patou et elle nous sert du café avant de m'embrasser une deuxième fois.

— Ce qui fait la beauté d'Eugenia, dit-elle en se tournant vers Mihail, c'est qu'elle n'en a aucune conscience.

Lui sourit vaguement, manifestement ailleurs (dans son livre, bien entendu), et moi je voudrais protester, dire combien je me sens laide à côté de Leny, l'âme noire, sans cesse traversée de mauvaises pensées. Leny a une belle âme, elle, une âme d'artiste, voilà, c'est ça, mais pas moi, moi je suis comme mes parents, le nez dans ma caisse enregistreuse à calculer sans cesse ce qui me revient une fois déduit ce que ça m'a coûté. Je voudrais protester, seulement je bégaie, m'embrouille, rougis, et finalement Leny revient m'embrasser légèrement.

— Chut ! Tais-toi ! Tu es un trésor, et ce crétin ne sait pas qu'il a dans son lit un trésor.

L'ai-je vécue cette scène, ou suis-je en train de l'inventer ? Bientôt l'automne (d'ailleurs il pleut sur Bucarest), j'écris depuis trois ou quatre mois, entêtée à trouver les mots pour ressusciter ces années auprès de Mihail et le drôle de couple à trois que nous formions : je rêvais de lui, qui rêvait de Leny, qui rêvait d'un homme capable d'épuiser son insatiable désir de séduction. Parfois j'écris ce qui me vient, sans aucun souci de la vérité, et ce qui me vient me fait soudain monter des larmes (que je ravale aussitôt), signe que je suis sans doute plus proche de la vérité que lorsque je cherche à recomposer mes souvenirs. Nous nous tenions tous les trois, oui, notre amour était promis à durer mille ans puisque chacun attendait de l'autre un assouvissement qu'il ne pouvait pas lui donner. Dans mille ans je continuerais d'espérer que Mihail me regarde comme il regardait Leny (et donc à lui courir après), tandis que Mihail continuerait d'espérer être le héros de Leny, lui dont les érections étaient si fragiles (et donc à lui courir après), tandis que Leny continuerait d'additionner les amants (et donc à désespérer Mihail en lui signifiant chaque jour un peu plus son impuissance, Mihail qui à son tour me désespérerait en me signifiant chaque jour un peu plus que je ne serais jamais la femme qu'il rêvait de combler).

« Je suis votre trésor mais vous ne le savez pas. » Leny avait dû vraiment le dire parce que j'aimais bien le répéter à Mihail pour voir son embarras.

— Je vous en prie, Eugenia, je vous en prie.

— De quoi me priez-vous ?

— De ne pas insister sur mon inconstance. Je ne suis pas quelqu'un d'aimable, mais je vous sais gré de m'aimer malgré tout.

— Plus que tout, Mihail, pas « malgré tout ».

Il secouait la tête en souriant.

— Je ne le mérite pas, je ne suis qu'un pauvre raté et je profite de votre aveuglement.

— Si seulement vous pouviez en profiter un peu plus ! Cela fait au moins dix jours que nous n'avons pas fait l'amour – enfin, si je ne me trompe pas dans mes calculs, dans mes petits calculs.

Alors il pouvait soudain quitter son bureau et me prendre dans ses bras, ou feindre de n'avoir pas entendu.

Nous étions en janvier de la nouvelle année – 1940 – et il venait de recevoir une lettre de son frère Poldy lui annonçant qu'il avait terminé son instruction et venait de rejoindre son régiment positionné dans les Ardennes.

— Pourvu que Poldy ne se fasse pas tuer ! Cette nuit, vous savez, j'ai commencé à lui écrire pour le supplier de rentrer vivant de cette guerre. Il est médecin, courageux, brillant et généreux, son devoir est de racheter ma misérable vie auprès de mes parents. Je le lui demande. Ma disparition ne serait pas une perte, et j'ose même dire qu'elle serait peut-être un soulagement pour tout le monde, y compris pour moi, bien entendu, tandis que nos parents ne se remettraient pas de la mort de Poldy, l'aîné, celui sur lequel ils ont tellement investi.

Mihail était alors tenu en échec par son roman, cet *Accident* – décidément bien nommé – commencé trois ans plus tôt presque jour pour jour. Que ce livre lui résiste, faisant de lui un « écrivain raté », le minait plus sûrement que toutes les autres menaces. Les nouvelles qui nous arrivaient de Pologne concernant le sort des juifs dépassaient en horreur tout ce que nous avions pu imaginer, or les nazis étaient à nos frontières, susceptibles de les franchir d'un jour à l'autre. Qu'adviendrait-il des juifs de Roumanie ? Mihail ne se faisait aucune illusion – « Ils nous assassineront, Eugenia, comme ils assassinent ceux de Pologne » – mais on aurait dit que c'était à ses yeux bien peu de chose d'être assassiné par les nazis au regard de la mort que lui prédisait la défaite de son roman. Et je pouvais comprendre : il ne dépendait pas de lui d'être tué parce que juif, tandis qu'il portait seul la responsabilité de s'être mis dans la situation de succomber à son propre échec. Les deux morts ne se valaient pas : la première n'impliquait aucun jugement sur soi-même, aucune culpabilité, et d'ailleurs elle était collective, tandis que la seconde serait l'épilogue d'un long effondrement intime par flétrissure de ce qu'il avait voulu pour lui-même, voulu plus que tout, le laissant à la fois vide et honteux.

La mort planait au-dessus de l'Europe, silencieuse, suspendue à la prochaine initiative de Berlin, et Mihail ne me parlait plus que d'écriture.

Propos à peu près fidèlement retranscrits dans son *Journal* :

> Je veux écrire, je veux finir. Quant au reste, à la grâce de Dieu.
>
> Tout est faux et lourd. Je vois parfois les choses, je les ressens, je les entends – mais la phrase ne m'aide pas. Elle tombe comme du plomb, décolorée, indifférente.
>
> J'ai passé la matinée à raturer ce que j'écrivais. Rien à garder, pas une ligne. Je me consolais en croyant me rattraper l'après-midi (comme hier). Mais je comprends maintenant que c'est inutile. Je suis vraiment à un point mort. Pourquoi m'obstiner ? À quoi bon insister ?
>
> Inutile de m'empoisonner au café et aux cigarettes, inutile de me griser de musique, inutile de m'imposer des nuits blanches pour châtiment – tout est inutile : ça ne marche pas, ça ne veut pas marcher.
>
> Tout est clair, tout est net, tout devrait être simple, mais ma plume est bloquée. Sans la honte que j'éprouverais devant Rosetti et les typographes, je renoncerais bel et bien. Ce livre aura été jusqu'au bout la source de tous les désespoirs.
>
> Je suis en quête de coupables. Par exemple, le cyclamen que j'ai depuis deux semaines. Il m'exaspère : j'ai l'impression qu'il me porte la poisse, parce que je n'arrive plus à travailler depuis qu'il est là.

Ce soir-là, j'avais pris le cyclamen, énième cadeau de Maryse Nenişor, et j'étais allée le jeter dans l'une des poubelles de son immeuble. Maryse, dont le mari, Gheorghe, était critique de théâtre à la revue *Rampa,* avait fait une cour assidue à Mihail au moment de la création de *Jouons aux vacances* au théâtre Comœdia. Puis, constatant qu'il ne répondait pas à ses avances (lui-même courait après Leny, qui avait un nouvel amant, tandis que déjà je lui courais après), elle lui avait écrit une lettre – extravagante et magnifique – que je découvre recopiée dans son *Journal* :

> Vous ne pouvez pas imaginer combien vous m'avez fait souffrir. Je voulais absolument coucher avec vous. Vous m'obsédiez. Une semaine durant, ce fut une vraie torture ; même physique, vous savez. Vous vous rappelez que je suis venue vous prendre à *Rampa* et que nous sommes partis ensemble en voiture ? Ce jour-là, j'étais résolue à vous parler ouvertement puisque je voyais que vous ne compreniez pas, ou que vous refusiez de comprendre. J'avais décidé de me charger des détails les plus pénibles. Trouver la chambre où nous irions, vous y amener... Bref, tout préparer. Or, ce jour-là précisément, vous aviez... une rage de dents. Sinon, je vous aurais appartenu, c'est sûr. Je n'aurais pas hésité à vous parler, et vous n'auriez pas pu refuser. Aucun homme ne refuse...
>
> Au commencement – après le premier soir où nous sommes allés chez Z., vous vous en souvenez ? – j'avais décidé d'entrer un jour chez vous, de me déshabiller, de me mettre au lit et de vous attendre. Vous m'y auriez trouvée et vous n'auriez pas eu le choix. Mais, entretemps, vous m'aviez fait lire *Femmes* et j'ai constaté que je n'aurais fait que répéter un épisode de votre passé. Je me suis dégoûtée moi-même et j'ai renoncé, d'autant plus que vous auriez cru que j'imitais une de vos héroïnes...
>
> Ensuite, quand nous avons déjeuné ensemble au Corso, j'étais venue pour tout vous dire et tout vous demander, mais vous m'avez priée de vous laisser continuer l'article

que vous rédigiez. Je n'ai jamais eu la moindre réserve, mais vous n'avez pas voulu comprendre... Je vous le dis aujourd'hui parce que je pense que c'est passé. Ce n'est plus actuel. Je l'ai trop désiré pour que ça me fasse encore plaisir. J'étais comme folle, sachez-le. Même devant Gheorghe, devant la mère de Gheorghe, je ne parlais que de vous. Ce que j'ai pu souffrir ! Comment, vous croyez que je n'aurais pas trompé Gheorghe ? Vous vous figurez que je ne le trompe pas ? Si, je le trompe, tantôt avec l'un, tantôt avec l'autre, pas bien souvent, mais, quand quelqu'un me plaît... Que voulez-vous que j'y fasse ? Je trouve que ce serait stupide de me refuser ça. Je l'aime, mais je pense qu'il n'y a aucun rapport. J'ai résisté une seule fois, à Constanţa, où j'étais restée seule pendant trois jours avec un type qui me faisait la cour et qui me plaisait vraiment beaucoup, j'ai résisté – je ne sais pas pourquoi, par entêtement ou par bêtise – et je n'en suis toujours pas consolée.

Depuis cette déconvenue elle adressait régulièrement à Mihail de petites aquarelles de sa main, des boîtes à musique (qu'il empilait au-dessus de ses toilettes), ou des fleurs. Je l'avais donc débarrassé du cyclamen et il faut croire que cette plante au parfum capiteux, au feuillage charnu et envahissant (Maryse Nenişor dans une version végétale) n'était pas qu'un bouc émissaire puisque dans les semaines qui avaient suivi il avait retrouvé l'inspiration et enfin terminé *L'Accident*.

(Je prends conscience à l'instant que s'il m'avait offert *Femmes* lors de nos premiers rendez-vous, peut-être aurais-je réagi comme Maryse, honteuse de lui courir après à l'exemple de toutes les petites Parisiennes qu'il croise dans ce texte – écrit au fil d'un long séjour en France au tout début des années 1930 – et qui se glissent dans son lit sans attendre d'y être invitées.)

L'Accident sort en librairie au début du mois de mars 1940. Je me rappelle la joie modeste, et cependant pleine d'espoir de Mihail, le soir où il m'en offre un exemplaire. Son éditeur et ami, Alexandru Rosetti, est resté étonnamment discret sur ce texte, lui qui n'avait pas tari d'éloges sur les précédents, paraît-il, en particulier sur *Depuis deux mille ans*, de sorte que Mihail attend avec inquiétude les commentaires des critiques et de ses amis.

Benjamin, son jeune frère, est le premier à l'appeler. Il a été séduit par le personnage d'Ann, sensuelle, tricheuse et frivole, et touché par l'errance désespérée de Paul pour la retrouver. En revanche, il n'a pas cru au personnage de Nora, la consolatrice. Pourquoi avoir introduit cette incarnation de la raison en amour quand la force du roman tient précisément à la déraison du désir qui enflamme Ann et Paul et les conduit à se déchirer ? Par peur d'une fin tragique ? Pour ne pas désespérer le lecteur ? Benjamin, lui, aurait préféré une fin tragique.

J'avais écouté la conversation entre les deux frères, je partageais le point de vue de Benjamin et en même temps je souffrais pour Mihail qui tentait de se justifier – c'est en l'entendant cette nuit-là (il était plus de minuit quand le téléphone avait sonné) que j'avais soudain compris pourquoi Mihail avait tant peiné sur la fin : au fond, lui ne croyait pas non plus à un dénouement heureux dans les bras de Nora, et cependant, prisonnier de son récit, il avait dû écrire cet épilogue de conte de fées, fulminant contre lui-même (« Tout est faux, lourd », « Ça ne marche pas, ça ne veut pas marcher » etc.).

— Benu, je te rappelle que Nora apparaît dès les premières pages du livre, c'est *elle* l'accident, ou plutôt l'accidentée.

— Et alors ? Le roman commence vraiment au deuxième chapitre quand Paul, complètement hagard, épuisé, court les bars au milieu de la nuit à la recherche d'Ann.

— Le roman est né de l'idée même de l'accident. J'ai d'abord imaginé l'accident d'où allait surgir Nora, avant de faire entrer Paul, sur les traces d'Ann.

— Tu veux dire que tu as d'abord imaginé le personnage de la consolation avant de créer ceux de la souffrance.

— Oui, c'est dans cet ordre que les choses me sont apparues.

— Tu allais pouvoir endosser la cruauté d'Ann et la douleur de Paul, les porter l'un et l'autre pendant près de trois cents pages, parce que tu avais inventé Nora pour te réconforter. Tu te disais que grâce à Nora vous alliez tenir le coup, Paul et toi. Ça allait être dur, insupportable au point d'avoir envie de se jeter sous les roues d'une voiture, mais la présence de Nora vous éviterait le pire, n'est-ce pas ?

— On peut sans doute l'interpréter comme ça. Je ne sais pas...

— Alors puisque nous sommes engagés dans cette discussion, Mihail, je vais aller au bout de mon idée : Nora est une complice que tu t'es donnée pour te lancer dans ton récit et ne pas flancher en cours de route, mais je pense que le roman aurait gagné en force si, une fois fini, tu l'avais amputé de Nora. Nous serions restés sur le fil de la déchirure entre Ann et Paul, au risque d'une fin tragique.

— Tu crois ? Mon Dieu, Benu, si tu as raison, c'est affreux.

Mihail avait cherché ses cigarettes, il avait semblé subitement très nerveux, et bien sûr Benu avait deviné son trouble.

— Si Rosetti ne t'a rien dit, c'est sûrement que je me trompe, avait-il repris. Excuse-moi, je regrette d'avoir été si... si radical. Après tout, je ne suis qu'un lecteur, un médiocre lecteur de surcroît, je t'en supplie, ne prête pas d'importance à ce que je viens de te dire.

Cependant, Benu avait vu juste (et moi aussi), car à l'exception de Mircea Eliade qui se confondit en compliments (commentaire désabusé de Mihail : « Ce pauvre Mircea, il a tant de choses à se faire pardonner qu'il en arrive à raconter n'importe quoi... ») tous les retours de lecture exprimèrent la même perplexité : pourquoi Mihail, que l'on savait si écorché et pessimiste sur la question du couple, s'était-il lancé dans cette entreprise de sauvetage par Nora interposée ? Chaque nouvel article, chaque commentaire touchait Mihail au cœur et, inlassablement, nous analysions les avis des uns et des autres.

Voilà de quoi se nourrissaient nos conversations durant ces mois de mars et d'avril 1940, oublieux de la guerre et inconscients que nous étions. *Depuis deux mille ans* avait été un immense succès, porté par la critique (et, paradoxalement, par la préface assassine de Nae Ionescu) – *L'Accident*, lui, ne demeura pas plus de deux ou trois semaines en librairie. Mais aussi, quelle curiosité aurait pu éveiller ce trio d'amoureux, ce drame intimiste, quand au beau milieu d'avril Hitler s'était brutalement rappelé à notre souvenir en attaquant le Danemark (qui fut occupé en vingt-quatre heures) et la Norvège ? Le livre arrivait au pire moment, sans doute avait-il raté son heure à trop traîner.

Après des mois d'accalmie, revoilà la guerre, note Mihail dans son *Journal* à la date du 10 avril 1940. Elle nous rappelle qu'elle peut éclater n'importe quand, n'importe où, et que notre vie est un hasard, un accident, un concours de circonstances, rien de plus. Ce soir, demain, on peut tout perdre : sa maison, sa famille, la vie.

Un mois plus tard, le 10 mai à l'aube, Hitler lance sa grande offensive sur le front ouest. La Wehrmacht franchit les frontières des Pays-Bas et de la Belgique avant d'avaler le Luxembourg et de pénétrer en France par les Ardennes. Oubliés les livres, les spectacles, les concerts : en quelques heures les joyeuses rues de Bucarest se vident. On rentre chez soi écouter la radio. L'Autriche a été annexée, la Tchécoslovaquie et la Pologne sont occupées, le Danemark vient de tomber, mais la France et l'Angleterre ne vont-elles pas donner une leçon à Hitler et lui montrer que l'Europe n'est pas à sa botte ? En dépit des petits arrangements du roi avec Berlin (sur l'approvisionnement de l'Allemagne en pétrole et en blé, notamment), c'est pour la France que bat le cœur de beaucoup de Roumains, la France de Clemenceau et du général Berthelot, forte et généreuse, celle qui a su associer la Roumanie à sa grande victoire de 1918.

On se dit que la France, qui est officiellement entrée en guerre huit mois plus tôt, a eu tout le temps de se préparer et que l'orgueilleuse Allemagne va se prendre une déculottée. On se dit que l'Angleterre, également sur le pied de guerre depuis septembre, se tient en appui des troupes françaises commandées par un héros de 1914-1918, le général Gamelin, stratège reconnu, paraît-il, dans tous les états-majors, y compris celui du général Keitel (dixit M. Golescu, spécialiste des armées à l'agence Rador et lui-même capitaine de cavalerie dans la réserve).

Nous sommes pleins d'espoir. Je me revois encore rentrant de l'agence le 10 mai au soir, pressant le pas sur les trottoirs déserts pour rejoindre Mihail tandis que de toutes les fenêtres ouvertes sur la douceur printanière s'élève une cacophonie radiophonique. On passe alors de Radio-Berlin à Radio-Paris, de Londres à Bucarest, de Budapest à Belgrade, assoiffés d'informations, guettant les signes d'une première défaite allemande.

Mihail est lui aussi accoudé à sa fenêtre ce soir-là, une cigarette aux lèvres, un verre de vin à la main, et il me sourit. « Il est heureux, avais-je pensé, et quand il est heureux, il est encore plus charmant – quel dommage que je n'aie pas d'appareil pour le photographier. »

— Vous rendez-vous compte, Eugenia, de ce qui se joue à l'instant où nous parlons ? Peut-être la fin de l'obscurantisme totalitaire, de la dictature de la haine et de la bêtise… Que la France défasse l'Allemagne et c'est le miraculeux retour des Lumières en Europe.

— Je me rends compte, oui. Buvons à la victoire de la France !

Mais la déconvenue est immense. Huit jours plus tard, la Wehrmacht a enfoncé les lignes fortifiées françaises et marche sur Paris. On croit comprendre que les habitants de la capitale commencent à fuir. Weygand est appelé en urgence pour succéder à Gamelin et le président du Conseil, Paul Reynaud, a bien du mal à dissimuler son pessimisme : « La situation est très grave mais n'est pas désespérée. »

Churchill, appelé à succéder à Chamberlain, ne mâche pas ses mots, lui : « Vous me demandez quelle est notre politique ? C'est d'engager le combat sur terre, sur mer et dans les airs, avec toute la puissance, la force que Dieu peut nous donner ; engager le combat contre une monstrueuse tyrannie, sans égale dans les sombres et désolantes annales du crime. Voilà notre politique. »

Le 14 juin, les Allemands entrent dans Paris.

Le 16, le maréchal Pétain prend la tête du gouvernement français.

Le 22, la France du Maréchal capitule.

Le 23, Hitler pose sur l'esplanade du Trocadéro entouré d'une vingtaine d'officiers de la Wehrmacht.

Il en va comme de la mort d'un être cher, écrit Mihail dans son *Journal*. On ne comprend pas, on n'y croit pas. La pensée s'arrête, le cœur ne sent plus rien.

À plusieurs reprises j'ai eu les larmes aux yeux. Je voudrais pouvoir pleurer.

12

Tandis que la France s'effondre, notre roi se débat comme un homme qui se noie. Il n'a pas réussi à constituer l'Entente balkanique des pays neutres dont il rêvait, et la Roumanie se trouve plus isolée que jamais, prise en étau entre les communistes haïs de l'Union soviétique – le Parti communiste est interdit en Roumanie – et les arrogants et invincibles nazis. Le cœur de Carol II penche pour ces derniers, bien entendu, mais comme le remarque M. Hurtig qui a réuni ce jour-là tous les collaborateurs de l'agence Rador : « N'est-ce pas un jeu de dupes que de se placer sous le parapluie de Berlin quand Berlin et Moscou marchent désormais main dans la main ? La vérité, la cruelle vérité, c'est que notre marge de manœuvre est inexistante et que nous sommes aujourd'hui livrés pieds et poings liés aux deux ogres qui s'apprêtent à se partager l'Europe. »

Je me trouvais seule chez moi le soir de cette réunion, Mihail dînait chez ses parents, rue Antim, quand le téléphone avait sonné.

Andrei, qui m'appelait de Jassy.

— Grande nouvelle, Jana, Stefan est de retour !

— Tu l'as vu ?

— De mes yeux. À la maison. C'est impressionnant comme il a changé...

— Attends, il se cache à la maison ?

— Il ne se cache pas. La police est au courant, paraît-il. Il a dit aux parents que nous n'avions rien à craindre.

— D'où arrive-t-il ? Il vous l'a dit ?

— De Berlin. Il raconte qu'Horia Sima et lui ont été reçus par Joseph Goebbels, ça semble l'avoir terriblement marqué. Oui, je te disais, c'est incroyable ce qu'il a changé, il ne ricane plus comme avant, il est devenu à la fois plus grave et beaucoup plus gentil, beaucoup plus attentionné. Il m'a demandé ce que je faisais, il a voulu que je lui lise un poème, nous avons parlé d'Eminescu, de Goethe... Tu te souviens, avant, comme il était méprisant pour les poètes, enfin pour les artistes en général ? Il m'a même demandé de tes nouvelles...

— Et qu'est-ce que tu lui as dit ?

— Que tu étais journaliste. Je n'ai pas parlé de Mihail. Lui aussi est amoureux, il a une liaison avec une Allemande qui a deux enfants et dont le mari est au front.

— C'est peut-être ce qui le rend plus humain.

— Je ne sais pas. Il dit que s'il avait du temps, il aimerait écrire de la poésie, comme moi, ou peindre. Je crois qu'il est très impressionné par l'intérêt que les nazis portent à la culture, à l'expression artistique. Goebbels leur a parlé de sa passion personnelle pour la peinture et ils ont pu visiter grâce à lui les ateliers d'Adolf Ziegler et d'Arno Breker, le sculpteur.

— Bon, mais pourquoi est-il revenu ?

— Ah ça... je ne sais pas. Il repart demain, et quand papa lui a demandé pour où, il a fait signe qu'il ne pouvait pas répondre.

C'est M. Hurtig, le lendemain, qui avait répondu pour lui. Comme je lui apportais son café, j'avais lâché de façon neutre :

— On prétend que certains chefs légionnaires seraient de retour...

— Je vous confirme l'information, Eugenia.

— Et ils ne risquent rien ? Ils ne vont pas être arrêtés et jugés pour le meurtre de Călinescu ?

— Ne le répétez pas, c'est encore confidentiel, mais le roi s'apprête à les amnistier.

— Pardon ?

— À les amnistier, oui, aussi surprenant que cela puisse nous paraître. Je peux même vous dire que depuis le mois d'avril des messages ont été échangés entre le roi et Sima. Sous le sceau du secret, bien entendu. Mais avec la bénédiction de Berlin.

— Je n'arrive pas à y croire... La mort de Călinescu c'était hier, et déjà le roi pardonnerait ?

— Vous êtes jeune, Eugenia. Savez-vous ce que disait Talleyrand ? « En politique, il n'y a pas de convictions, il n'y a que des circonstances. » Retenez ce mot d'un illustre diplomate, ce mot que je rappelle à ceux qui s'étonnent encore du pacte germano-soviétique, vous économiserez bien des indignations. Mais dites-moi, mon petit, vous ne m'avez pas mis de sucre...

Je ne connaissais pas ce Talleyrand mais le cynisme de son « mot » m'avait transpercé le cœur, me ramenant à la disparition d'Irina. Elle s'était donné la mort pour ses convictions tandis que tous ces chefs d'État qui prétendaient incarner des idéaux se jouaient de la candeur des peuples, prêts à mourir, eux, pour des lendemains plus fraternels, plus équitables et plus heureux. Économiser mon indignation ? Sûrement pas ! C'était à pleurer, à hurler.

Le 18 juin de cette désastreuse année 1940, tandis qu'en France le maréchal Pétain capitulait, je me trouvais, moi, devant les grilles du palais. M. Hurtig avait eu un « tuyau de première main » selon lequel le roi allait recevoir une délégation de légionnaires et j'avais été envoyée pour tenter d'en apprendre plus.

Soudain, les grilles s'étaient ouvertes pour laisser entrer deux Mercedes noires avec des plaques allemandes. De la seconde était descendu Horia Sima, et une nouvelle fois je m'étais demandé comment un homme aussi plein de haine, aussi méprisable, pouvait avoir cette grâce – la pureté de traits d'un Eminescu, d'un Rimbaud... Fascinée par son visage, je n'avais pas prêté attention aux autres occupants des voitures, quand soudain j'avais reconnu l'homme court et large d'épaules qui se haussait vers l'oreille d'Horia Sima pour lui murmurer quelque chose : mon frère ! Mon frère Stefan ! Mon cœur s'était mis à cogner avec une telle violence que j'avais dû m'éloigner pour aller reprendre haleine sous un porche de la rue Victoriei.

J'aurais voulu disposer d'un téléphone pour appeler aussitôt Andrei. Stefan reçu par le roi, Stefan dans la délégation d'Horia Sima... tu te rends compte, Andrei ? Sidérée, un instant pleine de respect et d'admiration, pauvre sotte que j'étais, avant que la lucidité me revienne et, avec elle, la conscience de l'horreur de ce que je venais de voir. Notre frère était donc devenu l'un des plus hauts dirigeants de la Garde de fer, ce mouvement criminel inspiré du nazisme. Après l'ivresse, j'en avais eu la nausée. Le regard de Mihail lorsqu'il l'apprendrait... « Procurons-nous des pistolets et tirons sur les juifs » – c'était EUX. Et le roi recevait ces hommes-là. Dans quelle impuissance s'était-il placé pour en arriver là ? Recevoir ces assassins, ces tueurs de juifs, les meurtriers de son Premier ministre – neuf mois après le drame qui avait bouleversé tout le pays !

Chancelante, j'étais retournée vers les grilles et m'y étais accrochée, anonyme parmi la petite foule habituelle qui se tenait là. Je devais assister à la sortie de la délégation, tenter d'identifier chacun des participants, rapporter combien de temps avait duré l'audience, essayer de savoir ce qui s'y était dit etc. Et comme je patientais, j'avais pu imaginer ma conversation avec M. Hurtig : « Horia Sima était accompagné d'un homme nommé Stefan Rădulescu. – Rădulescu... Comme vous, Eugenia ? – Oui, c'est mon frère. » La stupeur d'Alexandru Hurtig ! Non, je prétendrais n'avoir reconnu personne à part Sima. Et quand notre nom apparaîtrait dans les journaux, je nierais avoir un lien quelconque avec Stefan. Je nierais, voilà tout. Par chance, Rădulescu est un patronyme assez répandu.

La délégation était ressortie après une heure et dix minutes et Sima n'avait fait aucune déclaration. Juste avant de remonter à l'arrière de la Mercedes, Stefan s'était tourné vers les grilles, comme pour saluer les badauds, et j'avais croisé son regard un dixième de seconde. M'avait-il vue ? Si c'était le cas, il n'avait rien laissé paraître.

Que s'était-il négocié dans le bureau du roi ? Selon les contacts de M. Hurtig, les deux parties avaient obtenu ce qu'elles souhaitaient. Et que souhaitaient-elles ? Patience, nous le saurions dans les tout prochains jours.

Un coin de voile fut levé le 20 juin, deux jours après cette rencontre, avec la publication d'un décret royal amnistiant tous les légionnaires. Les prisonniers furent aussitôt libérés, et ceux qui s'étaient refugiés en Allemagne autorisés à revenir. Dans les faits, il y avait déjà plusieurs semaines que le roi envoyait aux gardistes des signes d'ouverture. En mars, il avait fait libérer Nae Ionescu qui était mort chez lui quelques jours plus tard (pour la première fois j'avais vu Mihail pris de sanglots – en dépit de tout le mal que lui avait fait Nae, il aimait cet homme). Au début du mois d'avril, le souverain avait nommé Mircea Eliade attaché culturel à Londres. Mircea était ainsi passé par décret royal du statut de bête traquée à celui de diplomate. Et en y regardant de plus près, nous avions constaté avec mes collègues de l'agence qu'entre avril et mai des dizaines de légionnaires avaient été prématurément libérés dans la plus grande discrétion.

Huit jours après l'amnistie, le 28 juin, le voile tout entier fut levé sur une terrifiante réalité : sollicité par le roi, Horia Sima avait accepté d'entrer au gouvernement. Ainsi le souverain nommait-il ministre l'homme qui avait orchestré l'assassinat de son Premier ministre neuf mois plus tôt. Par cette décision, il réhabilitait un mouvement fasciste et criminel. Mesurait-il combien ce revirement était à la fois insultant pour son peuple et absolument immoral ?

Les discussions étaient vives à l'agence. M. Hurtig estimait que le roi en était réduit à se plier aux fameuses « circonstances » invoquées par Talleyrand, qu'il agissait sous la contrainte, contre ses convictions en quelque sorte. Quelles étaient-elles, ces « circonstances » ? Nous les connaissions : l'effondrement, une à une, de toutes les démocraties européennes. Au fur et à mesure des victoires de la Wehrmacht, Carol II avait dû donner de plus en plus de gages à Hitler. Après l'invasion de la Pologne, il avait offert à l'Allemagne la moitié de notre pétrole. Après celle du Danemark, il avait accepté de réviser à la hausse le traité pétrolier en faveur de l'Allemagne et offert, en plus, une grande partie de notre production céréalière. Après la capitulation de la France, jugeant la Roumanie en grand péril, il avait pris cette fois la décision d'« aligner la politique du pays sur celle de l'Allemagne ». On ne pouvait faire plus. C'est dans ce cadre que, le 4 juillet, il avait remanié son gouvernement et nommé Premier ministre un homme adoubé par Berlin, Ion Gigurtu, patron des mines, ex-ministre des Affaires étrangères, avec la mission de resserrer les liens avec l'Allemagne pour que la Roumanie ne finisse pas comme la Pologne ou la France.

L'entrée de Sima au gouvernement de Ion Gigurtu devait être considérée dans ce contexte d'alignement de notre politique sur celle de Berlin.

Cependant, offrant à nos voisins le spectacle de son extrême faiblesse, le roi devait s'attendre au pire, et le pire survint en effet durant cet été 1940 qui devait être le dernier de son règne – avant le basculement de la Roumanie dans le fascisme.

Dès le 23 juin, Staline avait rappelé qu'il souhaitait annexer deux provinces roumaines : la Bessarabie, qui avait appartenu à la Russie jusqu'en 1918, et la petite Bucovine qui la prolongeait au nord. Berlin avait, paraît-il, consenti secrètement à cette annexion au moment de la signature du pacte germano-soviétique. Qu'allait répondre le roi ? La Bessarabie avait permis de constituer la grande Roumanie au lendemain de la victoire de 1918, et plus de trois millions de Roumains y vivaient. Il était inenvisageable de la rendre aux Russes, mais Carol II avait-il le pouvoir de tenir tête à Staline ?

Sans les contacts de M. Hurtig, nous n'aurions rien su du bras de fer qui s'engageait avec Moscou car le palais se taisait et les journaux n'en disaient rien (et n'en savaient probablement rien). Quant à la petite foule, qui se tenait en permanence sous les fenêtres du souverain (et dont j'étais chargée d'épier les faits et gestes tout en glanant des informations sur les visiteurs du roi), elle ne parlait que du pardon accordé aux légionnaires – pour s'en féliciter, généralement, car l'opinion la plus partagée était qu'Hitler devait être désormais le guide et le protecteur de la Roumanie et qu'il était donc opportun d'amnistier ses amis.

Le 26 juin, Staline haussa le ton et exigea du roi qu'il lui cède « immédiatement » la Bessarabie et la Bucovine. Cette fois, l'information fut donnée par l'agence Reuters et aussitôt reprise par la radio. En quelques heures, la vaste place devant le palais se remplit d'une foule silencieuse, manifestement consciente que le moment était d'une gravité exceptionnelle. Puisque le roi ne pouvait pas céder à Staline, aurions-nous la guerre ? Et si oui, notre armée serait-elle assez forte pour intimider l'Union soviétique ?

Le 27, Moscou réitéra son ultimatum et le roi convoqua un Conseil de la Couronne pour formuler une réponse appropriée à la menace. La foule était toujours massée sous les fenêtres du palais, silencieuse et grave. Mais dans les rues adjacentes il était impossible de ne pas remarquer ces files de voitures couvertes de poussière dont les toits croulaient sous les valises : les premiers réfugiés de Bessarabie. La confiance en notre gouvernement était si faible que, sans attendre sa réponse, les gens les plus aisés avaient anticipé la défaite et commencé à fuir pour ne pas tomber sous le joug des communistes.

Dans la nuit du 27 au 28 juin, tandis que beaucoup priaient à haute voix dans la foule et que certains s'écriaient de loin en loin « Vive notre roi Carol ! », le Conseil décida de céder au diktat de Staline.

Le 3 juillet, la Bessarabie et la Bucovine furent occupées en quelques heures par l'Armée rouge qui s'était massée à nos frontières depuis plusieurs jours et n'attendait que l'ordre de Staline pour marcher sur Chişinău, la capitale de la province.

C'est alors qu'entra dans l'Histoire le général Ion Antonescu. Son nom n'était pas inconnu, il avait été ministre de la Guerre et avait fait sensation lors du procès intenté à Codreanu en allant ostensiblement lui serrer la main. Comme les juges lui demandaient son appréciation d'homme d'honneur sur le fondateur de la Garde de fer, il avait lancé au tribunal : « Le général Antonescu accepterait-il de serrer la main d'un traître ? » Grand patriote, héros de la première guerre mondiale, respecté du peuple pour son intégrité (qualité rare chez nos dirigeants), le général vint en personne déposer au palais une lettre adressée au roi. Et voici ce qu'il lui écrivait (le contenu en fut publié après la chute du souverain) :

« Majesté, le pays s'écroule. Des scènes déchirantes se produisent en Bessarabie et en Bucovine. Des unités militaires, grandes et petites, abandonnées par leurs chefs et prises au dépourvu faute d'avoir reçu d'ordres, se laissent désarmer à la première menace. Les fonctionnaires et leurs familles, ainsi que les familles des officiers, sont abandonnés à un sort terrible. Une énorme quantité de matériel, des munitions accumulées par négligence et gardées sur ordre jusqu'au dernier moment, est tombée aux mains de l'ennemi.

« Voilà, Majesté, un premier bilan de la tragédie que vit la nation, et son calvaire ne fait que commencer. Le peuple et l'armée sont désarmés sans combattre. La démoralisation est abyssale ; le manque de confiance de la nation dans son dirigeant total. La haine contre les coupables, tous les coupables d'aujourd'hui et d'hier, croît d'heure en heure [...].

« Pendant des années j'ai averti les gouvernements et les responsables de l'armée, ainsi que vous, Majesté, de la catastrophe que nous vivons aujourd'hui. Mais j'ai été traité de rebelle. À présent, je suis prêt à apporter mon aide, mais ma conduite honnête demande en face une conduite honnête. Je ne cherche pas à prendre ma revanche. Je veux sauver ce qui peut être encore sauvé en ce qui concerne la Couronne, l'ordre dans le pays et les frontières.

« Majesté, le moment est venu de m'écouter [...]. »

Le roi considéra cette lettre comme insultante et fit immédiatement emprisonner le général – ce qui n'arrangea pas son image car les Roumains avaient sans doute plus confiance en Antonescu qu'en Carol II.

Constatant la faiblesse de notre régime, la Hongrie s'engouffra dans la brèche ouverte par Staline et exigea la restitution de la Transylvanie perdue au lendemain de sa défaite de 1918.

S'amputer de la Transylvanie, après avoir abandonné la Bessarabie, revenait pour la Roumanie à perdre un tiers de son territoire national et près de sept millions de sujets. C'était inconcevable – et d'ailleurs personne n'imaginait la chose possible. On pensait généralement qu'Hitler, qui devait être satisfait des signes que lui adressait le roi (en particulier à travers la personnalité de son nouveau Premier ministre, Ion Gigurtu) claquerait sèchement le bec aux Hongrois. On pensait, mais là encore on se trompait. Hitler exigea d'abord du roi qu'il négocie avec Budapest, allié de l'Allemagne, puis, constatant que les pourparlers n'avaient pas avancé au fil de l'été, il perdit patience et adressa à Carol II un diktat similaire à celui de Staline pour la Bessarabie : si la Roumanie ne cédait pas la Transylvanie à la Hongrie dans les prochaines heures, elle allait être prise sous les feux croisés des troupes allemandes, hongroises et russes et réduite en cendres.

Le 30 août, le Conseil de la Couronne, réuni en urgence, abandonna donc la Transylvanie par peur d'un désastre militaire et humain. Cette nuit-là, une foule immense se tint sur la place, devant le palais, non plus en prière, cette fois-ci, mais levant le poing contre le souverain et exigeant que les provinces perdues nous soient rendues. Il fallut recourir aux canons à eau pour disperser les manifestants.

Et maintenant ? Mihail, que j'étais allée retrouver pour deux petites heures volées à cette insoutenable tension, pensait qu'après ce dépeçage voulu par Hitler, l'Allemagne allait annexer ce qu'il restait de la Roumanie (pour son pétrole et son blé) et en chasser, ou en exterminer, les juifs et les Tsiganes. N'était-ce pas ce que les nazis étaient en train de faire en Pologne ? Déporter les juifs dans des wagons à bestiaux, ou à marche forcée, achevant d'une balle dans la nuque ceux qui tombaient ? Enfants, femmes, vieillards… Mihail avait encore reçu récemment des informations ahurissantes sur ce qui se passait en Pologne. J'étais épuisée, j'aurais voulu qu'il se taise, qu'on oublie un instant la peur, la mort, mais la fatigue et la nervosité l'avaient rendu intarissable et subitement je m'étais mise à pleurer.

— Ça ne va pas, Eugenia ?

— J'ai honte, je déteste les femmes qui pleurent, mais je vous en supplie, arrêtez de parler de votre mort. De votre mort prochaine et de tous les malheurs qui nous attendent. Je vous en supplie, je ne peux plus entendre tout ça, je n'y arrive plus, je ne veux plus.

— Pardon, je pensais… Je réfléchissais tout haut, excusez-moi.

— Demain, peut-être, ce sera la guerre et nous serons tous tués. Je ne suis là que pour quelques minutes, alors prenez-moi dans vos bras, s'il vous plaît, et aimez-moi. Vous voulez bien, Mihail ? Vous m'entendez ? Même si vous n'en avez pas très envie, même si vous préféreriez sans doute que ce soit Leny à ma place, je vous en prie, faites un effort. Profitons de ce moment, donnons-nous de la douceur, du plaisir, aimez-moi, j'en ai tellement besoin, là, tout de suite. De la façon que vous voudrez, à la façon d'une putain si vous voulez, je veux bien tout de vous, je vous aime tant, et j'en ai tellement besoin… Venez, je vous en prie, prenez-moi dans vos bras…

J'avais bien vu que quelque chose avait cédé en lui en m'écoutant, une sorte d'incrédulité, ou de pudeur, et il m'avait fait l'amour comme s'il découvrait soudain qu'il pouvait avoir du désir pour moi, prendre du plaisir grâce à moi, et m'en donner. M'en donner beaucoup, violemment, au point de m'arracher durant quelques minutes à l'espace et au temps. Après ça, j'étais repartie pour l'agence en courant, les jambes encore tremblantes, ivre d'un bonheur que mon cœur ne parvenait pas à contenir, un bonheur indécent, j'en étais consciente dans la situation où nous nous trouvions tous, mais qui me donnait malgré tout envie de rire et d'embrasser les tristes passants que je croisais.

Les canons à eau avaient disparu et la place était de nouveau noire de monde. Sur le palais, le drapeau était en berne en signe de deuil pour la Transylvanie, la Bucovine et la Bessarabie. On sentait que la colère grondait mais les gens n'avaient plus de mots pour l'exprimer, alors ils se tenaient silencieux. Des centaines de visages graves et fatigués attendant que quelqu'un vienne à leur secours.

« De quelle légitimité peut se prévaloir un roi qui accepte d'abandonner sans combattre un tiers de son royaume ? » se demandait M. Hurtig, devant une poignée de vieux journalistes, quand j'étais apparue dans la petite salle de rédaction enfumée de l'agence Rador.

— Des nouvelles du palais, Eugenia ?

— Le drapeau est en berne et la foule se tait.

— Ça va bouger, les choses ne peuvent pas rester en l'état. Cette nuit, soyez vigilante mon petit, ne lâchez pas le palais des yeux.

M. Hurtig avait vu juste. Des coups de feu avaient éclaté dans la soirée aux alentours du palais et l'armée avait aussitôt fait évacuer la place. De retour à l'agence, j'avais appris que des commandos de légionnaires armés étaient en train de s'emparer de positions stratégiques dans plusieurs villes – radio, télégraphe, préfectures… Les militaires intervenaient, des affrontements étaient en cours, mais le pouvoir, lui, semblait en déshérence tandis que le pays était en pleine confusion.

Un coup d'État des légionnaires ? Du moins une tentative, vraisemblablement conduite de sa prison par le général Antonescu pour brusquer les événements. Au milieu de la matinée, les légionnaires s'étaient partout repliés mais ils n'avaient pas fait tout cela pour rien : Ion Gigurtu venait de présenter au roi la démission de son gouvernement et Carol II de nommer Premier ministre… le général Antonescu !

Celui que M. Hurtig avait alors imprudemment comparé à ce général français qui voulait continuer la guerre, Charles de Gaulle, voyant en lui l'homme qui allait s'opposer à l'effondrement de la

Roumanie (quand Carol II marchait, selon lui, sur les traces du maréchal Pétain) était ainsi passé de sa prison aux lambris dorés du pouvoir.

En fait de Charles de Gaulle, on devait apprendre qu'à peine nommé chef du gouvernement, le général Antonescu était allé consulter secrètement l'ambassadeur d'Allemagne à Bucarest, Wilhelm Fabricius, qui lui avait conseillé de se débarrasser du roi. C'était le souhait du général, bien entendu, mais il voulait être certain que Berlin le suivrait dans ce qu'il fallait bien appeler un coup d'État.

Fort du soutien de l'Allemagne, le général Antonescu exigea du roi d'être reçu dans la nuit du 3 au 4 septembre. Je me trouvais alors sur la place, au milieu d'une foule qui avait repris espoir. Les fenêtres du souverain restèrent longtemps illuminées, signe que les deux hommes, pensait-on, travaillaient main dans la main à la récupération des territoires perdus, au sauvetage, en somme, de la grande Roumanie.

Il n'en était rien. Comme on l'apprit par la suite, à peine introduit, Antonescu exigea du roi qu'il lui remette par décret les pleins pouvoirs, ne conservant pour lui qu'un rôle purement honorifique. Se sentant de nouveau insulté, Carol II menaça son interlocuteur de le faire ramener dans sa prison. « En ce cas, Majesté, répliqua Antonescu, je ne réponds plus de votre vie car les légionnaires ne vous pardonnent pas d'avoir dépecé le pays. – Je vais vous faire arrêter et condamner pour haute trahison ! s'indigna le roi. – Jusqu'ici, Majesté, rétorqua froidement le général, un seul d'entre nous deux est coupable de haute trahison, et ce n'est pas moi. » Voilà comment se passèrent les choses selon des indiscrétions glanées ici et là. Pris au piège de sa propre impuissance, balançant entre colère et désespoir, Carol II accepta finalement de renoncer à tous ses pouvoirs et, au matin du 4 septembre, le général Antonescu était officiellement devenu le seul maître de la Roumanie (de ce qu'il en restait, du moins).

Mais le général, qui se méfiait du joueur cynique et rusé qu'était le roi, n'était pas complètement satisfait. Même dépouillé de ses prérogatives, Carol II pouvait encore constituer un obstacle sur son chemin. Aussi, en fin stratège, orchestra-t-il dès le 5 septembre une formidable opération de bluff qui devait aboutir au départ définitif de notre souverain.

Tandis que de la main droite il commandait à ses amis légionnaires de marcher sur le palais, de la gauche il ordonnait à l'armée de prendre position autour du palais pour protéger le roi d'un soulèvement de la Garde de fer dont il avait eu vent.

Bien malin qui aurait pu se douter de la manœuvre en voyant monter vers le palais des hordes de légionnaires en colère brandissant le poing et scandant « Livrez-nous le roi ! Livrez-nous le traître ! » quand, dans le même moment, militaires et gendarmes prenaient position autour du palais et faisaient évacuer la place, tirant quelques coups de feu en l'air pour affoler les derniers récalcitrants. Les légionnaires entendaient *vraiment* s'emparer du roi, et les militaires entendaient *vraiment* le protéger, seuls le général Antonescu et quelques-uns de ses officiers (grâce auxquels le secret fut éventé) savaient que tout cela n'était qu'une mise en scène destinée à terrifier Carol II pour le pousser à fuir.

Le 5 septembre au soir, « sous la pression de la rue », le général demanda au roi d'abdiquer et de fuir, arguant qu'il ne pouvait plus répondre de sa vie. Il y eut encore quelques instants dramatiques entre les deux hommes, mais le 6 à l'aube Carol II avait abdiqué, abandonnant la charge royale à son fils de dix-neuf ans, Michel Ier, et la conduite du pays au général Ion Antonescu.

On raconta d'abord que le roi et sa maîtresse, Magda Lupescu, allaient quitter le pays à bord du yacht de la Couronne, du port de Constanţa. Mais c'était un leurre destiné à tromper les légionnaires qui avaient juré d'attraper Carol II et de s'emparer de son immense fortune et de tous ses biens. En vérité, le général Antonescu avait mis à la disposition du couple un train comprenant plusieurs wagons où l'on put entasser les malles, les meubles et les œuvres d'art du souverain. Tandis que les légionnaires patientaient à Constanţa, embusqués autour du port, le convoi se préparait à quitter discrètement Bucarest de la petite gare de Băneasa.

Quand ils comprirent qu'on s'était moqué d'eux, les légionnaires se remirent en chasse et il ne leur fut pas difficile d'apprendre que le train royal se trouvait encore sur le territoire (il avait fallu près de quarante-huit heures pour le charger). Un commando armé alla donc l'attendre à Timisoara où il devait marquer un arrêt. Pris sous le feu des mitraillettes alors que le convoi entrait en gare, le chauffeur remit précipitamment la vapeur et ses passagers purent ainsi quitter la Roumanie sains et saufs, bien que les tôles des wagons fussent trouées en plusieurs endroits.

Le général Antonescu avait enfin les mains libres pour « sauver ce qui pouvait encore l'être », selon les termes de la lettre qu'il avait adressée au roi trois mois plus tôt.

13

Le dimanche 15 septembre 1940 devait être le premier jour de la « Révolution roumaine ». Mihail et moi nous trouvions accoudés à sa fenêtre, rue Victoriei, au sixième étage, guettant le cortège de la reine Hélène qui rentrait à Bucarest après dix longues années d'exil. De part et d'autre de la chaussée les trottoirs étaient noirs de monde et sur toutes les façades des immeubles flottaient drapeaux et serpentins sous un ciel d'un bleu cristallin. Ce retour de la reine Hélène, c'est le général Antonescu qui l'avait voulu et mis en scène. Il devait marquer dans son esprit la renaissance de la morale après le triste exemple qu'avait donné le roi. Hélène était en effet son épouse légitime, la mère du jeune roi Michel, mais elle avait dû s'effacer au profit de celle que les Roumains appelaient « la Lupescu », ou « la youpine ».

Avec la réapparition de la souveraine, aussitôt célébrée par l'Église – les cloches de la cathédrale avaient sonné à tout-va durant de longues minutes tandis que la calèche, tirée par quatre chevaux, passait sous nos fenêtres –, le pays tournait donc la page de la luxure, du péché, pour se mettre en règle avec le Ciel. La reine Hélène n'allait pas gouverner, bien entendu, elle ne prendrait aucune part aux affaires, mais elle incarnerait les forces du Bien contre celles du Mal qui avaient conduit le royaume où l'on savait, et elle veillerait à l'éducation du roi Michel qui, un jour peut-être, serait appelé à monter sur le trône.

C'était le premier geste fort de la « Révolution ». Le second fut annoncé ce même dimanche de liesse et de bénédictions par le général : il proclama la Roumanie « État national légionnaire ». Qu'entendait-il par là ? Nous le comprîmes quelques minutes plus tard quand il annonça la composition de son gouvernement : Horia Sima était nommé vice-président du Conseil, tandis que tous les ministères importants, et notamment l'Intérieur et les Affaires étrangères, étaient confiés à des légionnaires. Le général, lui, prenait évidemment la présidence du Conseil et il s'était en plus réservé la Défense.

Aussitôt après cette annonce, des centaines de légionnaires en chemise verte vinrent se mêler à la foule, sur la place du palais, pour fêter par des chants et des prières à la fois le retour de la reine Hélène et l'avènement à la tête de l'État de celui qu'on se mit à appeler le Conducător, par référence au Führer de Berlin et au Duce de Rome.

Mihail était dans une sombre colère au soir de ce dimanche. Comment Antonescu pouvait-il exalter le retour de la morale à travers la reine Hélène et recruter le même jour des assassins pour composer son premier gouvernement ? En septembre 1939, après la répression qui avait suivi le meurtre de Călinescu, les Roumains étaient venus en masse cracher sur les corps des dizaines de légionnaires abattus par la police et laissés sur les trottoirs. Un an plus tard, jour pour jour, les mêmes Roumains ne semblaient pas choqués d'être gouvernés par les frères d'armes de ceux sur lesquels ils avaient craché. Comment un tel revirement était-il possible ? Comment pouvait-on admettre un tel effacement de la mémoire collective ?

M. Hurtig, devant lequel je m'étais posé ces questions, m'avait répondu avec son pragmatisme habituel. Selon lui, le général Antonescu aurait préféré s'appuyer sur l'armée pour former son gouvernement, plutôt que sur la Légion, mais l'armée avait perdu tout crédit après avoir abandonné nos trois provinces sans tirer un coup de feu tandis que la légion, en réclamant la tête de Carol II, le liquidateur de la grande Roumanie, avait fait preuve de patriotisme et s'était refait une virginité aux yeux de la nation.

« D'ailleurs, Eugenia, je me permets de vous faire remarquer que des gens parfaitement respectables ont rejoint la légion au cours des dernières semaines. Nombre d'aristocrates, notamment, et en particulier le prince Michel Sturdza qui dirige désormais notre diplomatie. »

Quelques jours après ce dimanche historique, j'avais trouvé un message à l'agence : je devais joindre d'urgence la vice-présidence du Conseil. La personne ne s'était pas présentée mais avait laissé un numéro de téléphone.

— Ah, Jana, merci de me rappeler. Ton frère, Stefan.

— Stefan !

— Ça fait un certain temps, hein…

— Tu travailles à la vice-présidence maintenant ?

— Avec Sima, oui. J'ai une proposition à te faire, tu passes me voir à mon bureau ?

— Je...

— Demain à quatorze heures, ça te va ?

— Heu... Oui, entendu.

Est-ce que j'aurais raccroché en reconnaissant sa voix si Andrei ne m'avait pas dit que Stefan avait demandé de mes nouvelles ? Qu'il était devenu « beaucoup plus gentil » ? Je ne crois pas. Je rejetais ses idées, j'aurais même pu dire que je le vomissais pour ses idées, mais l'entendre m'avait subitement touchée. Qu'il m'ait cherchée, n'est-ce pas ? Qu'il veuille me voir. Qu'il se préoccupe de moi en dépit... Je l'avais tout de même traité d'ordure. Il l'est, c'est un salaud, avais-je songé, un ignoble salaud, et cependant je suis émue qu'il pense à moi, émue de continuer d'exister dans un coin reculé de son cœur. De quoi est faite cette sorte d'attachement qui se construit dans l'enfance, malgré soi ? D'un enchevêtrement de souvenirs plus ou moins rances au milieu desquels on ne se risque pas trop à se promener – à supposer qu'entre lianes et ronces un passage soit possible. Il peut être blessant de se souvenir de l'enfant que nous avons été, obscurément humiliant de se rappeler avoir gobé cela, pensé cela, parce que nous n'imaginions pas autre chose, parce que notre monde se résumait à celui de nos parents. Oui, mais c'est de cette mangrove aux odeurs fétides que nous sommes nés de l'enfance à l'âge adulte, et les secrets de notre enfance, vaguement honteux, il n'y a qu'avec nos frères et sœurs que nous les partageons. Combien d'années, petite fille, puis adolescente, avais-je regardé Stefan en rêvant secrètement de l'étonner, de l'éblouir ? Combien d'années – priant silencieusement pour qu'il s'intéresse à moi ?

Un huissier pour me conduire, une double porte capitonnée, et assis derrière un bureau immense mon frère Stefan.

— Ah, Jana ! Dis donc, tu es devenue une femme... Ça fait combien de temps ?

— Quatre ans, cinq ans...

Il s'était levé et m'avait tendu la main par-dessus ses piles de dossiers.

— Assieds-toi. Un doigt de Ţuică ? Une cigarette ?

— Je veux bien une cigarette. Je suis... un peu tremblante de te revoir.

— À cette place, tu veux dire ?

— Non, de te revoir tout court.

Nous nous étions tus, il avait acquiescé du menton mais n'avait pas renchéri. Lui, manifestement, ne partageait pas mon émotion, il semblait tendu, pressé – tous ces dossiers en souffrance peut-être.

— Alors comme ça tu es devenue bucarestoise.

— Un peu par hasard. C'est ici que je travaille.

— Et que vit l'homme que tu aimes.

— Pardon ?

— Je dis : et que vit l'homme que tu aimes.

Un sourire à peine ébauché, son regard noir fiché dans le mien, tandis qu'aussitôt tout s'était détraqué en moi.

— Je ne comprends pas en quoi... Et comment le sais-tu d'abord ?

— Je le sais. Ne t'énerve pas, Jana, je ne te veux aucun mal, juste te prévenir...

— Je n'en crois pas mes oreilles, tu me fais venir dans ton bureau pour me menacer, c'est ça ? Me prévenir de quoi ? Que vous allez reprendre le tabassage des juifs maintenant que vous êtes au pouvoir ? Parce que tu sais que l'homme que j'aime est juif, bien sûr. Et qu'il ne t'est pas inconnu, de surcroît. Mihail Sebastian, que vous aviez si gentiment accueilli à coups de barre de fer...

— Calme-toi, Jana, s'il te plaît. Il n'est absolument pas question de te menacer. Si tu veux tout savoir, je regrette profondément ce qui s'est passé avec Sebastian.

À quelle allure je l'avais de nouveau détesté ! Seuls ses « regrets » m'avaient retenue, j'étais déjà debout, le sang me cognant dans les tempes, prête à m'en aller.

— Rassieds-toi. Et reprends une cigarette. Voilà, merci. Je ne te menace en rien et si tu me laissais terminer mes phrases on éviterait de perdre notre temps. Je te le répète, je regrette ce qui s'est passé avec Sebastian. Ce sont des méthodes indignes qui ont gravement nui à notre image. Disons que nous étions jeunes, jeunes et stupides, même si ce n'est pas une excuse. Nous avons profondément changé au cours des derniers mois pour devenir un parti de gouvernement. As-tu écouté le discours d'Horia Sima, lundi dernier, pour sa prise de fonction ?

— J'ai accepté de te revoir par faiblesse, je le regrette.

— Je ne comprends pas : tu ne crois pas ce que je te dis ? Tu ne m'écoutes pas ?

— Je ne crois pas qu'un mouvement construit sur la haine et la violence puisse devenir du jour au lendemain un mouvement honorable.

— Eh bien tu as tort. Des personnalités, parmi les plus respectées, nous ont d'ailleurs rejoints. Nombre d'artistes également. Écoute bien, je te lis les dernières phrases du discours de Sima que j'ai là, sous les yeux : « Nous allons écarter toute possibilité d'exploitation de l'homme par l'homme ; nous allons nous sacrifier continuellement au pays ; nous allons défendre le mouvement légionnaire avec toute notre force contre tout ce qui pourrait l'amener à des voies de compromis, ou contre ce qui pourrait même diminuer sa haute conception morale. » Sa haute conception morale... Tu as entendu ?

— De quoi voulais-tu me prévenir ?

— Que nous allons rendre la Roumanie aux Roumains et pour cela inviter tous les étrangers qui ne sont ici que pour profiter de nos richesses, au détriment des Roumains de sang, à quitter notre territoire.

— Vous allez chasser les Allemands ? Est-ce que ce ne sont pas les Allemands qui profitent le plus honteusement de nos richesses ? Les trois quarts de notre pétrole... sans parler de nos céréales qu'ils embarquent par trains entiers.

— Si c'est de l'humour, ça ne me fait pas rire. Sache que sans la protection de l'Allemagne, la Roumanie ne serait déjà plus qu'une province soviétique. Non, nous n'allons pas chasser les Allemands qui sont nos amis et nos alliés dans la construction de la nouvelle Europe que nous voulons. Mais nous allons, en revanche, pousser les juifs à partir, c'est de cela que je voulais t'avertir.

— Dès que tu as su que l'homme que j'aimais était juif, n'est-ce pas... Merci, c'est très délicat de ta part.

— Écoute, Jana, je n'ai pas envie de polémiquer. Je te parle, là, d'une révolution économique indispensable pour redresser le pays. On ne peut plus se permettre de nourrir des milliers de juifs – pratiquement cinquante mille à Jassy sur cent mille habitants, tu imagines un peu ? – quand des milliers de Roumains n'ont pas de quoi se loger et ne mangent pas à leur faim. Nous allons mettre en place ce que Sima appelle la « préférence nationale ». Les Roumains d'abord, les étrangers et les juifs ensuite – si un jour nous avons les moyens d'en accueillir quelques-uns.

— Parce que selon vous les juifs ne sont pas roumains ?

— La plupart d'entre eux ont profité des lois scélérates de 1919 pour le devenir. Ils n'avaient rien fait pour le pays...

— Sauf mourir en 1917 pour défendre nos frontières.

— Celle-ci je l'attendais. Les juifs morts en 1917 ! Eh bien disons que pour les familles de ceux-ci nous étudierons les dossiers. Pour les autres, malheureusement, ils devront partir.

— Et comment allez-vous procéder pour les faire partir ? Comme vos amis allemands, les déporter dans des wagons à bestiaux ? Ou les reconduire à pied jusqu'à la frontière en abattant d'une balle dans la tête ceux qui tombent d'épuisement ?

— Jana, je viens de te le dire, je n'ai pas envie de polémiquer avec toi. Qui te parle de déportation et de wagons à bestiaux ? Je te renvoie à ce qu'a dit hier le général Antonescu : « Je compte supprimer progressivement les juifs de l'organisation économique par des moyens civilisés. » Par des moyens civilisés – si les mots ont un sens...

— Très bien. Et c'est donc pour m'avertir que l'homme que j'aime va être chassé de son pays *par des moyens civilisés* – j'ai bien noté, merci – que tu m'as fait venir.

— Pas chassé, invité à partir, oui. Les juifs sont d'abord juifs, avant d'être quoi que ce soit d'autre – eh bien qu'ils aillent en Palestine puisqu'ils prétendent que leurs racines sont là-bas. Notre devoir, à nous responsables politiques, est de privilégier les Roumains.

— J'ai bien compris.

— Attends, je n'ai pas fini. Je pense que tu vaux mieux que le travail que tu accomplis à l'agence Rador – que nous envisageons d'ailleurs de reprendre en mains pour en faire une véritable agence de presse internationale. Hurtig a fait son temps et il est entouré de ronds-de-cuir.

— Monsieur Hurtig m'a tout appris du métier, j'ai beaucoup d'affection et de respect pour lui.

— D'accord, d'accord, avançons si tu veux bien, on ne va pas passer une heure sur le cas Hurtig. Et maintenant écoute ce que j'ai à te dire : notre ministre de la Culture, qui n'y connaît rien en littérature contemporaine, cherche un conseiller – j'ai aussitôt pensé à toi.

— Tu as pensé à moi pour travailler avec un de tes amis légionnaires !

— Légionnaire et ministre, oui. Tu serais utilisée pour tes compétences et tu gagnerais mieux ta vie. Beaucoup mieux, même.

— Mon Dieu, Stefan, mais comment a-t-on pu en arriver là ? À être si éloignés l'un de l'autre qu'on ne se comprend plus du tout ? Toi, avec ces gens pour lesquels j'ai le plus profond dégoût, n'est-ce pas, et moi, ta petite sœur, de l'autre côté ? Pourtant nous avons été élevés par les mêmes parents, nous avons grandi sous le même toit, et tu ne te doutes pas combien je t'ai aimé, admiré, quand nous étions enfants. Comment a-t-on pu en arriver à ne rien entendre de ce que dit l'autre ?

— C'est toi qui ne veux pas entendre, Jana.

— Parce que toi tu peux croire sincèrement que je vais avoir envie de devenir la collaboratrice d'un ministre légionnaire ?

— Bien entendu ! Mais le monde est en train de changer, voyons ! Nous sommes en pleine révolution, et regarde-toi ! Tu t'accroches à un cosmopolitisme qui a fait fureur dans la dernière décennie et nous a conduits à la ruine. Des juifs partout, des métèques en veux-tu en voilà, tout ce petit monde occupé à nous manger la laine sur le dos. Tu refuses de monter dans le train du renouveau national, tu t'obstines à rester sur le quai.

— Je ne monterai sûrement pas dans ce train-là.

— Il n'y en aura pas d'autres, Jana. Je te le dis les yeux dans les yeux : il n'y en aura pas d'autres. Qu'est-ce que tu crois ? Nous sommes en train d'inventer le monde de demain, nous en avons fini avec celui d'hier – Hitler à Berlin, Antonescu à Bucarest, Mussolini à Rome, Franco à Madrid : l'Histoire est en marche, bon Dieu ! Tu ne comprends pas, tu ne vois pas ce qui se dessine sous ton nez ? La renaissance du sang, de la patrie, de l'identité nationale. J'ai promis à nos parents de m'occuper de toi, et je tiens mon engagement. Ils ne te le diront pas, mais ils sont catastrophés que tu fréquentes un juif. Catastrophés. Alors incite-le à partir avant qu'il soit forcé de le faire, et saisis l'opportunité que je t'offre. Dis-toi que dans trente ans, dans quarante ans, nous serons toujours à la tête du pays et qu'il sera alors trop tard pour nous rejoindre, tu auras tout raté, ta vie sera derrière toi.

— Des étrangers l'un pour l'autre, voilà ce que nous sommes devenus. Je devrais même dire des ennemis, mais le courage me manque. Enfin non, une part de moi ne veut pas que tu sois mon ennemi, c'est plutôt cela la vérité. Je vais m'en aller, je voudrais te quitter sur quelques mots gentils mais je ne les trouve pas. Non, tais-toi s'il te plaît. N'ajoute rien. Au revoir Stefan.

Mihail s'était remis à écrire – du théâtre, les premières scènes d'*Édition spéciale*, une pièce satirique sur la vénalité de la presse qu'il n'aura jamais vu jouée (à l'instant où j'écris ces lignes, on parle de la monter à l'automne prochain, ou au début de l'année 1947). Souvent, passant à l'improviste, je le découvrais en train de rire tout seul à sa table.

— De mes propres bêtises, Eugenia.

— Aussi loin que je remonte, je ne vous vois pas avec ce visage lumineux.

— Cette pièce m'amuse. Parfois, vous savez, des répliques me viennent et je suis carrément saisi de fou rire.

Après la colère que lui avait inspirée l'avènement d'Antonescu et des légionnaires, il semblait avoir pris le parti d'en rire. Combien de temps allait durer cet attelage grotesque du vice et de la vertu ? « Ces voyous, disait-il, posant aux côtés de notre grande figure militaire, certainement le seul de nos dirigeants à n'avoir jamais profité de sa position pour s'enrichir... Avouez, Eugenia, qu'il y a là tout de même un paradoxe dont Charlie Chaplin pourrait tirer un film. »

Ce n'était pas tout. Antonescu était connu pour être un francophile convaincu, sorti de Saint-Cyr, marié à une Française, décoré par le général Berthelot en 1918 et ami du général Gamelin qui le recevait à chacun de ses passages en France. Or voilà que son coup d'État l'avait contraint à s'allier pour gouverner avec ce que la Roumanie comptait de plus germanophile. Comment allait-il pouvoir travailler avec les protégés de Berlin qui haïssaient la France ? Que nous préparait ce mariage forcé et lequel des deux planterait le premier un couteau dans le dos de l'autre ?

Jusqu'ici, le général avait adhéré prudemment à l'antisémitisme maladif des légionnaires, concédant, en effet, qu'il allait progressivement écarter de notre économie tous les juifs qui y tenaient un rôle, mais cela n'avait pas dépassé le stade du discours. Quant à l'avertissement de Stefan, j'avais décidé de ne rien en dire à Mihail.

En attendant les premières mesures concrètes que prendraient notre Conducător et ses amis, Mihail et moi nous rendions volontiers aux manifestations censées exalter la « Révolution » en marche (Mihail n'excluait pas de s'inspirer de ces spectacles pour une future pièce de théâtre, et moi j'en rendais compte pour l'agence). Pour le pouvoir, il s'agissait de convaincre que nous étions entrés dans une ère nouvelle où les affaires du pays ne se réglaient plus la nuit dans les couloirs du palais royal, à coups de compromis et de petits arrangements, mais à ciel ouvert, sous la protection de nos oracles, et en particulier du premier d'entre eux, Corneliu Zelea Codreanu, fondateur de la Légion, assassiné deux ans plus tôt dans sa prison de Jilava sur ordre d'Armand Călinescu.

La mise en scène était toujours la même : au centre d'une place publique, on dressait une estrade qu'on recouvrait d'un calicot vert – couleur de la Légion – sur laquelle apparaîtraient le moment venu le général Antonescu et Horia Sima, les deux hommes s'exprimant sous un portrait géant de Codreanu.

Tout autour de la place prenaient position les délégations de nos oracles vivants : une section de SS en uniforme envoyée par le Führer, une de fascistes en chemise noire portant les vœux de Mussolini, une de petits phalangistes au teint olivâtre dépêchée par le général Franco, sans oublier, certaines fois, quelques représentants étincelants de l'empereur Hirohito du Japon. Les chemises vertes de la Légion s'alignaient au garde-à-vous derrière les délégations étrangères, l'ensemble formant un grand U au centre duquel se tenaient les familles des légionnaires massacrés sous le règne de Carol II, toutes de noir vêtues, et parmi elles la mère et la veuve de Codreanu.

Le Conducător, qui avait revêtu une chemise verte pour l'occasion, déroulait son discours, toujours le même, au fil duquel étaient portées haut les couleurs de la grande Roumanie, les larmes pour les provinces perdues et la volonté « inébranlable » de les reconquérir, tandis qu'Horia Sima magnifiait la pureté du sang roumain et les valeurs qu'il charriait – le courage, le sens de l'honneur, l'amour de la patrie – n'oubliant jamais de rendre grâce au Führer « qui nous montre le chemin » et laissant entendre que justice serait bientôt rendue aux centaines de familles endeuillées « ici présentes ». À la fin, au moment où les deux hommes décidaient de marcher l'un vers l'autre sur l'estrade pour joindre leurs mains dans une étreinte œcuménique, j'avais noté que de nombreuses femmes pleuraient parmi les mères endeuillées et les veuves. De quelle façon Horia Sima songeait-il à leur rendre justice ? Mihail et moi nous le demandions.

14

Le samedi 13 octobre 1940, un mois après l'avènement du général Antonescu, une mission militaire allemande fit une entrée remarquée dans Bucarest. Le matin, des dizaines de chasseurs Messerschmitt, suivis de bombardiers, survolèrent la ville à basse altitude ne suscitant aucune inquiétude, et même plutôt des mouvements d'enthousiasme, car il était entendu que les Allemands ne venaient pas chez nous pour nous agresser mais plutôt pour nous protéger. Le général Erik-Oskar Hansen, commandant de la mission, était d'ailleurs attendu en fin de matinée à la gare centrale de Bucarest par une délégation de ministres et nous savions que lui-même et tous ses officiers seraient logés à l'Athénée Palace où deux étages leur avaient été réservés et sur la façade duquel avait été déployée la veille une immense croix gammée.

Cette mission, le roi l'avait réclamée en vain à Hitler dès le début de l'été, comptant sur elle pour dissuader la Hongrie d'occuper la Transylvanie. C'était évidemment se tromper lourdement sur les plans de Berlin. En revanche, lorsque le général

Antonescu, à peine au pouvoir, avait renouvelé la demande, escomptant que les instructeurs allemands aideraient la Roumanie à remettre son armée sur pied, Hitler lui avait répondu favorablement. C'est qu'entre-temps la Roumanie s'était rapprochée du régime nazi et que celui-ci avait tout intérêt à envoyer sur place ses avions et ses soldats pour protéger des bombardiers britanniques son pétrole et son blé.

La mission comptait environ dix mille hommes et tout ce qu'il fallait pour les transporter, des lourdes Mercedes réservées aux officiers aux camions gris surélevés où s'entassait la troupe, en passant par les motos Zündapp des estafettes, avec ou sans side-car. On fut surpris les premiers temps de croiser dans les rues de Bucarest ces militaires martiaux dans leurs longs manteaux gris, visages émaciés sous la casquette, allant seul ou par deux, et s'attachant à répondre aimablement aux quelques personnes qui se risquaient à les saluer. Les plus âgés d'entre nous n'en revenaient pas, car eux se rappelaient la brutalité de ces mêmes Allemands entrant en conquérants dans Bucarest, en 1916, et occupant la ville que venaient de fuir le roi et son gouvernement pour aller se réfugier à Jassy. Nos ennemis d'hier semblaient être devenus nos amis d'aujourd'hui, bien qu'officiellement la Roumanie ne soit toujours pas sortie de la neutralité revendiquée par Carol II. Chacun pouvait donc interpréter à sa guise le sens de la présence allemande. Les légionnaires expliquaient dans leurs journaux que la Luftwaffe et la Wehrmacht étaient là pour aider la Roumanie à reconquérir les trois provinces perdues, ce qui faisait rire M. Hurtig et ses vieux journalistes, car pourquoi les Allemands se feraient-ils tuer pour des territoires qu'ils nous avaient sommés de lâcher ? Dans l'entourage du général Antonescu, on faisait valoir qu'on avait fait appel aux Allemands dans l'hypothèse d'une offensive russe – que cesse l'alliance germano-soviétique, disait-on, et Staline, qui n'avait fait qu'une bouchée de notre Bessarabie, annexerait en quelques jours le reste de la Roumanie. Quant aux Bibesco, chez qui nous étions allés passer deux jours, ils parlaient, eux, d'une « occupation » de la Roumanie destinée, certes, à sécuriser le pétrole, mais aussi à préparer le brutal revirement de Berlin contre Moscou. Dans les milieux diplomatiques, on estimait plus que probable qu'après avoir consolidé sa victoire à l'ouest, Hitler allait trahir son pacte avec Staline et lancer ses troupes contre son puissant voisin communiste. Pour cela, il devait s'assurer du soutien de la Roumanie et tenter d'entraîner dans la guerre son Conducător.

Les deux hommes ne se connaissaient pas et Hitler invita donc le général Antonescu à lui rendre visite à la Wilhelmstrasse durant le mois de novembre. Qu'allait-il sortir de cette rencontre entre le dictateur allemand et le général francophile ? M. Hurtig, admis avec quelques journalistes à couvrir l'événement, estima à son retour que le basculement de la Roumanie dans le camp allemand s'était opéré ce 22 novembre 1940, au fil des deux heures que dura l'entretien. Antonescu fut séduit par la « clarté d'esprit » de son hôte, paraît-il, mais la réciprocité seule fut véritablement déterminante : Hitler découvrit en Antonescu un dirigeant fiable en lequel il pouvait placer sa confiance – tout l'inverse de Carol II. Quand, en échange de son soutien, Antonescu demanda son concours à Hitler pour récupérer les provinces perdues, celui-ci lui assura qu'on rétablirait les frontières de la grande Roumanie « après la guerre », étant entendu que les puissances de l'Axe seraient victorieuses.

Comment le général Antonescu, « grand patriote, officier d'une honnêteté irréprochable » selon le général Gamelin, a-t-il pu en venir à engager la Roumanie au côté de la « monstrueuse tyrannie » dénoncée par Churchill ? C'est une question à laquelle je ne sais pas répondre. A-t-il pensé que c'était le prix à payer pour sauver son cher pays, lui qui se prévalut alors d'être le « Pétain roumain » ? S'est-il aveuglé au point de songer qu'il n'aurait pas à se salir les mains ? Mihail, qui suivait de près ce qui se passait en Pologne, notamment grâce au réseau diplomatique du prince Bibesco, comparait Antonescu au gouverneur de ce pays, Hans Frank, que rien ne prédestinait à superviser la déportation des juifs (et leur massacre, mais on ne savait rien encore du camp d'Auschwitz découvert par l'Armée rouge au début de cette année 1945). Comment Frank, cet avocat raffiné, mélomane, pianiste, père de famille, en était-il arrivé à supporter l'image de ces malheureux qu'on entassait dans des wagons à bestiaux, ou qu'on laissait mourir de faim à l'intérieur de ghettos ? On racontait qu'au milieu des années 1930, comme sa femme lui faisait part de sa révolte après avoir vu des commerçants juifs se faire molester dans une rue de Munich, Hans Frank lui avait répondu : « Je ne suis pour rien dans ces horreurs, ma chérie, tu te doutes bien que je les réprouve. » Et cependant, quelques années plus tard, il en était devenu le grand ordonnateur.

Le général ne pourrait pas dire qu'il n'avait pas pressenti le danger d'un glissement vers l'horreur puisque tandis qu'il nouait des liens de confiance et de coopération avec Hitler, la situation de la justice et des libertés à l'intérieur du pays était devenue chaque jour un peu plus inquiétante. Horia Sima avait fait arrêter par ses hommes tous ceux qu'il considérait comme responsables de la mort de Codreanu et des massacres des légionnaires – justice allait donc être rendue aux familles. Soixante-cinq personnalités politiques et intellectuelles, et parmi elles, évidemment, le général Argesanu, avaient été incarcérées à la prison de Jilava et attendaient d'être jugées.

Cependant, le 27 novembre, comme ils procédaient à l'exhumation du corps de Codreanu, enterré dans l'enceinte de la prison où il avait été étranglé, les légionnaires avaient perdu toute mesure et assassiné dans leurs cellules, à coups de revolver et de barre de fer, les soixante-cinq suspects.

La nouvelle avait plongé le pays dans l'effroi. Était-ce donc cela la « haute conception morale » de la Légion qu'avait vantée Horia Sima dans son discours d'investiture ?

Depuis octobre, le même Horia Sima s'était attelé à « rendre la Roumanie aux Roumains » ou, en d'autres termes, à prendre toutes les mesures possibles pour en écarter les juifs. Par décrets, toutes les entreprises et associations avaient été sommées de remplacer leurs employés juifs par des Roumains au sang pur. Chefs d'entreprise juifs, avocats juifs, médecins juifs, architectes juifs, ingénieurs juifs, artisans juifs, scientifiques juifs, journalistes juifs, écrivains juifs, artistes juifs avaient reçu notification qu'il leur était désormais défendu d'exercer sur notre territoire. Dans le même mouvement, élèves et étudiants juifs avaient été mis à la porte des écoles et des universités et l'accès aux bibliothèques leur avait été interdit.

Était-ce ce qu'entendait le général Antonescu par « moyens civilisés » ? En tout cas, il avait laissé faire.

Alors avait pu commencer la « roumanisation » des biens juifs, c'est-à-dire l'expropriation des juifs et la prise de possession de tout ce qui leur appartenait. Comme les légionnaires n'avaient pas la patience d'attendre que les tribunaux et la police d'État procèdent à ces expropriations, ils envoyèrent leurs propres troupes, ce qui donna lieu à d'ahurissantes scènes de violence et de pillage. Des chefs d'entreprise qui refusaient de céder leur manufacture furent laissés pour morts sur le trottoir et leurs bureaux dévastés. Des pères de famille donnaient tout ce qu'ils possédaient aux légionnaires pour qu'on leur laisse au moins un toit, ils étaient rançonnés et terrorisés durant plusieurs nuits, puis finalement jetés à la rue avec les leurs quand ils avaient tout donné. Beaucoup de juifs étaient battus et abandonnés mourants, d'autres étaient portés disparus.

Mihail avait accepté de ne pas sortir durant ces semaines de terreur. Il ne possédait rien, il n'était que locataire de son studio, j'espérais de toutes mes forces que les légionnaires allaient l'oublier. Je lui apportais de quoi se nourrir, nous prenions des nouvelles de ses parents par téléphone – eux ne possédaient rien non plus – et nous nous réconfortions mutuellement en songeant qu'une telle violence ne pouvait pas durer. Par bonheur, il écrivait, et sa pièce le transportait loin d'un pays où son espace vital se réduisait chaque jour un peu plus.

M. Hurtig, qui avait ses entrées à la présidence, nous rapportait que le général était profondément affecté par ces désordres. Ses rapports avec Horia Sima étaient devenus exécrables, d'autant plus que ce dernier prétendait avoir le soutien des Allemands pour mener ses exactions. C'était faux, M. Hurtig avait pu prendre un verre à l'Athénée Palace avec l'un des officiers d'état-major du général Hansen qui lui avait dit la consternation des Allemands devant la façon de procéder des légionnaires. En quelques semaines seulement, l'économie s'était effondrée du fait de la désorganisation des entreprises dont les dirigeants juifs avaient été remplacés par des légionnaires généralement incompétents et plus soucieux de se servir dans les caisses que de remettre les gens au travail. Il était arrivé bien souvent, lui avait-il dit, que des juifs approchent des officiers allemands pour les supplier de louer tout ou partie de leur maison afin de les protéger des hommes de Sima. Selon cet officier, le chaos qui s'installait dans le pays inquiétait de plus en plus les Allemands et ils ne laisseraient sûrement pas la situation perdurer.

Vers la fin du mois de décembre, tandis que la neige tombait sur Bucarest en épais flocons, de nouvelles troupes allemandes commencèrent à débarquer. Elles arrivaient par convois ferroviaires – plus de vingt trains par jour, selon les agents de la gare – équipées d'un puissant matériel de campagne – chars d'assaut, canons, automitrailleuses, camions, motos etc. Il était clair que ces effectifs n'avaient rien à voir avec la mission militaire d'octobre et que Berlin s'apprêtait à utiliser la Roumanie comme base arrière d'une offensive dont on ne savait pas un mot. En temps normal, les Bucarestois se seraient certainement étonnés de voir les places de la gare et de l'Athénée transformées en camp militaire pour la Wehrmacht, mais nous vivions alors sous la terreur des légionnaires et les gens étaient à ce point troublés que certains en arrivaient à prétendre qu'Hitler avait envoyé cette armada pour écraser les chemises vertes d'Horia Sima et rétablir l'ordre dans le pays.

Ce fut durant ces jours terribles que la princesse Élisabeth Bibesco me fit porter un mot à l'agence pour me demander de la rejoindre à l'Athénée Palace le surlendemain, veille de Noël, aux environs de quinze heures. Elle souhaitait me faire rencontrer un de ses amis, journaliste italien de renom, me précisait-elle, de passage à Bucarest.

Cela faisait quelque temps que je n'avais plus mis les pieds à l'Athénée et je fus surprise de constater que la plupart des tables du grand salon aux colonnes de marbre jaune étaient occupées par des officiers allemands, certains en conversation avec des femmes à l'élégance tapageuse. La princesse Bibesco, qui haïssait les nazis en digne fille de Lord Asquith, s'était installée de façon à leur tourner le dos, de sorte que je mis un instant à la découvrir. Elle était en compagnie d'un homme immense, aux cheveux noirs luisants et plaqués, qu'elle me présenta comme M. Malaparte, « un ami très cher ».

Il se leva pour me baiser la main, puis se rassit, et je remarquai avec quelle acuité il me regardait de ses yeux petits et profondément enfouis.

— Mais peut-être, Eugenia, avez-vous entendu parler de monsieur Malaparte, poursuivit la princesse, car il est l'auteur d'un livre qui a fait grand bruit en Italie, comme en France du reste.

— Ah non, je suis désolée.

— *Technique du coup d'État*. J'en ai un exemplaire à Mogoşoaia, la prochaine fois je vous le donnerai.

— Je le lirai aussitôt, c'est très aimable.

Comme je me tournais vers M. Malaparte pour lui adresser un sourire, je vis qu'il n'avait pas cessé de me dévisager.

— Êtes-vous venu pour rencontrer le général Antonescu ? m'enquis-je.

Ma question parut l'amuser.

— Qu'est-ce qui vous le fait penser, mademoiselle ?

— Eh bien, le titre de votre livre. Le général a parfaitement réussi son coup d'État, non ?

— À vrai dire, j'ai plutôt dans l'idée de voir monsieur Sima qui me semble plus intéressant que le général. Il est clair que d'ici quelque temps l'un aura évincé l'autre, n'est-ce pas ? Élisabeth pense qu'Hitler préférera le général, est-ce aussi votre avis ?

— Élisabeth est mieux placée que moi pour savoir ce qui se dit dans les chancelleries. Je n'ai pas d'avis, mais si je peux exprimer un souhait c'est celui que le général nous débarrasse rapidement d'Horia Sima et de ses légionnaires. Le général est un moindre mal comparé à Sima.

La princesse acquiesça silencieusement.

Nous nous exprimions en français, et suffisamment bas pour ne pas être entendus des tables voisines. Dans un coin du salon on avait dressé un immense sapin de Noël et, quelque part derrière ce sapin, un phono jouait doucement *Stille nacht*.

— Je ne doute pas que votre souhait sera exaucé, observa M. Malaparte, car Hitler a besoin que le calme et l'obéissance règnent en Roumanie. Or Sima n'est ni calme ni obéissant.

Il nous offrit des cigarettes puis tira sur la sienne en rejetant la tête en arrière. Il portait un étrange costume de laine de style tyrolien, qu'il avait dû acheter lors de son passage à Vienne, beige à liseré vert, serré à la taille par une ceinture, sur un col blanc amidonné et une cravate de soie également verte. Il était objectivement beau, les traits réguliers, mais il n'émanait de lui aucune affectivité.

— Des deux hommes, reprit-il, Sima est le seul à être prêt à mourir pour la Roumanie qu'il construit dans ses rêves. Le général n'est qu'un militaire, fasciné par Hitler comme tous les militaires car Hitler incarne tout ce qu'ils aiment : la force et la victoire. Sima, lui, se place sur un pied d'égalité avec Hitler, il se vit comme l'héritier du messianique Codreanu, il est le fils du dieu assassiné, n'est-ce pas, celui qui va hisser la Roumanie au rang de puissance élue du Ciel.

— C'est un sociopathe sanguinaire, dis-je.

— Pour vous, mademoiselle. Mais lui ne se vit pas comme le personnage que vous décrivez. Voyez-le, écoutez-le : Sima est un croisé, un être inspiré, un ascète. Au fond de lui, il aspire à mourir en martyr pour son pays, et c'est cette foi qu'il transmet à ses disciples.

— Ses *disciples*, comme vous dites, sont des tueurs et des voleurs sans foi ni loi.

— Laissez-lui le temps de les éduquer. En Italie aussi nous avons connu cela dans les premiers temps de Mussolini. Aujourd'hui, je vous l'assure, les jeunes fascistes sont parfaitement bien élevés.

Il me sourit de ses lèvres fines, mais ce n'était qu'un sourire mondain.

— Curzio a été très proche de Mussolini avant d'être envoyé en prison par le même Mussolini, intervint la princesse à mon intention.

Puis, se tournant vers lui :

— Et maintenant, où en êtes-vous avec votre Duce ?

— Il se méfie de moi.

— Vous laisserait-il partir à travers toute l'Europe pour le *Tempo* ou le *Corriere della Sera* s'il se méfiait de vous ?

— Chère Élisabeth, je crois que je lui cause plus d'ennuis en prison qu'en liberté.

— Vous êtes habile diplomate, Curzio, et je suis certaine que vous vous arrangez pour ne pas froisser votre cher Mussolini dans vos articles.

Elle le taquinait, faisant manifestement référence à des événements de sa vie que j'ignorais, mais lui feignit de ne pas comprendre.

— Pour ne rien vous cacher, reprit-il après un silence, et s'adressant à moi, j'ai rencontré hier au ministère des Affaires étrangères mon ami, le prince Sturdza, qui doit m'arranger une entrevue avec Horia Sima.

— Et qu'attendez-vous de cette rencontre ? Qu'il vous explique sa haute conception de la morale pendant que ses amis rançonnent les juifs et les laissent pour mort sur les trottoirs ?

— Exactement, mademoiselle. Vous êtes suffisamment nombreux à le condamner sans qu'il soit nécessaire que j'y ajoute ma voix. Ça ne m'intéresse pas de le juger, ce qui m'intéresse c'est d'entendre sa foi, d'aller même jusqu'à la partager le temps de notre face-à-face. Les vérités sont multiples, je ne vous apprends rien, et mon souhait, dans ce moment, serait de saisir celle de cet homme.

— Et de partager avec lui sa foi en la nécessité de jeter les juifs dehors pour le bien de la Roumanie ?

— D'aller jusqu'à partager cela avec lui, oui. Soyez certaine qu'à aucun moment je ne le contredirai.

— Vous ne croyez donc en rien vous-même ? Vous êtes ce qu'on appelle un caméléon ?

Il sourit mais ne releva pas. Quel âge pouvait-il avoir ? Quarante ans, peut-être un peu plus. Les sourcils épilés, le visage poudré, m'avait-il semblé. Décidément, je n'aimais pas ce M. Malaparte et je me demandais pourquoi Élisabeth Bibesco avait tenu à ce que nous nous rencontrions.

— Je vois que vous vous apprêtez à partir, observa-t-il, alors que vous n'avez rien bu.

— Oui, excusez-moi, je suis attendue.

— Élisabeth me disait que vous étiez proche de Mihail Sebastian, l'écrivain. Puis-je vous prier de me le faire rencontrer ?

J'étais restée un moment stupéfaite. Quel jeu jouait donc la princesse ? Elle n'avait pas besoin de moi pour présenter Mihail à cet Italien. Mais elle m'en laissait la responsabilité. Parce qu'elle n'avait pas confiance en lui ? En ce cas, c'était me placer dans une position impossible.

— Êtes-vous au courant de la situation des juifs dans ce pays, monsieur Malaparte ?

— Ne le prenez pas mal, Eugenia, intervint doucement la princesse, c'est exactement pourquoi nous passons par vous.

Entre-temps, je m'étais levée. Je n'avais aucune confiance en cet homme et le sentiment grandissait en moi de m'être fait piéger.

— Pardonnez-moi mais je dois partir.

Tandis que la princesse me souriait sans manifester le moindre embarras, Malaparte se leva et me glissa sa carte.

— Je suis à l'Athénée pour quelques jours, faites-moi signe si la chose vous semble possible. Dites-lui que j'ai aimé *Depuis deux mille ans*.

J'étais si troublée en sortant de ce rendez-vous que j'étais tombée sur une plaque de verglas en regagnant l'agence et m'était ouvert le genou.

Combien de temps allait se prolonger la terreur légionnaire ? Et qu'attendait le général pour y mettre un terme ?

On comprit que Berlin était à bout de patience quand on découvrit, le lendemain de Noël, que l'ambassadeur d'Allemagne, Wilhelm Fabricius, avait été subitement rappelé pour être remplacé par un fidèle d'Hitler, Manfred von Killinger, nazi de la première heure qui venait de remettre de l'ordre en Slovaquie, disait-on, et allait assurément faire de même chez nous.

Le 14 janvier de la nouvelle année 1941, Hitler convoqua le général et Horia Sima à la Wilhelmstrasse et poussa l'obligeance jusqu'à leur envoyer son avion privé. Il y avait manifestement urgence à ce que le calme soit rétabli en Roumanie. Sima, persuadé d'avoir le soutien des Allemands et pensant qu'Antonescu allait être débarqué (comme venait de l'être Fabricius), déclina l'invitation et laissa le général s'envoler seul pour Berlin.

Or il se passa le contraire de ce qu'il avait escompté : Hitler renouvela sa confiance à Antonescu et l'autorisa à se débarrasser des légionnaires, lui assurant qu'il aurait non seulement le soutien de son nouvel ambassadeur dans cette entreprise, mais également celui des troupes allemandes si c'était nécessaire – l'état-major du général Hansen allait être mis dans la confidence.

« Dans le Führer de la Grande Allemagne, ce maçon insurpassable d'un monde nouveau, cet homme qui a souffert pour sa grande nation et a lutté pour l'élever à une gloire immortelle, j'ai trouvé la plus haute, la plus loyale et la plus juste compréhension », devait déclarer le général après les événements dramatiques qui allaient suivre son retour.

Le samedi 18 janvier, le commandant Döring, chef de l'Abwehr, le service de renseignement allemand, fut assassiné de trois balles par un résistant grec alors qu'il dînait tranquillement dans un restaurant de Bucarest. Horia Sima, qui ne savait rien de ce qui avait été décidé à Berlin, saisit ce prétexte pour dénoncer le laxisme du général Antonescu et réclamer sa destitution en sa faveur.

Dès le lendemain, dimanche, les légionnaires furent appelés à défiler dans les principales villes du pays pour scander le nom d'Horia Sima et lui demander de prendre le pouvoir afin de doter la Roumanie d'un véritable État légionnaire. L'opinion des gens de la rue, et celle de M. Hurtig (qui pour une fois se trompait), était que nous étions à la veille d'un nouveau coup d'État : Sima allait renverser Antonescu, et les Allemands laisseraient faire, pariant sur la mise au pas du pays qui seule leur importait.

Mais le lundi 20 janvier le général Antonescu limogea brutalement ministres légionnaires et chefs de la police sous le prétexte qu'ils s'étaient montrés incapables d'assurer la sécurité de la mission militaire allemande dont était membre le commandant Döring. Tous furent remplacés par des officiers proches du général. Le même jour, le Conducător ordonna le départ de tous les légionnaires qui s'étaient autoproclamés patrons des entreprises volées aux juifs, arguant du fait qu'ils avaient ruiné l'économie du pays par leur incapacité à diriger et leur profonde malhonnêteté. Manifestement, si un coup d'État était en marche, il n'était pas celui qu'on avait soupçonné.

Ulcéré par ces décisions et pressentant que le pouvoir lui échappait, Horia Sima appela ses troupes à l'insurrection durant l'après-midi même de ce lundi 20 janvier. Comment expliquer que ce soulèvement, dirigé au départ contre le général Antonescu, se soit retourné au fil de la nuit contre les juifs pour donner lieu à l'une des plus effroyables tueries qu'ait connues Bucarest ? Sans doute parce qu'il était plus facile de s'en prendre aux juifs qu'aux soldats qui avaient été positionnés autour de tous les bâtiments publics et avaient reçu l'ordre de tirer. Mais sans doute aussi parce que le sacrifice quasi rituel de juifs, éternels coupables de tous les maux dans notre pays, était seul à même d'épuiser la colère et l'amertume des sinistres voyous qui constituaient l'essentiel de la Garde de fer.

Dans la nuit du 20 au 21 janvier, ils arrachèrent à leurs maisons plusieurs dizaines de juifs qu'ils emmenèrent aux abattoirs à bestiaux et qu'ils torturèrent, mutilèrent, avant de les achever et de suspendre leurs dépouilles à des crochets de boucher sous un écriteau : « Viande casher ».

La vue du sang et leur sentiment d'impunité avaient dû les rendre fous car les mardi 21 et mercredi 22 ils se livrèrent à des violences sans doute jamais égalées depuis le terrifiant pogrom de Chişinău, en 1903. Ils investirent le quartier juif autour de la rue Lipscani, enfoncèrent les portes des maisons juives et violèrent les femmes sous les yeux de leurs maris avant de tuer ceux-ci à coups de barre de fer et d'emporter tout ce qu'ils trouvaient de précieux dans les maisons. Ils étaient devenus des bêtes, d'une cruauté inimaginable. Après cela, ils incendièrent les synagogues de ce quartier pauvre où les familles juives s'entraidaient et avaient leurs habitudes depuis le début du siècle.

Le général attendit le jeudi 23 janvier pour réagir. Il envoya les chars, comme pour une véritable guerre, et en quelques heures l'insurrection fut matée. La Wehrmacht n'eut pas à intervenir, elle se contenta d'organiser un défilé de son infanterie rue Victoriei, précédé d'une colonne de Panzers, pour ceux qui n'auraient pas compris. Neuf mille légionnaires furent arrêtés et incarcérés. Quant à leurs chefs – et en particulier le premier d'entre eux, Horia Sima –, ils parvinrent à fuir et trouvèrent refuge à Berlin où leur cher Führer leur accorda le droit d'asile, mais rien de plus.

On compta cent cinquante et un juifs assassinés, plusieurs centaines de blessés parmi les femmes et les enfants, plus de vingt synagogues détruites par le feu et des centaines de commerces et de maisons saccagés.

Pendant ces trois jours, il m'avait été impossible de savoir si Mihail, était vivant. Je me trouvais dans l'agence quand les légionnaires en avaient pris le contrôle. Ils n'avaient commis aucune violence à notre égard, deux d'entre eux plaisantant même avec certains journalistes, mais nous avions eu interdiction de sortir comme de téléphoner.

Voici ce qu'écrivait Mihail dans son *Journal* durant le pogrom. Je le découvre à l'instant.

Mercredi 22 janvier.

Seul. Le téléphone coupé depuis midi. Pas moyen de savoir ce qui se passe à la maison, rue Antim. Je voudrais pouvoir dire un mot à maman. Je voudrais l'entendre parler. Je pense aux heures de peur qu'ils vivent là-bas. Je regrette de n'avoir pas été assez résolu ce matin – lorsque c'était encore possible – pour y courir et y rester. Tous ensemble, nous attendrions peut-être plus facilement. Je me promets d'y aller sans faute demain, s'il y a encore un « demain ». Pour que nous soyons ensemble, quoi qu'il arrive [...].

Vers quatre heures, j'ai vu s'installer quelques piquets de soldats place Amzei et un cordon calea Victoriei, exactement devant mon immeuble. La fusillade a éclaté vers cinq heures. Je n'ai pas pu observer ce qui se passait, car il a fallu évacuer aussitôt tous les balcons. J'ai seulement vu quelques centaines de manifestants qui venaient du Palais Royal. Je suis rentré dans ma chambre, en laissant entrouverte la porte de la terrasse. Les détonations ne couvraient pas les cris. On scandait ; on chantait ; on vociférait. Deux ou trois voix, toujours les mêmes, réussissaient à se détacher du tumulte : « Ne tirez pas, nous sommes vos frères ! »

Le tout a duré une heure. Ensuite les manifestants se sont éloignés en chantant, j'ignore dans quelle direction : vers l'Athénée s'ils ont été repoussés, vers le ministère des Finances s'ils ont forcé le barrage. Je suis ressorti sur la terrasse. En bas, à côté de la pharmacie, une flaque de sang et un cierge sur le trottoir. Je suis descendu une minute pour demander au concierge ce qui s'était passé. Selon lui, un soldat a été tué et, après, la troupe, qui n'a tiré qu'en l'air, a reculé pour laisser passer les légionnaires. La rue était pleine de gens hagards, désemparés et pourtant, à ce qu'il m'a semblé, assez indifférents. Je suis remonté chez moi. Il était absurde de tenter de me rendre ailleurs. J'ai allumé la radio sur Bucarest. L'émission a été normale jusqu'à huit heures moins le quart, quand il n'y a eu ni le bulletin allemand ni l'indicatif. Au bout de dix minutes ou un quart d'heure, une voix : « La légion triomphera… À Constanţa, Tecuci et Craiova une grande partie de l'armée a rallié la révolution légionnaire… Les ministres enjuivés et les traîtres payeront… »

La radio est donc aux mains des légionnaires. Les journaux qui paraissent, y compris les non légionnaires (*Evenimentul*, *Seara*) publient des proclamations légionnaires. Quant au général Antonescu, pas un mot, nulle part. Dans le message qu'il a lu à la radio hier soir (il la contrôlait encore), il affirmait que l'ordre serait rétabli dans les vingt-quatre heures.

Alors ? Tout est possible cette nuit. Il n'est que onze heures. Avant que le jour se lève, huit heures encore. Est-ce que je vais dormir ? Est-ce que je peux essayer de dormir ? Je suis tellement seul, et toutes mes pensées vont à la maison, auprès de maman, de Benu, de papa. La ville est plongée dans l'obscurité, le téléphone ne répond pas, la radio se tait.

15

J'avais retrouvé Mihail le jeudi 23 janvier dans la nuit.

L'un des légionnaires qui nous avaient retenus en otages avait été tué d'une balle dans la tête quand l'armée avait libéré notre bâtiment. Il n'était ni le plus méchant ni le plus stupide et le découvrir allongé sur le palier, son jeune visage d'une pâleur de marbre baignant de profil dans son sang, m'avait ramenée au souvenir de Stefan. Où pouvait-il être après ces trois journées d'insurrection ? Peut-être mort, lui aussi. Ou parmi les prisonniers. Mais plus vraisemblablement en fuite – oui, Stefan avait toujours su prendre le plus grand soin de sa personne.

Les rues étaient désertes, noyées dans une brume givrante qui formait des halos vaporeux autour des rares fenêtres éclairées. Les gens continuaient donc de vivre à la bougie de peur d'être pris pour cibles des toits ou des trottoirs. Par instants, un bruit, ou le surgissement d'une ombre me faisait sursauter, et je pressais le pas, mais je ne courais pas, je me l'interdisais – courir aurait été céder à l'affolement. Ici et là, les chars avaient écrasé des barricades dérisoires faites de chaises, de portes, de plaques d'égout, de poubelles, de poteaux télégraphiques. Peu avant d'atteindre l'immeuble de Mihail, la vue de l'Athénée Palace m'avait réchauffé le cœur, ici on ne tremblait pas, on ne craignait rien, la lumière brillait à tous les étages et les grands salons étaient illuminés comme pour un soir de bal – c'est que les précieux pensionnaires de l'hôtel étaient gardés par des Panzers que l'on avait disposés tous les trente mètres autour de l'immeuble et dont les canons surveillaient l'immense place et les rues qui y débouchaient.

Il m'avait ouvert et nous nous étions étreints silencieusement. C'était une joie bien trop profonde de se découvrir vivants pour en dire quoi que ce soit et je prends conscience à l'instant que Mihail ne m'a jamais raconté ce qui l'avait traversé durant ces heures d'angoisse, et que moi non plus je ne lui ai rien raconté de notre confinement dans les bureaux de l'agence.

Presque chaque jour je me répète qu'il est mort sans deviner combien je l'aimais. Sauf ce soir-là, ce soir-là il a su parce qu'il sortait de tant de solitude et de peur que j'ai représenté pour lui, je le sais, j'en suis sûre, tout ce que la vie peut nous donner de douceur et d'intensité quand on a cru devoir la perdre. De sorte que pour la première fois nous nous sommes trouvés à égalité – il avait momentanément oublié Leny, ses livres, son éternelle mélancolie pour ne penser qu'à son plaisir, pour n'aimer que moi – comme je n'aimais que lui.

Mais le lendemain matin il avait oublié. Il avait repris des forces dans l'amour, puis dans le sommeil, il avait eu Benu au téléphone qui l'avait rassuré sur les siens et il voulait me parler d'une pièce de théâtre dont il avait eu l'idée juste avant les événements. Une comédie qu'il situerait dans le Bucarest de la révolution de 1848 de façon à pouvoir exprimer librement tout ce dont il était témoin ces derniers temps.

Au tout début de janvier, par exemple, il avait rencontré Cioran qui venait d'être nommé attaché culturel à Paris, par Horia Sima lui-même, s'il vous plaît, en remerciement de son soutien à la Légion. Emil Cioran exultait, paraît-il, tout comme Mircea Eliade lorsqu'il s'était envolé pour notre ambassade à Londres. L'un et l'autre avaient ardemment encouragé les criminels de la Garde de fer et, maintenant que le pays était à feu et à sang, ils partaient s'installer dans de douillettes chancelleries où ils ne risqueraient ni leur vie ni de manquer de pain. Et c'était à Mihail, qui n'avait plus aucune place dans ce pays du fait de la politique qu'ils avaient voulue, qu'ils expliquaient sur un coin de trottoir combien ils étaient heureux du tour que prenait leur carrière.

Il y avait de quoi sourire, n'est-ce pas ? Et Mihail voyait déjà quel effet comique il allait tirer de ces inconvenances.

Aucune, cependant, n'atteignait en cynisme la conversation qu'il avait eue avec Camil Petrescu au moment où l'on expropriait les juifs de leurs maisons.

Camil et lui s'étaient croisés boulevard Regina Elisabeta.

— Mihail, quelle surprise ! Je me demandais sur qui j'allais passer ma colère, et te voilà sur mon chemin... Eh bien, mon ami, tant pis pour toi !

— Qu'est-ce qu'il t'arrive ? Dis-moi.

— Je constate qu'on distribue allègrement les maisons prises aux juifs. Je constate que n'importe quel crétin pouvant se prévaloir d'une connaissance au gouvernement peut en obtenir une en un quart d'heure de temps. Je constate qu'une fois de plus, dans notre beau pays, les coquins et les malins se débrouillent bien mieux que nous.

— C'est très triste, en effet.

— C'est lamentable ! Mais le plus triste, vois-tu, c'est que moi, pendant ce temps-là, seul écrivain roumain à être traduit dans le monde entier, n'est-ce pas ? que moi, pendant ce temps-là, je tourne en rond dans mes deux petites pièces au plafond bas.

— J'entends bien ton écœurement, Camil, et je le partage. Mais tu n'accepterais pas une maison acquise dans ces conditions de toute façon.

— Et pourquoi donc ? Bien sûr que je l'accepterais si seulement on avait l'obligeance de me la proposer ! Mais nos dirigeants se fichent de Camil Petrescu !

Le général Antonescu, maintenu à la tête de l'État par Hitler, s'était entouré dès le 27 janvier d'un nouveau gouvernement essentiellement formé de militaires et d'économistes. La Roumanie, devenue, de fait, une colonie de l'Allemagne, était-elle désormais susceptible d'être bombardée par l'aviation britannique comme certaines villes du Reich commençaient à l'être ? C'était une question qui revenait désormais dans toutes les conversations. Les rues de Bucarest, encore joyeuses et pleines de monde une année plus tôt, se vidaient maintenant à la tombée du soir. Les commerçants s'empressaient d'éteindre leurs devantures et certains avaient même déjà tendu sur leurs vitrines ce papier bleu qu'on collerait bientôt sur nos propres fenêtres, comme sur les réverbères et les phares des automobiles, pour se protéger des attaques aériennes. On pressentait que la guerre était imminente, et d'ailleurs les Allemands s'agitaient beaucoup, aussi bien dans notre ciel que dans nos rues où l'on croisait chaque jour de lourds convois quittant Bucarest pour de probables manœuvres, ou en revenant, automitrailleuses et camions couverts de boue, mais comme notre gouvernement se taisait, chacun y allait de son pronostic. Hitler allait nous associer à sa guerre contre l'Angleterre et c'est pourquoi les instructeurs allemands n'étaient toujours pas repartis pour Berlin. Mais non, il allait prochainement attaquer la Yougoslavie (dont seul le Danube nous séparait) et c'est pourquoi ses troupes et les nôtres s'entraînaient nuit et jour. Allons donc, ce n'était pas pour la petite Yougoslavie qu'il avait massé sur notre sol une telle armada mais bien évidemment pour sa grande offensive contre Staline – qui pouvait croire sérieusement à une amitié sincère entre nazis et communistes ?

M. Hurtig avait foi en cette dernière rumeur que j'avais entendue pour la première fois de la bouche de la princesse Bibesco. Mihail, lui, n'y croyait pas – jamais Hitler, instruit par Napoléon, ne se lancerait à la conquête de l'immense Russie – mais il pressentait comme tout le monde qu'une catastrophe était proche car il voyait partir tous ses amis. Après Eliade et Cioran, Eugène Ionesco était venu lui annoncer qu'il cherchait un pays d'accueil et lui conseiller d'en faire autant, comme il l'a rapporté ensuite dans son *Journal* : « Désespéré, suffoqué, obsédé, il ne supporte pas l'éventualité d'être chassé de l'enseignement. Apprenant tout à coup qu'il a la lèpre, un homme en bonne santé peut devenir fou. Eugène Ionesco apprend que ni son nom, ni son père de souche incontestablement roumaine, ni son baptême chrétien à la naissance, que rien, rien, rien ne peut occulter la malédiction d'avoir du sang juif dans les veines. » Puis ç'avait été le tour d'Alphonse Dupront, conseiller culturel à l'ambassade de France et protecteur discret de Mihail et d'autres juifs, de venir lui faire ses adieux. Il était rappelé à Paris.

> À chaque nouveau départ, écrit-il encore dans son *Journal* le 14 février de cette année 1941, j'ai un peu plus le sentiment que nous restons enfermés ici, que le cercle se resserre autour de nous, toujours plus étroit, qu'il n'y a plus de salut possible, dans aucune direction.

Les légionnaires avaient été mis provisoirement hors d'état de nuire, mais le général entendait poursuivre sans eux la « roumanisation » du pays. Le 21 mars, il avait pris un décret dit de « moralisation » des expropriations des biens juifs :

« Toutes les propriétés juives expropriées seront données aux professeurs, officiers, magistrats, médecins, ingénieurs, avocats, fonctionnaires, etc. ainsi qu'à tous ceux qui auront rendu des services à l'État et à la Nation roumaine. Nos élites spirituelles et notre bourgeoisie de travail seront ainsi fortifiées et consolidées comme base et instrument d'accomplissement de l'État national roumain. »

Ce soir-là, j'avais surpris Mihail en train de rire. Il avait découpé le texte du décret de « moralisation » dans le journal et s'apprêtait à l'envoyer à

Camil Petrescu avec ces quelques lignes : « Bien cher Camil, tu noteras qu'aux yeux de notre Conducător les écrivains n'ont de place ni parmi nos "élites spirituelles" ni au sein de notre "bourgeoisie de travail", c'est vexant, je te l'accorde, mais cela explique sans doute pourquoi on ne t'a pas donné une maison juive. »

Que pensait secrètement Mihail d'un Cioran, d'un Eliade, d'un Petrescu ? Je crois qu'il se serait méprisé de leur en vouloir, d'éprouver de l'amertume, et que pour se garder de ces sentiments misérables il avait choisi d'en faire des personnages de son œuvre à venir. Ce soir où je l'avais vu préparer cette lettre à Camil Petrescu il m'avait parlé du livre qu'il écrirait après la guerre, si la guerre finissait un jour et si la paix le trouvait encore en vie. Il avait repensé à sa rencontre avec Camil et regrettait de ne pas avoir poussé la conversation à son terme.

— Mais si, Eugenia, mais si ! Ne protestez pas, écoutez-moi, je vous en prie. Vous et moi sommes d'accord pour condamner le cynisme de Camil. Alors nous le saluons poliment et nous poursuivons notre chemin. Mais songez à ce que nous avons raté ! En nous laissant guider par notre seule indignation nous l'avons empêché de développer son point de vue. Or seul son point de vue est intéressant dans la scène que je vous ai racontée. Notre indignation est l'expression du sens commun, elle n'a aucun intérêt.

Soudain, j'avais repensé à la conversation que j'avais eue avec ce M. Malaparte, à l'Athénée Palace, à propos de son entretien avec Horia Sima : « Ça ne m'intéresse pas de le juger, mademoiselle, ce qui m'intéresse c'est d'entendre sa foi, d'aller même jusqu'à la partager... Soyez certaine qu'à aucun moment je ne le contredirai. » Mihail venait d'exprimer la même idée.

— Vous parlez comme un homme que j'ai rencontré il y a quelque temps et que j'ai traité de caméléon.

— Pardonnez-moi mais c'est stupide ! Entendre le point de vue de l'autre, tenter de lui donner toute sa force et toute sa cohérence, n'est pas le partager. Qui était cet homme ?

— Un journaliste italien qui ne m'a pas inspiré confiance. Il venait voir Sima. Il voulait vous voir aussi, d'ailleurs.

— Et vous ne m'en avez rien dit ?

— Vous vous cachiez à ce moment-là et j'ai pensé qu'il travaillait pour la police, je l'ai trouvé faux, affecté. J'ai même eu l'impression qu'il avait le visage fardé, comme une femme... Malaparte. Curzio Malaparte.

— Vous avez rencontré Malaparte, Eugenia ? Mais Malaparte est un écrivain ! Tenez, j'ai là son dernier livre.

— *Technique du coup d'État*, oui, la princesse Bibesco doit me le donner. Alors j'aurais peut-être dû vous le présenter, c'est ce qu'il me demandait.

— Je ne sais pas, non... Vous avez sans doute bien fait. Il y a quelques mois, je l'ai entendu parler sur une radio... Il est très proche des fascistes, du ministre Ciano, de Mussolini, il a longtemps rêvé d'être ministre lui-même... Je ne vois pas trop en quoi un obscur petit écrivain juif de Bucarest, privé de tout jusqu'à sa propre nationalité, aurait pu l'intéresser.

Le flamboyant chef-d'œuvre de Malaparte, *Kaputt*, est arrivé dans nos librairies à la veille de ce Noël 1945 tandis que je me trouve toujours chez Leny en train d'écrire, et le découvrant, le lisant avec passion, j'ai pensé que si je lui avais permis de rencontrer Mihail, celui-ci serait peut-être devenu l'un des personnages de son roman au côté du dictateur croate Ante Pavelic, du ministre de Pologne Hans Frank, du ministre des Affaires étrangères italien Galeazzo Ciano, de la princesse Bibesco, de la princesse Sturdza, du ministre d'Espagne en Finlande, le comte Augustin de Foxa, du général von Schobert, du colonel Lupu, de Jassy, ou encore de la princesse Louise de Prusse et du prince Eugène de Suède.

Tandis que ses amis s'envolaient pour de belles carrières diplomatiques, ou fuyaient les persécutions, comme Ionesco, Mihail refusait obstinément de partir : « Nous autres, écrit-il, il y a longtemps que nous nous y sommes habitués à notre chère lèpre. Jusqu'à la résignation, jusqu'à je ne sais quel découragement, triste mais fier. » Il n'avait plus le droit d'exercer aucun métier, il avait été radié du barreau et de l'annuaire des journalistes, ses livres avaient été retirés des librairies et des bibliothèques, et il envisageait de demander à l'un de ses derniers amis, un avocat, s'il accepterait de signer à sa place sa prochaine pièce de théâtre – les maisons d'édition avaient interdiction de publier des auteurs juifs. Pour survivre, il était depuis quelques mois enseignant suppléant dans un lycée juif, « Cultura B », créé par la communauté au lendemain de l'expulsion des enfants juifs des écoles publiques.

Ce matin, écrit-il à cet égard dans son *Journal*, parlant aux élèves de littérature – et de surcroît de littérature roumaine ! – j'ai ressenti encore une fois, mais d'une façon plus aiguë, plus douloureuse que jamais, toute l'inutilité, tout l'absurdité qu'il y avait à nous raccrocher à des choses qui n'ont plus pour nous ni sens ni réalité. J'ai fait passer à mes élèves de 4e une interrogation sur le sămănătorism[1]. En les regardant écrire – penchés sur leurs cahiers, si sérieux ! – j'ai été pris d'une pitié fraternelle à leur égard, pour leur travail, pour leur temps perdu, pour leur jeunesse chaque jour mise à l'épreuve. Il y avait parmi eux tant de garçons dont les parents se sont retrouvés ruinés du jour au lendemain, jetés à la rue, par un simple décret – et eux ils planchaient sur des « problèmes de littérature roumaine ». Grotesque !

Leny en larmes, un soir de cet hiver 1941. Leny que je n'avais jamais vue pleurer et que personne ne pouvait consoler ce soir-là. Tous les comédiens juifs venaient d'être mis à pied par le gouvernement dans le cadre de la « roumanisation » de la vie culturelle, et elle avait eu l'idée d'organiser une petite fête chez elle pour marquer sa dernière apparition au théâtre. Nous étions peu nombreux : Mihail était venu avec son ami avocat, Stefan Enescu (celui qui accepterait bientôt de signer ses livres à sa place au risque de finir en prison), j'étais arrivée seule, sortant de l'agence, et il y avait aussi le dramaturge Nicuşor Constantinescu, grand ami de Leny. Tandis qu'elle nous jouait de l'accordéon, sans cesser de pleurer doucement, je m'étais remémoré ce dîner chez Marietta Sadova et Haig Acterian où Mihail m'avait traînée de force, trois ans plus tôt. À l'époque, on pouvait encore réunir autour d'une même table Mircea Eliade et Mihail Sebastian, Marietta Sadova et la princesse Bibesco,

1. Courant littéraire roumain du début du XXe siècle. (*N.d.A.*)

Haig Acterian et Nicuşor Constantinescu, Camil Petrescu et Leny Caler. Le faste culturel de Bucarest dissimulait tant bien que mal les positions des uns et des autres. Un tel dîner, avais-je songé, serait aujourd'hui inconcevable. Que pourraient se dire Leny, qui avait tout perdu, qui assurait préférer mourir à l'idée de ne plus jamais remonter sur scène, et Camil qui trouvait intolérable qu'on ne lui donne pas une maison volée aux juifs ? Comment pourraient se regarder dans les yeux un Mircea Eliade qui avait quitté Londres pour notre ambassade à Lisbonne où il menait grand train (et louait les mérites de Salazar), et un Mihail Sebastian qui pensait devoir quitter bientôt son studio parce qu'il n'avait plus de quoi en payer le loyer ?

Sans parler de Marietta et Haig qui avaient carrément participé à l'insurrection des légionnaires, Marietta sur les barricades avec la veuve de Codreanu dont elle s'était entichée, les deux femmes allant, paraît-il, jusque dans l'antichambre du général Antonescu hurler leur indignation : « Général, on nous tire dessus au canon ! » Mais ne trouvant rien à redire aux juifs massacrés aux abattoirs, aux femmes violées et aux synagogues incendiées.

Leny en larmes ce soir-là, mais quelques jours plus tard le discours réconfortant du président Roosevelt annonçant que les États-Unis allaient multiplier les livraisons d'armes aux pays en guerre contre l'Allemagne.

« Certaines personnes semblent croire que tant que les bombes ne sont pas larguées sur les rues de New York, San Francisco, La Nouvelle-Orléans ou Chicago, nous ne sommes pas attaqués. Ceux-là ferment tout simplement les yeux sur la leçon que nous devons tirer du sort de chaque nation conquise par les nazis. »

Notre honte, cette nuit-là, écoutant le président américain, d'avoir été conquis sans un coup de feu, au contraire de la Pologne, de la Belgique, de la France qui avaient perdu des milliers d'hommes. En l'entendant évoquer le sort des nations désormais placées sous l'autorité de Berlin, je m'étais demandé ce qu'il savait de la condition des juifs.

> Accrochés à nos postes de radio, écrit Mihail dans son *Journal*, nous vivons dans un monde lointain, et nous croyons qu'il est le nôtre. Puis nous sortons et nous nous retrouvons dans une ville où nous sommes les prisonniers des troupes allemandes.

Subitement, au milieu du printemps, le gouvernement avait pris un décret interdisant aux juifs de posséder une radio. Tous les postes de TSF devaient être déposés à la préfecture dans les vingt-quatre heures sous peine de prison. J'avais dit à M. Hurtig ne pas comprendre le sens de cette mesure.

— Eh bien, mon petit, vous n'êtes pas très perspicace.

— Ah bon. Parce que, selon vous, c'est plus qu'une simple mesure vexatoire ?

— Ça n'a rien à voir. Et c'est d'ailleurs une décision prise par notre grand état-major qui a d'autres soucis que de vexer ou non les juifs, vous pouvez me croire.

— Je ne saisis pas.

— Eugenia, vous ne savez pas que les juifs sont majoritairement procommunistes ? Ça ne vous a jamais frappée ?

— Non. Si ce n'est qu'Ana Pauker est juive.

— Ana Pauker est juive, oui. Mais elle n'est pas la seule juive de Roumanie à penser que le salut viendra de Moscou. Allez fermer la porte de mon bureau, s'il vous plaît, et asseyez-vous là une minute. Voilà, merci. Et maintenant, écoutez-moi : Hitler vient d'en finir avec la Yougoslavie – en trois jours. Vous avez vu les photos de Belgrade ? Un champ de ruines. D'ici quelques semaines il va lancer sa grande offensive contre Staline...

— C'est une rumeur qui court depuis des mois.

— Ce n'est plus une rumeur, c'est une information. Je la tiens de mes contacts au plus haut niveau. L'ambassadeur Killinger en a secrètement informé Antonescu, et une rencontre est prévue dans quelques jours entre Hitler et le général. Seconde information : les troupes roumaines seront associées à l'offensive.

— Mon Dieu !

— Oui, mon Dieu, comme vous dites. Nous savons tous que chaque guerre a son lot de morts, malheureusement. Le roi aura tenté de nous en préserver, mais le roi est en exil et aujourd'hui, que nous le voulions ou non, nous sommes les alliés de l'Allemagne.

— C'est affreux.

— Je suis d'accord, mais si vous le voulez bien, Eugenia, gardez pour vous ce genre de réflexions une fois sortie de mon bureau. Je n'ai pas envie d'aller vous rendre visite en prison et j'ai besoin de vous ici.

— Oui.

— Tenez, buvez ça, vous n'avez pas l'air dans votre assiette.

— Je veux bien une cigarette aussi...

— Maintenant, puisque vous êtes là, parlons de nos affaires. Vous êtes originaire de Jassy, n'est-ce pas ?

— Oui.

— Je ne vous apprends rien en vous disant que Jassy se trouve désormais sur la frontière avec l'Union soviétique du fait que les Russes occupent notre Bessarabie. C'est donc de Jassy que s'élanceront nos troupes. J'ai pensé vous envoyer là-bas pour couvrir les premiers jours de la guerre. Vous connaissez la ville, vous êtes jeune, vous travaillez bien…

— M'envoyer à Jassy…

— Suivre nos soldats, nous raconter les préparatifs, oui. Je suis sûr que vous feriez merveille.

— C'est beaucoup de bouleversements en quelques minutes. Je vous avoue que là, tout de suite…

— Réfléchissez et donnez-moi rapidement votre réponse.

Je m'étais levée, je m'apprêtais déjà à sortir du bureau, groggy, quand m'était revenue la question qui me préoccupait au début de notre conversation.

— Mais quel est le rapport avec l'histoire des radios, des radios des juifs ?

— Vous n'avez pas compris ? Le grand état-major considère que les juifs vont être un danger permanent à l'arrière du front, du fait de leurs liens avec Moscou.

— Voulez-vous dire que les juifs sont regardés *a priori* comme des traîtres ?

— Une sorte de cinquième colonne, oui. Et c'est pourquoi on commence par leur confisquer la radio qui est aujourd'hui le seul moyen de savoir ce qui se dit à Moscou, à Berlin ou à Chişinău.

16

Le voyage avait été exceptionnellement long de Bucarest à Jassy car notre train avait dû s'arrêter à plusieurs reprises pour laisser passer des convois militaires, mais en sortant de la gare pour remonter à pied jusqu'à la rue Lăpuşneanu l'excitation du retour avait balayé d'un coup la fatigue. Joie de retrouver les miens, d'être attendue – maman qui allait pleurer (elle m'avait prévenue au téléphone), Andrei et mon père qui avaient évoqué une « surprise ». Mais mon Dieu, comme Jassy semblait provinciale comparée à Bucarest ! Ces rues étroites et silencieuses bordées de tilleuls où se croisaient encore des fiacres, ces maisons minuscules séparées les unes des autres par de petits jardins en fleurs, et même parfois, ici ou là, un verger, un potager, quelques pieds de vigne ou de tomates, des herbes folles piquées de coquelicots et de crocus… Huit heures du soir et l'air était si doux que des familles dînaient dehors, sous l'auvent d'un toit, sous une vigne grimpante, tandis qu'ailleurs des enfants jouaient dans l'herbe autour de leurs parents ou d'un jeune papa en maillot de corps occupé à bêcher dans le soleil frisant.

On ne semblait pas encore se soucier de la guerre, ici, alors que dans le train il n'avait été question que de cela. À mots couverts, car on pouvait facilement deviner que les plus âgés ne partageaient pas l'enthousiasme des jeunes qui riaient et s'esclaffaient. Deux seulement parmi eux étaient en uniforme, mais tous rejoignaient leur régiment. Ils étaient apprentis ou étudiants à Bucarest et ils avaient hâte de se battre pour reconquérir la Bessarabie. Ils ne pardonnaient pas au roi d'avoir « dépecé » la grande Roumanie et voyaient en Antonescu un homme providentiel de la dimension d'Hitler pour l'Allemagne. « Mademoiselle, regardez ce qu'était l'Allemagne en 1920, et voyez ce qu'il en a fait ! Avec le général, nous allons retrouver la fierté d'être roumains et donner une bonne leçon aux Russes. » Ils étaient drôles, sympathiques, et quand nous croisions un convoi militaire ils se jetaient aux fenêtres pour crier : « Vive la grande Roumanie ! Vive notre Conducător ! » et agiter leurs mouchoirs. Ils étaient incroyablement confiants, et c'est cela surtout qui semblait contrarier les autres voyageurs, en particulier les femmes, celles qui avaient l'âge d'être leurs mères ou leurs grands-mères, et qui se signaient sans arrêt en les écoutant tout en marmonnant des prières.

Avec ma grosse valise, j'avais sagement suivi la montée du tramway plutôt que d'emprunter les volées d'escalier du Ravin jaune (la colline de l'ancien jardin des plantes où Stefan, son ami Tudor et moi jouions à cache-cache) qui m'auraient fait gagner un demi-kilomètre, et ainsi j'avais débouché Piaţa Unirii, place de l'Union, l'équivalent de la place de l'Athénée à Bucarest – en dix fois plus petite. Place de l'Union où nous avions interdiction d'aller jouer à cause du trafic des tramways autour de la statue du prince Cuza et des cochers qui n'aimaient pas que les enfants traînent dans les pattes des chevaux et leur décrochaient des coups de fouet, ou leur crachaient sur la tête. D'ordinaire, les fiacres patientaient devant le Grand Hôtel Traian, mais ce soir-là on leur avait demandé de se ranger sur le côté pour dresser un buffet en plein air autour duquel bavardaient quelques messieurs en complet blanc et nombre d'officiers – sans doute célébrait-on la promotion de l'un d'entre eux. J'allais devoir apprendre à distinguer un lieutenant d'un général, avais-je songé, si je devais approcher ces hommes dont les uniformes étaient bien plus chatoyants que ceux de leurs collègues de la Wehrmacht.

Et là, sur la droite de l'hôtel Traian, la rue Lăpuşneanu ! Notre rue, comparable par ses luxueuses enseignes à la rue Victoriei de Bucarest… prétendait papa. Rien à voir, en vérité, mais il aimait bien se faire croire des choses. Que l'hôtel Traian valait largement l'Athénée Palace, par exemple, ou que le palais Cuza, curiosité de notre rue où avait séjourné le roi Ferdinand en 1916-1917, égalait en prestige le palais de Carol II. Papa avait le goût de l'exagération, de l'emphase, et comme pour s'en punir il avait épousé maman, son contraire. Elle l'empêchait de s'envoler, et lui l'empêchait de se noyer, ils s'étaient bien trouvés finalement. J'étais si émue de les revoir que j'avais dû m'arrêter pour reprendre mon souffle en apercevant le magasin, à peine dissimulé par le perron et la marquise rococo de l'hôtel de l'Europe.

J'avais repris mon pas lent, le cœur à l'étroit, pensant qu'à cette heure-ci la boutique serait fermée et que j'allais devoir sonner, quand j'avais entendu héler mon nom.

— Jana ! Hou ! Hou ! Je descends t'ouvrir !

Andrei, qui me guettait de l'une des fenêtres de la salle à manger, à l'étage, et qui un instant plus tard m'avait embrassée, sans oser me presser contre son grand corps de peur d'être impudique.

Il avait pris ma valise et j'avais voulu qu'il me précède dans l'escalier pour me ménager un répit avant les grandes eaux de maman.

— Oh Jana ! Ma chérie, ma chérie, je suis tellement heureuse...

Elle pleurait, bien entendu, et pour un peu moi aussi.

Puis ç'avait été le tour de papa :

— Quel bonheur de te revoir ici, ma grande ! Tu ne devines pas comme tu nous as manqué.

Il avait ouvert un champagne français, nous avions attendu pour trinquer que maman ait fini de se moucher, la table était mise pour le dîner, les mêmes assiettes que dans mon enfance, les mêmes ronds de serviette, le même vase poussiéreux sur le vaisselier, les mêmes rideaux fanés, rien n'avait changé dans cette pièce et nous n'avions pas fini nos verres que j'avais déjà envie de repartir. Je n'avais pas cessé de penser à Mihail dans le train, mais subitement son absence m'était devenue insurmontable. Comme si on venait de m'arracher à lui, de m'enfermer, et d'ailleurs je transpirais, j'étouffais. Mihail avait-il entendu combien je l'aimais, combien je tenais à lui ? Au lendemain de la rencontre Hitler-Antonescu, à Munich, le 12 juin 1941, qui avait scellé l'alliance entre les deux pays, la police de Bucarest s'était mise à rafler les juifs pour « les mettre hors d'état de nuire », selon un communiqué du ministère de l'Intérieur, et j'avais donc refusé qu'il m'accompagne à la gare de peur qu'il se fasse arrêter. Nous nous étions embrassés pour la dernière fois chez lui. Quand nous reverrions-nous ? Je ne savais pas. Il ne pouvait plus payer son loyer mais il avait accepté les clés de ma chambre, promis de s'y installer très vite, c'était la seule chose qui me réconfortait, le savoir chez moi, au-dessus du parc Cişmigiu, un quartier bourgeois où la police n'irait pas chercher un juif.

— Ça ne va pas, Jana ? Tu as l'air préoccupée...

— Si, si, papa, ça va. Comment fonctionne le téléphone, ici ?

— Un peu d'attente, mais plutôt bien. Veux-tu appeler ton bureau ?

— J'essaierai demain matin.

— Eh bien buvons encore une fois à ton retour, ma chérie !

Entre le champagne et le dîner, Andrei m'avait suivie dans ma chambre et pouvoir lui parler de Mihail m'avait fait du bien. Je n'étais plus seule à trembler pour lui, et si je voulais lui téléphoner plus tranquillement que de la maison, Andrei m'avait proposé de m'emmener chez un de ses amis qui habitait juste à côté, rue Brătianu, et dont le père était colonel.

— De chez lui, on obtient tout de suite les communications.

— Et que le colonel appelle un juif, ça ne sera pas embêtant ?

— Qui le saura ?

— Ils savent, Andrei. Ils savent tout. Ces derniers jours, ils ont coupé les lignes téléphoniques de tous les juifs de Bucarest pendant vingt-quatre heures, avant de les rétablir. Ils n'ont pas coupé celles des chrétiens, ils savent où habite chaque juif.

Il ne manquait que Stefan pour que nous soyons au complet et son ombre avait plané au-dessus de nos têtes dès le début du dîner. Qui, le premier, prononcerait son nom ? Pour l'heure, nous parlions du magasin qui n'avait jamais si bien marché, papa était aux anges, tout partait au prix fort, y compris les plus grands crus – maman, pour une fois, devait en convenir.

— N'est-ce pas, Carmen ?

— Mais ça ne durera pas, tu le sais bien.

— Ça durera si les liens avec la France se réchauffent, et je suis plutôt optimiste, Pétain est ouvert à une collaboration entre nos deux pays. Sinon, nous remplacerons les bourgogne et les bordeaux par des vins de Crimée.

— Ne dis pas de bêtises, voyons, jusqu'à nouvel ordre la Crimée est communiste.

— Elle pourrait bien changer de camp, elle aussi…

Nous nous approchions dangereusement d'un débat sur la guerre et j'avais fait dévier la conversation.

— Qu'est-ce qui explique que le commerce soit soudain devenu florissant ?

— Les Allemands, ma chérie. Les Allemands. Ils sont arrivés ces dernières semaines par dizaines de milliers. Va donc te promener sur la colline de Copou, ce sont des villages entiers de tentes impeccablement alignées. Tous leurs officiers apprécient le vin, surtout celui de France. Ce sont d'excellents connaisseurs, au demeurant parfaitement bien élevés, charmants. La plupart ont des chambres en ville, tu risques d'en croiser pas mal.

Pourquoi est-ce que je ne voulais pas parler de la guerre sous notre toit ? Parce que je pressentais confusément que nous ne serions d'accord sur rien, qu'au contact de Mihail j'avais dû m'éloigner encore un peu plus de ce qu'ils pensaient. Moi, je n'étais pas l'alliée des Allemands, je me sentais l'amie de Roosevelt et de Churchill. Mais étais-je pour autant l'alliée de Staline ? Non, en envahissant la Bessarabie la Russie communiste s'était conduite comme l'Allemagne nazie en Pologne, la même violence hégémonique et cruelle.

De nouveau j'avais tenté d'éviter le sujet, il viendrait bien assez tôt, quand il me faudrait expliquer la raison de mon retour à Jassy.

— Dis-moi, papa, vous ne m'aviez pas parlé d'une surprise, avec Andrei ?

— Mais si, absolument ! Tu t'en occupes, mon fils.

Andrei avait disparu vers les chambres, et durant son absence j'avais demandé des nouvelles de nos voisins, tous ces commerçants qui nous avaient vus grandir. L'épicier Kane, chez qui je me servais en bonbons quand j'étais petite, avait beaucoup vieilli ces derniers temps, il commençait à perdre un peu la tête et racontait à qui voulait l'entendre, tout en pesant ses tomates, qu'il était monté au cimetière juif de Păcurari choisir l'emplacement où il voulait reposer. Mme Walzer, qui tenait le salon de coiffure, s'inquiétait régulièrement de ce que je devenais. Sorina Walzer était une amie de maman, elles avaient été à l'école ensemble au lycée de filles Oltea Doamna. M. Jonescu, le libraire, ne se remettait pas de la mort de sa femme, l'austère Mme Jonescu dont les conseils de lecture m'avaient été précieux, et il songeait à vendre. Quant aux pharmaciens, les Mayer, ils avaient marié leur fille avec un des fils Goldstein et ils étaient grands-parents depuis quelques mois. Le jeune couple envisageait de partir pour la Palestine et les Mayer étaient « déchirés », selon le mot de papa, entre ce qu'ils avaient construit ici, à Jassy, et le désir de suivre leurs enfants en « Terre promise ».

— Promise par qui, s'était interrogée maman, on se demande ? Enfin qu'ils partent, s'ils en ont envie. Qu'ils partent tous, les Mayer, les Kane, les Braunstein, les Goldstein... Personne ne les retiendra et au moins ils ne pourront pas dire qu'ils se sont appauvris chez nous !

— Maman...

J'étais à deux doigts de céder à la colère – « Maman, ils sont chez eux, ils sont aussi roumains que toi et moi ! » – quand Andrei était reparu, déguisé en militaire, un énorme casque d'acier beige clair lui tombant jusqu'aux yeux.

— Mais qu'est-ce que tu fiches dans cette tenue ? C'est ça votre surprise ?

Avant de comprendre :

— Andrei, ne me dis pas que tu vas faire cette guerre !

— On ne me demande pas mon avis, Jana.

— Je ne veux pas ! Je te l'interdis ! Je te l'interdis, tu m'entends ?

Je m'étais mise à hurler, j'avais même tapé sur la table tout en me levant – à hurler pour ne pas éclater en sanglots.

— Mais Jana, voyons, ton frère est tenu...

— Tais-toi, papa, tais-toi ! Il y a cinq ans je t'ai entendu défendre cet imbécile de Stefan et tu as vu où ils ont mené le pays ? Tu as vu les crimes qu'ils ont commis au nom de leurs prétendus idéaux ? Sans eux, le roi serait encore là et nous ne serions pas les alliés des Allemands. Andrei n'a rien à faire dans cette guerre ! Que les Allemands se fassent tuer pour servir le sociopathe qui les dirige, c'est infiniment triste, mais ça les regarde. Après tout ils l'ont élu, Hitler. Ils l'ont voulu, et chaque jour ils continuent de l'acclamer. Mais nous, Roumains, pourquoi ? Au nom de quoi ?

— Tu perds la tête, ma chérie. Il est du devoir de chaque Roumain de se dresser pour reconquérir le sol perdu.

— Se dresser ! Tu parles comme Antonescu, papa. Le devoir de chaque Roumain aurait été d'aller se battre avec les Polonais pour mettre en échec Hitler. Le devoir de chaque Roumain, aujourd'hui, devrait être de résister à Hitler, sûrement pas de combattre au côté de ses soldats. C'est un malade mental, un tyran, il va mettre l'Europe à feu et à sang et il ne nous restera que nos yeux pour pleurer.

— Carmen, s'il te plaît, ferme les fenêtres, et toi, Jana, calme-toi. Est-ce que tu te rends compte qu'avec de tels propos tu peux être jetée en prison ?

La bêtise de notre père ! Son aveuglement ! Je l'avais détesté à ce moment-là et je lui avais tourné le dos pour aller retrouver Andrei qui se tenait maintenant silencieux et penaud, son casque sous le bras, au fond de la pièce.

— Dans le train, tu sais, j'étais avec des garçons de ton âge, vingt ans, vingt et un ans, ils étaient très excités à l'idée de partir combattre les

Russes et leur enthousiasme avait quelque chose de joyeux, de charmant. Je suis certaine qu'aucun n'imaginait ne pas revenir. Et moi non plus, je n'y pensais pas. Pourtant, nous ne connaissons pas de guerres sans morts, n'est-ce pas ? Je les écoutais, j'ai même parlé un peu avec eux, mais curieusement il ne m'est pas venu à l'esprit que toi aussi… Que toi aussi tu allais devoir partir. Je pense que c'était inenvisageable pour moi. Que *c'est* inenvisageable. Andrei, ne me dis pas que toi aussi tu veux faire cette guerre. Je te connais, tu n'as aucune méchanceté en toi, aucune haine contre qui que ce soit, comment pourrais-tu tuer quelqu'un ? Au nom de quoi ?

— Je ne pensais pas que tu le prendrais comme ça, Jana. Quand je me suis vu pour la première fois dans cet uniforme, je n'ai pas pu m'empêcher de rire et c'est à ce moment-là qu'avec papa…

— … vous avez imaginé de me faire la surprise. Eh bien c'est une mauvaise surprise. Une très mauvaise surprise.

— Si tout le monde y va, je dois y aller aussi.

— J'ai compris. Je peux juste te dire un mot, tout bas, à l'oreille ?

Il s'était penché pour m'offrir son profil.

— *Ne meurs pas, Andrei, je t'en supplie*.

— Jana, tu peux revenir à table s'il te plaît.

— Oui, voilà. Et toi, maman, tu te tais, tu ne dis rien…

— Que veux-tu que je dise ? Andrei est mobilisé comme tous les garçons de son âge, et je trouve normal…

— Qu'est-ce qui est normal ? En 1917, ton père se battait avec les Français contre les Allemands et tu trouvais ça normal aussi, je suppose.

— De soutenir son pays. Voilà ce qui est normal. Et surtout *moral*. Et je ne comprends pas ta colère, ton agressivité.

— Soutenir son pays, quoi qu'il fasse, c'est *moral* selon toi ? L'Allemagne écrase la Pologne, la Tchécoslovaquie, la Yougoslavie, elle tue sous ses bombes des milliers de femmes et d'enfants, elle anéantit des villes et des villages, elle déplace des populations dans des wagons à bestiaux, elle affame les juifs, et tu trouves *moral* que nous, Roumains, soyons les alliés de cette Allemagne-là ?

— Contre les Russes qui ont occupé la Bessarabie, oui. Pour le reste, je n'en sais rien, c'est toi qui le dis.

— Tu n'en sais rien parce que tu ne veux pas savoir. La Bessarabie est le prétexte qu'a trouvé Hitler pour impliquer la Roumanie dans une guerre qui a pour seul objectif de soumettre les peuples à l'ordre nazi. Celui que les légionnaires ont repris à leur compte, celui que voulait Stefan et que déjà vous applaudissiez il y a cinq ans, papa et toi. Comment oses-tu me parler de *moralité* ?

— Jana, s'il te plaît, ne sois pas incorrecte avec ta mère. Ni avec moi. Nous applaudissions au départ des juifs, à la Roumanie aux Roumains, rien de plus, ne nous fais pas dire ce que nous n'avons pas dit.

— Vous applaudissiez, sans vous en rendre compte, peut-être, à la hiérarchie des peuples. Le sang allemand ! Le sang roumain ! Le glorieux sang roumain ! Stefan n'avait que ce mot-là à la bouche. Surtout ne pas le salir en le coupant avec du sang juif, n'est-ce pas ? Que vaut un juif ou un Tsigane comparé à un Roumain ! Eh bien moi j'aime un juif, figurez-vous, et je ne trouve pas que mon sang vaille mieux que le sien.

— Nous le savions, ma chérie, Stefan nous l'a dit il y a quelques mois. Ça ne réjouit pas ta mère, tu t'en doutes, mais moi je peux t'assurer que je n'y vois aucun mal. Certains juifs sont très bien, et puis c'est ton choix.

— C'est mon choix, oui, et je préfère ne pas savoir ce que vous en pensez. Maintenant arrêtons avec ça, je regrette de m'être mise en colère alors que j'étais tellement contente de vous revoir tous, de retrouver la maison.

— Mais oui, nous sommes tous angoissés par les événements, ne nous laissons pas emporter, n'est-ce pas Carmen ? D'autant plus qu'à mon avis nos positions ne sont pas si éloignées…

— Si, papa, si, elles sont même irréconciliables, mais n'en parlons plus. Dites-moi plutôt quelles nouvelles vous avez de Stefan.

— Eh bien, comme je te le disais, il nous a appelés à deux ou trois reprises au début de l'année, quand il travaillait à la vice-présidence avec Horia Sima. Puis il y a eu la rupture avec Antonescu et les événements que tu sais…

— Le pogrom de Bucarest en janvier. C'est pourquoi je te dis, papa, que nos positions sont irréconciliables. Mais pardonne-moi, je t'ai coupé.

— Les événements de janvier, oui, qui ont abouti à l'arrestation des légionnaires et à leur départ du gouvernement. Nous ne savions pas si ton frère était vivant. Nous avons espéré qu'il figurait parmi les prisonniers. Pendant plusieurs semaines nous avons attendu de ses nouvelles. C'était terriblement éprouvant, tu t'en doutes. Et puis en mars, un jeune homme est venu sonner à notre porte, un soir. Il a demandé à entrer et je l'ai fait monter. Et il nous a remis un mot non signé, mais de l'écriture de Stefan, prouvant...

Maman s'était mise à pleurer à l'évocation de ce mot, et papa s'était interrompu pour lui prendre la main.

— Prouvant que ton frère était bien vivant. Mais je vais te chercher sa lettre, ta mère la garde précieusement sur sa table de nuit.

« Mes bien chers parents, écrivait Stefan, H et moi avons pu quitter Bucarest et regagner Berlin avant que le général fasse donner le canon contre les patriotes de notre pays. Il sera jugé et fusillé pour cela, n'en doutez pas. Nous préparons notre retour à la tête du pays avec le concours d'hommes qui partagent notre sens du devoir et de l'honneur. Que Dieu bénisse la Roumanie. Ardentes pensées de votre fils. »

Entre-temps, Andrei s'était changé et avait regagné sa place.

J'avais rendu le mot de Stefan à notre père sans faire de commentaires.

— Eh bien ?

— Eh bien rien, papa. J'ai besoin de sortir un moment prendre l'air, tu m'accompagnes, Andrei ?

Quel soulagement de se retrouver tous les deux dehors dans la chaude nuit de juin ! Nous avions allumé des cigarettes tout en nous éloignant en direction du Jockey Club et nous nous étions mis à rire, sans aucune autre raison que le bonheur d'être ensemble.

— Quel dommage que le vieux Kane soit fermé, j'aurais bien pris des bonbons.

— Il t'en vendait quatre et m'en donnait un, tu te souviens ?

— « Et un pour le petit prince », il disait. J'étais fière de te promener parce que tout le monde te trouvait mignon, et en même temps, quand j'y pense, c'était un peu vexant – moi, jamais personne ne me faisait de compliments. Viens, j'ai envie de regarder à travers sa vitrine.

— Rien n'a changé, tu sais…

Je voulais juste revoir le long comptoir avec les bocaux de bonbons. Le coin des balais et des produits d'entretien qui sentait fort la térébenthine et, sur la droite, bien exposés à la lumière du jour, les légumes, les fruits et le fromage salé de Brăila dont je devais rapporter un morceau à la maison.

Puis nous avions marché silencieusement jusqu'au Jockey Club. J'avais pensé inviter Andrei à boire un alcool, mais le salon était bourré d'officiers allemands à moitié ivres, et après un tour dans le jardin qui sépare le Jockey Club de l'hôtel, juste derrière, et qui ne valait guère mieux, plein de militaires débraillés avachis sous les lampions, nous étions ressortis. Papa avait raison, j'allais croiser « pas mal » d'officiers allemands.

Finalement, nous nous étions assis sur le banc, devant la pharmacie des Mayer, sous nos fenêtres. Nos parents avaient dû monter se coucher car la salle à manger était éteinte.

— Tu as cet uniforme à la maison, mais quand vas-tu à la caserne ?

— Tous les jours. Parfois nous avons entraînement, d'autres fois rien et ils finissent par nous autoriser à rentrer chez nous. Au fait, je suis avec Ilis, le mari d'Irina, enfin son ex-mari. Il est le médecin du régiment. On a un peu parlé, il se souvient de toi.

— Il semblait toujours de mauvaise humeur, ce type, je ne l'aime pas beaucoup. Mais qu'est-ce qu'on vous dit ? Quand la guerre va-t-elle commencer ?

— On ne nous dit rien. Ilis, qui est officier dans la réserve, prétend que même à l'état-major ils ne savent rien. Tant que des convois allemands arrivent à Jassy on peut supposer qu'Hitler n'est pas prêt.

— Promets-moi quelque chose, Andrei.

— De ne pas mourir.

— Non, ça tu ne peux pas me le promettre. Promets-moi de ne pas faire de zèle, de ne pas revenir avec une médaille, de t'en tenir strictement à ce qu'on te demandera. Cette guerre n'est pas la nôtre, un jour tu aurais honte de cette médaille.

— Qu'est-ce que tu ferais à ma place ?

— Je ne suis pas à ta place.

— Oui, mais dis-moi quand même.

— J'essaierais de quitter le pays.

— Tu déserterais ?

— Je parle comme ça, Andrei, ce que je dis n'a aucune valeur. Les déserteurs sont arrêtés et fusillés devant tous leurs camarades de régiment, tu le sais aussi bien que moi.

— Tu déserterais, tu prendrais ce risque. Et comment ferais-tu pour quitter le pays ?

— J'irais à Constanţa, j'essaierais de trouver un bateau pour la Turquie. Plutôt un chalutier, en soudoyant le capitaine. Et de la Turquie, je rejoindrais l'Angleterre, mais je ne peux pas te dire comment. Arrivée là-bas, je m'engagerais dans la marine, ou dans l'aviation, enfin là où on voudrait bien de moi.

— Et tu nous ferais la guerre. Tu bombarderais nos villes.

— Oui, c'est horrifiant, n'est-ce pas ? Dans toutes les hypothèses, nous sommes condamnés à fermer les yeux sur ce que nous devons accomplir. Mais je rêve, Andrei, ce ne sont que des mots en l'air. En réalité, si j'étais toi, je ferais comme toi, j'obéirais, et je m'efforcerais de survivre.

17

Les ruelles paisibles du quartier de la gare et les familles dans leurs petits jardins m'avaient bien trompée sur l'ambiance réelle de la ville. Dès le lendemain de mon arrivée, en me promenant dans le centre, de la place de l'Unité à la cathédrale, avant de remonter vers le Théâtre national et l'hôpital Saint-Spiridon pour finalement poursuivre mon chemin vers l'université et la colline de Copou, j'avais été frappée par l'intensité des conversations sur les trottoirs – les gens semblaient à la fois fébriles et joyeux, comme un peu ivres, ils parlaient fort, s'interpellaient, se retenaient par la manche au moment de se séparer avant de se mettre subitement à presser le pas comme si l'horloge de chacun s'était accélérée. On entendait des « Il était temps ! », des « Ça n'a que trop duré ! », des « Ils vont voir ce qu'ils vont voir ! »

— Pardonnez-moi, mais de qui parlez-vous ? avais-je demandé en souriant aux deux dames qui bavardaient si ardemment à l'angle des rues Cuza Vodă et Vasile Alecsandri.

— Mais des Russes, bien sûr ! Vous n'êtes donc pas d'ici ?

— Non, je suis arrivée hier de Bucarest, je suis journaliste à l'agence nationale Rador, c'est pourquoi je me permettais…

— Le Russe, avait repris l'une d'elles en pointant son index sur ma poitrine, eh bien jamais il n'aurait pensé que l'Allemagne se retournerait pour voler à notre secours.

— Le Russe ? Staline, vous voulez dire ?

— Staline, oui. Mais là, je vous le jure, il est tombé sur un os avec Hitler. Vous avez vu tous les canons allemands, là-haut, vers Copou ?

— Non, justement j'y allais.

— Mon fils y est monté hier avec sa femme. « Jamais vu ça ! » il a dit en rentrant. « Jamais vu ça ! Je ne pensais même pas que ça pouvait exister autant de canons. »

— Ah bon. Et votre fils va partir faire la guerre contre les Russes ?

— Et comment qu'il va partir !

Il n'était pas nécessaire de monter jusqu'à Copou pour mesurer l'ampleur des forces allemandes massées à Jassy. En repassant devant le Jockey Club, j'avais constaté que des dizaines, voire des centaines de ces camions aux roues énormes qui servaient au transport des soldats de la Wehrmacht étaient stationnés rue Vasile Conta, le cortège des engins bâchés se poursuivant à perte de vue vers Păcurari.

Les tentes dont m'avait parlé papa, couleur sable, étaient en effet soigneusement alignées sur les immenses pelouses du parc Roi Ferdinand, et l'on devinait au fond, dissimulés derrière un rideau d'arbres, des centaines de Panzers – les fameux « canons ». Le parc avait été réquisitionné par la Wehrmacht et on ne pouvait plus en franchir les grilles, mais on voyait que les soldats, qui bavardaient ou jouaient au ballon, étaient heureux et bien nourris. En redescendant, j'avais tenté d'interroger les militaires roumains en faction devant la caserne du 13e régiment d'infanterie. On m'avait dit que c'était ici qu'avait pris ses quartiers le général von Schobert, commandant en chef des troupes du Reich en Roumanie.

— L'avez-vous vu ? J'aimerais tellement l'apercevoir…

Comme souvent avec les jeunes Roumains, la conversation avait tourné au rire, puis au flirt.

— Retrouve-moi au café Corso, ce soir à vingt et une heures, et je te dirai des choses, m'avait finalement glissé à l'oreille le plus audacieux des trois.

Puis j'étais retournée en ville et en passant devant l'université je nous avais revus cinq ou six ans plus tôt, Mihail et moi, attendant Irina sur le trottoir parmi une marée d'étudiants, lui tentant de dissimuler ses lèvres en sang sous son mouchoir. Combien Irina me manquait ! Dans la guerre qui s'annonçait, elle aurait assurément choisi son camp, avais-je songé : celui de l'Internationale communiste contre son propre pays. Et moi, qu'est-ce que je choisissais ? Je soufflais sa conduite à Andrei tout en priant pour qu'il ne m'écoute pas, qu'il reste vivant au prix de n'importe quelle compromission, et moi je me défilais. Partir pour l'Angleterre aurait été quitter Mihail. J'étais dégoûtée par une guerre que j'allais néanmoins couvrir parce que je ne voulais pas sacrifier… Sacrifier quoi, au juste ? Un bonheur minuscule à l'échelle de l'embrasement qui se préparait. Mais non, on ne pouvait même pas parler de bonheur. Plutôt de solidarité avec un homme traqué que j'aimais. Mais lui ne m'aimait pas, ou si peu, lui pensait à Leny. Son visage, tandis qu'il la regardait pleurer sur son accordéon... Donc Mihail n'était pas synonyme de bonheur, et cependant pour lui j'aurais donné ma vie. Bon, je n'étais qu'une idiote, mais ça n'était ni le lieu ni le moment pour y réfléchir. Nous étions au milieu du mois de juin, l'université aurait dû bourdonner joyeusement comme une ruche, or le lourd bâtiment, inspiré du second Empire français et qui avait fait un temps de Jassy la capitale culturelle de la jeune Roumanie, semblait à l'abandon, portes et fenêtres ouvertes.

Comme je longeais les commerces du palais Braunstein sous le soleil dur de midi, mon attention avait été attirée par une affiche de propagande collée sur la vitrine de M. Popescu, le marchand de meubles : « Qui sont les maîtres du bolchevisme ? » se demandait le dessinateur au-dessus de la caricature d'un juif à papillotes et gros nez brandissant une faucille d'une main, un marteau de l'autre, et dissimulant sous les pans de son caftan rouge trois soldats soviétiques.

M. Popescu était un client de mes parents – j'avais hésité, puis j'étais entrée.

— Bonjour, vous me reconnaissez ? Eugenia Rădulescu.

— Jana ! Eh bien... Tu sais que je t'ai connue pas plus haute que ça ? Alors tu es de retour.

— Je me demandais... Qui est-ce qui vous a donné l'affiche du juif ?

— La police. Enfin la police en civil, les hommes du SSI, tu sais.

— Ah bon...

— Ils sont passés ce matin, tes parents ont dû les recevoir également. Dans l'hypothèse d'une guerre contre les Russes, ils mettent la population en garde contre les youpins.

— Mais les juifs vont faire la guerre comme les autres !

— Ils seront dans des unités à part, si j'ai bien compris. Soit en avant du front, et on sera dans leur dos pour les tenir à l'œil, soit en défense, à creuser des fossés anti-chars, des choses comme ça, mais dans ce cas on leur confisquera leurs armes. La question, tu comprends, c'est que depuis toujours youpins et communistes sont comme les deux doigts de la main, alors tu imagines un peu si nos soldats ont derrière eux toute cette population qui n'attend que la victoire de l'ennemi…

Je n'avais pas protesté, je m'étais souvenue des mots de Mihail à propos de Camil Petrescu : « En nous laissant guider par notre indignation, nous l'avons empêché de développer son point de vue. Eugenia, songez à ce que nous avons raté ! »

Les affiches étaient apparues au fil des heures de ma promenade, je n'en avais vu aucune le matin en me dirigeant vers la cathédrale, or maintenant elles étaient à toutes les devantures et placardées également sur les réverbères et aux stations de tramway. Il y avait celle du juif avec le marteau et la faucille, et une autre qui proclamait : « Chut ! Les murs ont des oreilles… » sur laquelle figurait un juif à l'œil torve crachouillant dans un téléphone frappé du marteau et de la faucille.

Il pouvait être deux ou trois heures de l'après-midi, je m'étais assise à une terrasse, boulevard Ştefan cel Mare, pour manger quelque chose. Si vibrionnantes le matin, les rues s'étaient mystérieusement vidées. L'air était lourd, le temps était en train de tourner à l'orage. Bien sûr, ce que je devais faire avant d'appeler M. Hurtig, c'était de me renseigner sur ce SSI, ces policiers du SSI dont je n'avais jamais entendu parler. D'où sortaient-ils ? Est-ce qu'ils ne savaient pas qu'à Jassy un habitant sur deux était juif ? Est-ce qu'ils ne savaient pas qu'Abraham Goldfaden, dramaturge prolifique, avait créé ici le premier théâtre yiddish au monde ? Est-ce qu'ils ignoraient que le poète Benjamin Fondane, né Wechsler, était originaire de Jassy ? Est-ce qu'ils imaginaient sérieusement M. Neuschotz, M. Braustein ou l'épicier Kane téléphonant à Moscou pour trahir leur pays ? Je devais trouver ces hommes du SSI et éviter de me mettre en colère, ne pas les empêcher de « développer leur point de vue », mais cependant prendre le temps de leur expliquer ce que tant de juifs avaient fait pour cette ville.

En quittant ma terrasse, je m'étais dirigée vers la préfecture de police – la « questure », dit-on à Jassy – rue Vasile Alecsandri. Pour le coup la questure, long bâtiment austère en forme de L, ressemblait à une ruche. Personne ne m'avait demandé quoi que ce soit à l'entrée, et j'étais déjà à l'étage, lisant ce qui était indiqué sur chaque porte, quand un homme jeune, en chemisette d'été, m'avait demandé s'il pouvait m'aider.

— Eh bien oui, avec plaisir, je cherche les bureaux du SSI.

— Qu'est-ce que vous leur voulez aux gars du SSI ?

— Je suis journaliste, je voudrais les interroger sur les affiches qu'on voit partout en ville – à propos des juifs.

— J'en suis du SSI, qu'est-ce que vous voulez savoir ?

— On ne peut pas parler dans un endroit plus tranquille que le couloir ?

— Suivez-moi.

Il m'avait entraînée un peu plus loin et fait entrer dans une pièce vide où deux bureaux se faisaient face.

— Asseyez-vous. Quel journal ?

— L'agence Rador, j'arrive de Bucarest.

— Moi aussi.

— Ah, je comprends mieux alors. Ici, vous ne le savez peut-être pas, il y a autant de juifs que de chrétiens orthodoxes.

— Et c'est quoi ton problème ? Tu es youpine, c'est ça ?

— Pourquoi me tutoyez-vous ?

— Parce que des youpins, je ne vois que ça depuis ce matin et que si je peux te donner un conseil c'est de rentrer chez toi et de bien fermer ta porte. Ça m'étonnerait que tu sois journaliste. Montre-moi tes papiers !

— Sûrement pas.

— Pardon ? Tu me donnes tes papiers ou je te fais coffrer !

Il s'était mis à hurler, de sorte qu'un homme qui devait travailler dans le bureau mitoyen avait pointé son nez.

— Qu'est-ce qui se passe encore ?

— Une youpine journaliste, tu crois ça, toi ?

Le type m'avait regardée. Le sang me cognait aux tempes. Jamais, de toute ma vie, on ne m'avait parlé avec une telle violence, un tel mépris. J'étais décidée à ce qu'il me tue sur place plutôt que de lui montrer mes papiers.

Et comme je me tenais interdite, résolue à prendre des coups, j'avais entendu comme dans un rêve :

— Excuse-moi, tu ne serais pas Eugenia ?

La voix du visiteur était amicale, d'une douceur incongrue dans cet endroit.

— Eh, réponds-moi s'il te plaît. Tu ne serais pas Eugenia, la sœur de Stefan ?

J'avais croisé son regard.

— Et vous, qui êtes-vous ?

— Tudor Groza. On jouait ensemble quand on était enfants.

— Tudor Groza. Le Tudor du ravin jaune ? Des escaliers ?

— Mais oui ! Eugenia, ça alors ! Mais qu'est-ce que tu fiches ici ?

— Je suis entrée pour avoir des renseignements et je suis tombée... dans cette espèce de cauchemar. Je n'arrive pas encore à y croire. Je n'arrive pas à croire qu'on puisse traiter les gens... Qui êtes-vous donc pour oser...

Je m'étais levée pour partir, mais je tenais à peine sur mes jambes.

L'homme en chemisette n'avait pas bougé, lui. Il nous observait l'un l'autre alternativement.

— Tu la connais, c'est pas une youpine ?

— C'est la sœur de Stefan Rădulescu, Ducon !

— Merde ! Excusez-moi, mademoiselle.

— C'est ça le SSI ? Vous êtes tous des amis de mon frère ?

— Service spécial d'information, avait décliné Tudor en souriant. Reichspropagandaleitung, diraient nos amis allemands. Nous dépendons directement du grand état-major, mais pour la plupart nous venons de la Légion. Excuse-le, Eugenia, mais c'est vrai que depuis ce matin c'est le défilé des youpins ici. Ils n'apprécient pas vraiment nos affiches.

— Et ça te fait rire ? Cite-moi le nom d'un juif passé dans le camp soviétique.

— Ana Pauker, fille de rabbin, aujourd'hui réfugiée à Moscou. Et elle n'est pas la seule, tu peux me croire.

— Pour une poignée d'entre eux, vous condamnez tous les autres à être regardés comme des traîtres. C'est odieux.

— Je ne te comprends pas… Viens une seconde dans mon bureau, si tu veux.

— Non, ça va, j'en ai suffisamment entendu.

Je tremblais en quittant la questure, et pendant un moment j'avais marché à l'aveuglette, incapable d'aligner trois idées. « Des voyous, des voyous sans conscience, si j'avais été juive ils m'auraient frappée », voilà tout ce que je parvenais à me répéter. Comment m'étais-je retrouvée rue Sărărie, sur les hauteurs de la ville ? Je n'aurais pas su l'expliquer. Une fois franchie la rue Sărărie, on était à la campagne, sur des chemins de terre que l'on voyait courir à perte de vue sur des collines plantées de quelques arbres chenus et d'herbe sauvage. Là-bas, c'était la Bessarabie, et les Russes qui ne se doutaient de rien, prétendait-on. Combien d'hommes allaient mourir sur ces chemins ? La chaleur était accablante, l'orage éclaterait avant la nuit, mais en attendant on aurait dit que la campagne assoiffée avait cessé de respirer, pas une carriole sur les sentiers, pas le moindre ronronnement d'avion dans le ciel couleur de plomb. Alors m'était revenu le souvenir de la petite maison de

Ion Creangă, l'écrivain de mon enfance, l'homme qui avait nourri mes rêves de jeunes paysans au cœur vaillant, mes rêves d'amour. Elle devait être toute proche. Si Creangă avait été vivant, je lui aurais demandé de me prendre dans ses bras. Je lui aurais demandé la permission de pleurer un monde qui n'existait plus. J'avais retrouvé sa maison, une cabane en bois ne comptant que deux petites pièces et maintenant livrée aux pilleurs. Je m'étais assise sur la terrasse faite de planches grossières soutenues par des rondins – on disait que Creangă l'avait construite de ses mains – et plutôt que de pleurer j'avais allumé une cigarette.

Comment le même peuple, issu de la même histoire, de la même culture, pouvait-il accoucher d'un Ion Creangă, d'un Mihai Eminescu, d'un Panaït Istrati, et subitement d'un Tudor Groza, d'un Horia Sima, de mon frère Stefan ? D'où sortaient ces sinistres individus ?

Bon, mais là je n'étais pas dans un roman, j'étais l'héroïne d'un livre dont rien n'était encore écrit, dont tous les personnages seraient peut-être morts dans quelques jours, moi compris, et je devais de toute urgence téléphoner à M. Hurtig.

— Ah, mon petit, j'attendais votre appel. Comment est la ville ? Décrivez-moi ce que vous avez vu.

Il m'avait écoutée, il écrirait lui-même l'article en y mêlant les dernières informations glanées dans les ministères.

— Que disent les juifs ?

— Je compte aller me promener à Târgul Cucului après avoir raccroché. Je vous dirai.

— Oui, parce que Antonescu lui-même vient d'ordonner que tous les juifs soient évacués des villages frontaliers de la Bessarabie et regroupés dans des camps. Je n'en sais pas plus, mais voyez déjà le sort qui est réservé aux juifs de Jassy. Le gouvernement les soupçonne d'être de mèche avec l'état-major soviétique et recommande aux autorités de Jassy, dans une circulaire secrète que j'ai là sous les yeux, de surveiller de près les jeunes juifs qui, je cite : « en cas de raids nocturnes menés par les Russes, pourraient indiquer à l'aide de lampes et de torches les points d'importance stratégique ».

— Qu'entend le gouvernement par raids nocturnes ? Je ne saisis pas bien.

— Des avions. Vous imaginez les dégâts si les juifs guidaient les bombardiers russes ?

— Il y a vraiment une volonté de les faire passer pour des traîtres.

— À raison peut-être, Eugenia, nous ne savons rien de ce qui se trame chez les juifs.

Nous nous étions quittés sur ces mots, et tandis que je marchais vers Târgul Cucului j'avais dû convenir que juive, mise au ban de la société roumaine, expropriée, spoliée, affamée, battue, insultée, et maintenant soupçonnée de trahison, j'aurais peut-être attendu les Russes comme des libérateurs. Des décennies durant on stigmatise une partie de la population, avais-je songé, et quand il faudrait appeler à la réconciliation, à l'unité nationale face à l'ennemi, comme cela a été fait en 1916, on parachève au contraire la rupture en prêtant à l'autre les sentiments les plus méprisables et les mieux à même d'éveiller la haine.

J'étais née à Jassy, j'avais vingt-quatre ans, mais jamais je n'étais entrée dans le plus vaste quartier juif de ma ville dont la Grande Synagogue, à l'angle des rues Cucu et Elena Doamna, marquait symboliquement la frontière. Enfant, je me méfiais de ces barbus en habits sombres et chapeau noir à large bord qui semblaient s'échanger des secrets et comploter sur le parvis de leur drôle d'église. À aucun prix je ne me serais approchée d'eux, pleine d'une prévention confuse à leur égard : ils étaient profondément différents de nous, d'ailleurs ils parlaient entre eux une langue que nous ne comprenions pas, ils étaient sournois, rusés, fuyants... et sentaient mauvais. Comment ces impressions s'étaient-elles construites en moi ? À travers ce que j'entendais à la maison, sans doute, mais aussi dans la rue, à l'école. Et curieusement, ni le sourire de M. Mayer ni les bonbons de M. Kane n'avaient entamé ma défiance. Jusqu'à ma rencontre avec Mihail, à l'université – mais il serait plus juste d'écrire : jusqu'à ma rencontre avec Irina et la découverte de son regard sur Mihail –, j'aurais dit que les juifs étaient un mal auquel on ne pouvait pas échapper, comme la grippe ou le phylloxéra pour la vigne, et que le plus sage était de détourner les yeux quand on en croisait un, voire de se boucher le nez.

Au téléphone avec M. Hurtig, j'avais feint de trouver tout naturel d'aller me « promener » à Târgul Cucului, mais en vérité la petite en moi s'était aussitôt remise à trembler. De la tour du monastère Golia, où nous allions avec mes parents, j'avais souvent observé avec effroi, et stupeur, les rues cabossées et pentues de Târgul bordées de maisons minuscules autour desquelles couraient des poules, des chiens et des enfants. Ces rues étaient affreusement boueuses l'hiver, mais qu'il pleuve ou qu'il vente on y voyait des hommes aller et venir, chargés de billes de bois ou de lourds fardeaux, pendant que les femmes couraient après des enfants qu'elles attrapaient par une oreille et ramenaient à la maison.

Voilà, à présent j'y étais, j'avais largement dépassé la synagogue, et ce qui m'avait frappée, ce soir-là, c'était le silence. Pas une âme dans ces ruelles où le vent chaud soulevait par instants un tourbillon de terre et de détritus. Pourtant les poules étaient bien présentes dans les petites cours et l'on sentait que les maisons n'étaient pas vides – on le sentait à une sorte d'affairement sourd derrière les fines cloisons de briques ou de planches. Mon cœur cognait, mais je devais faire bonne figure car j'étais certaine qu'on me surveillait depuis les interstices et qu'on se demandait ce qu'une jeune femme élégante, une Bucarestoise si l'on se fiait à ma robe de chez Mme Graziani, venait chercher ici.

— Hé, vous !

J'avais sursauté.

— Ce n'est pas prudent de traîner par là.

Il avait surgi dans mon dos de derrière un cabanon – j'étais donc passée à un mètre de lui sans le voir. Un garçon d'une vingtaine d'années, tenant un manche de pioche.

— Vous m'avez fait peur !

— Où allez-vous ? Vous cherchez quelqu'un ?

— Oui… enfin non. Pourquoi dites-vous que ce n'est pas prudent ?

— Il se pourrait bien que des types arrivent par ici et qu'on leur tombe dessus.

— Quels types ? Je ne comprends pas.

— Des gars qui n'aiment pas trop les youpins. Si vous ne cherchez personne, vous devriez rentrer chez vous.

— Je suis journaliste. Je me demandais... J'ai appris que les familles juives des villages frontaliers de la Bessarabie vont être regroupées dans des camps.

C'était une longue phrase, je l'avais dite précipitamment, d'une traite, comme pour justifier ma présence. Je n'étais pas tranquille et il devait le sentir.

Il n'avait pas relevé et continuait à me regarder. Un visage allongé aux yeux creusés, des cheveux noirs et lourds. Lui aussi respirait vite, je le voyais aux ailes de son nez.

— Votre maison, c'est celle-ci ?

— Non.

— J'aimerais entrer dans une de ces maisons et parler avec les gens. Vous accepteriez de me conduire chez vous ?

— Non. Je ne dois pas... Je ne dois pas quitter cet emplacement.

— Je n'ose pas frapper aux portes, j'aurais bien aimé que vous m'aidiez.

— Qu'est-ce que vous voulez savoir ?

— Ce que les gens pensent. J'ai vu les affiches en ville, j'entends ce qui se dit.

— On n'a déjà pas l'électricité ici, alors comment pourrait-on téléphoner aux Russes, je vous le demande ?

— Je ne crois pas ce que prétendent les affiches si ça peut vous rassurer. Je trouve ces caricatures abjectes.

— Vous n'êtes pas de Jassy alors.

— Si, c'est ici que j'ai grandi. Pourquoi vous ne deviez pas quitter cet endroit ? Qu'est-ce que vous attendiez, caché là ?

— Je vous l'ai dit. Mais on ne va pas se laisser attraper et suspendre à des crochets de boucher comme ils l'ont fait aux juifs de Bucarest. On va se défendre, on ne va sûrement pas se laisser saigner comme des lapins.

— Ah, vous faisiez le guet. Avec ce manche de pioche pour vous défendre. Et c'est moi… Alors retournez-y, je suis désolée.

— Ça va, nous sommes nombreux à faire le guet. Mais maintenant rentrez chez vous, s'ils arrivaient vous ne pourriez même pas courir avec ça…

J'avais suivi son regard sur mes sandales d'été à petits talons, son regard qui s'était arrêté sur mes épaules nues. Dans d'autres circonstances il m'aurait peut-être invitée à me promener avec lui dans son quartier, je ne lui étais pas indifférente, mais là, tout de suite, il était embarrassé.

— Je peux vous accompagner juste cinq minutes derrière le cabanon ? J'ai envie de fumer une cigarette et comme ça on pourra continuer à parler.

C'était une façon de ne pas le quitter, mais sur le moment je n'avais pas perçu combien mes mots étaient équivoques. « Vous accompagner derrière le cabanon », n'est-ce pas ? Et aussitôt après cette proposition extravagante : « J'ai envie… » De quoi avais-je envie, outre de fumer une cigarette ? De rester là, que la rencontre se prolonge.

Lui aussi devait en avoir envie puisqu'il avait acquiescé et pris la cigarette que je lui tendais, mais l'espace était si réduit entre le grillage rouillé du poulailler et les planches rugueuses du cabanon que nous n'avions plus échangé une parole de peur que nos visages se touchent, que nos haleines se mélangent, laissant cependant nos épaules se frôler.

— Tenez, avais-je dit à la fin en sortant mon carnet et mon stylo et en me penchant pour écrire, je vous laisse mon nom et mon adresse. Si demain, si un jour... Enfin, je ne sais pas, si tu as besoin de quelque chose – Eugenia, rue Lăpuşneanu, le commerce de vin en face de la pharmacie Mayer. Tu t'en souviendras ?

Il avait jeté un coup d'œil sur le papier et l'avait glissé dans sa poche.

— Tu t'en souviendras, hein ? Et toi, c'est comment ton nom ?

— Sami.

— Tiens, garde les cigarettes et les allumettes. Fais bien attention à toi, d'accord ? Au revoir, Sami.

Le tutoiement m'était venu spontanément. J'avais pensé à Andrei, bien sûr, pensé qu'il aurait pu être Andrei et moi sa grande sœur. Mais c'était plus confus que cela dans mon esprit, je ne voulais pas seulement le protéger, j'avais été troublée par le jeune homme qu'il était, attentif et tendu, à la fois sombre et avide. Troublée d'avoir senti son épaule dure contre la mienne pendant que nous fumions.

18

Les premières gouttes s'étaient mises à tomber tandis que je traversais la place Cuza Vodă et qu'on allumait les réverbères. Le cœur de la ville semblait battre normalement, beaucoup de gens étaient ressortis prendre le frais sur les trottoirs avec la tombée du soir, des officiers roumains bavardaient tranquillement devant l'hôtel Continental, les clochettes des tramways se mêlaient aux admonestations des mères appelant à la prudence les enfants qui jouaient à chat perché sur le muret de la fontaine aux Lions. Le contraste était saisissant avec la tension qui régnait à Târgul Cucului – qui aurait pu se douter qu'on vivait là-bas dans la peur d'une attaque imminente ?

Je pensais rentrer dîner à la maison et me changer pour retourner plus tard autour de la Grande Synagogue voir s'il se passait quelque chose d'anormal, quand je m'étais rappelé mon rendez-vous au Corso avec le jeune soldat rencontré devant la caserne du 13e régiment d'infanterie. Savoir si le général von Schobert habitait bien la caserne m'intéressait car j'avais l'intention de lui faire passer une demande d'entretien – qu'il me refuserait, probablement, à moins qu'il ait un intérêt quelconque à parler (on le disait agacé par la phobie des juifs de ses homologues roumains) – mais devoir bavarder avec ce garçon ne m'emballait pas. Finalement c'est la pluie, en ne se décidant pas à tomber – quelques grosses gouttes, et puis plus rien – qui avait arbitré pour moi. J'étais passée sous nos fenêtres et, par conscience professionnelle j'avais poussé jusqu'au Corso, à trois cents mètres de là, au rez-de-chaussée du Jockey Club.

Je n'étais pas sûre de le reconnaître dans le café le plus fréquenté de Jassy, mais lui me guettait. Il était en tenue civile, les cheveux gominés, parfumé, élégant comme un jeune marié. Je ne sais pas ce qu'il avait pu se raconter à mon propos, mais je n'arrivais pas à m'intéresser à ses compliments, j'avais très vite compris qu'il ne savait même pas qui était Eugen von Schobert et je me demandais comment prendre rapidement congé sans le blesser.

Je m'efforçais de lui sourire, d'acquiescer à des phrases dont je n'entendais que la moitié, quand mon regard avait soudain croisé celui, étonnamment fixe, d'un officier roumain assis à une table relativement distante de la nôtre. Le visage de cet homme avait réveillé en moi une impression pénible et j'avais aussitôt détourné les yeux. Qui pouvait-il être ? Et pourquoi me mettait-il si mal à l'aise ? Je ne comptais aucun officier dans mon entourage. Cependant, celui-ci me disait quelque chose. Après un moment, j'avais voulu vérifier s'il était encore là, or non seulement il n'avait pas bougé mais de toute évidence il n'avait pas cessé de me dévisager. J'avais dû tirer une drôle de tête car le garçon s'était subitement interrompu, avant de s'excuser.

— Ne prenez pas mal ce que je viens de vous dire, surtout.

— Non, non, ne vous inquiétez pas. Pouvez-vous vous retourner discrètement et voir si vous connaissez le type, là-bas, près de la porte d'entrée ? Un militaire qui ne me quitte pas des yeux depuis que je suis arrivée.

Mais c'était trop tard, l'homme s'était levé et venait vers nous. Un géant, comparé aux Roumains plutôt petits.

— Bonsoir, Eugenia.

— Pardonnez-moi, mais...

— Malaparte.

— Mon Dieu, c'est vous ! Je ne vous reconnaissais pas dans cet uniforme...

— Je vous en prie.

Il avait saisi la main que je lui tendais et l'avait portée à ses lèvres. Puis, se tournant vers le garçon, et passant du français au roumain :

— À qui ai-je l'honneur ?

Ils avaient échangé quelques mots dont je n'avais rien saisi dans le brouhaha, et soudain le garçon s'était levé et était parti sans même me dire au revoir.

— Il s'en va ? Mais qu'est-ce que vous lui avez dit ?

— Que vous étiez un agent de Moscou.

— Vous êtes complètement fou !

— Il vous ennuyait, n'est-ce pas ? Et moi je devais vous présenter des excuses pour la conversation à laquelle vous avez mis fin lors de notre première rencontre à l'Athénée Palace. Je peux m'asseoir ?

Il n'avait pas attendu mon consentement.

J'étais contrariée.

— Vous n'auriez pas dû dire ça.

— Laissez, ça n'a aucune importance, la ville est pleine d'agents du KGB... C'est extraordinaire de vous retrouver là ! La princesse Bibesco m'avait dit que vous étiez originaire de Jassy...

— Vous étiez journaliste la dernière fois. Et vous voilà militaire... Je peux vous demander ce que vous faites ici, dans cet habit d'officier roumain ?

— D'officier italien ! J'ai fait la précédente guerre, vous savez, et plus récemment celle de l'Érythrée. Mais à l'instant, je suis de nouveau journaliste : envoyé par le *Corriere della Sera* pour couvrir la prochaine offensive contre la Russie.

— Moi aussi, pour mon agence. D'ailleurs le jeune garçon que vous avez fait fuir était censé me dire où logeait le général von Schobert.

— À Copou, dans une maison sur les hauteurs. Demain, si vous voulez bien m'accompagner, je vous montrerai l'endroit.

— Avec plaisir. On dit que la défiance des officiers roumains à l'égard des juifs irriterait le général.

— Le général se fiche bien d'eux, il n'a pas envie qu'on l'enquiquine avec les juifs.

— Vous l'avez rencontré ?

— J'étais auprès de lui avant-hier pour une réception en l'honneur d'un de ses officiers. Le colonel Lupu, commandant de la place, ici, à Jassy, était également présent. À un moment, il est venu parler au général du danger que pouvait représenter sur l'arrière du front les colonies juives de Jassy et des villages alentour. Schobert est un vieux gentilhomme bavarois, soldat, fils de soldat, chrétien de surcroît, il y a certaines choses dans cette guerre auxquelles il ne veut pas être mêlé. Il a feint d'écouter Lupu parce qu'il est bien élevé, et puis il a tourné les talons comme s'il n'avait rien entendu.

— Il pourrait au moins interdire la propagande contre les juifs.

— Il a bien d'autres soucis, voyons.

— Tout à l'heure, j'étais à Târgul Cucului. Là-bas les gens s'attendent à être attaqués. Étiez-vous encore à Bucarest au moment du pogrom, en janvier ?

— Non, mais j'ai lu le récit qu'en a fait Rosie Waldeck dans *Newsweek*. Elle était à Bucarest, je l'ai croisée à l'Athénée Palace. J'ai de l'affection pour tous ces braves Moldaves, bons vivants et gros buveurs, mais je ne m'habitue pas à leur antisémitisme. Je dînais hier avec mon ami Sartori, le consul d'Italie, lui non plus ne supporte pas cette « passion roumaine » contre les juifs. Est-ce qu'il ne faut pas éprouver un dépit inextinguible pour avoir une telle envie de les faire disparaître ?

— Pourquoi parlez-vous de « dépit » ? Croyez-vous que la situation des juifs de Păcurari, de Nicolina ou de Târgul soit enviable ? Pour quelques-uns qui ont réussi et qui habitent dans le centre, la plupart survivent dans la misère.

— Mais voyez comme ils n'en restent pas moins dignes ! Avez-vous déjà entendu un juif se plaindre ? Non, jamais. Ils sont habités d'une spiritualité qui nous échappe et, quoi qu'ils endurent, vous les verrez toujours obstinés à l'ouvrage et remerciant le Ciel dans cette langue qui nous est défendue. Peu importe qu'ils soient riches ou pauvres, ils sont issus d'un monde auquel nous n'avons pas accès et il n'y a qu'à les observer à la sortie de la synagogue pour mesurer combien ils se suffisent à eux-mêmes. Selon ce qui nous constitue nous pouvons en sourire, y être indifférents, ou au contraire en éprouver une forme de vexation, comme si les juifs, par leur secret si bien gardé, cherchaient à nous rabaisser, à nous humilier. De tous les peuples d'Europe, les Roumains, si fiers de leur sang, sont ceux qui haïssent le plus les juifs. Pourquoi ? Que viennent toucher les juifs de si douloureux dans le cœur des Roumains ? Je ne sais pas. J'ai essayé d'aborder le sujet avec Horia Sima lorsque nous nous sommes rencontrés, mais par ruse, ou par ignorance, il a sans cesse ramené notre conversation à ce qu'il appelle la « question patriotique » : les juifs seraient des parasites apatrides, n'est-ce pas, suçant le sang des nations les plus fragiles, jusqu'à ce qu'elles parviennent à se débarrasser d'eux. La Roumanie, particulièrement exposée du fait de sa jeunesse, serait aujourd'hui confrontée à ce défi, selon lui : chasser les juifs de son sol, ou disparaître.

Malaparte s'était tu et m'observait maintenant avec bienveillance. Il y avait chez lui quelque chose de raffiné et de féminin qui contrastait avec la rudesse militaire dont il aimait manifestement se parer.

— Je vous dois des excuses, avais-je repris en souriant, à Bucarest je vous ai pris pour un de ces intellectuels fascistes fascinés par les phalanges, et donc probablement par la Légion, d'autant plus que la princesse Bibesco semblait suggérer que vous étiez un proche de Mussolini.

— Je l'ai été, mais je ne le suis plus.

— De sorte que je n'ai pas voulu que vous rencontriez Mihail Sebastian. J'ai sans doute eu tort, je le regrette.

— Vous m'aviez demandé ce que je pensais, moi. Si par hasard je n'étais pas un « caméléon ». Vous vous souvenez ? Vous alliez partir, vous étiez furieuse. Je vais vous dire : ma pensée n'a cessé d'évoluer depuis que je me suis engagé, à dix-sept ans, en 1915, contre l'Autriche-Hongrie. Aujourd'hui, nous, Italiens, sommes les alliés de nos ennemis d'hier. Comme vous, Roumains. Pouvez-vous entendre que ce que je pense n'a aucune importance ? Et même, peut-être, que je ne pense plus rien ? Que la seule chose qui me préoccupe, désormais, dans l'immense chaos qu'est devenue l'Europe, c'est d'être à l'écoute de tous ceux qui portent un rêve, aussi abominable et extravagant soit-il ? Pouvez-vous l'entendre ? Si l'Europe survit à ce que nous traversons aujourd'hui, Eugenia, je voudrais que demeure au-dessus de ses cendres le roman que je suis en train d'écrire, *Kaputt*. J'y figure sous ma véritable identité, Malaparte, mais je n'y suis qu'un caméléon, en effet, acquiesçant aux bourreaux, aux massacres, enjambant les corps, insensible aux plaintes des victimes, aux populations déplacées, aux villages qu'on brûle, aux enfants qui meurent de faim dans les ghettos. Je n'y suis que le peintre et le greffier de ces hommes qui nous conduisent à la mort – et accessoirement de leurs victimes. J'acquiesce poliment à tout ce qu'ils disent, je partage leur goût pour la table et les bons vins, pour les toiles de maîtres qu'ils ont volées au Louvre et les opéras de Wagner, à aucun moment je ne les contredis ni ne les critique. Pourquoi le ferais-je puisque les peuples les applaudissent en songeant que leurs rêves de puissance valent bien tout le sang versé ? Mais comment notre histoire commune a-t-elle pu soudain porter au pouvoir, au même moment, autant d'illuminés, de malades mentaux, de bourreaux ? Ça, c'est une question qui m'obsède mais à laquelle je ne sais pas répondre.

Il y avait eu soudain un crépitement assourdissant sur le toit de tôle qui couvrait la véranda du Corso.

— La pluie. Où logez-vous, Eugenia ?

— Chez mes parents, à cinq minutes d'ici.

— Je vais vous donner une lettre d'accréditation pour le *Corriere della Sera*, signée de ma main, disant que vous travaillez avec moi. Cela vous facilitera les choses auprès des officiers allemands. Ils ne respectent pas énormément les Italiens, mais tout de même un peu plus que les Roumains.

Il avait appelé la serveuse.

— Oui, Domnul Capitan (monsieur le capitaine), que puis-je faire pour vous ?

— Prêtez-nous un parapluie, voulez-vous ? Nous devons partir maintenant.

Je pensais le saluer et courir jusque chez moi, mais il m'avait entraînée d'autorité à l'opposé, vers l'arrière du Jockey Club.

— Où allons-nous ?

— Je vais vous faire tout de suite cette lettre.

— Et pourquoi pas demain ?

— Demain nous ne savons pas où nous serons.

Nous avions traversé un jardin à l'abandon, la pluie me ruisselait sur les jambes, et il m'avait fait entrer dans une maison dont la porte n'était pas fermée à clé.

Puis, tout en allumant dans le vestibule :

— C'est assez vétuste, mais c'est tout ce que j'ai trouvé. Plus une chambre au Traian ni au Continental. Une maison juive, je suppose, dont les propriétaires se sont enfuis en laissant les armoires pleines... Venez !

Je l'avais suivi à l'étage dans la chambre où il s'était installé. Le lit était défait, son paquetage était ouvert sur le plancher, mais le bureau était en ordre – un cahier d'écolier, comme ceux qu'utilisait Mihail, ouvert sur les dernières lignes écrites à l'encre mauve.

Il avait fouillé dans l'armoire et attrapé une serviette.

— Tenez, pour vos cheveux. Asseyez-vous où vous pouvez. Sur le coin du lit, là.

Je l'avais regardé écrire à la plume sur du papier à en-tête du *Corriere della Sera*.

— Voilà, c'est en allemand, signé de ma main. La plupart des officiers de Schobert me connaissent, et Schobert lui-même, bien entendu. Avec ça, vous n'aurez pas d'ennuis.

Il m'avait tendu un carnet pour que j'y inscrive mon adresse et le téléphone de la maison. C'était la deuxième fois dans la même soirée et j'avais repensé à Sami.

Malaparte était en train de m'expliquer que si aucun événement ne survenait dans la nuit, il essaierait de me présenter demain à quelques officiers du général von Schobert, quand on avait entendu frapper à la porte du bas.

— La dracu ! (Au diable !) s'était-il écrié. Qui est-ce encore ? Ne bougez pas, je reviens.

J'avais entendu des voix d'hommes, « Bonsoir, Domnul Capitan », des voix demander s'ils pouvaient entrer – « Une affaire de la plus haute importance, monsieur le capitaine », et un instant plus tard j'avais vu pénétrer dans la pièce trois vieux juifs habillés de noir, tenant leur chapeau à la main, et dont les vêtements ruisselaient.

Nous nous étions salués silencieusement tandis que Malaparte apportait des chaises.

— Voilà, asseyez-vous.

Ils avaient accepté des linges pour se sécher et comme ils s'essuyaient le front, les lunettes, puis la barbe, tous les trois assis en demi-cercle sur la gauche du bureau de Malaparte, tous les trois aussi petits et âgés, j'avais soudain cru reconnaître l'épicier Kane.

— Excusez-moi, avais-je dit en m'agenouillant pour qu'il puisse mieux voir mon visage sous le faisceau de la lampe de travail, vous ne seriez pas monsieur Kane, l'épicier de la rue Lăpuşneanu ? Je suis Eugenia, la fille des marchands de vin...

— Jana ? C'est toi Jana ? Comme tu as changé, mon petit ! Et que fais-tu donc là chez le capitaine ?

— Le capitaine est une connaissance. Mais vous, monsieur Kane...

— Oh, nous... Nous sommes en grand danger, et nous venons implorer de l'aide, voilà tout ce que nous venons faire.

— En grand danger, oui, je le crois aussi, avais-je abondé doucement. Dites-le à monsieur Malaparte, il connaît des gens importants partout dans le monde.

Entre-temps l'écrivain s'était assis à sa table et, me relevant pour regagner ma place, j'avais surpris son regard sur ses hôtes, cet œil avide de chasseur, noir et dur, qu'il portait sur ses semblables, et je m'étais alors rappelé ce qu'il me disait un instant plus tôt : « Si l'Europe survit, je voudrais que demeure au-dessus de ses cendres le roman que je suis en train d'écrire. »

Celui qui avait pris la parole était sans doute le moins vieux des trois, il avait une peau très blanche et une barbe et des cheveux encore parsemés de fils roux.

— Merci de nous recevoir, Domnul Capitan. En dépit de votre jeune âge, peut-être avez-vous entendu le récit du pogrom de Chişinău, en 1903, au cours duquel tant de juifs, hommes, femmes et enfants, ont été massacrés, n'est-ce pas ? Eh bien nous sentons de nouveau planer la terrible menace au-dessus de nos têtes.

— Eugenia me le disait. Êtes-vous allé trouver le colonel Lupu ? S'il arrivait quoi que ce soit, c'est lui qui serait tenu pour responsable en tant que commandant de la place.

— Sans vouloir vous offenser, monsieur le capitaine, je vois que vous n'avez aucune connaissance de la situation. Le colonel Lupu nourrit un profond ressentiment à l'égard des juifs, comme la plupart des militaires et des policiers qui agissent sous son autorité. Non, le seul homme d'où pourrait venir notre salut serait le général von Schobert.

— Et vous attendez de moi que j'aille plaider votre cause auprès de lui ?

— Voilà, oui. Vous représentez un pays tiers qui ne martyrise pas ses juifs, s'il arrivait un malheur ici, à Jassy, vous le feriez savoir au monde entier et cela serait une tache indélébile sur le front du général allemand.

— Sans vouloir vous offenser à mon tour, Domnul Zelinger, je peux vous assurer que le général se moque des affaires intérieures de la

Roumanie et qu'il ne lèvera pas le petit doigt pour sauver un seul juif.

— Seigneur ! Alors à qui pouvons-nous demander de l'aide ?

— Procurez-vous des armes et défendez-vous. Ne comptez que sur vous-mêmes. Je n'ai pas d'autre conseil à vous donner. Comment pouvez-vous croire qu'un petit capitaine italien aurait le pouvoir d'obtenir votre grâce auprès d'un général allemand ? Croyez-vous que les généraux de la Wehrmacht soient intervenus en Pologne pour empêcher le massacre des juifs ? À ma connaissance, ils se sont contentés de regarder ailleurs. Vous ne pouvez compter sur personne, ici, uniquement sur vos propres forces.

Tandis que je m'efforce de retrouver les mots exacts de cet échange de juin 1941, j'ai soudain envie de relire le récit qu'en fait Malaparte dans *Kaputt* – assez loin de la réalité mais révélateur de l'impuissance, et aussi peut-être de la culpabilité qui l'habitait ce soir-là.

> — Mais faites quelque chose ; mais bougez donc ! dit le vieillard avec une violence contenue.
>
> — J'ai perdu l'habitude d'agir, dis-je ; je suis un Italien. Nous ne savons plus agir, nous ne savons plus prendre aucune responsabilité, après vingt ans d'esclavage. Moi aussi, comme tous les Italiens, j'ai l'épine dorsale brisée. Au cours de ces vingt ans, nous avons employé toute notre énergie à survivre. Nous ne sommes plus bons à rien. Nous ne savons qu'applaudir. Voulez-vous que j'aille applaudir le général von Schobert et le colonel Lupu ? Si vous voulez, je puis aller jusqu'à Bucarest applaudir le maréchal Antonescu, au cas où ça pourrait vous être utile. Je ne peux rien faire d'autre. Vous voudriez peut-être que je me sacrifie inutilement pour vous, que

je me fasse tuer place Unirii pour défendre les juifs de Jassy ? Si j'étais capable de cela, je me serais déjà fait tuer sur une place d'Italie pour défendre les Italiens. Nous n'osons plus et nous ne savons plus agir, voilà la vérité, conclus-je en tournant la tête pour essayer de cacher la rougeur de mon front.

— Tout cela est bien triste, murmura le vieux juif.

Malaparte avait bien dit qu'il ne pouvait rien faire pour les juifs de Jassy, oui, ça c'était exact, mais il n'avait pas évoqué l'« épine dorsale brisée » des Italiens, ni la sienne propre. Sans doute cette explication lui était-elle venue au moment d'écrire pour se justifier à ses propres yeux : voilà ce que les régimes totalitaires ont fait de nous, des ombres sans conscience ni courage, seulement préoccupées de leur propre survie. (D'ailleurs, si Malaparte s'en était tenu aux notes prises durant la conversation, il n'aurait sûrement pas parlé du « maréchal » Antonescu car le général ne s'était pas encore autoproclamé maréchal à ce moment-là des événements.)

Les trois vieux juifs et lui avaient encore échangé quelques considérations désespérées et amères, puis il les avait raccompagnés à la porte et j'avais été touchée de les entendre le remercier et lui souhaiter longue vie alors qu'il venait de refuser de tenter quoi que ce soit pour eux.

Dix minutes plus tard, je l'avais laissé à mon tour pour courir jusqu'à la maison. Il avait insisté pour que je prenne le parapluie du Corso mais la pluie s'était interrompue et je ne l'avais pas ouvert.

En dépit de l'heure tardive, papa et maman n'étaient pas couchés. Andrei n'était pas rentré de la caserne ce soir-là, et il n'avait donné aucune nouvelle.

Maman n'avait que de « mauvais pressentiments ».

— L'un à Berlin sous les bombardements anglais, et l'autre engagé dans cette guerre contre les Russes… J'ai peur, Gheorghe. Je sais que s'il arrivait un malheur, je n'y survivrais pas.

Et papa s'efforçait de la rassurer.

— Carmen, il n'arrivera rien du tout, je te supplie de me croire. D'ici quelques semaines l'Angleterre sera vaincue et occupée, comme le sont la France et la Belgique. Quant à la Russie, elle ne représente rien du tout face à la puissance du Reich. Quelques tanks vétustes, des avions datant de la précédente guerre et incapables de rivaliser avec les Messerschmitt. Monsieur Jonescu, le libraire, dont le fils est officier, me disait qu'au grand état-major on estime qu'Hitler, profitant de l'effet de surprise, pourrait être à Moscou avant l'automne.

— Quel effet de surprise ? Crois-tu que les Russes, qui sont à vingt kilomètres d'ici, ne savent rien de ce qui se prépare contre eux ?

— Ils savent, maman, étais-je intervenue, mais il est trop tard pour construire de nouveaux avions et de nouveaux chars, alors je crois qu'on peut faire confiance à ce que dit le fils Jonescu.

Ma première journée à Jassy avait été longue et j'étais allée me coucher, renonçant à retourner aux abords de Târgul Cucului.

19

Le lendemain matin, dimanche 22 juin 1941, je m'étais réveillée tard et c'est maman qui m'avait annoncé la nouvelle : Hitler et Antonescu venaient de lancer plus d'un million d'hommes à l'assaut de la Russie communiste (au fil des mois suivants ils devaient être près de quatre millions à mener cette offensive).

Dans un message que la radio diffusait en boucle ce matin-là, le général Antonescu appelait les troupes roumaines à « passer le Prut », la rivière qui marque la frontière avec la Bessarabie, et il ajoutait : « Roumains, je vous appelle au combat contre la destruction de la civilisation et de l'Église. À la lutte grande et juste auprès de la grande nation allemande pour l'avenir de l'humanité. Je remercie au nom de la nation le génie créateur du monde nouveau, le Führer Adolf Hitler. »

L'opération Barbarossa avait démarré aux premières heures du jour et, à l'heure où maman et moi buvions notre café, Andrei devait déjà avoir franchi le Prut. Comme rien n'était dit sur la résistance des Russes, je m'étais appliquée à rassurer maman en prenant prétexte de la présence d'Ilis, excellent chirurgien, disait-on, dans son régiment. C'était idiot, sans aucun doute, mais savoir Ilis sur les talons d'Andrei me réconfortait moi-même.

Puis j'avais emprunté sa bicyclette à papa pour parcourir rapidement la ville afin d'être en mesure de livrer un état des lieux à M. Hurtig. Ma première visite avait été, bien sûr, pour Malaparte. J'espérais le trouver dans sa cuisine, ou à sa table, devant son manuscrit, et en constatant que son paquetage n'était plus là, que plus aucun de ses objets ne traînait sur le bureau, j'avais ressenti un sentiment d'abandon, presque de trahison. Comment avait-il pu partir sans me prévenir ? Il avait mon téléphone, mon adresse. Et lui, qui l'avait donc prévenu ? Il ne m'avait présentée à aucun officier et maintenant tous devaient être partis, à commencer par le général von Schobert. Est-ce que je ne devais pas tenter de les rejoindre ? Tout avait été trop vite. Malaparte aurait pu me sauver de mon inexpérience, mais comme j'avais pu le constater la veille au soir avec les juifs, Malaparte n'était préoccupé que de lui-même et du livre qu'il était en train d'écrire.

J'étais montée jusqu'à Copou – plus une tente sur les pelouses du parc Roi Ferdinand, dont les grilles étaient ouvertes, plus un Panzer derrière la rangée d'arbres. En redescendant en ville, j'avais été surprise par le calme qui régnait dans les rues commerçantes avant de me souvenir que nous étions dimanche et que les gens devaient être encore au lit, ou en train de boire leur café, découvrant par la radio que nous venions à notre tour d'entrer en guerre, un an jour pour jour après la reddition de la France.

Censée suivre l'offensive, j'avais raté le train, et à l'heure où les troupes allemandes et roumaines devaient déjà foncer sur Chişinău, je me trouvais quant à moi place Unirii, devant les magasins fermés du palais Braunstein, me demandant ce que mon métier me commandait de faire. C'est alors que m'était venue l'idée d'aller voir comment s'était passée la nuit à Târgul Cucului. Tenant mon vélo à la main, j'étais entrée dans le quartier juif par la même ruelle pentue que la veille et le cœur cognant fort de nouveau. Ici aussi, les habitants semblaient encore chez eux, à l'exception de quelques hommes occupés à ravauder leurs toitures après la pluie. L'averse de la veille avait raviné la terre, amoncelant sur le bas-côté cailloux et détritus. Mais à part cela, aucun incident ne semblait être survenu et sous le soleil déjà brûlant les petites maisons paraissaient encore plus misérables. Je m'étais habillée en garçon, chemisier, pantalon et sandales fermées, de sorte, avais-je pensé, qu'on devait me prendre pour une fille de Târgul.

Sans doute est-ce ce qui m'avait donné l'audace d'engager la conversation avec une femme qui mettait de l'ordre dans son poulailler détrempé, sous le regard de deux jeunes enfants.

— La pluie a causé bien du tracas, n'est-ce pas ?

Elle m'avait considérée un instant de la tête aux pieds.

— Tu n'es pas d'ici, toi. Que viens-tu chercher par là ?

— Je m'appelle Eugenia, je suis journaliste...

— Avram ! Viens voir s'il te plaît, avait-elle crié.

Un homme était sorti de la maison, écartant au passage les deux enfants.

— Oui, voilà.

Et, m'apercevant :

— C'est pour quoi, madame ?

— Je ne voulais pas vous déranger, excusez-moi.

— Il n'y a aucun mal, dites-moi ce qui vous amène.

— Hier soir, j'ai bavardé avec un garçon d'ici, un peu plus haut, par là-bas. Je suis journaliste. Je me demandais… Avez-vous appris que la guerre contre la Russie était engagée depuis ce matin ?

— Ah non, non… Mais on savait que ça devait arriver.

— Ce garçon, Sami, me disait que les gens, ici, étaient dans l'inquiétude d'être injustement accusés, et peut-être même d'être agressés.

— Accusés de quoi ?

— Eh bien d'aider les Russes en cas de guerre…

— Ah !

Il avait paru réfléchir un instant.

— Je suis membre de la Kahal, madame, avait-il repris calmement, et nous sommes allés à deux reprises déjà à la questure protester contre ce procès qui nous est fait.

— Vous avez été reçus à la questure ?

— Oui. Hier encore nous y étions.

En un éclair, j'avais revu la scène : « C'est quoi ton problème ? Tu es youpine, c'est ça ? Des youpins, je ne vois que ça depuis ce matin. » Il avait donc été l'un d'entre eux, mais au moment de lui demander comment il avait été accueilli, de l'interroger comme j'aurais dû le faire, sans doute, le cœur m'avait manqué. À lui aussi, l'homme à la chemisette avait dû lancer : « Si je peux te donner un conseil, c'est de rentrer chez toi et de bien fermer ta porte. » L'homme à la chemisette avait dû le tutoyer et le menacer. Voilà tout ce qu'il avait dû obtenir. Peut-être me l'avouerait-il, mais voyant comme il était calme et fier, il était plus probable qu'il allait choisir de me mentir pour ne pas être humilié une deuxième fois.

— Bon, excusez-moi encore de vous avoir dérangé, avais-je dit en souriant.

— C'est tout ce que vous vouliez savoir ?

— Oui, merci... Croyez-vous que je puisse continuer à descendre dans cette direction ? Je ne connais pas le quartier...

— Bien sûr ! Vous ne risquez rien, soyez tranquille. Avram Froim, avait-il ajouté en me tendant la main par-dessus le grillage du poulailler.

Poursuivant mon chemin, j'avais pensé à Mihail. Quand le monde s'effondrait autour de lui, il s'enfermait et écrivait. On l'avait privé de tous ses droits, mais on n'avait pas pu le priver du seul qui le maintenait vivant : écrire. Et à travers ce qu'il écrivait il disait bien mieux le secret de nos âmes que moi avec mes questions stupides. Mihail aurait eu la même conversation brève avec cet homme, cet Avram Froim, avais-je songé, qu'il en aurait tiré un personnage suffisamment fier pour porter les siens sans trembler, sa femme et leurs deux enfants, mais secrètement rongé par la conscience de la « terrible menace », traversé de rêves aussi, tandis que moi, astreinte à la seule vérité exprimée, que pouvais-je écrire de juste à propos de cet homme ? Rien. Le journalisme est impuissant à rendre compte de notre incroyable complexité car ce qu'on devine d'une personne n'est pas considéré comme une information.

La guerre venait d'éclater, j'aurais dû me trouver au milieu de nos soldats en train d'entrer dans Chişinău, de libérer Chişinău peut-être, et au lieu de ça je poussais tranquillement la bicyclette de mon père sur les chemins de terre de Târgul, souriant au visage entêté de Mihail que je voyais penché sur son manuscrit. Oh, comme ce métier de journaliste me faisait honte soudain ! J'allais dire à M. Hurtig que nous nous trompions, que nous ne rendions compte de rien du tout avec nos éternelles questions, notant scrupuleusement des réponses qui n'étaient qu'un pâle reflet des sentiments auxquels chacun se trouvait confronté. Écoutez-moi, monsieur Hurtig, pour une fois écoutez-moi : ce que je viens de vous dire de monsieur Avram Froim est également valable pour l'homme à la chemisette de la questure. Je ne l'ai vu que cinq minutes, n'est-ce pas ? Mais il me faudrait plusieurs pages pour vous exprimer tout ce que j'ai deviné de lui. C'est un bon camarade, je l'ai constaté à la façon dont son collègue le regardait, il doit être également un bon père et un bon mari – vous auriez vu comme sa chemise était soigneusement repassée ! – et cependant il perd toute humanité lorsqu'il s'adresse à un juif. Mon frère Stefan est pareil. Pourquoi ? Je ne peux pas réduire ces hommes à leur inhumanité, je dois dire aussi de quelle façon ils sourient à leur femme, avec quelle tendresse ils caressent les cheveux de leurs enfants, car sinon ce serait feindre de les comprendre alors qu'en vérité ils nous confrontent à quelque chose d'inexplicable.

Mon Dieu, il devait être largement plus de midi, et en fait de couvrir la guerre… J'avais enfourché ma bicyclette et repris le chemin de la maison.

M. Hurtig avait appelé deux fois en mon absence, il semblait contrarié, papa et maman étaient affolés, je devais le rappeler de toute urgence

– j'allais le rappeler, oui, mais rien ne pressait, j'avais encore besoin de réfléchir. On aurait dit qu'une sorte de révélation m'avait touchée au fil des dernières heures. Nous nous trompions, oui, il fallait cesser de poser des questions et faire comme M. Malaparte, s'introduire dans l'intimité des gens, bourreaux et victimes, les écouter parler, ne pas les interrompre, ne pas les contredire surtout, acquiescer silencieusement à tout ce qu'ils disaient. C'était notre seul espoir pour saisir un peu de notre complexité.

J'avais laissé M. Hurtig épuiser sa colère et, à la fin seulement, j'avais parlé. J'étais résolue, je savais ce que je voulais et ce que je ne voulais plus.

— Vous vous trompez, monsieur, ça n'a pas beaucoup d'intérêt d'être sur le front, là-bas nous serons toujours derrière les Panzers, dépendant des communiqués de l'état-major. C'est à Jassy qu'il faut être.

— Eugenia, je ne vous paye pas pour vous entendre m'expliquer que je me trompe. Merde, à la fin ! Vous allez dénicher un taxi, un fiacre, ce que vous voulez, et rattraper nos soldats. Vous m'entendez ?

— Non, je ne vais pas quitter Jassy. C'est vous qui m'avez expliqué le premier que notre état-major considérait les juifs comme un danger à l'arrière du front du fait de leurs prétendus liens avec Moscou. Aujourd'hui la ville est couverte d'affiches jetant l'opprobre sur les juifs. J'en ai rencontré certains, ils parlent d'une « terrible menace », j'aurais l'impression de déserter si je partais. Ma place est ici, je ne vais pas quitter Jassy.

Il s'était tu, si longtemps que j'avais fini par reprendre la parole.

— Vous êtes toujours là ? Vous cherchez comment m'annoncer que je suis renvoyée ?

— Non, ça va. Je vous fais confiance, Eugenia. C'est entendu, restez à Jassy et tenez-moi au courant. Je vais prendre d'autres dispositions pour couvrir le front.

La soirée de ce premier dimanche de guerre avait été sinistre. Je l'avais passée sur la bicyclette de mon père à parcourir la ville. Les rues étaient désertes, les gens devaient être chez eux, l'oreille collée à leur poste de radio. À deux reprises je m'étais fait arrêter par des patrouilles de police. C'étaient elles qui m'avaient informée qu'un couvre-feu avait été instauré et qu'après vingt-deux heures toute personne surprise à circuler sans un laissez-passer serait considérée comme suspecte et appréhendée.

Les réverbères n'avaient pas été allumés à la tombée du soir. Très curieusement, aucune fenêtre ne s'était illuminée non plus, de sorte que la ville s'était trouvée plongée dans la nuit petit à petit et durant quelques minutes je m'étais demandé si tous les habitants n'avaient pas fui avant de deviner qu'il devait être désormais interdit d'éclairer les maisons. Mais pourquoi ? Que craignait-on ?

— Une attaque aérienne, m'avait glissé papa, mais chut ! pas un mot, ta mère est déjà suffisamment nerveuse comme ça.

J'étais rentrée peu avant vingt-deux heures et j'avais découvert papa tassé sur une chaise devant un verre de vin, la masse sombre de son corps se découpant dans le halo d'une bougie, les rideaux de la salle à manger soigneusement tirés. Maman était déjà montée se coucher. Toute la journée ils avaient espéré des nouvelles d'Andrei, se relayant auprès du téléphone, en vain. Des rumeurs, en provenance de l'hôpital Saint-Spiridon vers lequel avaient été dirigés les premiers blessés, laissaient entendre que la résistance russe avait été plus dure que prévue, ce que démentait l'unique communiqué du grand état-major selon lequel « les opérations se déroulaient de façon satisfaisante, le Prut ayant été franchi par nos soldats ».

Le lendemain, toujours à bicyclette, j'étais allée faire un tour du côté de Păcurari, et comme je roulais dans ce quartier de villas coquettes dont les jardins surplombent les voix ferrées, j'avais été surprise de découvrir des croix accrochées aux portes d'entrée de certaines maisons, ou peintes sur les fenêtres. Les gens pensaient-ils être ainsi protégés des attaques aériennes ? Je m'étais fait la réflexion qu'il y avait dans la foi quelque chose de touchant, mais aussi d'étonnamment égoïste : « Seigneur, protégez-moi, faites que la bombe s'écrase sur la tête de mon voisin (qui ne croit pas en votre miséricorde) plutôt que sur la mienne. »

Tandis que je regagnais le centre et venais de longer le mur de l'ancien cimetière orthodoxe, roulant maintenant sous une haie de platanes, mon attention avait été attirée par un balcon sur lequel flottait le drapeau italien. Qui m'avait parlé récemment du consulat d'Italie ? Ah oui, Malaparte, bien sûr – les Italiens ne couraient pas les rues à Jassy. C'était donc ici qu'il avait dîné avec son ami, son ami... son nom allait me revenir.

Je m'étais arrêtée et j'essayais de regarder à travers la haie de troènes, quand une voix d'homme m'avait fait me retourner.

— Ah tiens, une jeune fille curieuse !

L'adresse aurait pu me faire sursauter, mais elle avait été lancée de façon si joviale que je souriais en me retournant. L'homme arrivait du trottoir d'en face et lui aussi souriait, rond, vêtu d'un costume de lin blanc et d'un chapeau de paille tressée également blanc, pointant sur moi sa canne.

— Oui, je me demandais si le consulat disposait d'un beau jardin...

— Ma foi... Il faudrait s'en inquiéter auprès du consul. Vous aimez donc les jardins ?

— C'est une drôle de coïncidence, hier je rencontre un Italien, et aujourd'hui, en me promenant, je tombe par hasard sur le consulat d'Italie. Je ne savais même pas qu'il en existait un, ici, à Jassy.

— Sinon, j'aurais pu vous faire visiter mon jardin. Sartori, mes hommages mademoiselle, je suis le consul.

— Sartori, voilà ! C'est le nom que je cherchais. Moi, c'est Eugenia Rădulescu. Hier soir j'étais avec M. Malaparte et justement...

— Malaparte est un ami, il a dû vous le dire. Entrez donc, nous allons nous rafraîchir, il fait déjà une chaleur assommante.

Il avait ouvert le portail, j'avais appuyé ma bicyclette contre un arbre du jardin et l'avais suivi jusqu'à son bureau. La maison était si abondamment meublée qu'il fallait se faufiler entre commodes et guéridons, eux-mêmes chargés de toutes sortes d'objets – flacons, services de porcelaine, cadres, statuettes, pendules...

— Ma mère est morte il y a quelques mois, Dieu ait son âme, et je n'ai rien touché depuis.

Manifestement, le consul avait pour habitude de se tenir dans son bureau où deux fauteuils de cuir étaient disposés dans un angle sous un abat-jour fané, à l'écart d'une table de travail sur laquelle s'amoncelait des dossiers.

— Asseyez-vous, je vous en prie. Marta va nous apporter à boire... En vous apercevant, tout à l'heure, avec votre bicyclette, vous ne pouvez pas savoir le bien que vous m'avez fait... C'était une si jolie scène ! Je me suis dit qu'on pouvait encore avoir vingt ans dans l'immense foutoir qu'est devenue l'Europe. À vrai dire, je ne croyais plus la chose possible.

— Merci ! Je suis heureuse de vous avoir donné le sourire.

— Mais que faites-vous donc à vous promener ? Vous ne savez pas que nous sommes en guerre ?

J'allais répondre, quand j'avais aperçu une étonnante photo accrochée à gauche de la fenêtre : le roi Carol II dominant de sa haute stature quelques personnalités en habit, dont M. Sartori, aisément reconnaissable à la rondeur de son visage.

— Mon Dieu, le roi ! C'était au palais ?

— En 1933, peu après mon arrivée. J'avais encore quelques cheveux sur la tête, comme vous pouvez le constater. Et vous voyez ici mon ami André d'Ormesson, l'ambassadeur de France. Rendez-vous compte : j'ai pris ce poste de consul en 1932 pour fuir ces imbéciles de fascistes, persuadé que la Roumanie resterait sous l'influence de la France, et voyez ce qu'elle est devenue – pire que l'Italie ! Mais je vous assène toutes ces horreurs sans même savoir ce que vous pensez... Allez-vous me dénoncer, Camelia ?

— Eugenia, monsieur, l'avais-je corrigé en éclatant de rire.

Il y avait chez lui une simplicité, une bonhomie, qui donnait envie de surenchérir. Depuis combien de mois vivions-nous dans la gravité, dans la peur du lendemain ? Et voilà qu'un homme avait gardé la faculté de plaisanter.

On avait frappé et Marta, qui pouvait avoir la soixantaine, longue et maigre, était apparue avec une carafe de citronnade et deux verres sur un plateau. Marta, que j'allais bientôt apprendre à aimer et qui m'avait à peine saluée ce matin-là.

— Moi, avais-je repris, je me dis en vous écoutant qu'on peut donc encore rire de ce qui nous arrive.

— Je vous fais rire... c'est bien, c'est bien. Et vous, vous me réconfortez. Dommage que vous soyez si jeune, et moi si vieux, si gros, n'est-ce pas ?

Il avait rempli nos verres en soufflant, gêné par son ventre.

— Connaissez-vous l'Italie, Eugenia ?

— Non.

— Eh bien je vous y invite. Savez-vous une chose ? J'ai donné ma démission, j'en ai assez vu, je rentre à Naples. Qu'on ne me parle plus de guerre – là-bas vous me trouverez dans mon canot en train de pêcher le rouget.

— Vous parlez sérieusement ?

— Est-ce que j'ai l'air de plaisanter ? Dans huit jours je ne serai plus là, un peu plus et nous nous rations !

Il m'avait observée un instant en souriant – deux grands yeux noirs liquides sous de lourdes paupières.

— Je déteste ce que ces imbéciles de fascistes ont fait de l'Italie, mais une fois sur mon canot je ne les entendrai plus. J'y pensais l'autre nuit : finalement, je suis heureux de n'avoir jamais rencontré aucune femme, à part ma mère, bien entendu. Vous devinez pourquoi ?

— Non.

— À l'idée qu'elle aurait pu me donner un fils et que ce fils aurait pu être fasciste. Un de ces sinistres crétins à chemise noire et béret. Sainte Vierge, bénie sois-tu !

Je lui avais parlé de Stefan – fallait-il que je me sente en confiance ! – m'interrogeant sur la question de savoir comment deux enfants issus des mêmes parents, ayant reçu la même éducation, pouvaient avoir des pensées, et des engagements, aussi radicalement opposés.

Il grimaçait en m'entendant évoquer la Légion, Codreanu, Horia Sima.

— Et vous, Eugenia, dans quoi vous êtes-vous engagée ?

— Si je pouvais, je m'enfuirais comme vous, je ne me reconnais plus en rien dans ce pays.

Nous avions repris un verre de citronnade, continué à bavarder, et quand je m'étais levée pour partir, lui aussi s'était levé et avait enfermé mes mains dans les siennes.

— Écoutez-moi bien, mademoiselle Eugenia, je vous l'ai dit, je suis encore là pour huit jours : si vous souhaitez un visa pour l'Italie, vous l'aurez. J'ai encore ce pouvoir de vous faire entrer légalement dans mon pays. De là, qui sait, je pourrais peut-être vous aider à gagner l'Amérique.

Il m'avait raccompagnée jusqu'à mon vélo et nous nous étions quittés sur ces mots – lui aussi calme et souriant qu'un bouddha, moi saisie de vertiges. Quarante-huit heures plus tôt j'avais dit à Andrei qu'à sa place j'essaierais de quitter le pays, mais que ce n'était qu'un rêve, des mots en l'air, or soudain le rêve pouvait devenir réalité. Il ne dépendait que de moi de le décider.

Non, de Mihail aussi. Tout en pédalant, j'avais construit le film : annoncer à Mihail que j'avais un plan pour partir, le faire venir ici, à Jassy, entre-temps retourner voir Sartori pour l'informer que nous serions deux – refuserait-il un second visa ? Non, il n'était pas homme à ratiociner – ah oui, mais quand il découvrirait que le second était un juif ? Nous n'avions rien dit des juifs. Mais non, s'il détestait les fascistes, la Légion, il ne pouvait pas détester également les juifs. Et comment partirions-nous ? Par quelle route ? Y aurait-il encore des avions pour l'Italie ? Les trains circuleraient-ils ? Sartori devait être au courant, au besoin nous voyagerions avec lui – quelle meilleure assurance que d'être sous l'aile du consul en personne !

Mihail répondrait-il cette fois ? La veille au soir, le téléphone avait sonné dans le vide – celui de ma chambre de Bucarest où j'espérais le trouver. Depuis mon arrivée à Jassy je n'avais plus eu aucune nouvelle de lui.

À mon retour, toutes les boutiques de la rue Lăpuşneanu étaient ouvertes et il y régnait la même animation qu'à l'ordinaire. Qui aurait pu croire que nous étions en guerre ? Un embryon de file d'attente s'était même formé devant la pharmacie Mayer, comme si l'on craignait une pénurie de médicaments – mais non, les gens se pressaient également dans notre magasin et pourtant l'on savait bien que jamais le vin ne manquerait à Jassy.

J'avais adressé un bref salut à mes parents à travers la vitrine avant de monter téléphoner. Personne à la maison, le moment était idéal.

Et Mihail avait décroché.

J'étais si émue en reconnaissant sa voix que j'étais restée muette durant un instant, la gorge nouée.

— C'est moi. Quel bonheur de vous entendre, Mihail.

— Êtes-vous déjà à Chişinău avec nos soldats ?

— Non, je vous expliquerai. J'ai peur que la communication soit coupée alors je vais vite à l'essentiel : j'ai la possibilité de nous avoir des visas pour l'Italie, et de là nous pourrions gagner un pays où nous serions libres, où vous ne seriez plus en danger.

Un silence. Je l'écoutais respirer.

— Je vous l'ai déjà dit, Eugenia, je ne partirai pas.

— J'ai peur que vous n'ayez bientôt plus aucun espace.

— Je mourrais plus sûrement ailleurs qu'ici.

— Pourquoi dites-vous ça ? Pourquoi mourriez-vous en Amérique ? Je ne comprends pas.

— Si, je sais que vous comprenez, mais vous ne voulez pas l'entendre.

— Je vais… Je vais essayer de l'entendre alors. Oublions cela. Donnez-moi vite de vos nouvelles.

— Depuis hier je suis dans votre chambre. J'écris. Merci, vous me sauvez. Je ne sors pratiquement plus, Rosetti me porte de quoi manger, tout va bien. Et vous ?

Comme je commençais à parler, la communication avait été interrompue et je n'avais pas tenté de le rappeler. C'était une chance, cette coupure : son refus avait ébranlé le peu de foi que j'avais en nous. Pas une seule seconde il ne nous avait envisagés ensemble, en Italie ou ailleurs – non, il n'y avait rien à discuter, lui ne quitterait pas la Roumanie parce qu'il n'y avait qu'en Roumanie, dans ce pays où chaque jour se levait pour lui une nouvelle menace, qu'il pouvait écrire. C'est ce que je devais m'efforcer de comprendre. Quant au reste, il s'en fichait.

Je viens d'arrêter moi-même d'écrire. J'allume une cigarette et je feuillette son *Journal* de l'année 1941, à l'époque à peu près de ce coup de fil :

> Cette guerre, avec l'angoisse permanente qu'elle entraîne, a occulté mes vieilles infortunes personnelles, les a remisées à l'ombre. Pourtant, quand je m'en approche à nouveau, elles font encore mal. D'une certaine façon, par une substitution de malheurs, la guerre m'a un peu éloigné de moi et de mes horribles secrets. De plus, elle m'a donné des raisons de vivre et d'attendre – à moi, qui depuis tant d'années n'attendais plus rien.

Ses « horribles secrets ». Que veut-il dire ? Évoque-t-il ce que j'ai deviné de son impuissance à aimer ? De sa peur des femmes qui le poussait à vouloir conquérir celle qui justement était inaccessible ? Toute son œuvre est traversée de cette quête : que tombe un jour du ciel « l'Étoile sans nom ». Il rêvait une femme, mais il fuyait toutes les autres au quotidien. La guerre le soulageait provisoirement de cette douleur, au profit d'une préoccupation bien terre à terre et parfaitement avouable – survivre. Il n'avait aucune envie de s'en éloigner pour se retrouver de nouveau confronté à lui-même.

20

Soudain, le mardi 24 juin dans la soirée, tandis que nous finissions de dîner à la lueur d'un chandelier, nous avions entendu le vrombissement lointain d'un avion. Puis le bruit avait enflé, ils devaient être au moins trois, peut-être plus, et ils approchaient.

— Mon Dieu, ça y est ! avait soufflé maman.

Curieusement, papa ne l'avait pas contredite, et il avait même eu un geste d'agacement pour la faire taire.

Il voulait écouter, qu'elle le laisse écouter, et il semblait ne pas en croire ses oreilles. Les avions approchaient, oui. Se pouvait-il vraiment que ce soient les Russes ? Le front n'était qu'à soixante-dix kilomètres mais que les Russes osent venir nous menacer jusque dans nos maisons nous paraissait tout simplement extravagant. Puis ils furent là, et ils volaient à si basse altitude, ils étaient passés si près de nos cheminées que les vibrations de leurs moteurs s'étaient répercutées jusque dans le vaisselier où les verres s'étaient mis à tinter ridiculement.

Ils étaient passés. Ils s'éloignaient.

— Ça va, ils continuent, ce sont les nôtres.

Mais papa avait à peine fini sa phrase qu'une explosion avait fait trembler les vitres de la salle à manger et sans doute brisé quelques verres dans le vaisselier. La bombe n'était pas tombée loin, peut-être sur la place Unirii, ou en contrebas, vers la gare.

— À la cave, vite ! avait ordonné mon père, retrouvant ses réflexes de 1917. Eugenia, prend le chandelier et éclaire-nous.

Le hurlement des sirènes nous avait cueillis dans l'escalier tandis que nous prenions garde à ne pas rater une marche dans les jeux d'ombre et de clarté dispensés par les bougies. Manifestement, les autorités militaires avaient été prises de court. Elles avaient institué le couvre-feu mais elles ne devaient pas croire en une riposte des Russes. Ne disait-on pas qu'ils n'avaient que de vieux appareils en bois et toile datant de la précédente guerre ?

Au matin, on ne parlait que de cette attaque aérienne. Les commerçants de la rue Lăpuşneanu étaient tous sur les trottoirs, se mêlant aux premiers badauds pour échanger leurs impressions. On se disputait sur le nombre d'avions, certains en avaient compté trois, d'autres six, on disait que l'un d'entre eux avait été abattu par la DCA allemande et s'était écrasé sur les collines, au-dessus de Păcurari, mais tous convenaient qu'une seule bombe avait touché la ville, tombée sur la raffinerie de pétrole de Nicolina qui avait brûlé une partie de la nuit.

J'avais enfourché ma bicyclette pour descendre aussitôt à Nicolina, un quartier industriel, le long des voies ferrées, où vivaient beaucoup d'ouvriers dans des maisons basses à peine plus confortables que celles de Târgul Cucului. Il y régnait une invraisemblable confusion : des policiers et des militaires tentaient de se frayer un passage parmi les habitants sortis en pyjama dans les rues avec leurs enfants. Beaucoup avaient dû passer la nuit dehors à regarder les pompiers lutter contre les flammes. Les pompiers qui étaient toujours présents, leurs camions ajoutant à l'embouteillage.

On disait qu'un homme était mort, que plusieurs autres avaient été blessés. J'avais tenté de m'approcher du lieu de l'incendie, jusqu'à me trouver prisonnière de la foule, ne pouvant plus ni avancer ni reculer. Alors seulement, juchée sur ma selle, j'avais pris le temps de mieux observer ce qui se passait autour de moi. En réalité, les policiers et les militaires ne se frayaient pas un passage parmi les habitants, non, c'était au contraire les habitants qui les précédaient pour leur désigner telle ou telle maison. Et d'ailleurs, si nous étions immobilisés, c'était que la police venait d'entrer dans une de ces maisons et qu'à présent la foule attendait de voir qui allait en sortir.

— Pourquoi la police s'intéresse-t-elle à cette maison en particulier ? avais-je demandé à ma voisine qui portait un enfant dans les bras.

— Des youpins.

— Mais ce ne sont pas eux qui ont mis le feu à la raffinerie !

— Et comment la bombe elle est tombée en plein dessus ? Tu crois que c'est la chance qui l'a guidée ?

Une minute plus tard, peut-être, toute une famille était apparue sur le seuil de la maison, poussée par des policiers – le père et le grand fils, les bras en l'air, suivis par une femme qui tenait par la main une fillette d'une dizaine d'années.

Aussitôt des insultes avaient fusé, « Traîtres ! », « Salauds de communistes ! », « Racaille ! », et des cailloux leur avaient été lancés dont ils s'étaient protégés tant bien que mal.

La famille avait été emmenée, la foule avait suivi et je m'étais laissé volontairement distancer. Qu'est-ce qu'ils supposaient donc ? Que le père et le fils attendaient les avions et les avaient guidés avec des flambeaux pour que le pétrole, si nécessaire à nos armées, soit détruit ? Mais comment auraient-ils pu les guider sans être vus, en plein couvre-feu, alors que la police était partout présente et qu'elle avait reçu l'ordre de tirer sur les fenêtres qui laissaient filtrer la moindre lumière ? C'était idiot. Ce n'était encore qu'un nouveau prétexte pour jeter la suspicion sur les juifs.

La scène m'avait laissé une émotion, ou une colère, que je ne parvenais pas à endiguer. Je tremblais. J'avais dû descendre de bicyclette et m'asseoir sur le bord du trottoir. Comment les gens pouvaient-ils croire... Et moi, comment avais-je pu, à seize ou dix-sept ans, ne rien trouver d'anormal à ce qu'un juif de mon âge se fasse massacrer à coups de pied sur le trottoir ? Comment avais-je pu penser à un moment de ma vie que les juifs n'étaient pas nos égaux, qu'ils n'étaient pas des êtres à part entière, qu'on pouvait les frapper impunément, voire les tuer ? Comme s'ils n'étaient pas plus que des chiens, finalement. Si je n'avais pas rencontré Irina, se pourrait-il que je sois aujourd'hui parmi cette foule à les insulter ?

Nous croyons aveuglément en la parole de nos parents, et plus tard nous la reprenons à notre compte pour la transmettre à nos enfants. Pourquoi est-il si difficile d'aller contre cette parole, de s'éveiller au doute, puis petit à petit à la conscience d'une « vérité » différente ?

La foule avait tourné sur la droite et la rue s'était presque entièrement vidée. C'est alors qu'en levant les yeux, toujours assise sur le trottoir, j'avais remarqué qu'une croix était peinte sur la porte d'entrée de la maison qui me faisait face. Ah tiens, comme à Păcurari. Et sur la maison d'à côté également. J'avais dû soupçonner quelque chose car je m'étais relevée pour parcourir la rue en poussant ma bicyclette. En fait, la plupart des maisons étaient marquées d'une croix, mais celle des juifs qui venaient d'être arrêtés ne l'était pas. Ça ne pouvait pas relever d'un subit élan collectif des chrétiens pour une quelconque protection divine, comme je l'avais cru – la consigne avait dû leur être donnée de se signaler, j'en étais maintenant convaincue, afin qu'on puisse distinguer leurs maisons de celles des juifs.

Se pouvait-il qu'un ordre ait été rédigé en ce sens ? J'allais retourner à la questure pour en avoir le cœur net. Et cette fois je ne me laisserais pas intimider par l'homme à la chemisette, j'exigerais qu'on me présente l'ordre écrit et j'en transmettrais le texte à M. Hurtig. Aussi bien, il était signé du commandant de la place, le colonel Lupu luimême. J'étais en plein effort pour remonter vers le centre-ville, arc-boutée sur mes pédales, quand soudain la conscience de mon inanité m'avait arrêtée net : pourquoi me focaliser sur cette affaire de croix quand les affiches accusant les juifs de cacher des soldats russes sous leurs caftans couvraient les murs de la ville ? Les affiches étaient ce qu'on pouvait imaginer de pire pour les juifs, et elles n'auraient pas pu être posées sans l'accord du colonel Lupu.

Non, la priorité était maintenant de courir à Păcurari vérifier la rumeur selon laquelle un des avions russes aurait été abattu. Aussitôt j'avais repris ma course, prenant sur la gauche pour contourner la gare et rejoindre la strada Păcurari, sans doute la plus longue rue de Jassy. Puis j'avais bifurqué pour repasser sous les platanes, devant le consulat d'Italie, avant d'emprunter le large boulevard en direction des collines. Le cimetière juif se trouvait sur la pente de l'une d'entre elles. Du boulevard, on devinait les centaines de stèles plantées de guingois et le mur d'enceinte qui découpait un vaste rectangle au milieu d'une terre jaune et nue parcourue de veinules sombres creusées par la pluie.

La ville s'arrêtait là. Rien n'indiquait une présence insolite sur les reliefs et j'avais cherché des yeux auprès de qui me renseigner. Ah, voilà, peut-être ce paysan qui venait vers moi tenant par la bride un cheval attelé.

— Dites, on m'a dit qu'un avion russe était tombé par là…

— Et toi aussi tu veux le dépouiller ?

— Oh non, juste le voir pour être certaine que ce n'est pas un bobard.

— Dans le creux, derrière le cimetière. Un peu plus et il s'écrasait sur les tombes. Y'aurait plus eu qu'à les mettre en terre avec les youpins, les petites.

De quelles petites parlait-il ? Il avait continué son chemin et moi j'avais entrepris de grimper vers le cimetière par le seul sentier carrossable qui y menait. On devait passer sous une arche de pierre édifiée en 1881 à la mémoire d'un certain Georges Gratz, généreux donateur de cette colline vouée à l'inhumation des juifs. Le cimetière lui-même était bien plus haut et je le contournais, poussant ma bicyclette sous le soleil brûlant de midi, quand enfin j'avais aperçu un attroupement en contrebas.

En m'approchant, risquant à chaque instant de tomber, emportée par le poids de mon vélo, j'avais commencé à distinguer certains détails de la scène : l'avion était un biplan, étonnamment petit, il reposait sur le flanc, dressant vers le ciel ses ailes droites tandis que les gauches s'étaient brisées. Des gens s'affairaient sur le fuselage et d'autres étaient autour, occupés à gratter la terre, aurait-on dit. Des Tsiganes. Les Tsiganes sont aisément reconnaissables à leurs vêtements colorés, n'est-ce pas, eux aussi constituent aux yeux des Roumains une population de second rang, comme les juifs, mais avec cette différence qu'ils ne cherchent pas à s'immiscer dans quoi que ce soit, qu'ils semblent se satisfaire de leur misérable condition et qu'ils acceptent volontiers les tâches les plus dégradantes, les plus pénibles, sachant qu'ils pourront en tirer un profit quelconque. Lors du séisme de novembre 1940, à Bucarest, ils avaient été bien utiles pour déblayer les gravats, en sortir les derniers cadavres, et ils s'étaient payés de leur peine en emportant ce qu'ils trouvaient. Qu'un immeuble s'effondre, qu'un train déraille, qu'un avion tombe, et ils accourent.

Enfin, j'étais arrivée, et il m'avait fallu un instant pour admettre ce que je voyais : les pilotes étaient deux femmes, deux « petites », comme l'avait dit le paysan. L'une était encore attachée dans le cockpit, sa tête enveloppée de cuir tombant sur le côté, mais ils avaient sorti l'autre et ils finissaient de la déshabiller – son blouson, ses lunettes, ses bottes, son ceinturon, ses gants, son portefeuille, tout cela reposait en tas à côté de son corps à moitié nu. Et maintenant ils tentaient d'extraire sa compagne, plongeant leurs mains dans l'habitacle pour défaire les sangles qui la retenaient. Dans le même temps, les enfants ramassaient certains débris de l'avion qu'ils enfournaient dans des sacs à pommes de terre.

Comme ma présence ne semblait pas les déranger, je m'étais approchée de la morte, tenant toujours ma bicyclette : elle devait être plus jeune que moi, un visage d'enfant aux joues pleines dont les boucles châtaines coupées court portaient encore l'empreinte du casque. De retour de mission, elle aurait passé sa main dans ses cheveux pour leur donner du volume, mais là personne n'y avait songé et j'avais été tentée de le faire. Entre-temps, ils avaient sorti la seconde du cockpit, ils riaient en la tirant par les aisselles, ayant pris soin de lui retirer ses bottes, et je m'étais enfuie de l'autre côté du fuselage. Non, ça je ne voulais pas le voir.

La rumeur ne mentait pas : les Russes escomptaient donc affronter la DCA allemande, et les terrifiants Messerschmitt, avec des avions en toile qui avaient facilement plus de vingt ans. Celui-ci était un petit monomoteur comme on en voyait voler certains dimanches au-dessus de l'aérodrome de Băneasa, à Bucarest, et j'étais prête à parier que l'une des deux filles avait embarqué la bombe sur ses genoux et l'avait larguée à la main au-dessus de la raffinerie, comme un enfant lâchant par la fenêtre une courgette sur la tête d'un voisin irascible. L'état-major russe devait bien savoir qu'il les envoyait à la mort, et elles-mêmes devaient être volontaires pour mourir au nom de la haute idée qu'elles se faisaient du communisme, de l'humanité. Soudain le visage d'Irina m'était apparu – elle l'aurait fait, elle aurait été volontaire, j'en étais certaine. Et nul besoin des juifs pour désigner les cibles, ces avions-là volaient si bas, et à si faible allure, que leurs pilotes auraient pu compter le nombre de tuiles sur nos toits.

Je redescendais du cimetière juif, et j'allais tourner sur le boulevard, quand j'étais tombée sur l'un de ces sinistres cortèges déjà croisés à Bucarest : un groupe d'hommes silencieux qu'encadraient des policiers et des civils. Ces derniers n'arboraient aucun signe particulier et cependant je les avais immédiatement reconnus comme des légionnaires, ces voyous recyclés dans le SSI. Les juifs raflés – une trentaine – portaient des pelles et des pioches, non pas sur l'épaule, mais à la façon de cannes, sans doute pour qu'ils n'aient pas la tentation de s'en servir comme d'une arme. Où les conduisait-on ? J'avais discrètement rebroussé chemin pour les suivre de loin. Puis, voyant qu'ils prenaient la direction du cimetière, j'avais renoncé à les accompagner.

Je me rappelle ce que je m'étais raconté pour choisir de les abandonner : qu'on les emmenait nettoyer le pourtour des tombes et les allées. Que tout cela était anodin. Un jour d'hiver, à Bucarest, j'avais croisé un contingent de juifs raflés parmi lesquels figurait Benu, le frère de Mihail, et le lendemain j'avais appris qu'on les avait réquisitionnés pour déneiger les abords de la gare, avant de les renvoyer chez eux. Si on conduisait ceux-ci au cimetière avec des outils de jardinage, je pouvais être tranquille, rien de grave ne leur arriverait.

Aujourd'hui, je sais que si je les avais suivis j'aurais eu l'annonce de ce qui allait survenir. Car ils n'allaient pas nettoyer les tombes et les allées, non, ils allaient creuser des fosses profondes, des fosses de plusieurs mètres de long dans lesquelles on les enfouirait bientôt, avec des centaines d'autres.

J'avais dû cependant avoir un mauvais pressentiment car je m'étais sentie sans force, gagnée par un désarroi que j'avais attribué au souvenir des deux petites mortes de l'avion, à la disparition d'Irina qui de nouveau m'avait dévastée – combien ses mots me manquaient, je l'aurais suivie, je me serais reposée sur elle, je n'en pouvais plus de devoir décider toute seule, de ne pouvoir compter que sur moi-même dans cette Europe qui semblait être tombée dans la main du diable. J'aurais voulu pleurer, voilà, qu'on me prenne dans les bras, qu'on me dise que ce n'était qu'un moment, que demain je verrais les choses avec moins de noirceur, que la vie, bien sûr, valait la peine d'être vécue.

Et c'est dans cet état que je m'étais retrouvée devant le portail du consulat d'Italie. Comme si l'espoir habitait là, sous le drapeau italien flottant sur le balcon.

J'avais tiré sur la cloche et c'est Marta qui était venue m'ouvrir.

— Pardonnez-moi de vous déranger, je suis... mais vous me reconnaissez, n'est-ce pas ?

Avait-elle vu que ça n'allait pas ? Un éclair de compassion avait traversé son regard.

— Entrez, mademoiselle. Le consul est bien occupé, mais il va vous recevoir.

Sartori était en bras de chemise, exhibant son gros ventre au milieu des bibelots de sa mère qu'il enveloppait dans du papier journal avant de les placer dans des caisses.

— Eugenia ! Quelle heureuse surprise ! Eh bien, tiens, vous allez déjeuner avec nous.

— Alors ça y est, vous partez...

— Mais vous n'allez pas pleurer quand même !

— Si je pouvais, je pleurerais, si. J'ai peur de tout ce qui va arriver, et je suis là comme une idiote à parcourir la ville à bicyclette dans tous les sens... Je me sens tellement impuissante, inutile. Je ne sais même pas ce que je cherche.

— Venez, allons dans la cuisine, vous allez manger quelque chose et ça ira mieux.

La cuisine était presque aussi vaste que le salon, elle ouvrait sur le jardin par une porte vitrée et Marta y avait imposé son austérité : ici, pas de bibelots, rien qui ne soit indispensable, de sorte qu'arrivant des autres pièces on éprouvait du soulagement à pénétrer dans le dénuement de celle-ci.

— Je vous rencontre, avais-je dit, et déjà vous partez.

Nous occupions l'angle de la table. J'aurais voulu qu'il me parle, j'étais prête à croire ce qu'il allait me dire, mais justement il se taisait, il semblait embêté de me voir dans cet état tout en surveillant du coin de l'œil Marta qui finissait de préparer le repas et allait nous rejoindre.

— Je n'ai personne ici, à Jassy, auprès de qui je me sens en confiance comme avec vous. Peut-être est-ce que je me trompe complètement, mais à l'instant où je vous ai vu avec votre canne et votre sourire, j'ai su que j'allais pouvoir compter sur vous.

Marta avait posé devant nous différentes petites salades italiennes dans des ramequins de terre cuite – tomates séchées, poivrons, aubergines, olives, et aussi de minuscules saucisses épicées chaudes sur un lit de polenta, ce que voyant Sartori avait débouché le vin et rempli nos verres.

— Dites-moi quelque chose. S'il vous plaît.

— Eugenia, nous ne pouvons rien contre l'emballement collectif, contre le fanatisme, contre la bêtise. C'est un torrent qui emporte tout sur son passage et dont nous commençons seulement à éprouver les premiers dommages. Je ne sais pas quand viendra la décrue, et après combien de milliers de morts, voire de millions. Je ne sais même pas s'il y aura une décrue. Dès lors notre bonheur, si le mot a encore un sens, notre survie en tout cas, dépend de notre capacité à nous détacher. Soit nous sommes une goutte d'eau du torrent et nous participons avec allégresse à la tuerie, soit nous désertons la bataille et partons pêcher le rouget dans la baie de Naples. Mais il n'y a pas d'autre choix possible : si nous restons sur les berges pour tenter de protester, ou de sauver quelques brindilles, nous serons emportés avec elles.

— Ce sont les juifs que vous appelez des brindilles ?

— Ce sont tous ceux qui font office de boucs émissaires dans les grandes orgies de la bêtise collective. Les boyards russes en 1917 comme les juifs aujourd'hui.

— Vous ne diriez pas que pour sauver un seul juif ça vaut la peine de rester ?

— J'ai perdu le goût du sacrifice, Eugenia.

Il avait posé sa fourchette pour caresser furtivement le dos de ma main.

— J'ai conscience qu'il ne me reste plus trop d'années, et j'aime tellement la vie ! Si je vous avais rencontrée plus tôt, peut-être m'auriez-vous convaincu de la risquer, pour vous séduire, pour de mauvaises raisons en somme, mais là je vais les laisser s'entre-tuer sans moi.

— Ça ne m'aide pas du tout ce que vous me dites.

— Je suis un vieil égoïste et vous êtes un cœur pur. N'est-ce pas, Marta ?

La cuisinière nous avait considérés tranquillement, l'un, puis l'autre.

— La demoiselle ne peut pas croire que le monde soit devenu aussi mauvais, tandis que vous, monsieur, vous y êtes résigné depuis longtemps.

— Voilà, c'est un bon résumé de la situation.

Et, après un silence :

— Je ne vais pas choisir votre destin à votre place, Eugenia, mais sachez que mon offre de visa tient toujours, et jusqu'au dernier moment.

— Merci.

Après ça, il m'avait raconté comment il avait connu Malaparte, en 1917, qui ne s'appelait pas encore Malaparte, d'ailleurs, mais Suckert, de père allemand et de mère italienne. Suckert et Sartori avaient devancé l'appel et s'étaient retrouvés affectés au 51e régiment d'infanterie de la brigade des Alpes qui avait magnifiquement tenu tête aux Autrichiens sur le front des Dolomites – « Une effroyable boucherie, Eugenia, dont je préfère vous épargner les détails » – et j'avais compris pourquoi je ne devais rien attendre de plus de Sartori. À dix-sept ans il avait cru en la nécessité de mourir, cette seconde guerre ne l'y reprendrait pas.

L'après-midi était bien avancé lorsque nous nous étions séparés. Je pensais ne jamais revoir le consul et, retraversant la ville dans l'autre sens, un lourd sentiment de solitude s'était ajouté à mon désarroi. Si Andrei avait été là, je lui aurais demandé de m'accompagner au café Corso et nous aurions fumé en parlant des auteurs que nous aimions – il recopiait dans ses cahiers des passages entiers qu'il me lisait et qui souvent faisaient écho à ma tristesse du moment. Je n'étais plus seule, un autre avait vécu cela avant moi et su trouver les mots pour l'exprimer. Souvent, comme je marchais dans la rue, à mon tour, je me mettais à écrire, mais en pensée, sans avoir rien prémédité. Cela pouvait être si intense que je devais m'asseoir sur un banc, le cœur soudain trop à l'étroit, sortir rapidement de mon sac carnet et stylo et écrire, écrire, mais bientôt le flamboiement s'épuisait et les quelques phrases qui m'avaient paru si belles, si prometteuses, se révélaient d'une pâleur décevante. Cependant, je ressentais de façon de plus en plus pressante le désir de m'abstraire par moments de toute cette agitation pour la reconsidérer dans le silence, en sauver quelques fragments, comprendre pourquoi tel événement m'avait si profondément touchée tandis que telle réflexion, ou tel regard, avait éveillé en moi du dégoût ou de la peur. Comment pouvait-on cheminer dans la vie sans se retourner ? Et se retourner, c'était écrire. Mais pourquoi écrire était-il si difficile quand parler ne réclamait aucun effort ? Pourquoi restituer un sentiment fugace, de façon qu'il resurgisse à chaque lecture, représentait-il un véritable défi ? Comme si les mots mettaient toute la mauvaise volonté du monde à rendre compte de ce qui nous agitait.

Mais non, les mots n'y étaient pour rien puisque les écrivains qu'Andrei et moi aimions parvenaient à exprimer toutes les nuances de nos états d'âme. Les mots, comme le violon, obéissaient à celui qui savait en jouer, c'était moi qui ne savais pas en jouer, c'était moi qui semblais condamnée à me débattre dans le flot ininterrompu de mes pensées sans parvenir à en faire quoi que ce soit.

Tandis que je songeais à tout cela, pédalant dans les faubourgs de Jassy étonnamment silencieux à cette heure de la journée, je m'étais souvenue du cahier de Malaparte ouvert sur le bureau. Lui réussissait à conjuguer sa présence dans le mouvement de la vie, dans le mouvement de la guerre en l'occurrence, avec l'écriture. Lui réussissait à faire une œuvre de ce qu'il voyait, entendait et ressentait. Et je l'avais laissé partir sans lui demander de me lire quelques pages de son cahier… Moi, de cette soirée où j'avais vu surgir les trois vieux juifs sous leurs caftans dégoulinants, je n'avais pas écrit une ligne. J'avais partagé leur inquiétude, mais je n'avais pas écrit une ligne. Alors pourquoi est-ce que je continuais d'être là à sillonner la ville ? Pourquoi est-ce que je ne m'enfuyais pas avec Sartori puisque je n'étais bonne à rien ? « Un cœur pur », avait-il dit ; une idiote, oui. Les juifs n'avaient rien à faire de mon apitoiement.

C'était la guerre, Andrei devait être dans le feu et la poussière aux portes de Chişinău, Stefan à Berlin, avec son ami Sima, dans la suite du Grand Hôtel Esplanade qu'avait mise à leur disposition M. Goebbels (une lettre de Stefan était arrivée pour nos parents), les deux petites Russes étaient mortes, les juifs se terraient, mais rue Lăpuşneanu les Mayer continuaient à vendre des médicaments en quantité et les Rădulescu à écouler leurs bouteilles de vin et de champagne français.

J'avais profité du téléphone de Sartori pour rapporter à M. Hurtig la première alerte aérienne, l'avion abattu, la raffinerie en feu, la colère dans le quartier de Nicolina, le soupçon qui pesait sur les juifs et mon inquiétude grandissante.

— Les faits, Eugenia, seulement les faits. Une famille juive arrêtée, quatre personnes, c'est entendu. Essayez de savoir ce qu'on a fait d'eux. Je comprends votre émotion, mon petit, mais votre émotion n'est pas une information.

Et maintenant j'avais hâte d'être seule, dans le silence de ma chambre. Durant tout le chemin du retour, le visage du garçon m'était apparu. Je le chassais mais il revenait. Un visage allongé aux yeux creusés, des cheveux noirs et lourds. Si je redescendais la ruelle de terre depuis la synagogue, il apparaîtrait de nouveau, j'en étais sûre. J'avais été tentée de le faire, tentée au point d'en perdre le souffle. Oui, mais qu'est-ce que je lui dirais ? Eh bien que je n'avais pas cessé de penser à lui. Je m'étais entendue le dire tout haut dans le vent de la course : je n'ai pas cessé de penser à vous, je n'ai pas cessé de penser à vous. Après ça, toujours pédalant, je lui avais demandé si lui aussi. La première fois vous étiez ému, n'est-ce pas, vous respiriez vite. Vous étiez beau, vous ne pouvez pas savoir comme je vous ai trouvé beau ! Il répondrait que lui aussi, que lui aussi avait beaucoup pensé à moi, en dépit de la menace, de la nécessité de devoir rester derrière ce cabanon à monter la garde. Alors nous nous approcherions l'un de l'autre et nous nous toucherions la main. Un moment nous resterions à nous regarder sans oser recommencer. Puis je lui proposerais de m'accompagner. Je dirais : « Demain, nous ne savons pas où nous serons, mais aujourd'hui nous sommes vivants. Venez ! Venez vite ! » Chaque minute de vie est à saisir. Je l'emmènerais dans la maison de Malaparte, derrière le Jockey Club. Nous bloquerions la porte d'entrée avec une commode ou je ne sais quoi d'autre. Dans la chambre je me déshabillerais, et lui aussi se mettrait nu. Enfin il me prendrait dans ses bras, enfin je respirerais l'odeur de sa peau, sous les cheveux, derrière l'oreille, et à l'instant où je sentirais son sexe me pénétrer, je jouirais. Je jouirais vite, trop vite, du plaisir indicible de lui appartenir.

J'avais hâte d'être seule pour écrire ce que je n'avais pas osé faire : aller chercher Sami à Târgul Cucului et lui demander de me faire l'amour.

21

J'étais enfermée dans ma chambre depuis la veille, tantôt assise à ma table, tantôt à ma fenêtre, déconcertée par mon impuissance – comment, de mon désir pour Sami, n'avais-je rien su écrire ? Pas une phrase qui soit à la hauteur du rêve qui m'avait tenue éveillée une partie de la nuit – quand nous avions entendu les sirènes hurler dans le grand ciel d'été de Jassy.

J'avais bondi à ma fenêtre. Dans la rue, les gens s'étaient mis à courir, ils s'enfuyaient des magasins, ils évitaient de justesse ceux qui couraient dans l'autre sens, et déjà les commerçants abaissaient leurs rideaux métalliques – Mme Walser, la coiffeuse, M. et Mme Mayer, les pharmaciens, M. Kane, l'épicier, M. Jonescu, le libraire, papa et maman… S'ils avaient eu l'idée de lever le nez, ils m'auraient vue accoudée juste au-dessus de leurs têtes, mais ils avaient trop hâte de se mettre à l'abri et ils me croyaient partie depuis longtemps, de sorte que je n'avais pas bougé de mon perchoir.

Une minute plus tard, peut-être, les avions russes avaient surgi de l'azur, formant comme un essaim de frelons dans la brume matinale avant de gagner petit à petit en netteté et d'occuper bientôt toute la largeur du ciel. La radio de Bucarest avait annoncé que la totalité de l'aviation soviétique avait été détruite au sol par la Luftwaffe qui avait su profiter de l'effet de surprise du « Blitzkrieg » (inconnu trois jours plus tôt, le mot était à présent sur toutes les lèvres), mais les pilotes allemands avaient dû oublier quelques appareils car ceux-ci étaient de véritables bombardiers, noirs, métalliques, hérissés d'hélices et de mitrailleuses, sans aucun rapport avec le petit avion de plaisance des deux jeunes filles tuées.

Longtemps les sirènes avaient couvert le bruit des moteurs, mais quand elles s'étaient tues le vrombissement était rapidement devenu assourdissant, vrillant les murs des maisons, pénétrant le cœur des hommes, nous donnant le sentiment que l'air se comprimait soudain, qu'il se densifiait au point de devenir solide et pratiquement irrespirable. Les bombardiers volaient à si basse altitude que lorsque les premiers m'avaient survolée j'avais pu voir les pilotes et songé qu'eux aussi avaient dû me voir. Dans les secondes qui avaient suivi leur passage, les premières explosions avaient fait trembler le sol et l'enseigne de la pharmacie Mayer s'était décrochée d'un côté pour venir subitement se balancer devant le rideau métallique du magasin. D'autres choses allaient-elles nous tomber sur la tête ? Oui, quelques tuiles de notre toit m'avaient évitée de peu et, un instant plus tard, les vitres du réverbère, au-dessus du banc, avaient éclaté sans que je comprenne pourquoi. Il est vrai que les explosions se multipliaient en ville et que certaines déflagrations provoquaient un tel souffle qu'on pouvait croire que les toits allaient se soulever.

Puis la vague était passée, le grondement s'était éloigné et les appareils avaient poursuivi sur Bucarest, devions-nous apprendre le lendemain par les journaux, sans être inquiétés le moins du monde car les trois ou quatre chasseurs de tête russes, des Yakovlev, précisaient les journaux, avaient commencé par mitrailler les soldats de la DCA allemande, donnant le sentiment qu'ils étaient parfaitement informés de leurs positions.

À l'orage des avions avaient succédé les sirènes affolées des ambulances et des pompiers. Sans attendre que l'animation reprenne dans notre rue, qui n'avait pas été touchée, j'étais repartie à bicyclette à travers la ville. Le bilan de cette deuxième attaque aérienne s'était révélé catastrophique au fil de la journée : une aile de l'hôpital Saint-Spiridon avait été atteinte, une école qui servait de cantonnement à un bataillon de la Wehrmacht était en feu, le central téléphonique de la ville était anéanti et plusieurs bombes s'étaient abattues sur des habitations des quartiers populaires de Tătărasi, Socola, Nicolina, Galata, Păcurari... Le soir, on estimait à un millier le nombre de tués et à cinq ou six fois plus celui des blessés.

Cette riposte russe, que personne n'avait envisagée, devait vider Jassy d'une partie de ses habitants. Beaucoup de ceux qui en avaient les moyens, et donc essentiellement des gens de la bourgeoisie, décidèrent de partir, considérant qu'ils seraient plus en sécurité à l'intérieur du pays qu'à proximité du front. Je fus témoin, le soir de ce 26 juin, de ces premiers départs : on avait chargé l'automobile, on fermait soigneusement la maison puis les grilles du jardin, et l'on prenait la route des Carpates car bien souvent on possédait un chalet à Braşov, à

Predeal ou Sinaia où l'on allait skier durant les vacances d'hiver.

Ce fut le lendemain de ce drame, le vendredi 27 juin, que les accusations contre les juifs semblèrent soudain se cristalliser. Sans doute fallait-il trouver une explication à la précision des tirs et des bombardements soviétiques. Qui avait informé les Russes des positions de la DCA allemande, invisibles depuis le ciel ? Qui leur avait indiqué qu'une école hébergeait des soldats de la Wehrmacht – la seule touchée ? Comment avaient-ils pu atteindre aussi sûrement le central téléphonique, situé en plein cœur de la ville, ou encore la caserne du 13e régiment d'infanterie ?

Reprenant des propos du colonel Constantin Lupu et de ses officiers, les journaux du matin assuraient que les pilotes russes avaient été « évidemment » guidés depuis le sol. Ils n'écrivaient pas que les coupables étaient des juifs, mais sur la même page, dans un encadré, ils indiquaient que la police avait reçu l'ordre de perquisitionner toutes les maisons occupées par des juifs afin de saisir fanaux, flambeaux, torches, tissus colorés, ainsi que « tous les appareils susceptibles de prendre des photographies pour les transmettre à l'ennemi ».

Ça ne leur sera pas trop difficile de trouver les maisons juives, avais-je songé, depuis le temps qu'ils demandent aux chrétiens de mettre des croix sur les leurs. Me remémorant la scène du mardi précédent à Nicolina où j'avais vu les chrétiens si empressés à désigner les juifs, puis à leur lancer des insultes et des cailloux, une douleur soudaine et glaciale, comme un coup d'épée, m'avait transpercé le ventre.

Je me trouvais boulevard Ştefan cel Mare, debout près du kiosque, mes journaux à la main sous le soleil déjà très chaud, incertaine, légèrement tremblante, me demandant ce que je devais faire, où était ma place au juste (la ville était provisoirement coupée du monde du fait de la destruction du central téléphonique et je ne pouvais plus joindre M. Hurtig), quand levant les yeux j'avais aperçu deux garçons en train de coller une affiche sur une porte d'immeuble. Je m'étais approchée, la main en visière pour me protéger de la luminosité, et voici ce que j'avais lu :

Roumains !
À chaque youtre que vous tuez,
c'est un communiste que vous liquidez.
L'heure de la vengeance a sonné !

Mais comment osaient-ils ? Comment une telle chose pouvait-elle même exister ? Appeler à tuer ! On pouvait donc aujourd'hui, dans mon pays, dans le pays d'Eminescu, de Creangă et d'Istrati, placarder des affiches appelant au meurtre. Au meurtre de son voisin puisqu'il y avait à Jassy autant de juifs que de chrétiens. Appeler la moitié de la population à *tuer* l'autre moitié. J'avais pensé à Mihail, j'avais pensé à Irina – Irina qui serait entrée dans le premier café pour en sortir une table, monter dessus et crier son dégoût à la figure de tous ceux qui auraient bien voulu l'écouter, et au risque de se prendre une pierre en pleine tête. Je le savais, c'est ce qu'elle aurait fait, j'avais été témoin de sa force lorsqu'elle s'était avancée vers le groupe de légionnaires qui frappaient Mihail et les avait contraints à s'écarter pour lui laisser le passage :

« Partez, disparaissez, vous me faites horreur. » Il y a des mots si odieux, si honteux, n'est-ce pas, que l'on ne pense plus à soi, que l'on oublie sa propre sauvegarde.

Je n'avais plus pensé à moi, et si je tremblais, maintenant, c'était d'indignation. D'une envie de hurler que ça n'était pas possible, que nulle part au monde on ne pouvait avoir le droit d'écrire une chose pareille. J'avais décollé l'affiche, je la voulais pour preuve, pour aller réclamer des comptes. À qui ? Je ne le savais pas encore, mais il y avait forcément dans toute la ville une autorité morale capable d'arrêter cela. Entre-temps les deux garçons s'étaient éloignés d'une vingtaine de mètres pour coller une autre affiche sur la porte de l'immeuble voisin. Ils ne se cachaient pas, ils n'avaient pas peur d'être surpris, et d'ailleurs, tandis que je les observais, un des deux s'était écarté en souriant pour laisser à un homme qui passait sur le trottoir la possibilité de lire. Ils avaient échangé quelques mots, l'homme avait acquiescé et poursuivi son chemin dans ma direction. Un monsieur âgé, voûté et maigre, peut-être la soixantaine, qui portait une cravate et un chapeau de paille à large bord pour se protéger du soleil.

Soudain, levant les yeux, il m'avait vue plantée là, mes journaux coincés sous le coude, mon affiche entre les doigts (que j'agitais comme un linge pour en faire sécher la colle), et nos regards s'étaient croisés.

— Ne faites pas ça, malheureuse, avait-il soufflé, vous ne savez pas de quoi ils sont capables.

— C'est odieux.

— Oui ?

Il avait eu l'air surpris et avait porté la main à son chapeau.

— De quel endroit êtes-vous donc, mademoiselle ?

— D'ici. De Jassy.

— Eh bien alors... Voyez-vous, il y a longtemps que je dis aux juifs de ce pays de partir, mais ils sont confiants, ils pensent que les Roumains finiront par les aimer.

— Ça n'arrivera pas, les Roumains ne les ont jamais aimés.

— C'est ce que je m'efforce de leur faire entendre.

Il avait paru un instant pensif et désolé, et puis de nouveau il avait porté la main à son chapeau.

— Ravi... Très honoré...

Et il était parti.

J'allais me rendre à la questure, demander à être reçue par le questeur lui-même, Constantin Chirilovici. Voilà, c'est ce que je devais faire, bien sûr. J'avais entendu mon père dire que cet homme était à cheval sur les lois, que lorsqu'un commerçant lui réclamait telle ou telle dérogation, il refusait systématiquement en s'appuyant sur les règlements en vigueur.

J'étais pleine d'audace et de colère en pénétrant dans la questure, me figurant déjà le branle-bas que j'allais déclencher dans toute la hiérarchie policière à la seconde où j'allais dérouler mon affiche sous le nez de ce M. Chirilovici. « Où avez-vous trouvé ça ? – Sur les murs de la ville, monsieur le questeur. » Il appellerait son directeur et à partir de là l'ordre d'arracher cette affiche ignominieuse descendrait à la vitesse d'une étoile filante jusqu'au policier de la rue.

Le bâtiment bourdonnait comme une ruche, je n'avais rien demandé à personne et trouvé toute seule, à l'étage, au fond du couloir, les bureaux du questeur. Ma stupeur en ouvrant la porte de la salle d'audience : une dizaine de juifs se tenaient là, assis sur des bancs le long des murs, immédiatement identifiables à leur habit noir, leur chapeau posé sur les genoux, la barbe pour les plus âgés. Nous nous étions discrètement salués et ils avaient repris à voix basse, en yiddish, la conversation que mon entrée avait dû interrompre.

Venaient-ils également pour se plaindre de l'affiche ? En ce cas, ma présence était superflue. Mais peut-être pas. Après tout, j'étais journaliste, le questeur serait sans doute plus à leur écoute si je restais. Je m'étais assise, décidée à patienter, quand j'avais reconnu parmi eux l'un des trois vieillards qui étaient venus supplier Malaparte de les aider. Comme je m'approchais et m'agenouillais devant lui pour qu'il puisse me voir – « Vous souvenez-vous de moi, Domnul Zelinger ? J'étais avec monsieur Malaparte le soir où vous êtes passé avec monsieur Kane et un autre de vos amis… » –, j'avais senti que quelqu'un me touchait discrètement l'épaule et je m'étais retournée.

— Je vous reconnais, mademoiselle, nous avons parlé ensemble l'autre jour. Avram Froim.

— Oh oui, bien sûr ! Moi aussi je vous reconnais.

Il s'était excusé auprès de M. Zelinger pour cette intrusion, tous les deux avaient alors échangé quelques mots en yiddish tout en me considérant par instants, et il m'avait semblé que nos précédentes rencontres, si brèves et hasardeuses fussent-elles, les mettaient en confiance.

J'étais retournée m'asseoir, mais après un moment M. Froim m'avait rejointe.

— Vous revenez donc protester ? m'étais-je enquise.

Quand nous bavardions la première fois, de part et d'autre du grillage de son poulailler, il m'avait dit être membre de la Kahal et être déjà venu à deux reprises à la questure se plaindre des accusations de complicité avec les Russes lancées contre la communauté.

— Oh, nous n'en sommes plus là, mademoiselle. La situation s'est beaucoup aggravée... Présentement, nous sommes convoqués par le questeur, nous ignorons ce qu'il veut nous dire mais le bruit circule maintenant en ville que certains des pilotes russes qui ont bombardé la ville et tué tant de gens seraient en réalité des juifs de Jassy.

— Mon Dieu !

— C'est une accusation sans aucun fondement, naturellement, mais extrêmement lourde, et qui ne fait qu'accroître la défiance à notre égard. Dès hier soir, quelques heures après le bombardement, un acte terrible a d'ailleurs été commis contre trois israélites absolument innocents.

— Je n'ai pas su...

— Personne n'a su. Nous étions tous occupés à dégager les blessés, à lutter contre les incendies... Mais en fin d'après-midi, donc, trois d'entre nous, dont je vous donnerai les noms si vous le souhaitez, ont été accusés d'avoir signalé aux avions russes l'emplacement de la caserne du 13e régiment d'infanterie. Ils ont été arrêtés et conduits au PC de la division, à Copou. Les deux officiers qui les ont interrogés ont finalement décidé de les relâcher et les ont alors confiés à un sergent, avec pour mission de les raccompagner chez eux car l'heure de couvre-feu était largement passée. Le sergent a feint de les escorter, puis il leur a tiré dans le dos. L'un est mort, un autre est blessé, le troisième a pu s'enfuir au bénéfice de la nuit et nous prévenir. Nous pensons que le sergent a obéi à un ordre de ses supérieurs, que cet interrogatoire n'était qu'une parodie de justice.

— Donnez-moi les noms des trois hommes, oui, et faites-moi rencontrer celui qui a pu se sauver. Je publierai son témoignage.

— Plus de trois cents juifs ont été arrêtés durant la même soirée sous le prétexte que la police aurait trouvé chez eux des lanternes ou des étoffes de couleur rouge. Nous ne savons pas ce qui va leur arriver. Personne ne semble en mesure de nous assurer qu'ils vont être équitablement jugés.

À ce moment de notre conversation, un officier de police était entré dans la pièce, un homme trapu au visage carré que je devais revoir le surlendemain à la questure où les autorités commençaient à rassembler les juifs arrêtés.

Nous nous étions tous levés pour l'accueillir, mais lui n'avait pas salué et ne s'était pas non plus présenté. Il avait écarté légèrement ses courtes jambes et, tout en évitant de fixer son regard sur l'un ou l'autre (ce pourquoi il n'avait peut-être pas remarqué ma présence), il avait dit d'une voix lasse :

— Vous avez vingt-quatre heures pour déposer ici même, dans la cour, toutes les armes, appareils photographiques, lanternes et drapeaux détenus par les juifs. Passé ce délai, nous irons les chercher nous-mêmes et les détenteurs seront fusillés sur place. Et maintenant rentrez chez vous.

— Monsieur le commissaire..., avait commencé M. Zelinger avec un peu de solennité.

— J'ai dit : Rentrez chez vous, toi comme les autres.

Et sur ces mots il avait quitté la pièce.

Avram Froim avait raison, la situation s'était beaucoup aggravée. Le soupçon de trahison à l'encontre des juifs, distillé au départ par les légionnaires du service de propagande, le SSI, semblait avoir gagné tant l'armée que la police. Du message du commissaire je m'étais demandé durant un instant, toujours debout, ce qui était le plus glaçant des menaces de mort ou de ce tutoiement pour s'adresser à un homme âgé. Et puis l'incohérence du propos était en elle-même menaçante : des perquisitions étaient déjà en cours depuis la veille, la police allait-elle les recommencer ? Que risquaient les juifs trouvés aujourd'hui en possession d'une lanterne ? Hier, déjà, le sergent leur avait tiré dans le dos. On pouvait donc être tué dès aujourd'hui. Alors pourquoi le commissaire avait-il accordé vingt-quatre heures de répit ? Quelles étaient les règles ? Comment les respecter si elles n'étaient pas claires ? Et comment prévenir tous les foyers juifs en si peu de temps que les hommes risquaient la mort pour la simple détention d'un appareil photographique ou d'un chiffon rouge ?

Comme nous quittions silencieusement la questure, moi fermant la marche, j'avais eu le sentiment pénible de courir après les événements, d'être complètement dépassée par l'ampleur et la gravité de ce qui se préparait. Quand je croyais émouvoir le questeur avec une affiche appelant à tuer les juifs, j'entendais la police elle-même reprendre à son compte la menace et j'apprenais qu'un sergent de l'armée l'avait déjà mise à exécution. Il semblait entendu pour les autorités que juifs et communistes menaient le même combat et qu'en somme les juifs incarnaient bien une cinquième colonne au service de Moscou.

Sur le trottoir de la rue Vasile Alecsandri, sous les fenêtres même de la questure, ils avaient rapidement échangé quelques mots, en yiddish, et tandis que chacun partait de son côté Avram Froim m'avait fait signe de le suivre.

— Venez, m'avait-il dit, je vais vous conduire chez cet homme et je vous y laisserai car j'ai beaucoup à faire. Il habite en contrebas de la caserne bombardée, c'est pourquoi il était facile de le soupçonner.

Nous marchions côte à côte silencieusement, j'étais en train de me figurer recueillant le témoignage de ce rescapé, quand j'avais soudain compris que je me trompais : la vérité, inconcevable pour le reste du monde, que nous, Roumains, exprimions depuis plusieurs décennies, ne se trouverait pas dans le récit d'une victime, mais dans celui de son bourreau. L'homme dont je devais recueillir le témoignage était évidemment le sergent – celui qui avait pu tirer dans le dos de trois juifs comme on tire sur des lapins. Seuls les mots du sergent diraient le regard que nous portions sur les juifs.

— Pardonnez-moi, monsieur Froim, avais-je commencé en m'arrêtant net sur le trottoir, nous nous trompons complètement, c'est le sergent que je dois voir.

— Le sergent ? Mais le sergent est un assassin !

— C'est bien pourquoi ce qu'il a à dire nous intéresse.

— Quoi, ce qu'il a à dire ? Vous venez d'entendre un commissaire, ça ne vous suffit pas ? Les journaux sont pleins de ce qu'ils ont à dire !

— Mais aucun ne donne jamais la raison profonde de son aversion pour les juifs. Ils mettent en avant des prétextes – hier les juifs étaient des sangsues, des affairistes, des apatrides, aujourd'hui ce sont des traîtres. Avez-vous déjà entendu l'un de ces hommes qui s'exprime dans les journaux dire le regard personnel qu'il porte sur les juifs ? Et comment s'est construit en lui ce regard ? Attendez, laissez-moi finir s'il vous plaît, laissez-moi vous expliquer : je ne suis pas juive, je viens d'une famille où l'on n'aime pas les juifs, où l'on se méfie d'eux, je sais de quoi je parle. Dans le cas présent, celui du sergent, nous devons prendre le temps de l'écouter. Il a pu tirer dans le dos de trois hommes parce qu'ils étaient juifs, n'est-ce pas ? C'est bien autre chose que d'insulter les juifs en général ou de les soupçonner de Dieu sait quoi. C'est bien autre chose : tuer. Comment se justifie-t-il ? Comment s'arrange-t-il de cela dans sa vie de tous les jours ?

— Je pensais que vous étiez avec nous et je vois que vous ne valez pas mieux que les autres journalistes qui jamais ne sont venus nous interroger.

— Non, je vous en prie, ne croyez pas ça. Retrouver ce sergent et l'écouter, c'est ce que nous pouvons faire de plus utile. Imaginez qu'il veuille bien parler, qu'il soit sincère et nous livre les raisons secrètes de son geste. Imaginez que son témoignage fasse le tour du monde. D'un seul coup, les autres pays découvriront ce que pensent vraiment les Roumains des juifs.

— Ce que pensent les juifs n'a donc pas la même valeur à vos yeux ?

— Les victimes émeuvent, mais elles ne nous donnent pas les clés de la haine – celle qui a conduit au pogrom de Chişinău, par exemple. Aujourd'hui, monsieur Froim, c'est le discours des bourreaux qu'il faut faire entendre, celui-là seul peut prévenir le reste du monde de ce qui se prépare ici, et peut-être éviter une nouvelle catastrophe.

22

Le sergent Mircea Manoliu habitait l'une de ces ruelles escarpées, sous la cathédrale, qui descendent abruptement jusqu'à la rivière Bahlui. J'avais décidé d'attendre le samedi matin pour lui rendre visite, espérant le trouver chez lui, mais en me réveillant je n'avais toujours aucune idée de la façon dont j'allais me présenter.

Notre maison était joyeuse ce matin-là – une carte militaire d'Andrei était arrivée la veille, nous assurant qu'il avait bon moral (à peu près le seul renseignement qu'autorisait la censure), de sorte que maman chantonnait et que nous avions pris notre petit déjeuner en famille. C'était la guerre, certes, mais nous étions vivants tous les cinq et, selon les journaux, les Russes ne cessaient de reculer sous la pression conjointe de nos troupes et des raids de la Luftwaffe, ce qui laissait espérer qu'il n'y aurait plus d'alertes aériennes.

Restés fermés toute la journée du vendredi à la suite du bombardement, les commerçants de la rue Lăpuşneanu avaient décidé de rouvrir et, constatant que M. et Mme Mayer tentaient tant bien que mal de raccrocher leur enseigne, papa leur avait aussitôt proposé son aide et je m'étais jointe à lui. Les hommes avaient dressé deux échelles contre la façade de la pharmacie tandis que Mme Mayer et moi tirions l'enseigne avec une corde depuis la fenêtre de la chambre à coucher du couple. La veille, j'avais vu les deux garçons coller cette affiche épouvantable appelant à tuer les juifs, et ce matin nous aidions nos voisins juifs, ce qui m'avait réconfortée et inspiré une bouffée de tendresse pour mon père.

Bon, et puis j'étais partie à pied en quête du sergent Manoliu et ma première conversation avec Malaparte m'était revenue en chemin. Malaparte qui s'apprêtait à rencontrer Horia Sima, cet autre criminel – « Ça ne m'intéresse pas de le juger, mademoiselle, ce qui m'intéresse c'est d'entendre sa foi, d'aller même jusqu'à la partager le temps de notre face-à-face. » Son sourire sentencieux quand il avait constaté ma colère – « Vous êtes suffisamment nombreux à le condamner sans qu'il soit nécessaire que j'y ajoute ma voix. » Je l'avais détesté à ce moment-là, comme Avram Froim avait dû me détester avec mon discours sur le témoignage des bourreaux. Je lui avais fait la leçon, je n'aurais pas dû – enfant gâtée bien protégée par mon statut de chrétienne quand lui se battait pour les siens, sa famille et sa communauté. Il n'empêche qu'avant de me planter là, il avait eu l'élégance de me donner le nom du sergent. Je m'étais promis de retourner le voir l'après-midi même dans sa petite maison de Târgul Cucului pour lui présenter mes excuses.

Je descendais par le sentier de terre sèche qui prend juste derrière la cathédrale et sert de raccourci aux habitants du quartier quand j'avais coupé la rue du sergent. Des gens de la classe moyenne avaient récemment investi ce flanc de colline en terrasses d'où l'on surplombait les cheminées des manufactures de Nicolina (et la raffinerie sinistrée qui n'était plus qu'un cratère noir au milieu des habitations). Une première fois, j'étais passée devant la maison – un toit de véritables tuiles et non de papier goudronné, un crépi orangé récent et, dans ce qui serait bientôt un petit jardin, un tas de gravats. Il est jeune et il a confiance en l'avenir, avais-je songé, m'efforçant de contrôler la violente agitation qui me faisait cogner le cœur. Au second passage je m'étais lancée, j'avais tiré précipitamment sur la clochette de la grille avant d'avoir décidé quels seraient mes premiers mots.

Une jeune femme était apparue presque aussitôt sur le seuil, curieusement fagotée d'un bleu d'ouvrier trop grand pour elle dont elle avait roulé les manches.

— Pardonnez-moi de vous déranger, je cherche monsieur Manoliu...

— C'est ici !

Plus que son sourire, ce qui m'avait troublée c'était son étonnante ressemblance avec la jeune pilote soviétique abattue par la DCA allemande – le même visage plein et rond sous une masse de boucles dorées.

— Qu'est-ce que vous lui voulez, à monsieur Manoliu ? avait-elle repris, comme je me taisais.

— Je suis une amie de Tudor Groza, c'est lui qui m'a conseillée...

— Eh bien entrez !

Elle était avenante, sans aucune méfiance, et je m'en étais voulu de lui mentir – une seconde plus tôt je ne pensais pas à Tudor et c'est cependant son nom que je venais de lancer comme un sésame.

— Je vous précède... Prenez garde à ne pas vous prendre les pieds dans les fils électriques.

— Eh bien, quel chantier !

— Comme vous voyez, nous faisons nous-mêmes l'électricité. Enfin Mircea, parce que moi je n'y connais rien.

— Vous êtes courageux.

— C'est surtout que nous n'avons plus un sou... Asseyez-vous, je vais le chercher, il est à la cave.

Au milieu d'une pièce en pleins travaux, ils avaient tout de même disposé un canapé, deux fauteuils et une TSF sur un carton. Un type capable de tirer dans le dos de trois hommes qui marchent tranquillement devant lui, n'est-ce pas – et de nouveau mon cœur avait bondi. « Entendre sa foi, aller même jusqu'à la partager », m'étais-je répété pour tenter de lui apparaître détendue.

Quand il s'était encadré dans la porte, souriant, grand et bien bâti, j'avais pensé m'être trompée, ce devait être un homonyme – je ne le savais pas encore mais il est très difficile, pratiquement impossible, de se figurer un assassin derrière un visage, quel qu'il soit. Le sien était d'une beauté un peu commune, mais le sourire était de ceux qu'on hésite à contrarier, à la fois engageant et contagieux.

— Ah bonjour ! m'étais-je exclamée en me levant dans un élan que j'avais espéré enjoué.

— Mircea, s'était-il présenté simplement. Bonjour mademoiselle... Ou peut-être madame ?

— Mademoiselle.

— Adriana me disait que vous veniez de la part d'un certain Tudor quelque chose, mais je ne vois pas qui c'est...

— Oh, un ami d'enfance, Tudor Groza, qui travaille aujourd'hui au SSI. Lui vous connaît en tout cas.

— Normal, on travaille beaucoup avec les gars du SSI. Moi, personnellement, je suis dans un corps d'élite de l'infanterie, mais il a dû vous le dire...

— Oui, c'est ce qui m'amène en fait. Mon nom est Eugenia Rădulescu, de l'agence Rador. Je fais une enquête sur le moral des hommes...

— Le moral des hommes ?

Il avait éclaté d'un rire franc.

— Ah ça, personnellement je ne peux pas me plaindre ! Tiens, viens voir par ici, chérie.

Sa femme s'était approchée de bonne grâce, il l'avait alors enlacée par-derrière dans un geste si intime que j'en avais été un instant confuse – avant de comprendre : tendant la toile grossière de sa combinaison, il en avait fait surgir un ventre plein et rond.

— Un bébé ? Vous attendez un bébé ?

— Un vrai petit Roumain, oui ! Conçu à Sinaia, résidence d'été de nos souverains, dans une suite du Grand Hôtel Caraiman, hein chérie (lui donnant un baiser dans le cou) ? Si Dieu le veut, il naîtra au lendemain de la victoire, dans la nouvelle Europe.

— J'aime beaucoup Sinaia, m'étais-je entendue bafouiller à la seule évocation de cette « nouvelle Europe », soudain rattrapée par la conscience de ce que cet homme était capable de commettre.

Plus tard, tentant de reconstituer notre conversation, il me sauterait aux yeux que j'avais constamment évité de le faire parler de son crime – de *ses* crimes, devrais-je écrire, puisque, je l'apprendrais deux heures plus tard, les « liquidations » étaient une des missions de son corps d'élite – comme si je redoutais d'entendre certains détails et de ne pas les supporter.

— Le moral des soldats, vous voulez dire, avait-il repris en libérant sa femme et en finissant de rire.

— Oui, des soldats bien sûr... D'ailleurs, je peux vous demander ce qui vous a poussé à entrer dans l'armée ?

— Le service du pays. Mais asseyez-vous, on ne va pas discuter de tout cela debout. Chérie, tu nous apportes à boire s'il te plaît ? Café ? Bière ?

— Un café, avec plaisir.

— Et pour moi une bière.

— Oui, vous disiez : le service du pays...

— J'ai été élevé par des gens simples qui tenaient un kiosque boulevard Ştefan cel Mare. L'été ils vendaient des glaces qu'on préparait à la maison et l'hiver du potage et du chocolat chaud.

— Moi, je les ai connus ses parents, était intervenue Adriana depuis la cuisine. Le dimanche après-midi, ma sœur et moi on leur achetait des glaces...

— Et c'est comme ça que vous vous êtes rencontrés, tous les deux ?

— Oui, un été où j'ai dû remplacer mon père. Au début, j'hésitais, parce que franchement elles étaient aussi jolies l'une que l'autre. Et puis c'est Adriana qui a choisi pour moi.

— Il était tellement beau ! avait-elle confirmé en sortant de la cuisine avec un plateau. J'ai supplié ma sœur de me le laisser – et elle a refusé !

— Vraiment ?

— Puisque je vous le dis !

Le sergent riait. Il devait bien aimer cette histoire car il avait laissé la parole à sa femme et il se réjouissait visiblement d'entendre la suite, ou peut-être que je l'entende.

— Alors je lui ai remis une lettre, en cachette de ma sœur, en lui fixant un rendez-vous dans un petit café que je connaissais, par là-bas (elle avait fait un geste vague). Et il est venu. J'étais toute tremblante... Tu te souviens, Mircea ?

— Et comment je me souviens ! C'est là qu'on s'est embrassés pour la première fois.

— Oui, parce que lui, il ne tremblait pas, hein ? C'est vrai que Mircea, c'est pas le genre d'homme à trembler.

Et là, d'un seul coup, je l'avais vu derrière les trois juifs, armant silencieusement son pistolet dans la nuit.

— Mais alors, aussi bien, vous auriez pu tomber amoureux de la sœur d'Adriana ?

— Bien sûr qu'il aurait pu ! avait-elle répondu à sa place. Et même, je vais vous dire une chose, j'ai intérêt à bien les surveiller tous les deux parce que maintenant que je suis enceinte... Vous n'êtes pas encore mariée, mais vous avez sûrement un petit ami, non ?

— Oui, oui, avais-je acquiescé, songeant à Mihail, caché dans ma chambre, et dont je n'avais plus aucune nouvelle.

— Alors vous savez comment sont les hommes, hein ? Je n'ai pas besoin de vous faire un dessin.

Mircea Manoliu souriait, manifestement satisfait du portrait que sa jeune épouse dressait de lui.

— Mais donc, vous me disiez avoir été élevé par des gens simples, avais-je repris un ton plus bas. Enfant unique ?

— Oui, il n'y aurait pas eu suffisamment pour un autre... Je commençais par là pour répondre à votre question : pourquoi l'armée ?

— Le service du pays, disiez-vous.

— Exactement. J'en reviens donc à mes parents. Ils sont issus de villages différents, venus en ville chacun de leur côté pour y trouver du travail. Quand ils se rencontrent, ma mère est femme de chambre dans une maison aisée de Copou et mon père garçon chez Ermacov, l'épicerie de luxe que vous connaissez. Mon père livre chez les bourgeois et c'est comme cela qu'il rencontre ma mère. Ils se marient, me mettent au monde, puis il est mobilisé en 17 et c'est au retour de la guerre qu'ils ont l'idée de s'installer à leur compte et qu'ils obtiennent l'autorisation d'ouvrir un kiosque boulevard Ştefan cel Mare. Si vous connaissez un peu l'histoire, c'est l'époque où les youpins ont tous les droits. Ils ont eu des morts à la guerre, paraît-il, nous aussi, et en bien plus grand nombre, mais nous ça ne compte pas, on ne parle que des morts juifs pour abuser les braves gens et leur faire croire qu'un juif peut parfaitement devenir roumain. J'ai vingt-sept ans aujourd'hui – disons que mes premiers souvenirs remontent à ce moment-là, le début des années 1920. Mes parents travaillent sans relâche, jamais un jour de repos, ils ont l'espoir de pouvoir acheter une véritable boutique qui leur fait concurrence, sur le trottoir d'en face, à cent mètres. Pendant des mois, autour de mes sept ou huit ans, je n'entends parler que de ce grand projet : acheter le magasin Lully et servir à toute heure, à des clients bien assis et au chaud, différents potages l'hiver, et des glaces maison à la belle saison. Et vous savez quoi ? C'est un couple de youpins qui leur grille la priorité ! Ils achètent le magasin Lully et font exactement ce que mes parents rêvaient d'y faire. Je me souviens des larmes de ma mère. Mon père ne dit rien mais il fait une attaque quelques mois plus tard dont il conserve des séquelles. Après ça, ils n'auront plus de projet et ils continuent, aujourd'hui encore, à vivoter grâce au kiosque. Vous vous êtes promenée dans les rues de Jassy, mademoiselle ? Faites-le, ça vaut la peine. Vous remarquerez que la plupart des magasins appartiennent à des juifs. Où va un pays qui donne plus aux étrangers qu'à ses propres enfants ? En échange de quels avantages nos politiciens, tous corrompus, ont-ils accepté de vendre notre patrimoine à la juiverie internationale ? Codreanu est le premier à le dire, à dévoiler le complot. À l'adolescence, c'est lui, avec sa Légion de l'archange Michel, qui m'aide à me forger une conscience politique. Je comprends en l'écoutant d'où vient ma colère. Vous permettez que je vous lise un passage de son livre ? Il reprend un discours prononcé ici même, à Jassy, l'année de mes seize ans, et qui a été déterminant dans mon engagement au service du pays.

— Bien sûr, je vous en prie.

Il était allé chercher le livre et m'en avait lu ce passage :

> Le plus grand tort qui nous a été infligé par des juifs, le plus grand danger national auquel ils nous ont exposés, n'est ni la saisie du sol et du sous-sol de la Roumanie, ni l'anéantissement tragique de la classe moyenne roumaine, ni même le grand nombre de juifs présents dans nos écoles, nos universités, nos métiers etc., – bien que

chacun de ces facteurs constitue en soi un danger mortel pour notre peuple. Non, le plus grand péril national que l'on doit aux juifs consiste dans le fait qu'ils ont dénaturé notre structure raciale daco-roumaine en générant ce rebut humain, cet être dénué de conscience et de morale : le politicien d'aujourd'hui qui n'a plus rien en commun avec la noblesse de notre race, qui nous déshonore et nous tue. Si cette espèce d'homme continue à diriger notre pays, le peuple roumain fermera bientôt les yeux pour toujours et la Roumanie disparaîtra, en dépit de tous les brillants programmes grâce auxquels nos politiciens dégénérés parviennent à aveugler les foules. Parmi tous les fléaux que nous a apportés l'invasion juive, celui-ci est le plus dramatique.

— Édifiant, n'est-ce pas ? avait-il observé après un silence.

C'est Adriana qui m'avait sortie d'embarras.

— C'est vrai que les juifs ils sont malins, avait-elle abondé en riant : un matin tu en croises deux dans une rue où jamais tu n'en avais vu un seul, ils sont là sur le trottoir à marmonner dans leurs barbes sous leurs grands chapeaux noirs, et trois mois plus tard ils ont acheté toute la rue. On ne sait pas d'où vient l'argent mais petit à petit ils s'entendent avec nos dirigeants pour prendre la place des Roumains.

Elle donnait le sentiment de s'en moquer. Lui, en revanche, s'était durci, comme si le texte de Codreanu (ou se remémorer la déconvenue de ses parents) avait ravivé sa colère. Mais sa colère n'était pas dirigée contre sa femme qu'il écoutait avec une pointe d'amusement, un peu comme on écoute un enfant.

Il y avait eu de nouveau un silence, que je m'étais refusée à rompre, attendant de voir quel chemin il allait emprunter pour en venir maintenant à son engagement dans l'armée.

Il était pensif, quand soudain il avait paru se rappeler ma présence.

— Tout à l'heure je n'ai pas relevé, mais c'est bien Rădulescu votre nom ?

— Eugenia Rădulescu, oui.

— Sans rapport avec le chef de la Légion ?

— Je suis sa sœur.

— Pardon ?

Il s'était levé tel un ressort, le visage soudain transfiguré comme sous l'effet d'une apparition.

— Vous êtes la sœur de Stefan Rădulescu ?

— Oui.

— Je ne peux pas le croire ! Je ne peux pas ! Mais pourquoi ne me l'avez-vous pas dit tout de suite ?

Lui qui n'était pas homme à trembler avait maintenant les yeux noyés de larmes.

— Vous n'imaginez pas ce que représente pour moi votre frère... Vous... Vous accepteriez de déjeuner avec nous ? Ce serait un très grand honneur. Chérie, chérie...

Cela avait été un soulagement d'entendre alors le rire d'Adriana. Elle semblait pouvoir décidément s'amuser de tout, m'offrant une diversion pour la deuxième fois.

— Avec plaisir, mais je ne suis que sa sœur et vous risquez d'être déçu.

Il s'était rassis, sans cesser de me considérer, comme assommé.

— Vous êtes la sœur de Stefan Rădulescu ! Et moi qui vous embête avec mes petites histoires de famille... Je vous dois des excuses. Est-ce que je peux vous demander si vous avez des nouvelles récentes de lui ?

— D'excellentes nouvelles. Il vit à Berlin avec Horia Sima, sous la protection de monsieur Goebbels, à l'hôtel Esplanade, un quatre étoiles je crois. Notre jeune frère est au front, mais Stefan ne risque rien, vous pouvez être tout à fait rassuré.

Il n'avait pas entendu l'ironie, et tandis qu'Adriana s'affairait à préparer le repas j'avais dû répondre à ses questions sur la jeunesse du héros. Avions-nous reçu Codreanu à la maison ? Non, mais Horia Sima avait passé toute une nuit dans notre salle à manger à élaborer des plans avec Stefan. Notre père avait même conservé les notes manuscrites d'Horia Sima. Nos parents étaient-ils conscients d'avoir mis au monde un homme qui allait rester à jamais dans les livres d'histoire ? Oui, ils l'étaient ! Et est-ce que ça n'était pas écrasant, « parfois », d'être la sœur de Stefan Rădulescu ? Je m'entendais ânonner des sottises, non pas dans l'espoir de le mettre en confiance pour qu'il en vienne à me raconter ce qui lui était passé par la tête au moment où il avait sorti son pistolet pour tirer sur les juifs, mais bien au contraire pour reculer ce moment, pressentant que l'horreur qu'il m'inspirerait se lirait aussitôt sur mon visage.

Puis Adriana avait proposé de me faire visiter la maison avant de passer à table et, trop heureuse de ce répit, je l'avais suivie. C'est Mircea qui en avait dessiné le plan : outre le vestibule, elle ne comptait pour le moment que trois pièces, le salon (attenant à la cuisine, « suffisamment grande pour y manger »), leur chambre à coucher et celle du bébé. Mircea voulait au moins quatre enfants, Adriana était d'accord, c'est pourquoi il avait réservé l'espace pour une extension sur l'arrière qu'il construirait lui-même.

— Il sait tout faire de ses doigts cet homme-là... Vous verriez son atelier, à la cave...

— Eh bien, montrez-le-moi !

— Vous voulez le voir, vraiment ? Je vous préviens, c'est un capharnaüm...

Et nous avions encore pris le temps de visiter l'atelier.

Elle avait dressé le couvert dans la cuisine, suffisamment grande, en effet, pour y manger, mais à condition de se serrer, or je m'étais soudain sentie très mal dans la proximité de ce couple. Pouvait-on ouvrir la fenêtre ? Mais bien sûr ! Adriana avait bondi.

— Votre femme me disait que vous vouliez beaucoup d'enfants...

Ouf, il s'était remis à parler, tandis que je m'efforçais de respirer calmement. Adriana avait compris que quelque chose n'allait pas, je voyais qu'elle me surveillait du coin de l'œil, tandis que lui n'avait rien vu et m'expliquait que c'était à nous, Roumains, de peupler abondamment notre nation quand les juifs se reproduisaient « comme des lapins ».

— Ce n'est tout de même pas la seule raison, étais-je parvenue à l'interrompre sur le ton de la légèreté.

Le rire d'Adriana m'avait de nouveau sauvée.

— J'espère bien ! s'était-elle exclamée. Ne prenez pas au mot tout ce qu'il vous dit, Mircea est bien plus tendre qu'il n'y paraît.

Cette fois il n'avait pas apprécié le compliment – j'étais la sœur de Stefan et il tenait sans doute à me montrer qu'il avait des convictions, sans plus m'embêter avec ses « petites histoires de famille ».

Il avait donc renoué de lui-même le fil de la conversation. Éveillé à la raison par Codreanu, il s'était engagé dans la Légion à seize ans et avait participé à plusieurs « opérations » dans les universités.

— À cette époque j'étais apprenti cuisinier, l'université m'était interdite, et j'étais révolté de voir que les juifs s'y pavanaient quand tant de Roumains ne pouvaient pas y accéder.

— Ces opérations..., avais-je commencé.

Mais à ce moment-là il avait eu une mimique en direction d'Adriana, comme pour me signifier qu'elle n'était pas au courant, ou que c'était un sujet qu'on ne devait pas aborder en sa présence.

Je m'étais donc tue et l'avais laissé poursuivre. Bientôt, il avait pris conscience qu'étant cuisinier il ne pèserait d'aucun poids sur la marche du pays, et c'est ainsi qu'à l'exemple d'autres camarades de la Légion il avait décidé de rejoindre les rangs de l'armée. Tout de suite il s'y était senti à sa place et, après quelques mois d'instruction, il s'était porté volontaire pour le commando des « opérations spéciales » du 13e régiment d'infanterie.

Je terminais silencieusement un dessert que j'avais avalé machinalement, comme les plats précédents, quand il m'avait soudain proposé de l'accompagner.

— Je sors un instant fumer dehors, vous voulez venir ?

— Avec plaisir, d'autant plus que je fume aussi.

— L'odeur me donne la nausée, s'était excusée Adriana.

Nous contemplions silencieusement les cheminées de Nicolina, en contrebas, quand il avait repris la parole.

— C'est vraiment un grand honneur pour moi de vous rencontrer, mademoiselle Rădulescu, et j'espère avoir un jour l'occasion de serrer la main à votre frère.

— Vous l'aurez, j'en suis certaine, avais-je dit en soutenant son regard.

— Tout à l'heure, vous me demandiez pour les opérations que nous menions à l'université... Adriana est parfaitement consciente du mal que nous font les juifs, mais comme beaucoup de femmes elle n'a pas le courage d'aller au bout de ses idées. Il faut se débarrasser des juifs, d'accord, mais elle ne veut pas savoir comment. Vous êtes des nôtres, je peux donc vous parler franchement. À l'université, c'était de l'intimidation, ça n'allait pas beaucoup plus loin. On coinçait un youpin par-ci par-là et on lui donnait une bonne correction, histoire de dissuader les autres d'y venir. À l'armée c'est autre chose, nous les supprimons, avec ou sans le consentement des officiers. Nous travaillons en lien avec le SSI dont la mission principale est de nettoyer l'arrière du front d'une population prête à trahir à chaque instant car elle espère la victoire des communistes – je ne vous apprends rien. La plupart des gars du SSI sont passés par la Légion, comme ceux de mon commando. Vous êtes bien placée pour savoir combien de fois la Légion a tiré la sonnette d'alarme sur le péril juif, n'est-ce pas ? Le roi, puis le général, ont pris quelques mesures symboliques pour les faire partir, autant dire rien. La preuve : ils sont toujours là, et toujours plus nombreux. Le juif n'obéit qu'à la manière forte, et les Allemands l'ont bien compris : là-bas, plus aucun juif n'est en mesure de faire ses petites affaires sur le dos du Reich, s'ils ne sont pas en fuite, ils sont parqués dans des ghettos où on les tient à l'œil.

— Mon ami du SSI me disait que vous aviez... que vous aviez abattu trois juifs l'autre soir.

— Deux seulement. Le troisième a réussi s'enfuir, mais je sais où le trouver.

Ses derniers mots m'avaient arrêté le cœur. Je n'aurais eu qu'à poursuivre et le sergent Manoliu m'aurait dit tout ce que j'avais souhaité apprendre pour le révéler ensuite au reste du monde : du regard qu'il portait sur les juifs à ce qui lui traversait l'esprit au moment de les tuer. Seulement il venait de menacer directement l'homme que j'avais renoncé à rencontrer pour le voir, lui, et cette menace avait balayé en moi tout le reste. Vite, courir chez Avram Froim, le prévenir que le rescapé devait se cacher, qu'il pouvait être tué d'un moment à l'autre. J'étais si nerveuse et angoissée que je n'avais plus été capable d'entendre quoi que ce soit. Soudain j'avais feint d'avoir oublié un rendez-vous, et un quart d'heure plus tard je courais vers Târgul Cucului en espérant y trouver Froim.

Sans doute ai-je su ce jour-là que je ne serais jamais Malaparte. Je suis fascinée par son dîner chez Hans Frank, le ministre d'Hitler en Pologne, dont la relation occupe des dizaines de pages de *Kaputt*. Malaparte est un lumineux convive, un inépuisable convive, qui rit et boit volontiers avec ses hôtes, les poussant ainsi à se livrer avec une ingénuité qui serait charmante si elle n'était pas terrifiante.

— En matière de juifs on ne peut pas faire de calculs, dit Frank. Dans la pratique, toutes les prévisions de nos experts se sont révélées erronées. Plus il en meurt et plus leur nombre augmente.

— Les juifs s'obstinent à avoir des enfants, dis-je. C'est uniquement la faute des enfants.

— *Ach, die Kinder!* dit Frau Brigitte Frank.

— *Ja, so schmutzig!* (tellement sale), dit Frau Fischer.

— *Ach*, vous avez donc remarqué les enfants du ghetto ? me demanda Frank. Ils sont horribles, *nicht wahr ? So schmutzig!* Et tous malades, remplis de croûtes, dévorés de parasites. S'ils ne faisaient pas pitié, ils répugneraient. On dirait des squelettes. La mortalité infantile est très élevée, dans les ghettos. Quel est le chiffre de la mortalité infantile dans le ghetto de Varsovie ? demanda-t-il en se tournant vers le gouverneur Fischer.

— Cinquante-quatre pour cent, répondit Fischer.

— Les juifs sont une race malade, en pleine dégénérescence, dit Frank. Ils ne savent pas élever et soigner les enfants comme on le fait en Allemagne.

— L'Allemagne, dis-je, est un pays de haute *Kultur*.

— *Ja, natürlich* ; en fait d'hygiène infantile, l'Allemagne est le premier pays du monde, dit Frank. Avez-vous remarqué l'énorme différence qu'il y a entre les petits enfants allemands et les petits enfants juifs ?

— Les petits enfants des ghettos ne sont pas des enfants, répondis-je. [...]

— Il n'est certainement pas facile, pour nos services techniques, de pourvoir à tous ces morts, dit Frank. Il faudrait au moins deux cents automobiles, alors que nous disposons seulement de quelques dizaines de charrettes à bras. Nous ne savons même plus où les enterrer. C'est un grave problème.

— J'espère bien que vous les enterrez, dis-je.

— Naturellement ! Croyez-vous que nous les donnons à manger à leurs parents ? dit Frank en riant.

Tout le monde riait : « *Ach so, ach so, ach so, ja, ja, ja, ach so, wunderbar !* » Naturellement, moi aussi je me mis à rire. C'était une idée si amusante, mon idée qu'on pût ne pas les enterrer ! Les larmes me venaient aux yeux (à force de rire) en pensant à cette drôle d'idée que j'avais eue. Frau Brigitte Frank se comprimait la poitrine des deux mains, la tête renversée, la bouche grande ouverte : « *Ach so, ach so, wunderbar !* »

— *Ja, so amusant !* dit Frau Fischer.

23

Le hurlement de maman ce matin du dimanche 29 juin 1941.

— Gheorghe ! Gheorghe ! Oh, mon Dieu ! Viens vite, c'est épouvantable !

J'étais accourue en même temps que papa.

Elle se tenait à la fenêtre de la salle à manger dont elle venait d'ouvrir la croisée après avoir tiré les rideaux.

Papa et moi avions regardé à notre tour : le rideau métallique de la pharmacie des Mayer était à moitié relevé et eux gisaient sur le trottoir, allongés l'un près de l'autre en sous-vêtements. Leur sang avait laissé la marque de rigoles sombres jusque dans le caniveau.

Je m'étais entendue gémir, une espèce de gémissement animal, et m'étais mise à sangloter. Maman pleurait également, je crois, et en m'entendant elle m'avait prise dans ses bras et pressée contre elle.

Entre-temps, papa avait dévalé l'escalier et un moment plus tard il nous avait appelées.

— Carmen, Eugenia, prévenez vite l'hôpital, il me semble que lui respire encore !

Nous nous étions détachées l'une de l'autre. Papa se tenait agenouillé près des Mayer, le visage levé vers nous.

— Mais comment ? Comment ? avait soufflé maman puisque le téléphone ne fonctionne plus...

— J'y vais !

À mon tour j'avais dévalé l'escalier, aveuglée par les larmes et me retenant comme je pouvais à la rampe pour ne pas tomber.

— Je cours à l'hôpital ! avais-je crié à papa au passage.

Cependant les rues offraient un spectacle comme je n'en avais jamais vu encore. Ici et là, au seuil de leur maison ou de leur immeuble, d'autres victimes gisaient en travers des trottoirs. Des hommes jeunes et vieux, des femmes, parfois toute une famille : le père, la mère, et leurs deux enfants. De tous ces corps s'échappaient les mêmes rigoles de sang. Et personne pour porter secours à ceux qui, peut-être, respiraient encore. Il devait être autour de huit heures et la ville semblait avoir été désertée. Où étaient les habitants de Jassy ? Seuls les morts étaient dehors. Que s'était-il passé durant la nuit ? Est-ce que je n'étais pas en train de courir dans une scène de cauchemar ? Ou de perdre la tête ? Je me rappelle m'être arrêtée pour toucher les cannelures du pied d'un réverbère, éprouver le froid du métal, et m'être dit tout bas : « C'est la vérité, ce sont de véritables morts, je ne suis pas en train de dormir. » Et alors de m'être entendue prier, la main toujours posée sur le métal du réverbère : « Mon Dieu, comment avez-vous pu laisser faire ça ? Mon Dieu, puisque vous voyez tout, comment avez-vous pu ? »

Puis j'avais repris ma course en direction de l'hôpital Saint-Spiridon, accrochée à ma mission pour ne pas devenir folle, contournant chaque nouveau mort en essayant de me concentrer de toutes mes forces sur les deux seuls hommes qui comptaient sur moi : M. Mayer et papa. Seulement il m'avait été impossible d'entrer dans l'hôpital : une foule de blessés, allongés dans la cour ou se retenant l'un à l'autre, en interdisait l'accès. Il aurait fallu leur marcher dessus pour atteindre les portes qui, au demeurant, étaient fermées.

Tous ces blessés étaient en vêtements de nuit, leurs visages étaient extrêmement pâles, striés de coulures de sang pour la plupart, quand ils n'étaient pas figés, et il ne montait de cette foule qu'une plainte confuse. Je m'étais agenouillée près d'un garçon de mon âge à peu près, qui accompagnait son père, ou peut-être un voisin – il l'avait allongé et avait posé sa tête sur ses genoux. L'homme saignait abondamment au-dessus de l'oreille et le garçon pressait un tampon de tissu sur la blessure.

— Pardonnez-moi, des gens de l'hôpital vous ont-ils dit s'ils allaient s'occuper de vous ?

— Non, personne n'est venu encore.

— Qu'est-ce qu'il s'est passé ?

— Ils ont enfoncé les portes et nous ont frappés. Ils criaient. Ils cherchaient des parachutistes russes qui auraient été largués cette nuit.

— Mais qui ? Qui a enfoncé votre porte ?

— Je ne peux pas vous dire, des hommes en civil. Ils pensaient que nous cachions les parachutistes.

La veille au soir, comme nous finissions de dîner, nous nous étions inquiétés en entendant le vrombissement d'un avion. Papa avait aussitôt soufflé les bougies pour aller jeter un coup d'œil par la fenêtre. Il n'avait rien vu, l'écho s'était rapidement éloigné, et nous en avions conclu que ce devait être un appareil civil. Se pouvait-il que ce fût en réalité un russe et qu'il ait lâché sur Jassy des dizaines de soldats armés ?

J'avais expliqué au garçon que je venais moi-même chercher un médecin pour nos voisins juifs qui avaient été également frappés durant la nuit et laissés sur le trottoir.

— Il n'y a que des juifs, ici, avait-il remarqué, j'en connais beaucoup. Ils les soupçonnent, je pense qu'ils ne sont pas allés chez les autres.

En retournant vers la maison, j'avais eu de nouveau ce sentiment de ne plus être dans la réalité. Ma raison refusait d'admettre ce que voyaient mes yeux : partout des corps abandonnés quand la veille encore on se promenait dans ces mêmes rues. À présent, quelques citadins étaient sortis de chez eux, j'avais croisé le regard de certains, sans cesser de courir, et deviné qu'eux aussi cherchaient à se raccrocher à quelque chose de tangible. Voyez-vous ce que je vois ? semblaient-ils m'interroger silencieusement. Sommes-nous dans la vraie vie ? Ne sommes-nous pas en train de dormir ? Et où courez-vous comme ça ? Y a-t-il encore une bonne raison de courir quelque part ?

J'avais traversé la place Unirii et je remontais la rue Lăpuşneanu quand j'avais aperçu quelques silhouettes sous nos fenêtres. C'était surprenant car, en dépit de l'heure – bientôt neuf heures, sûrement –, la rue était absolument silencieuse, comme tétanisée par la présence de ces corps allongés ici et là. Les gens avaient dû les apercevoir de leurs chambres à coucher ou leur salon, comme nous avions aperçu les Mayer, et ils se terraient chez eux en attendant de voir ce qui allait advenir. Alors qui pouvaient être ces personnes sous nos fenêtres ?

J'arrivais en courant, voilà, encore cent mètres… Une femme, la tête recouverte d'un fichu, qui tenait par la main une fillette d'une dizaine d'années, un homme mûr chargé de balluchons et un plus jeune qui était en train de taper à notre porte.

— Mon Dieu, Sami !

— J'ai pensé…

Il tenait à la main le papier sur lequel je lui avais noté mon nom et mon adresse.

— Entrez vite !

J'avais ouvert la porte et je les avais poussés vers l'escalier avant de refermer rapidement.

Le vestibule était dans la pénombre, je m'étais efforcée de leur sourire sans pouvoir encore distinguer leurs visages.

— Vous avez bien fait de venir. Bonjour Sami. Bonjour à vous tous. Ici, vous ne craignez rien.

Je peinais à parler, j'étais essoufflée. Puis mes yeux s'étaient habitués à l'obscurité et Sami me les avait présentés : sa mère, son père et sa sœur cadette, Rina.

— Ils sont venus cette nuit mais nous avons pu nous cacher et leur échapper, avait simplement dit le père.

— Venez, je vous précède dans l'escalier, vous devez être épuisés, je vais vous préparer à manger.

Maman avait dû nous entendre, mais elle n'avait pas bougé, comme statufiée sur une chaise de la salle à manger, les paupières gonflées, le poing serré sur son mouchoir.

— Maman, je te présente des amis juifs qu'il faut cacher.

Alors étrangement elle s'était remise à pleurer, avant de se lever et de venir les accueillir. Elle avait embrassé la mère et la fille sans cesser de pleurer, puis serré la main du père, et enfin celle de Sami, tout cela sans prononcer une parole.

— Impossible de trouver un médecin pour monsieur Mayer, avais-je dit, le parvis de l'hôpital est plein de blessés qui attendent également d'être soignés…

— Tous les deux sont morts, ma chérie. Tous les deux. C'est horrible ! Horrible ! était-elle parvenue à articuler.

J'avais fait asseoir la famille de Sami autour de la table.

— Où est papa ?

— Parti à la questure. Je ne sais même pas pourquoi… Je ne sais pas…

Il allait donc découvrir à son tour le spectacle horrifiant des corps sur les trottoirs, avais-je songé tout en m'affairant à préparer du café, du fromage de Brăila et des tomates.

Tout était épouvantable ce matin-là, et si je ne m'effondrais pas avec maman c'est que je savais exactement ce que j'avais à faire, pour une fois exactement ce que j'avais à faire : je devais sauver cette famille.

— Merci d'être venu, Sami, lui avais-je glissé à l'oreille tandis que je remplissais son bol de café. Merci de votre confiance.

Ils buvaient et mangeaient silencieusement, la mère, le père, la petite et lui, et moi j'étais là pour eux, je ne devais plus penser qu'à cela. Les protéger, que personne ne les touche.

Papa était revenu tandis que je remettais la cafetière sur le gaz. Lui aussi avait dû pleurer en chemin car il avait les yeux rouges et le visage à la fois défait et boursouflé. Jamais je ne lui avais vu cette tête.

— Ce sont des amis juifs, papa, il faut les cacher.

— Oh bien sûr ! Bien sûr ! Soyez les bienvenus.

Il avait trouvé la force de leur sourire en venant poser une main sur l'épaule de chacun.

— Mon Dieu, comment a-t-on pu en arriver là !

Et alors il s'était mis à raconter, se retenant de pleurer, ce qu'il venait de voir à la questure. Sur le toit d'une maison, juste en face, ils avaient ficelé à la cheminée la dépouille d'un commerçant juif qu'il connaissait bien, et ils lui avaient placé une mitraillette entre les mains pour accréditer l'idée que les juifs avaient engagé le combat au côté des parachutistes russes et tiré sur des soldats roumains et allemands.

— Qui peut croire une telle sottise ? J'ai pu parler avec le commissaire du quartier que j'aime bien, tu sais, Carmen, Buican, c'est un brave type : aucun parachutiste russe n'a sauté sur Jassy cette nuit, il me l'a assuré. La rumeur a probablement été lancée par ces cinglés du SSI, c'est ce qu'il m'a dit, n'est-ce pas, ce sont ses mots, *ces cinglés du SSI*, pour trouver une bonne raison d'entrer chez les juifs cette nuit et de commettre ces atrocités. Les pauvres Mayer, mon Dieu, c'est affreux, ils les ont tirés du lit et abattus comme des chiens sur le trottoir... C'est inconcevable ! Inconcevable ! Comment a-t-on pu en arriver là ? avait-il répété. Et maintenant ils raflent tous les juifs. J'ai vu les premiers entrer dans la cour de la questure, les mains en l'air comme s'ils étaient des criminels, encadrés par nos soldats. Tout le monde semble croire que des parachutistes se cachent dans la ville alors qu'il n'y a rien, rien… Buican a été formel et je lui fais confiance.

Il était allé se poster derrière la chaise où maman se tenait de nouveau assise et lui avait posé ses deux larges mains sur les épaules. Mais pour la première fois il n'avait rien trouvé à dire pour la réconforter.

Pendant que Sami et les siens finissaient de se restaurer, j'avais pris la décision d'aller à la questure à mon tour tenter d'obtenir des renseignements fiables sur les événements de la nuit. Après ça, je devrais trouver un moyen d'appeler Hurtig à l'agence. Il devait savoir que Jassy était privé de téléphone, et cependant s'impatienter, je le connaissais. L'idée que Sartori disposait peut-être d'une ligne privée, en tant que consul d'Italie, m'avait traversé l'esprit.

— Papa, je te confie mes amis, je dois m'absenter un moment.

Puis m'adressant à eux, j'avais dit à la mère et à Rina qu'elles pouvaient aller s'allonger sur mon lit pour dormir un peu en attendant mon retour.

— S'il vous plaît, sentez-vous comme chez vous, avais-je ajouté un peu maladroitement.

Avant de partir, un réflexe professionnel m'avait fait courir jusque dans ma chambre pour y prendre la lettre signée du capitaine Malaparte faisant de moi la correspondante à Jassy du *Corriere della Sera*.

Les rues étaient plus animées qu'aux premières heures de la matinée mais les corps étaient toujours là, en travers des trottoirs, des femmes, des enfants, des hommes de tous les âges aux visages tuméfiés, certains allongés dans le caniveau – personne n'était donc intervenu pour les transporter vers un lieu de recueillement, de sorte que les citadins les enjambaient ou les contournaient, le visage fermé, comme s'ils avaient honte de ce qu'ils faisaient tout en manifestant par une certaine raideur qu'ils n'y pouvaient rien et devaient malgré tout se rendre là où ils avaient prévu d'aller en ce dernier dimanche de juin. J'étais exactement dans la même situation qu'eux, je contournais soigneusement les morts pour courir à la questure, consciente de partager un événement d'une inhumanité extravagante tout en ne sachant ni comment le dénoncer ni comment exprimer ma honte.

En arrivant rue Vasile Alecsandri, un militaire m'avait menacée d'un coup de crosse si je faisais un pas de plus : un convoi d'hommes, les mains en l'air, des juifs à n'en pas douter, marchait vers la questure, occupant toute la largeur de la rue. J'avais attendu, puis je leur avais emboîté le pas pour me présenter à mon tour à l'entrée du bâtiment. Les portes de la vaste cour étaient ouvertes et pour y pénétrer les prisonniers devaient passer entre une double haie de soldats qui les frappaient avec les crosses de leurs armes. Certains tombaient sous la violence des coups et alors les militaires leur enfonçaient leurs baïonnettes dans le corps avant de les dégager à coups de pied. Jamais je n'avais été témoin d'un tel déchaînement de cruauté. Les soldats qui frappaient s'esclaffaient, riaient, et parmi eux se trouvaient des Allemands de l'organisation Todt, reconnaissables à leur uniforme.

L'effroi aurait pu me paralyser, mais la colère l'avait emporté, sans doute – on ne pouvait pas laisser faire ça, les responsables, dans les étages, et le questeur lui-même, devaient tout ignorer de ce qui se déroulait dans la cour. Je m'étais donc engouffrée sous le porche de la questure, aussitôt prise dans un tourbillon d'hommes et de femmes qui allaient et venaient entre les bureaux. J'en avais accroché un au hasard par la manche.

— Excusez-moi, avais-je dit en parlant fort, essoufflée, bafouillant, avez-vous vu ce qui se passe dans la cour ?

— Lâchez-moi, s'il vous plaît.

— Des soldats sont en train de frapper à coups de crosse des hommes qui n'ont que leurs mains nues pour se protéger. Je vous en prie, venez voir…

— Lâchez-moi, mademoiselle, ou j'appelle !

Quelques personnes s'étaient interrompues et elles commençaient à former un petit attroupement autour de nous quand j'avais senti qu'on m'empoignait sous les aisselles et, tandis qu'on me tirait en arrière, j'avais perdu de vue l'homme que je venais d'interpeller.

Toujours à reculons, on m'avait précipitée dans une pièce dont on avait fermé la porte, et alors seulement j'avais pu constater que ceux qui m'avaient enlevée étaient des policiers.

L'un des deux m'avait arraché mon sac et l'avait renversé sur le bureau. Il avait vidé mon portefeuille, vu ma carte d'identité, celle de l'agence Rador, lu la lettre de Malaparte, puis pris mon carnet de notes et l'avait feuilleté. Tous les deux se taisaient, mais on entendait d'autres hommes bavarder dans la pièce à côté. Pendant un bon moment le policier avait lu des passages de mon carnet.

— Va chercher le commissaire, avait-il soudain lancé à l'autre en lui tendant mes papiers et sans cesser de lire.

J'avais reconnu l'homme trapu au visage carré qui avait tutoyé M. Zelinger et menacé de faire fusiller sur place les juifs qui seraient surpris en possession d'une arme, d'une lanterne ou d'un drapeau rouge. Il m'avait jeté un regard rapide, où j'avais cru voir une lueur d'amusement, avant de lire les pages de mon carnet que le policier lui présentait.

— Quel rapport entre le juif Froim et ce sergent Manoliu que vous décrivez comme un homme aimable « bien qu'il estime indispensable pour la survie du pays, écrivez-vous, de tuer le plus grand nombre de juifs possible ou de les enfermer dans des ghettos » ?

— Je couvre les événements de Jassy pour l'agence Rador.

— Et pour un journal italien, je vois ça. À la lecture de ce qui est écrit dans votre carnet, je pourrais vous enfermer pour intelligence avec l'ennemi.

— Je n'ai jamais fréquenté aucun Russe.

— Mais vous fréquentez des juifs qui renseignent les Russes.

— Aucun des juifs que j'ai rencontrés ne renseigne les Russes. Et d'ailleurs, cette complicité des juifs et des Russes n'existe pas. C'est une rumeur qu'a lancé le SSI pour condamner les juifs. Nous avons tous vu leurs affiches.

— C'est ce que vous croyez.

— Je ne suis pas la seule à le croire, et ce matin les gens sont épouvantés. Êtes-vous allé marcher dans les rues, ce matin, monsieur le commissaire ? Tous ces morts sur les trottoirs, des hommes, des femmes, des enfants – pensez-vous que les enfants juifs renseignent les Russes ? Mes voisins juifs ont été assassinés cette nuit, des pharmaciens aussi patriotes que vous et moi, et maintenant nos soldats frappent des innocents à coups de crosse. Croyez-vous vraiment que les habitants de Jassy ont voulu cela ?

— Suivez-moi.

Il m'avait entraînée à l'étage jusque dans son bureau.

— Venez voir par là, mademoiselle Rădulescu.

Sa fenêtre donnait sur la cour. Ce qu'on y découvrait était ahurissant : des dizaines de personnes ensanglantées s'y entassaient dans un enchevêtrement de corps d'où émergeaient d'innombrables têtes emmaillotées dans des chemises ou des tricots de corps tachés de sang, des bustes nus portant des visages d'une effrayante pâleur, et d'autres bustes encore qui levaient la main comme pour appeler au secours et que la mort avait surpris dans cette position.

— Des innocents, dites-vous. Regardez donc le groupe d'hommes, là-bas sur la gauche, les cinq ou six debout, ceux-là sont des communistes et vont être exécutés.

J'avais reconnu parmi eux Avram Froim et M. Zelinger. Le vieux M. Zelinger avait le bras en écharpe et semblait très affaibli tandis que toute une moitié du visage de M. Froim était une plaie ouverte.

— Vous voyez votre ami Froim ?

— Est-ce que je peux récupérer mes affaires et m'en aller ?

J'étais déjà au milieu de la pièce. Il me souriait, je l'amusais.

— Oui, disparaissez avant que je change d'avis et saluez votre frère de ma part quand vous le verrez.

Je n'avais plus toute ma tête en quittant la questure, j'étais abasourdie et chancelante. Qu'étions-nous en train de vivre ? Était-ce cela qu'on appelait un pogrom ? J'avais beaucoup lu sur celui de Chişinău, en 1903, sans imaginer qu'un tel déchaînement puisse se renouveler un jour. Puisque la chose avait eu lieu, qu'elle avait horrifié le monde entier, elle ne se reproduirait plus. Ainsi pensons-nous, nous figurant que l'expérience d'une atrocité nous prémunit contre sa répétition. Bien sûr, il y avait eu le pogrom de Bucarest en janvier de cette même année 1941, des juifs pendus à des crochets de boucher sous une pancarte « Viande casher », mais ce pogrom-là avait été l'œuvre exclusive des légionnaires, ce qui d'une certaine façon confirmait que le reste de la population se méfiait désormais de notre tendance à l'inhumanité, sachant que nous en portions le germe. Or les atrocités de Chişinău étaient en train de se reproduire et personne, personne, ne semblait en avoir conscience. Ce commissaire, qui devait être père de famille, comme le sergent Manoliu allait l'être bientôt, ne trouvait rien d'anormal au spectacle de cette foule martyrisée.

Comme un autre convoi de juifs me fermait la rue en direction de la place Unirii et de la maison, je m'étais engagée comme une somnambule dans la rue Cuza Vodă qui, elle aussi, était jonchée des morts de la nuit. Maintenant, je ne pouvais plus m'empêcher de pleurer, c'était nerveux, et je m'entendais murmurer stupidement : « Au secours ! Au secours ! Seigneur, si tu existes, fais que ça s'arrête. » Comme si le diable avait voulu me prouver l'inanité de Dieu, son impuissance, c'est à ce moment-là précisément que j'avais aperçu à travers mes larmes un homme qui frappait de sa canne une masse rampante sur le trottoir que j'avais prise pour un chien. Je m'étais approchée, il aurait pu être mon père, élégant, cravaté, soigné, la tête couverte d'un chapeau. Cependant, la forme qu'il battait n'était pas un chien mais une femme qui tentait de se protéger la tête de ses bras. « Saleté ! éructait-il. Saleté de youpine ! Tu vas crever, oui, ou t'en veux encore ? »

C'était un spectacle si impossible que je m'étais jetée sur lui en hurlant : « Non ! Arrêtez ! Je vous en prie ! Je vous en supplie ! » Mais j'avais sous-estimé la force de cet homme, il avait à peine trébuché sous mon poids et m'avait asséné en retour un violent coup de canne dans le ventre qui m'avait coupé le souffle. Le corps cassé en deux, je m'étais enfuie par une rue transversale, me tenant le ventre, m'entendant gémir, et songeant confusément que nous étions redevenus des bêtes.

Tout était calme à la maison. Papa, alerté par le claquement de la porte d'entrée, m'attendait en haut de l'escalier pour me dire de ne pas faire de bruit : la petite dormait dans ma chambre et il avait donné un tranquillisant à maman qui, elle aussi, avait fini par sombrer. Avec l'aide du libraire, M. Jonescu, et de M. Walzer, le mari de Sorina, la coiffeuse, ils avaient rentré dans la pharmacie les corps de M. et Mme Mayer en attendant de savoir ce que décideraient les autorités.

— Mais de quelles autorités parles-tu, papa ? De quelles autorités ? Je reviens de la questure...

Il avait compris, il m'avait prise dans ses bras et nous avions pleuré ensemble.

Un moment plus tard, en constatant que Sami et ses parents se tenaient silencieusement assis dans le canapé et nous avaient vus, j'avais éprouvé de la honte : eux qui avaient échappé à la mort se taisaient, tandis que nous, qui ne risquions rien, nous réconfortions en pleurant.

Nous étions en plein pogrom et nous ne parvenions pas à le croire. Près de cinq années après ces événements, tandis que je tente de rapporter dans ce texte ce que j'ai vu de mes yeux, je découvre la même incrédulité chez les quelques témoins qui ont accepté de parler à Matatias Carp, avocat juif comme Mihail, et premier archiviste des massacres de Jassy :

Richard Filipescu, capitaine dans l'armée roumaine : « Je me trouvais en faction en face de la gendarmerie quand j'ai vu arriver quelques centaines de juifs, les mains en l'air, certains blessés et couverts de sang, l'un d'eux ayant même l'œil qui pendait hors de son orbite. Ils étaient disposés sur trois ou quatre files, escortés par des sentinelles roumaines et allemandes. Les juifs pleuraient et gémissaient, mais si l'un tentait de baisser les bras, il était aussitôt fusillé ou battu à coups de crosse. »

Leizer Finchelstein : « On aurait dit que nous étions conduits à l'abattoir. Nous étions tous très dociles. »

Vlad Marievici, chef du service sanitaire à la mairie de Jassy : « Le dimanche 29 juin, à sept heures du matin, j'allais à mon bureau qui se trouvait rue Cuza Vodă. Depuis la rue Ion Creangă où j'habitais, jusqu'à mon travail, j'ai vu neuf cadavres, deux corps isolés et sept entassés les uns sur les autres, rue Apeduc. Parmi eux j'ai reconnu Iancu Schneider, le plus riche du quartier Tătărasi. »

Leon Haimovici : « Dimanche matin vers huit heures, un convoi d'artillerie est passé dans la rue Cuza Vodă. Soudain, j'ai entendu deux coups de feu, et lorsque j'ai ouvert la porte, j'ai vu le rabbin Joseph Safram gisant sur le sol dans une mare de sang. Il m'a dit qu'il venait de sortir de chez lui où il avait fait la prière du matin, quand un militaire est descendu d'un camion, lui a tiré dessus et lui a dit : "Nous abattrons ainsi tous les youtres !" »

Israël Schleier, ingénieur : « À la porte de la questure, un cordon formé de soldats roumains, mais aussi de civils, tous munis d'armes à feu ou de barres de fer, commença par nous dépouiller de tous les objets de valeur que nous pouvions avoir sur nous, puis les coups se mirent à pleuvoir, visant la tête ou assénés au hasard avec une indescriptible sauvagerie. Beaucoup de gens furent tués alors, mais une partie parvint à pénétrer dans la cour de la questure. Là, le spectacle était terrifiant. Des tas de gens ensanglantés gisaient par terre avec des blessures épouvantables : des yeux sortis de leurs orbites, des corps transpercés par les baïonnettes, des bras ou des jambes cassées, des cadavres empilés les uns sur les autres, des cris et des gémissements terribles. »

Pendant qu'on martyrisait des hommes à la questure et que de nouveaux convois de juifs marchaient vers la rue Vasile Alecsandri, nous avions déjeuné avec la famille de Sami. Ainsi va la vie, me dis-je aujourd'hui, selon qu'on se trouve d'un côté ou de l'autre d'une frontière arbitrairement tracée. À huit cents mètres de chez nous on battait des juifs à coups de crosse et de barre de fer, quand nous, chrétiens, passions à table comme tous les dimanches à cette heure-ci. Pourtant nous savions, papa et moi savions, et d'ailleurs nous n'avions pas touché à nos assiettes, mais Rina et maman nous avaient rejoints et, tous ensemble, nous avions feint de croire que nous demeurions des gens civilisés.

Vers quatorze heures, tandis que maman s'efforçait d'entretenir une conversation balbutiante avec la mère de Sami, il nous avait été impossible de ne pas entendre le crépitement continu des mitrailleuses. Les fenêtres de la salle à manger étaient grandes ouvertes sur l'été radieux et le dimanche la ville est traditionnellement silencieuse du fait que tous les commerces sont fermés.

Où se battait-on ? Se pouvait-il que le commissaire Buican se soit trompé et que des parachutistes russes soient en train d'attaquer ? Maman s'était tue et, tandis que le bruit des mitrailleuses occupait tout l'espace de la salle à manger, nous nous étions figés.

Je ne devais apprendre que le lendemain, repassant par la questure après une nuit abominable au consulat d'Italie, ce que cachaient ces tirs nourris qui s'étaient prolongés durant d'interminables minutes. Sans que l'on sache qui en avait donné l'ordre, soldats roumains et allemands avaient subitement ouvert le feu sur les centaines de juifs entassés dans la cour. Presque tous avaient été tués (seuls quelques-uns étaient parvenus à se sauver en escaladant le mur d'enceinte dans une panique indescriptible) et leurs dépouilles entassées sur des charrettes à bras, l'après-midi même, pour être transportées vers les vastes fosses communes creusées quelques jours plus tôt dans l'enceinte du cimetière juif de Păcurari. Les habitants de la rue Vasile Alecsandri avaient assisté à ce déchaînement meurtrier depuis les fenêtres de leurs maisons, puis à l'arrivée des charrettes. Une « noria de charrettes », racontaient-ils, sur lesquelles les corps avaient été jetés après avoir été dépouillés de leurs vêtements.

Les témoins parlaient volontiers, sans émotion aucune, peu avares de détails pratiques – « jetés tête-bêche pour en mettre plus », précisaient-ils – et moi je notais scrupuleusement, sans plus d'émotion, comme s'il s'était agi de l'abattage d'une forêt. Cela faisait alors plus de vingt-quatre heures que nous enjambions des gens assassinés, hommes, femmes et enfants, et je suppose que nous avions épuisé toutes nos capacités d'indignation.

Tout en les écoutant, ce lundi matin 30 juin, j'observais à travers les grilles de la questure d'autres juifs qu'on avait amenés là pour nettoyer la cour. Ils étaient agenouillés et ils frottaient les pavés avec des chiffons.

Vlad Marievici, chef du service sanitaire à la mairie de Jassy : « Sur le sol, le sang ruisselait jusqu'à l'entrée, au point que j'ai dû, moi aussi, patauger dedans, avec l'entière épaisseur de ma semelle. »

Leia Moïse, quatre-vingts ans : « Je suis allée à la recherche de mon fils [qu'elle ne devait jamais retrouver], qui était mobilisé à la défense passive à la centrale électrique. Je me suis rendue ensuite à la questure, mais j'ai été retenue et obligée de nettoyer la cour. Il y avait avec moi d'autres personnes, notamment l'avocat Paul Lazar. Nous avons dû laver le sang qui envahissait tout et effacer toute trace des meurtres. J'ai ramassé des morceaux de cervelles écrasées et j'ai frotté les taches de sang sur les pavés. Je suis restée là, sans nourriture, trois jours durant. Au troisième jour, un général est venu nous annoncer que nous étions libres en nous expliquant que tout ce qui s'était passé était arrivé à cause des juifs qui avaient tiré sur les troupes roumaines et allemandes. »

Le dimanche après-midi, pendant qu'à la questure on entassait les morts sur des charrettes, nous n'avions fait que fumer et boire du café avec la famille de Sami. Le colonel Lupu était en effet intervenu à la radio pour demander à chacun de rester chez soi en raison, avait-il dit, d'« accrochages qui se poursuivaient ici et là dans les quartiers juifs avec les derniers parachutistes russes encore vivants ». De fait, on entendait des coups de feu, et j'avais donc attendu que la radio annonce la fin des combats pour enfourcher mon vélo et tenter de gagner le consulat d'Italie. En vérité, je le redis, aucun parachutiste russe n'a sauté sur Jassy en cette fin du mois de juin 1941, et les coups de feu que nous entendions étaient en réalité tirés contre des juifs, comme je devais le constater tout au long de la nuit de dimanche à lundi.

Ce dimanche soir 29 juin, les rues offraient un spectacle de liesse horrifiant : tandis que de partout surgissaient de nouveaux convois de juifs marchant les mains en l'air, encadrés par des soldats roumains et souvent précédés d'une automitrailleuse allemande ou de motards de la Wehrmacht, les trottoirs s'étaient remplis d'une foule joyeuse à l'annonce de la fin des combats. Les juifs avaient prétendument tenté de livrer la ville aux parachutistes communistes et ils avaient perdu la bataille, il était donc légitime qu'ils soient massivement arrêtés, comme il était légitime que la population chrétienne de Jassy se réjouisse de sa prétendue victoire. La confrontation entre les deux peuples de notre ville avait été longuement préparée par les campagnes de propagande du SSI, relayées par les messages mensongers du colonel Lupu. Et voilà, nous étions arrivés à ce tournant du pogrom où les civils sont psychologiquement prêts à prendre le relais des autorités et de l'armée dans la destruction de l'ennemi juif. Certes, depuis des décennies, nous chrétiens de Roumanie refusions aux juifs d'être des nôtres, nous chrétiens de Roumanie souhaitions ardemment le départ des juifs, mais nous n'étions pas disposés pour autant à les frapper et à les tuer, comme me l'avait montré la consternation de mes parents devant l'assassinat de nos voisins Mayer.

Quelques heures plus tôt, les juifs qu'on poussait dans la cour de la questure avaient dû passer entre deux haies de soldats qui les battaient à coups de crosse. À présent, ils avançaient entre deux haies de civils, massés sur les trottoirs, qui leur lançaient des pierres, les frappaient avec toutes sortes de gourdins, du manche à balai à la barre de fer, leur crachaient dessus et les insultaient : « Traîtres ! Salauds de communistes ! Bandits ! À l'abattoir les youtres ! » Tout cela accompli en riant, en hurlant, certains audacieux allant même jusqu'à traverser les rangs des prisonniers avec leur matraque pour en faire chuter quelques-uns et s'attirer les applaudissements de la foule.

Les juifs qui tombaient étaient aussitôt abattus d'un coup de feu et leurs dépouilles abandonnées sur le pavé à l'ivresse de leurs bourreaux.

Où les conduisait-on ? À la gare, où l'on allait les entasser par centaines dans deux convois distincts de wagons à bestiaux que l'on ferait aller et venir sous le soleil brûlant durant quelques jours jusqu'à constater la mort de la plupart des occupants par étouffement ou déshydratation.

Cependant, obsédée par la nécessité de faire savoir au monde ce que j'avais vu le matin même dans la cour de la questure, je ne les avais pas suivis, de sorte que je ne devais apprendre que le lendemain qu'on les menait à la gare pour un supplice plus épouvantable encore que celui de la questure, et j'avais poursuivi mon chemin vers le consulat d'Italie en espérant y trouver un téléphone pour joindre enfin M. Hurtig.

Le soir tombait quand je m'étais engagée dans la paisible rue aux platanes et ce que j'avais aperçu de loin m'avait semblé extravagant après les scènes de lynchage auxquelles je venais d'assister : Sartori se tenait assis sur une chaise, sur le trottoir, devant les grilles de son consulat largement ouvertes, et en somme il paraissait prendre le frais tranquillement en fumant une cigarette, à moins que ce soit un cigare. Eh oui, c'était bien un cigare.

— Eugenia ! Ça alors ! Mais d'où sortez-vous, ma jolie ?

— Je dois appeler mon agence, j'ai pensé que vous auriez peut-être un téléphone… Ils tuent des juifs… Ils les arrêtent et les tuent… C'est épouvantable, je viens de croiser plusieurs convois…

J'étais hors d'haleine, et lui m'écoutait en grimaçant.

— Eh oui, avait-il soufflé, il nous fallait encore cet embêtement. Et à la veille de mon départ... Entrez donc, vous allez aider Marta, il y en a plein la maison et certains sont blessés. Moi je reste ici pour guetter ceux qui viendraient à passer. Entrez, entrez, Marta va être bien heureuse de vous voir arriver.

La maison était méconnaissable, le grand salon entièrement vidé de ses meubles et bibelots, et à la place des gens au sol qu'éclairaient faiblement quelques bougies disposées ici et là, des familles, des vieillards, les plus chanceux adossés contre les murs, les autres en travers du passage.

Un murmure timide avait répondu à mon « Bonsoir ». Mais où était Marta ? J'avais choisi de gagner la cuisine, en enjambant une fois de plus des corps, tétanisée à l'idée d'écraser une main et m'excusant à chaque pas. La cuisine offrait le même tableau, une vingtaine de personnes silencieusement serrées sur le carrelage. J'avais rebroussé chemin, confuse d'avoir à déranger une deuxième fois ceux du salon. Marta se trouvait dans la chambre de Sartori sur le lit duquel étaient allongés des hommes qui avaient été visiblement battus, un le visage en sang, tous respirant péniblement et laissant échapper des gémissements. Un candélabre portant six bougies éclairait la pièce.

— Bonsoir Marta. Est-ce que je peux vous aider ?

Elle n'avait pas eu l'air surpris de me découvrir derrière elle.

— Si vous me teniez cette cheville, ça serait plus facile.

Elle était occupée à bander le pied d'un homme qui devait souffrir d'une fracture ouverte.

Après ça, nous nous étions occupées d'un autre qui avait pris un coup de baïonnette dans le flanc. Comme elle bourrait la blessure de compresses, elle m'avait raconté qu'elle avait servi comme infirmière en 1917.

Plus tard, un nouveau groupe de réfugiés avait dû entrer au salon car nous avions entendu des exclamations étouffées et le bruissement des corps.

— Restez un moment avec ceux-là, m'avait-elle dit, je vais voir s'il y a des blessés parmi les arrivants.

Elle était reparue un quart d'heure plus tard avec Sartori. Il avait refermé les grilles après que des soldats ivres avaient menacé d'entrer et de tuer tous les juifs. Pendant une partie de la nuit nous avions soigné les blessés ensemble, Sartori découpant de longues bandes de tissu dans ses draps de lit, Marta et moi lavant et pansant comme nous le pouvions des plaies affreuses.

Puis nous avions servi du café et distribué le peu de vivres qu'il restait dans les placards de la cuisine.

Aux premières lueurs du jour, ce lundi matin 30 juin, tandis que deux mille cinq cents juifs environ quittaient la gare de Jassy enfermés dans une trentaine de wagons à bestiaux dont on avait soigneusement obstrué les grilles d'aération, Sartori et moi étions sortis fumer dans le jardin. C'était encore une belle journée d'été qui s'annonçait, de la ville ne montait plus aucun bruit, aucun coup de feu, les gens étaient enfin rentrés chez eux se reposer, et le seul mouvement perceptible autour de nous était celui des acacias que la brise tiède agitait par moments. Il m'avait désigné une tache sombre, à droite de la porte d'entrée.

— Pouvez-vous croire cela, Eugenia ? Hier après-midi, je me trouvais là où nous sommes exactement avec le propriétaire de la villa, un brave homme dont le seul tort était d'être juif. Nous devions régler les détails de mon départ et j'avais commis la bêtise de laisser la grille entrouverte. Des gendarmes sont entrés sans rien me demander et l'ont tué sous mes yeux à coups de crosse. J'ai protesté, je me suis mis en colère, j'ai menacé d'appeler le colonel Lupu, mais ils m'ont ri au nez.

— Mon Dieu !

— Qu'est-ce que je pouvais faire de plus, n'est-ce pas ? Je sais bien que Lupu est lui-même un assassin, je le connais, un homme charmant au demeurant, mais je n'allais tout de même pas appeler Mussolini !

Il avait eu un rire triste.

— Nous allons attendre que les choses se calment et puis tous ces malheureux rentreront chez eux et moi je quitterai ce pays sans regrets. Êtes-vous toujours décidée à rester, Eugenia ? Je vous avoue que si vous veniez je partirais le cœur moins lourd.

Je m'étais surprise à rêver d'une vie là-bas, à Naples, Sartori m'invitant certains jours sur son canot à pêcher le rouget en sa compagnie. Il laisserait passer quelques semaines avant de me dire qu'il m'aimait et me demander si je voulais bien l'épouser en dépit de notre différence d'âge, de son gros ventre et de sa calvitie. Et il aurait le même rire triste, s'attendant à ce que je refuse, bien entendu. Lui quarante ans ou plus, moi à peine vingt-cinq. Et je dirais : « Oui, je veux bien être votre femme, je me fiche que vous n'ayez plus de cheveux et un gros ventre, vous êtes un homme bon, merveilleusement bon, et j'aspire à m'endormir dans vos bras. »

Il avait rallumé son cigare et remarqué que les oiseaux se taisaient ce matin-là – « Ils ont peur, ils ne chantent plus » –, façon de me signifier qu'il n'attendait rien, que je pouvais parfaitement ne pas lui répondre.

— Si nous le pouvions, là, tout de suite, avais-je dit sans le regarder, j'aimerais m'endormir dans vos bras.

Il n'avait pas relevé mais m'avait entraînée vers un banc où nous étions restés assis l'un près de l'autre, lui tirant de petites bouffées de son cigare, et moi songeant combien sa seule présence me réconfortait.

— Vous ne veniez pas pour téléphoner ? s'était-il soudain rappelé.

J'avais réveillé M. Hurtig et nous avions composé ensemble le premier article sur le pogrom de Jassy. Il devait être transmis le jour même au monde entier par l'agence Reuters de Londres et publié la semaine suivante dans l'hebdomadaire américain *Newsweek*.

Qu'est devenu Sartori ? A-t-il survécu aux bombardements qui ont précédé le débarquement allié de l'été 1943 ? Près de cinq années se sont écoulées depuis qu'il m'a raccompagnée à la grille du consulat, ce 30 juin 1941.

— Et si un jour vous passez par Naples, Eugenia…

— Je viendrai sonner à votre porte.

Pourquoi est-ce que je n'irais pas à Naples cet été, tiens, avec ou sans Leny ?

J'étais repassée par la maison dormir deux petites heures avant de retourner à la questure pour apprendre que tous les juifs au martyre desquels j'avais assisté avaient été achevés à la mitrailleuse.

C'est là qu'un homme était venu m'avertir de ce qui s'était passé à la gare durant la nuit.

Une fois sur place, j'avais eu la confirmation que deux convois, remplis de prisonniers juifs, circulaient actuellement. Le premier, d'une trentaine de wagons dans lesquels on avait entassé deux mille cinq cents personnes environ, avait quitté Jassy vers quatre heures du matin, tandis que le second, transportant près de mille neuf cents personnes, réparties dans dix-huit wagons, s'était ébranlé vers six heures.

Il m'avait été impossible sur le moment de savoir où allaient ces trains et ce que les autorités comptaient faire des quatre mille quatre cents détenus qui s'y trouvaient enfermés. Ce n'est qu'à partir du 3 juillet que les premières informations avaient commencé à circuler.

Nous savons aujourd'hui que l'unique objet de ces trains fut d'assassiner leurs occupants par étouffement ou déshydratation.

Le premier parcourut sept cents kilomètres en six jours, allant et venant, pour finir sa course à Călăraşi, près de la frontière bulgare. Quand la police ouvrit enfin les portes, mille cinq cents personnes avaient succombé. Les mille onze qui avaient survécu furent autorisées par la suite à rentrer chez elles.

Le second ne parcourut que dix-sept kilomètres. Mille deux cents de ses occupants moururent. Les sept cent huit survivants furent, eux aussi, renvoyés chez eux après quatre à cinq mois de détention dans un camp de fortune à Podu Iloaiei.

Je dirais qu'à partir du 6 juillet, tandis qu'on enfouissait les derniers morts à Călăraşi, le « joyeux et féroce labeur du pogrom », comme devait l'écrire Malaparte dans *Kaputt*, sembla soudain s'essouffler. Le dimanche 6 juillet, une semaine précisément après les premiers assassinats de masse, on ne rapporta à ma connaissance aucun meurtre de juif dans notre ville.

Le 4 juillet, le général Ion Antonescu avait douché l'ardeur meurtrière des civils et des militaires en adressant une circulaire à toutes les questures de Roumanie pour condamner ce qui se passait à Jassy. Tout en accusant les juifs de s'être conduits « honteusement » en « insultant et attaquant » l'armée roumaine, il écrivait : « La honte est plus grande encore quand on voit, comme à Jassy, des soldats s'en prendre à la population juive et tuer au hasard dans l'intention de piller ou de nuire. Il n'y a que le gouvernement qui soit habilité à prendre les mesures qui s'imposent. »

En début d'après-midi, ce dimanche 6 juillet, Sami émit donc timidement le souhait d'aller voir à Târgul Cucului si la maison familiale était encore debout.

— Je t'accompagne.

Il s'était rasé à ma demande, plaqué les cheveux en arrière à la brillantine et maman et moi avions achevé de le déguiser en chrétien avec des vêtements d'Andrei. Plusieurs maisons avaient été incendiées, mais ici et là cependant des familles étaient en train de se réinstaller, ramassant dans leur petit jardin, ou sur la route de terre, ce que les pilleurs n'avaient pas emporté. Comme les gens ne semblaient pas le reconnaître, Sami était allé à deux ou trois reprises échanger quelques mots avec eux, me laissant seule au milieu du chemin. Sa maison paraissait intacte, mais la porte d'entrée en avait été arrachée et les cages à lapins étaient vides.

Il ne m'avait pas invitée à entrer avec lui et je m'étais assise sur une pierre, dans un coin du potager que le soleil avait desséché.

— Ça va, avait-il dit en sortant.

— Quoi ? Vos affaires ? Les lits ? La cuisine ?

— On réparera ce qui est cassé. Il n'y a plus de danger maintenant, on peut revenir.

— Tu es sûr ?

— Les autres reviennent bien.

Il n'était plus le garçon de notre première rencontre, celui qui m'avait prévenue crânement qu'ils allaient se défendre, qu'ils ne se laisseraient sûrement pas « saigner comme des lapins » – avant de me renvoyer chez moi avec autorité. Et je n'étais plus la fille que le désir de ce garçon avait si subitement enflammée. D'ailleurs, toute la semaine nous nous étions évités, comme si le chagrin et la honte nous contraignaient à raser les murs.

Ils avaient quitté la maison en fin d'après-midi, emportant un panier de provisions que leur avait préparé maman. Je me souviens qu'elle les avait accompagnés du regard depuis la fenêtre et qu'elle pleurait silencieusement.

Selon une enquête du SSI datée du 23 juillet 1943 et s'appuyant sur les listes de décès fournies par les différentes synagogues de Jassy, le pogrom aurait tué treize mille deux cent soixante-six personnes, dont quarante femmes et cent quatre-vingts enfants. J'ai sur mon bureau la liste des noms.

24

Le mercredi 2 juillet en début de soirée, alors que nous nous apprêtions à dîner avec Sami et les siens, on avait frappé à la porte d'entrée. Qui cela pouvait-il être à cette heure-ci ? Papa était allé jeter un un coup d'œil par la fenêtre.

— La police allemande, avait-il soufflé en revenant vers nous. Carmen, emmène-les au grenier, et toi, Eugenia, dessers les assiettes en trop. Faites vite, je les retiens en bas.

Mais ils ne souhaitaient pas monter et ils s'étaient même excusés de nous déranger, ce qui devait faire dire à papa que les policiers roumains feraient bien de prendre exemple sur leurs confrères allemands. C'était après moi qu'ils en avaient.

— Eugenia Rădulescu.

— C'est ma fille.

— Pouvez-vous l'appeler, s'il vous plaît ?

Papa s'était exécuté et je m'étais trouvée en présence de deux agents de la Gestapo qui m'avaient demandé de les accompagner.

— Est-ce que je dois prendre quelques affaires ?

— Seulement vos papiers d'identité, mademoiselle.

Ils m'avaient fait monter à l'arrière de l'auto, une Mercedes de couleur verte, tandis qu'eux deux se tenaient devant. Tout au long du chemin, comme nous prenions la direction de Copou, je m'étais demandé ce qu'ils pouvaient avoir à me reprocher, m'efforçant de ne rien laisser paraître de la peur qui me serrait le ventre. Mon article sur le pogrom, dans lequel j'impliquais des militaires allemands, n'était pas signé – se pouvait-il qu'ils en recherchent l'auteur ? Les gens du SSI m'avaient-ils signalée comme une opposante, voire une communiste ?

L'auto s'était immobilisée devant une villa, sur les hauteurs de Copou. Ils m'avaient priée de les suivre, avaient salué négligemment les gardes, et à peine entrés nous nous étions retrouvés dans un central téléphonique où trois soldats, casques d'écoute sur la tête, manipulaient des fiches de cuivre. L'un des trois m'attendait, manifestement, car il m'avait tendu un casque qu'un des agents de la Gestapo m'avait ajusté sur les oreilles avant de tirer une chaise de sous une table et de m'inviter à m'y asseoir.

J'avais patienté une ou deux minutes, les oreilles vrillées par les parasites, avant d'entendre une voix d'homme.

— Vous êtes là, Eugenia ?

— C'est moi, oui.

— Pardonnez-moi, j'ai dû passer par la police pour vous attraper. Malaparte. Comment allez-vous ?

— Pas très bien. Pouvons-nous parler librement ?

— En français si vous voulez.

J'avais commencé à raconter les morts du dimanche matin dans les rues de Jassy, puis ceux de la questure.

— C'est pour cela que je vous appelle, je viens d'apprendre par Schobert ce qui s'est passé. Le général est choqué par la sauvagerie des Roumains, il dit que sous l'autorité du Reich de tels débordements n'auraient pas pu se produire.

— Où êtes-vous ?

— En Bessarabie, en première ligne avec les troupes allemandes, les Russes reculent, nous remontons vers le Dniestr. Écoutez-moi, Eugenia, j'ai besoin de vous. Je vais écrire un article sur le pogrom, dites-moi tout ce que vous avez vu et entendu, je vous écoute.

Je n'avais pas eu à décrire les lieux, il les connaissait parfaitement, et il avait même vu passer au-dessus du front la vague des avions soviétiques qui nous avaient bombardés le jeudi 26 juin, quarante-huit heures avant que ne commence le martyre des juifs. J'avais longuement parlé de la campagne d'intoxication du SSI, des affiches assimilant les juifs à une cinquième colonne communiste alors qu'à ma connaissance aucun juif n'avait été surpris en train de guider un bombardier russe, ou en flagrant délit de sabotage. J'avais insisté sur le fait qu'aucun parachutiste soviétique n'avait sauté sur Jassy, que c'était une rumeur lancée par les autorités, et largement reprise par le colonel Lupu, pour justifier les arrestations et les massacres.

— Bien, avait-il dit à la fin, j'ai tout ce qu'il faut, je vous remercie.

— Attendez, non, je ne vous ai rien dit de votre ami Sartori.

Et il m'avait encore laissé lui faire le récit de notre nuit à soigner des blessés juifs dans l'enceinte du consulat d'Italie.

— Si Mussolini apprend la chose, il va le foutre en prison, avait-il simplement commenté et j'avais compris que la « chose » ne figurerait pas dans son article.

Là-dessus, il m'avait remerciée et avait coupé la communication.

Si j'insiste sur ma conversation avec Malaparte, c'est que son article sur le pogrom, découvert une quinzaine de jours plus tard à Bucarest, sur le bureau de M. Hurtig, a été déterminant dans ma décision d'arrêter le métier de journaliste.

J'avais quitté la maison le 17 juillet vers midi et tandis que je descendais à la gare, espérant y trouver un train pour Bucarest, je m'étais remémoré ma joie en débarquant à Jassy un mois plus tôt. Joie de retrouver Andrei, nos parents, la maison, ma chambre d'enfant puis d'étudiante... Ces jours d'horreur semblaient avoir anéanti tous ces souvenirs en moi – je ne souriais plus en me rappelant nos jeux avec Stefan et Tudor dans les volées d'escalier du ravin jaune, ou encore avec Andrei quand nous asticotions les chevaux place Unirii pour le seul plaisir d'énerver les cochers et de nous enfuir en hurlant de peur et de rire avant qu'ils nous crachent dessus, mais au contraire je me retenais de pleurer. L'idée que je m'enfuyais de ma ville m'était apparue au fil du chemin et je m'étais observée pressant insensiblement le pas. La veille encore je pouvais emprunter la rue Cuza Vodă, ou la rue Vasile Alecsandri, sans m'entendre gémir sourdement – et d'ailleurs je les avais empruntées pour constater que les commerces avaient rouvert et qu'on s'y promenait de nouveau comme si tout était oublié –, mais à présent je gémissais, oui, et parfois même je maugréais. C'est qu'en chaque personne que je croisais, je croyais reconnaître un des visages ravis aperçu dans la foule qui crachait sur les juifs que l'on menait à la gare. Oh mon Dieu, de quoi étions-nous faits pour être capables de *cela* ? Je m'entendais nous maudire, et subitement un sanglot venait noyer ma colère. J'avais failli me jeter sur un homme qui riait, un brave homme si ça se trouve, avant de m'apercevoir qu'il riait de son petit garçon accroupi sur le trottoir devant un chat. On ne pouvait donc même plus rire en ma présence. C'était étrange, on aurait dit que la révolte et le dégoût, que j'avais si longtemps contenus, me débordaient soudain. Sur la fin, je ne marchais plus, je courais par à-coups, en dépit du poids de ma valise. Partir d'ici, vite, ne plus rien avoir à faire avec les gens de Jassy. Avec quel empressement je m'étais engouffrée dans l'unique train de la journée pour Bucarest – trois wagons poussiéreux derrière une locomotive dégoulinante de suie –, remerciant le Ciel, me jurant que plus jamais, plus jamais dans mes oreilles, plus jamais sous mes yeux ce nom maudit de Jassy.

Cependant l'interminable voyage – treize heures, en raison des bombardements russes qui avaient endommagé les voies – avait eu raison de ma colère et m'avait fait glisser petit à petit, avec la venue de la nuit, dans un sommeil comateux au fond duquel j'avais été surprise d'éprouver du désir, de l'attente, le visage de Mihail penché sur le mien revenant sans cesse. On aurait dit que mon esprit révolté quelques heures plus tôt s'employait maintenant à me ramener à moi-même, à ce plaisir secret pour lequel il n'y a pas de mots. La promesse de retrouver Mihail, de l'accueillir en moi, parvenait à recouvrir momentanément des images dont je ne pensais pas pouvoir me remettre. Eh bien si, j'étais ainsi faite que je continuais d'éprouver du désir après avoir côtoyé la mort, ses pourvoyeurs et ses martyrs. Le paradoxe, ou plutôt la honte, m'avait tirée du sommeil. Le train était arrêté dans une gare minuscule et sur le quai un homme et une femme, en tenues de soirée, paraissaient se disputer. On ne devait plus être très loin de la capitale, de ses casinos et autres lieux de débauche. La femme voulait monter dans le train et l'homme tentait de la retenir. J'avais eu le sentiment d'être témoin d'une scène que m'avait racontée Mihail – mais extraite de quel roman, de quelle pièce ? J'allais le lui demander tout à l'heure. Puisque tout à l'heure il m'ouvrirait. « Tout à l'heure », m'étais-je entendue répéter tout bas. Et de nouveau une vague de désir m'avait enflammé le cœur.

Mihail n'était pas prévenu de mon retour. Il était plus de deux heures du matin lorsque j'avais quitté la gare du Nord pour parcourir à pied le chemin jusqu'à ma chambre, au-dessus du parc Cişmigiu.

J'ai bien sûr le souvenir précis de son visage à l'instant où il m'a ouvert – un homme qui s'attend au pire et éprouve une forme de soulagement à ce que le pire soit enfin là : les traits tirés par la veille, mais une étincelle d'ironie dans le regard. Puis aussitôt, me découvrant, un sourire d'incrédulité : « Eugenia ! Mais d'où arrivez-vous ? Entrez, entrez vite, pardonnez-moi, je ne tremblais pas un instant plus tôt et voyez comme je suis ému. »

Il ne tremblait pas tandis qu'il pensait qu'on venait l'arrêter, ce que j'ai découvert récemment en lisant ce qu'il écrit dans son *Journal* à la date du jeudi 17 juillet 1941, quelques heures avant de m'ouvrir :

> La mort est possible chaque jour, à toute heure. Ce qui s'est passé à Jassy (et je ne peux toujours pas me décider à consigner tout ce que j'ai appris entre-temps) peut se produire n'importe quand ici.
>
> Alors ?
>
> Ma « carrière » d'écrivain ne m'a jamais obsédé ; à présent elle ne m'intéresse même plus. Serai-je encore un écrivain après la guerre ? Le pourrai-je encore ? Guérirai-je jamais de tout le dégoût accumulé durant ces années atroces, bestiales ?

Mais il tremblait en m'enlaçant. Comme si la mort était devenue plus acceptable que la vie. À la promesse des coups, des humiliations, de sa disparition à laquelle il se préparait depuis le pogrom de janvier, et plus encore depuis celui de Jassy, s'était substituée ma présence – l'obligation de vivre encore, lui qui n'avait jamais trop su comment s'y prendre avec la vie. Le passage avait été trop brutal et, comme nous nous tenions serrés l'un contre l'autre, j'entendais cogner son cœur.

Je m'étais imaginé le trouver au lit, mais il travaillait. Je pouvais voir par-dessus son épaule, sous l'étroit faisceau de la lampe, sa table recouverte de livres et de papiers.

— Vous écriviez quand j'ai frappé ?

— Non, je lisais. Je relis *Guerre et Paix*. La chute de Smolensk, en 1812, au moment même où Hitler arrive aux portes de Smolensk, cent vingt-neuf ans après Napoléon.

— Et cette pièce sur les journalistes qui vous faisait tellement rire à l'automne ? *Édition spéciale*, n'est-ce pas ?

— Interrompue au deuxième acte, abandonnée dans un tiroir. À quoi bon ? Même tenir mon journal m'est devenu pénible.

— Venez, nous parlerons plus tard, je n'ai fait que penser à ce moment.

Je l'avais entraîné sur le lit.

— Oui, comme ça, votre visage penché sur le mien. Restons là à nous regarder, vous voulez bien ? Ne tremblez plus, je suis à vous, nous avons tout le temps. Tout à l'heure je vous appartiendrai, ou demain, ou quand vous voudrez, quand vous en aurez le désir – dans le train j'avais hâte de vous sentir en moi, mais maintenant je veux attendre. Maintenant je voudrais étirer le temps, que chaque minute de cette nuit se prolonge, me souvenir de chacun de vos regards, de chacun de vos gestes.

Des bandes de voyous repéraient les juifs et les enlevaient en pleine ville. Ils les emmenaient dans les ruines des immeubles bombardés par les Russes et les abandonnaient là, agonisant, après les avoir torturés. Des ouvriers retrouvaient leurs dépouilles et les autorités en profitaient pour rappeler que seul le gouvernement était habilité à prendre les mesures nécessaires contre les juifs, mais jamais aucun de ces assassins n'était inquiété. C'est pourquoi Mihail ne sortait pratiquement plus. Parfois il se risquait à faire quelques pas sur le trottoir, devant l'immeuble, à l'heure où les enfants jouent au parc. Le temps d'une cigarette. Puis il remontait s'enfermer. Durant toute mon absence, Rosetti, son éditeur, lui avait porté de quoi se nourrir et fumer.

— L'animal en moi s'accroche à la vie alors que l'homme voudrait en finir. Qu'ils me tuent et qu'on n'en parle plus.

— Dites à Rosetti de ne plus se déranger, maintenant c'est moi qui vais m'occuper de vous.

— S'ils vous trouvent ici avec moi, Eugenia, ils sont capables de vous tuer également.

Mon retour à l'agence m'avait valu quelques félicitations des vieux journalistes, puis M. Hurtig m'avait invitée à l'accompagner dans son bureau. Le long article que nous avions rédigé ensemble sur le pogrom, et qu'il avait diffusé en évitant soigneusement de le soumettre à la censure, avait déclenché la colère du gouvernement et il voulait me montrer une lettre du vice-président du Conseil, Mihai Antonescu (homonyme du chef de l'État, Ion Antonescu), qui le menaçait d'arrestation à la prochaine incartade.

Nous en étions venus à parler de l'attitude ambiguë du gouvernement à l'égard des juifs : jamais il ne punissait les assassins mais il rappelait qu'il était seul à pouvoir décider du sort des juifs.

— Les assassins qui sont le plus souvent fonctionnaires de police le jour et meurtriers la nuit, avait remarqué doucement M. Hurtig. Je ne vous apprends rien, n'est-ce pas ?

— Non, j'ai vu cela à Jassy. Le gouvernement feint d'être choqué mais il laisse faire.

— Et vous vous demandez pourquoi ?

— Oui, avais-je dit en colère, je me demande pourquoi.

— Antonescu, le général, n'est pas certain de l'issue de la guerre. Il veut donner des gages à Hitler et il le suit donc dans sa politique d'exclusion des juifs – qui lui assure au passage le soutien des chrétiens de Roumanie – mais si le vent venait à tourner, il veut pouvoir se défendre aux yeux des Alliés : « Voyez, pourra-t-il dire, je me suis constamment élevé contre les actes de barbarie à l'égard des juifs. » N'oubliez pas, Eugenia, qu'Antonescu a été longtemps un ami de la France. S'il s'est engagé au côté de l'Allemagne, c'est pour récupérer les territoires perdus et par haine du communisme. Je ne suis même pas certain qu'à titre personnel il soit antisémite.

Nous bavardions depuis un moment, je me sentais en confiance avec cet homme, quand soudain les mots avaient précédé ma pensée.

— J'ai besoin d'une arme. Pourriez-vous m'aider à m'en procurer une ?

S'il avait été surpris, il n'en avait rien montré.

— Pourquoi voulez-vous une arme, mon petit ?

— L'homme que j'aime est juif.

— Eh bien ?

— Eh bien s'ils viennent le chercher au milieu de la nuit…

Je n'avais rien ajouté et nous nous étions fixés un moment silencieusement.

— J'ai bien peur qu'en face de ces types vous ne fassiez pas le poids.

Puis, après un nouveau silence.

— Je vais réfléchir, laissez-moi quelques jours.

Je m'étais déjà levée pour partir quand j'avais reconnu sur son bureau le nom de Jassy dans le titre d'un article de presse.

J'avais lu à l'envers, à voix haute, mais lentement, car ce n'était ni du roumain, ni de l'anglais, ni du français :

— IN JASSY MARTORIATA DAL TRADIMENTO EBRAICO… Qu'est-ce que c'est ?

— Un papier sur le pogrom du *Corriere della Sera*. Mensonger. Infect.

— Du *Corriere* ? De Malaparte ?

— De Malaparte, oui. Vous le connaissez ? Vous l'avez rencontré, là-bas ?

— Bien sûr. Pourquoi dites-vous que son article est infect ?

— Il donne crédit à toutes les rumeurs que vous dénoncez dans le nôtre, et j'ai pu vérifier depuis que vous aviez raison. C'est d'ailleurs pourquoi le gouvernement menace de me faire arrêter.

— Si vous lisez l'italien, vous pouvez…

— … vous le traduire ? Oui, écoutez :

> Titre : « Dans Jassy martyrisée par la trahison juive. »
> Sous-titre : « La cinquième colonne communiste et les parachutistes en action. Les troupes brisent la tentative.
> De notre envoyé spécial.
> Front de Moldavie, 4 juillet. »
> Au premier abord, pour un observateur superficiel, ce qui forme le caractère de cette ville n'est pas son Université, ce ne sont pas ses industries, sa classe cultivée, ses traditions de noblesse. On respire à Jassy, c'est vrai, un air antique, noble, on y sent une activité qui ne se retrouve dans aucune autre cité roumaine, pas même dans les villes de Transylvanie, et encore moins à Bucarest. Mais peu à peu, quand l'œil pénètre plus profondément dans les zones obscures de son tissu social, on s'aperçoit que Jassy elle aussi, comme toutes les villes de Moldavie, comme Husci, comme Tulcea, sans parler des centres plus petits, et pour ne rien dire de la Bessarabie, qui à certains égards forme un tout avec la Moldavie, on s'aperçoit, dis-je, que Jassy, elle aussi, est une ville typiquement juive et levantine. Les juifs constituent, à Jassy, soixante pour cent de la population urbaine. Mais ce qui fait surtout une impression pénible, c'est l'existence

(sous une mince couche de bourgeoisie israélite cultivée et riche) d'un prolétariat juif avili et corrompu par une misère morale et économique épouvantable. Il suffit de pousser jusqu'aux quartiers pauvres, ceux de Nicolina, de Socola, de Păcurari, pour se rendre compte du danger social que représente l'énorme masse du prolétariat juif. C'est d'ailleurs des pauvres masures de ces quartiers que sont partis les premiers coups de fusil contre les soldats.

Je saute quelques paragraphes, pour en venir à l'essentiel. Écoutez bien :

Durant toute la journée de vendredi on avait entendu, venant de la partie du quartier de Nicolina où se trouvent les ateliers de réparation des chemins de fer, des coups de fusil isolés, comme des signaux. La veille, le jeudi, la ville avait subi un terrible bombardement soviétique. Le vendredi, de nouvelles alertes aériennes avaient mis à bout la population. Durant la journée de samedi, les détonations isolées s'étaient étendues aux quartiers de Socola et de Păcurari, et étaient devenues plus fréquentes après le coucher du soleil.

Entre-temps s'était répandue la rumeur de la présence de parachutistes soviétiques dans les faubourgs de la ville. La population du centre s'était enfermée dans les maisons, une atmosphère de méfiance et de peur pesait sur les rues désertes. Soudainement, vers 10 heures du soir, un tir de fusils et de mitrailleuses, intense, rageur, acharné, a crépité d'un bout à l'autre de la ville. La nuit était sombre, on n'y voyait pas à un mètre. Les insurgés tiraient des maisons, des jardins, des fenêtres à ras de terre des caves. La population roumaine des quartiers ouvriers prêtait alors main forte à la troupe qui donnait l'assaut aux maisons des tireurs. La révolte fut étouffée dans le sang. La bataille désespérée que la cinquième colonne soviétique avait engagée pour soutenir les contre-attaques russes qui entre-temps se succédaient sur le front du Prut, à seize kilomètres de Jassy, était définitivement perdue.

Pendant la journée du dimanche la police et la troupe réussirent à encercler les quartiers insurgés : les salves des pelotons d'exécution résonnèrent jusqu'à une heure tardive à travers toute la ville.

La cinquième colonne soviétique, tragiquement défaite à Jassy, n'ira certainement pas chercher sa revanche ailleurs.

Signé : Curzio Malaparte.

— Vous ne dites rien, Eugenia ?

Je m'étais rassise.

— Il n'y était pas. C'est moi qui l'ai informé et il a tout réinterprété dans le sens voulu par les autorités : si les juifs ont été massacrés c'est qu'ils se sont soulevés contre nos soldats. Il n'y a plus de pogrom, seulement la juste riposte de notre armée et de la « population roumaine » contre des traîtres. Les juifs ont été tués parce qu'ils ont trahi. Comment a-t-il pu écrire une chose pareille ? Il sait que c'est faux. Il sait que les juifs de Jassy n'avaient pas d'armes, j'étais avec lui le soir où trois vieux de leur communauté sont venus lui demander d'intercéder en leur faveur auprès du général von Schobert et du colonel Lupu. Il sait qu'aucun parachutiste russe n'était présent à Jassy et il laisse croire le contraire. C'est à vomir, cet article. C'est ignoble.

— Nous sommes en guerre, mon petit.

— Et alors ?

— Croyez-vous que Malaparte serait autorisé à couvrir le front s'il écrivait la vérité ? Chişinău est enfin tombée aux dernières nouvelles et il paraît que nos soldats et les SS seraient en train de massacrer les juifs. Croyez-vous que les rares journalistes présents vont l'écrire ? S'ils le faisaient, leurs articles ne seraient pas transmis et ils seraient immédiatement arrêtés. Je vous rappelle que je suis menacé de l'être pour avoir publié votre version des événements.

— Ce n'est pas *ma* version, c'est ce qu'il s'est réellement passé. On tue des innocents, on tue même leurs enfants, et Malaparte vient les tuer une seconde fois devant l'histoire en les accusant de trahison. Ils ne méritent même plus une sépulture, n'est-ce pas ? En pleine guerre, les juifs de Jassy ont tiré dans le dos de nos valeureux soldats pour soutenir l'ennemi. Voilà ce que l'histoire va retenir. Vous seriez juif, monsieur, et vous viendriez de perdre toute votre famille, que penseriez-vous ? Où trouveriez-vous la force de survivre à cette ignominie ? Ils n'avaient que des bâtons pour se défendre, ils se sont laissé attraper sans même s'en servir, jusqu'à la fin ils n'ont pas cru qu'on les haïssait au point de les tuer, et même de les supplicier avant de les tuer. Je voudrais qu'un jour nous nous maudissions pour ce que nous avons fait à Jassy plutôt que de nous mentir.

— Ne rêvez pas, Eugenia, ça n'arrivera pas, ce sont les juifs qui sont maudits depuis la nuit des temps. Il m'arrive de penser que ce peuple a été créé pour endosser tout ce que nous haïssons en nous-mêmes. D'ailleurs, regardez, ils n'ont pas de pays en propre, ils s'installent ici ou là comme des parias et aussitôt ils ont l'obligeance d'incarner le mal : ils sont prétendument sales, intéressés, avares, sournois, et avec ça orgueilleux, méprisants ! Si au moins ils rampaient et mendiaient comme les Tsiganes. Mais non, ils préfèrent leurs femmes aux nôtres, leur religion à la nôtre, et ils réussissent bien souvent mieux que nous. Qui détesterions-nous si les juifs n'existaient pas ? Il faudrait les inventer puisqu'il semble que nous ayons constamment besoin d'une âme damnée pour nous grandir à nos propres yeux.

Il s'était tu et m'avait souri.

— Je vais vous confier un secret que vous ne répéterez à personne. D'accord ?

— Je ne répète jamais les secrets.

— Je sais, j'ai une confiance absolue en vous, comme vous avez confiance en moi, n'est-ce pas ? Ma femme est juive, je l'ai rencontrée à Paris en 1928, et connaissant notre pays je lui ai fait établir de faux papiers d'identité en France avec lesquels nous nous sommes mariés à Bucarest. Aujourd'hui, il est pratiquement impossible de retrouver ses origines.

Tout en parlant, il avait retourné le cadre qui se trouvait sur son bureau pour me présenter le visage de sa femme.

Elle n'avait rien de particulier, je ne saurais pas la décrire, mais lui était ému de me parler d'elle, il était encore un homme amoureux et c'était ce secret-là qui m'avait touchée, bien plus que l'autre.

Les années ont passé, la guerre est finie, Mihail est mort et moi je continue d'écrire chaque jour ce texte dont je ne vois pas la fin. Hier, 1er juin 1946, le maréchal Ion Antonescu a été fusillé dans l'enceinte de la prison de Jilava en même temps que son bras droit, Mihai Antonescu, l'homme qui avait menacé d'arrêter M. Hurtig pour avoir révélé la vérité sur Jassy. Des photos d'Auschwitz et des autres camps d'extermination ont été publiées dans les journaux du monde entier et aujourd'hui plus personne n'oserait dire quoi que ce soit contre les juifs.

Pour la énième fois je relis le chapitre de *Kaputt* que Malaparte consacre au « pogrom » de Jassy – car cette fois il parle bien de pogrom – sous le titre : « Les rats de Jassy ». Il y relate notre rencontre dans sa maison avec les trois vieux juifs, leur peur, son impuissance à les aider, et puis il écrit :

> De grandes bandes de juifs fuyaient par les rues, poursuivies par des soldats et des civils forcenés, armés de couteaux et de barres de fer. Des groupes de gendarmes enfonçaient à coups de crosses de fusil la porte des maisons ; les fenêtres s'ouvraient brusquement toutes grandes : des femmes en chemise, échevelées, s'y montraient, levant les bras au ciel et criant ; certaines se jetaient par la fenêtre et venaient taper de la face avec un bruit mou l'asphalte du trottoir. Par les petits soupiraux ouverts au niveau de la rue, des détachements de soldats jetaient des grenades dans les caves où beaucoup de gens avaient vainement cherché refuge ; certains se mettaient à quatre pattes pour constater l'effet des explosions à l'intérieur de la cave, et se retournaient pour rire avec leurs camarades. Là où le massacre était plus fort, le pied glissait dans le sang. Partout le joyeux et féroce labeur du pogrom remplissait les rues et les places de détonations, de pleurs, de hurlements terribles et de rires cruels.

Dans cette seconde version il n'est plus question d'une insurrection juive pour soutenir les parachutistes russes, les juifs ne sont plus armés, ils tentent seulement de fuir devant la violence aveugle « des soldats et des civils forcenés ». Sur certains « détails » le récit s'est même radicalement inversé : tandis que dans l'article du *Corriere della Sera* « les insurgés tiraient des fenêtres à ras de terre des caves », dans *Kaputt*, ce sont les soldats qui jettent des grenades dans les caves, où se sont réfugiés des juifs, par ces mêmes fenêtres à ras de terre et se mettent ensuite à quatre pattes pour juger de l'effet de l'explosion et « rire avec leurs camarades ». Plus proches de la vérité, les pages du roman de Malaparte, déchirantes et somptueuses, rendent cependant peu compte de cette étrange docilité des juifs, que j'attribue pour ma part à de l'incrédulité, et qu'évoquait Leizer Finchelstein. Cette étrange docilité qui faisait que les rues de Jassy étaient parcourues de longs convois de juifs les mains en l'air, ce que j'avais dit à Malaparte mais qu'il n'a pas retenu.

La nuit chez Sartori est en revanche longuement évoquée, l'écrivain se glissant dans ma peau sans vergogne avec cet aplomb qui fait aussi sa force :

> Nous restâmes toute la nuit assis sur le seuil à fumer. De temps en temps, nous sortions dans la rue, et poussions dans le consulat des gens déguenillés couverts de sang. Nous en recueillîmes de la sorte une centaine.
>
> — Il faudrait donner quelque chose à manger ou à boire à ces pauvres gens, dis-je à Sartori, quand nous revînmes nous asseoir sur le seuil après avoir soigné quelques blessés.
>
> Sartori me jeta un regard de chien battu.
>
> — J'avais quelques provisions, me dit-il, mais les gendarmes qui ont envahi le consulat m'ont tout volé. Patience !
>
> — *O vero ?* (C'est vrai ?), lui demandai-je en napolitain.
>
> — *O vero !* répondit Sartori en soupirant.
>
> J'avais plaisir à me trouver près de Sartori dans ces moments-là. Je me sentais en sécurité à côté de ce placide Napolitain qui tremblait intérieurement de peur, d'horreur, de pitié – et ne battait pas des paupières.
>
> — Sartori, lui dis-je, nous combattons pour défendre la civilisation contre la barbarie.
>
> — *O vero ?* dit Sartori.
>
> — *O vero !* répondis-je.

25

Tout à coup, au milieu de cet automne 1941, il m'était apparu que ça suffisait d'être spectatrice – spectatrice censurée de surcroît, et que je devais donner un tour différent à ma vie. Ainsi subissons-nous passivement des événements qui nous heurtent, qui nous heurtent profondément parfois, au point de nous faire chanceler, et un jour comprenons-nous qu'il ne dépendrait que de nous que les choses changent.

Je me souviens de ce jour d'octobre où ma vie a commencé à basculer. Je m'étais réveillée seule dans le lit et, en me retournant, j'avais vu Mihail à sa table de travail. Il avait enfilé par-dessus sa chemise de pyjama le gros pull-over marron tricoté par sa mère et il écrivait, les cheveux ébouriffés, penché sur son cahier. Un autre matin, j'aurais fondu d'émotion : j'adorais le découvrir en train d'écrire, qu'il me croie endormie et que je puisse ainsi l'épier à travers l'interstice de mes paupières. Mais j'étais en colère contre le monde entier ce matin-là : contre sa mère qui ne m'aimait pas et contre lui qui avait préféré cet affreux pull-over marron à celui que je lui avais offert quelques jours plus tôt, contre ce salaud de Malaparte auquel j'avais écrit sur le front par l'intermédiaire d'un ami de Rosetti, commandant dans l'infanterie, et qui n'avait même pas eu le courage de me répondre, contre M. Hurtig qui tremblait maintenant devant la censure et avait interdit la transmission de ma dernière dépêche sur le pillage d'une synagogue dont le rabbin avait été retrouvé égorgé et pendu par les pieds au-dessus de la cuvette des toilettes.

— Mihail, avais-je dit doucement, soucieuse de contenir ma mauvaise humeur, vous accepteriez de me lire ce que vous écrivez ?

— Mon *Journal* ? Pourquoi est-ce que je vous lirais mon *Journal* ? Ça n'a aucun intérêt.

— S'il vous plaît, cessez de me dire que ce que vous faites n'a aucun intérêt. Qu'à quoi bon écrire, qu'à quoi bon faire l'amour, qu'à quoi bon manger, qu'à quoi bon vivre etc.

— C'est la première fois que vous me demandez de vous lire mon *Journal*.

— J'ai besoin de savoir ce qui vous traverse. Quand je pars le matin pour l'agence, je vous laisse en train d'écrire. Quand je rentre le soir, je vous trouve en train de fumer, le regard vide, plus pâle encore que le matin. Vous ne me dites jamais rien de votre journée, de ce que vous avez pensé, enfermé dans cette petite chambre.

— Parce qu'il n'y a rien à en dire.

— Alors qu'écrivez-vous s'il n'y a rien à en dire ?

— Des événements que vous connaissez, que nous connaissons tous. Ce n'est qu'une façon de m'occuper l'esprit.

— Si vous me le lisiez un peu… je serais heureuse.

— Bien, puisque vous y tenez, je vous lis ce que je viens d'écrire :

Lundi 20 octobre.

Des nouvelles déprimantes à l'Union des communautés où je suis allé hier porter une lettre pour Benu – mon frère a été arrêté et envoyé dans un camp de travail, je vous l'ai dit, n'est-ce pas ? Les routes de Bessarabie et de Bucovine sont pleines des cadavres de juifs chassés de leurs maisons, vers l'Ukraine. Vieillards, enfants, malades, femmes, tous sont, sans hésitation, sans exception, jetés sur les chemins et chassés vers Moguilev. Que vont-ils y faire ? De quoi vont-ils se nourrir ? Où vont-ils s'abriter ? La mort par balle est un sort bien plus doux. On a appris hier que tous les juifs originaires de Bessarabie et de Bucovine devaient quitter Bucarest pour l'Ukraine et la Transnistrie.

Leny [– Un passage rayé ici]. Hier encore, Eugenia, le bruit a couru que Leny avait été arrêtée. Mais non, par bonheur elle a pu se réfugier chez les Bibesco, à Mogoşoaia.

Je poursuis ma lecture :

Une folie antisémite que rien ne peut arrêter. Nulle part un frein, rien de rationnel. Il vaudrait mieux qu'il y ait un programme antisémite. Du moins en connaîtrait-on les limites. Mais il n'y a qu'une pure bestialité sans contrôle, sans vergogne, sans conscience, sans but, sans cible. Tout, tout est possible, absolument tout. Je vois sur les visages des juifs la pâleur de la peur. Je vois se glacer leur atavique sourire d'optimisme, s'éteindre leur vieille ironie consolatrice. Un jour, un jour lointain, le cauchemar sera passé – mais nous, toi, lui, moi, nous qui nous regardons dans les yeux les uns les autres, nous serons tombés depuis longtemps. De juin jusqu'à aujourd'hui, le chiffre des juifs assassinés dépasse – selon mon ami Gaston Antony, l'avocat – les cent mille. Combien sommes-nous encore ? Combien de temps faut-il pour nous assassiner tous ? J'ai le cœur gros. Où diriger mon regard ? Qu'attendre ?

— Pars ! me conseillait Rosetti hier.

C'était plus qu'un conseil, il m'esquissait un projet : aller d'abord à Istanbul et, de là, écrire à Lassaigne...

— vous savez, Eugenia, mon ami Jacques Lassaigne, qui était à l'ambassade de France, ici, et qui est actuellement en poste à Damas pour la France libre –

écrire à Lassaigne, qui m'aidera certainement à pousser plus loin. Mais tout est excessivement difficile, dès les premières démarches : passeport, visa turc, visa bulgare, sans parler de l'argent. Les obstacles matériels ne sont pourtant pas les plus durs. Avant toute chose, il y a les doutes que j'éprouve : Puis-je partir seul ? Ai-je le droit de laisser Maman toute seule ? Puis-je laisser Benu tout seul ? Je ne suis pas assez robuste, dans tous les sens, pour ce départ. Puis-je, malgré ma santé ruinée, tenter la grande aventure ? Mais, en même temps, n'est-ce pas une folie que d'attendre, désarmé, décomposé, d'être tué ?

— Voilà ce qui me traverse.

Nous nous étions dévisagés un moment silencieusement, lui derrière sa table, moi dans le lit, maintenant adossée au mur.

— Vous paraissez en colère. Ai-je écrit quelque chose...

— Je ne supporte plus votre résignation, votre passivité. Pas seulement la vôtre, Mihail, celle de tous les juifs que je croise et qui rasent les murs. Celle des juifs de Jassy qui se sont laissé massacrer sans combattre. Je ne supporte plus que vous attendiez docilement qu'on vienne vous assassiner.

— C'est bien ce que je viens d'écrire : « N'est-ce pas une folie d'attendre d'être tué ? »

— Si, c'est une folie ! Bien sûr que c'est une folie ! Mais si vous vous posez la question, c'est bien que vous n'en avez pas pleinement conscience, non ? On dirait que vous ne tirez aucun enseignement de ce qui s'est passé à Jassy, de ce qui se passe aujourd'hui en Bessarabie... Ils veulent tuer tous les juifs, vous exterminer, tous, cela sauterait aux yeux de n'importe quel imbécile mais vous écrivez, comme si ça n'était pas suffisamment clair : « Il vaudrait mieux qu'il y ait un programme antisémite. Du moins en connaîtrait-on les limites. » Parce que ça ne vous suffit pas comme programme ? Il faudrait que ce soit écrit en plus gros caractères peut-être ? Les limites ! Vous voulez qu'ils vous indiquent les limites ! Je vais vous les dire, moi, les limites, puisque vous avez le nez dessus et ne les voyez pas : ils seront satisfaits quand il n'y aura plus un seul juif vivant sur la surface de la terre. Si vous voulez, je peux l'écrire en lettres capitales sur le mur, là, en face de vous : ILS SERONT SATISFAITS QUAND IL N'Y AURA PLUS UN SEUL JUIF VIVANT SUR LA SURFACE DE LA TERRE. Et vous en déduisez que vous avez le « cœur gros », et vous vous demandez vers où diriger votre regard, et vous vous demandez si vous avez le droit de laisser votre mère toute seule ! Non, restez donc avec elle, ne bougez pas surtout, ils pourraient vous rater, et continuez d'avoir le cœur gros en attendant qu'ils viennent vous chercher pour vous saigner comme des brebis aux abattoirs – ils l'ont fait en janvier dernier et vous l'avez déjà oublié.

— Je n'ai rien oublié, je ne comprends pas votre colère.

— Ma colère vient de votre apathie, de votre aveuglement. Voilà des mois que vous vous cachez dans cette chambre en attendant de les entendre frapper. Pourquoi ne tentez-vous rien contre vos ennemis ? Pourquoi n'entrez-vous pas en résistance ?

— De quelle résistance parlez-vous ? Comment résisterais-je à tout un peuple, à toute une armée ? Si Benu avait refusé de partir en camp de travail il aurait été abattu sur place.

— Mais s'il ne s'était pas présenté à la convocation de la questure il n'aurait été ni abattu ni envoyé en camp.

— La police serait venue le chercher.

— Alors disons qu'il aurait pu soit abattre les policiers, soit avoir pris la fuite avant leur arrivée.

— Mais pour aller où, Eugenia ? Pour aller où ?

— Eh bien, par exemple, se poster sur le passage du convoi du maréchal Antonescu et lui balancer une grenade en pleine figure.

— Et être tué dans la minute suivante.

— Sans doute, oui, mais après avoir tué ou blessé quelques-uns de ces salauds, si ce n'est le premier d'entre eux. Au moins, il ne serait pas mort pour rien.

— Vous déraisonnez, Eugenia.

— Je vous entends sans cesse répéter : « qu'ils nous tuent et qu'on en finisse », comme si vous aviez hâte qu'on vous débarrasse de la vie, comme si la vie n'avait plus de prix pour vous.

— Elle n'en a plus, en effet.

— Alors sacrifiez-la donc pour tuer au moins l'un de vos ennemis au lieu d'attendre qu'ils vous la prennent sans courir le moindre risque pour eux-mêmes. Vous n'êtes pas des brebis, merde !

Certes, j'étais allée trop loin, mais il n'avait pas eu la réaction que j'espérais : dans les jours suivants, il était devenu plus silencieux encore, plus distant, et j'en avais déduit que nos natures étaient définitivement différentes. Lui était un raisonneur, il s'amusait des idées et leur donnait vie à travers les personnages de ses romans et de ses pièces, mais il considérait le monde depuis sa table de travail, s'y engager ne l'intéressait pas, la lutte collective le répugnait, quand il ne la tournait pas en dérision. Dans *Depuis deux mille ans*, il se moque des militants de la cause juive incarnés par le personnage de Marcel Winder : « Écoute, Marcel Winder, si tu me tapes encore une seule fois sur l'épaule, je te gifle. C'est mon affaire si on me frappe, la tienne si on t'assomme, je n'ai rien à partager avec toi, tu n'as rien à apprendre de moi, passe ton chemin et je passerai le mien. » « Cordialité juive que je déteste », écrit-il aussi. Solidarité juive que je déteste, aurait-il pu écrire.

J'avais été stupide de m'énerver, jamais Mihail n'entrerait en résistance, sa nature profonde était de recevoir ses bourreaux par des sarcasmes et de leur sourire aussi longtemps qu'ils le frapperaient, comme il l'avait fait à l'université de Jassy le jour de notre première rencontre. « C'est affreux ! » m'étais-je écriée. Et lui : « Non, s'il vous plaît, prenons tout cela avec humour. »

Pendant quelques semaines nous avions vécu côte à côte, sans presque nous adresser la parole, et si ma chambre n'avait pas été son seul refuge possible peut-être nous serions-nous séparés. Sa résignation m'agaçait d'autant plus que je me débattais dans mes propres réflexions.

J'étais allée revoir M. Hurtig dans son bureau.

— Je peux vous avoir un Parabellum, Eugenia, pistolet semi-automatique allemand d'une grande fiabilité, pour un prix raisonnable.

— C'est une très bonne nouvelle. Je le prends. Quand l'aurez-vous ?

— Je n'ai qu'à passer un coup de fil et on me l'apporte. Demain si vous voulez.

— Parfait. J'ai autre chose à vous demander : je voudrais que vous m'aidiez à rejoindre la Résistance.

— De quelle Résistance parlez-vous ?

— J'ai entendu dire que des réseaux se constituaient autour de militants communistes évadés ou rentrés clandestinement de Russie.

— Eugenia, j'ai de l'affection pour vous, je n'ai pas envie de vous découvrir un jour au bout d'une corde. Vous savez parfaitement ce que nous faisons des communistes dans ce pays, n'est-ce pas ? Vous me demandez une arme pour défendre votre ami juif, très bien, c'est de la folie mais je vais vous la procurer. Ne me demandez pas maintenant de contribuer à vous faire condamner à mort.

— Arrêtons avec ça, si vous voulez bien : nous vivons tous sous la menace d'être jetés en prison, torturés, pendus, fusillés. Ce régime nous met dans la position d'assister à l'extermination des juifs et nous devrions nous tenir sagement les bras croisés – du moins pour ceux qui ne sont pas enclins à applaudir – sous peine d'être exterminés avec eux. C'est honteux. Si la guerre finit un jour, nous traînerons cette indignité durant des décennies. J'ai déjà mis trop de temps à en prendre conscience, et je n'aurais pas été présente à Jassy que j'en serais peut-être encore à me demander si je ne devrais pas m'acheter un appartement grâce à l'augmentation que vous m'avez accordée... pendant qu'on rafle mes voisins juifs. Comme si leur mort ne nous concernait pas. Aujourd'hui, je me suis enfin décidée à admettre que nous ne sommes pas là pour vivre à tout prix – enfin, je veux dire, à n'importe quel prix.

M. Hurtig était embêté. Il m'avait proposé une cigarette et en avait allumé une.

— Qu'est-ce qui vous laisse penser que j'ai un lien quelconque avec ces réseaux ?

— Vous êtes sans doute le journaliste le mieux informé de Bucarest. Donnez-moi seulement une ou deux pistes, ça me suffira.

Il s'était levé et était resté un moment à regarder la pluie par la fenêtre, me tournant le dos.

— Vous êtes la seule personne en laquelle j'ai une confiance absolue, avais-je ajouté. Et vous savez que je mourrais plutôt que de vous causer le moindre ennui.

Je m'étais retenue de lui parler d'Irina, dont la figure me hantait depuis mon retour de Jassy. Irina qui ne serait sûrement pas restée les bras croisés, elle, et qui m'aurait embarquée dans la clandestinité depuis longtemps.

— Songeriez-vous également à quitter l'agence ? s'était-il inquiété en me faisant de nouveau face, debout, sa cigarette entre les doigts.

— Je ne sais pas. Je ne sais rien de ces réseaux ni de leur fonctionnement.

— Outre que je n'ai pas envie de vous perdre comme journaliste, ce serait une bonne couverture de rester à l'agence.

— Peut-être.

— Non, Eugenia, pas peut-être, sûrement ! La censure entrave le métier, il ne vous intéresse plus, je le comprends, mais là n'est pas la question. Vous avez une couverture, gardez-la.

Il s'était assis, avait débouché son stylo et s'était mis à écrire.

— Tenez : voyez Josef, de la part de Ghiţă, vous le trouverez à cette adresse. Apprenez tout ça par cœur là, tout de suite, devant moi, et rendez-moi ce papier que je le brûle.

Josef était le commis voyageur du plus gros marchand de drap de Bucarest, Carandini & fils, implanté au cœur du quartier Lipscani. J'avais dû attendre son retour, dont personne au magasin ne semblait connaître la date, pour le rencontrer enfin. Un homme d'une cinquantaine d'années, grand, élégant, au visage lisse, et dont le regard bleu – ingénu, m'avait-il semblé – inspirait aussitôt sympathie et confiance. Quand il avait entendu le nom de Ghiţă, il m'avait donné rendez-vous pour le soir même devant la bibliothèque de l'université, sur la droite du porche. C'était un des rares endroits encore éclairé par un réverbère, extrêmement passant de surcroît, et avec le recul je devine qu'il l'avait choisi pour avoir tout le loisir de m'observer sans être vu et de s'assurer ainsi que j'étais bien venue seule. D'ailleurs, il s'était présenté avec un quart d'heure de retard.

Il m'avait priée de le suivre et nous avions marché longtemps côte à côte sans échanger un mot, dans la nuit, sous une pluie glacée et à travers un dédale de rues que je ne connaissais pas. Je n'avais aucune appréhension, j'éprouvais au contraire le sentiment exaltant d'être sortie de l'inertie, de l'accablement, pour reprendre en main la direction de ma vie (et l'image du Parabellum, caché dans un tiroir de ma commode parmi mes sous-vêtements, venait plusieurs fois par jour conforter cet orgueil). Puis il avait poussé un portail et, un instant plus tard, nous entrions dans une maison modeste où l'attendait une femme qu'il ne m'avait pas présentée.

— Je reçois cette demoiselle un moment et je te rejoins.

Dans son bureau, je m'étais immédiatement livrée, lui expliquant en peu de phrases de quelle famille j'étais issue – sœur de Stefan Rădulescu, le chef légionnaire – puis ma rencontre avec Irina Costinas à l'université, mon métier de journaliste et les événements de Jassy qui me conduisaient aujourd'hui à sortir de la légalité.

— Bien, avait-il dit quand je m'étais tue, et qu'attendez-vous de moi ?

— Que vous m'introduisiez dans un réseau de résistance. Je ne suis pas communiste, mais aujourd'hui je me sens prête à m'engager avec tous ceux qui ne veulent plus de ce régime.

— J'entends bien. L'appartenance au Parti n'est pas nécessaire pour entrer chez nous, même si notre réseau porte le nom d'Ana Pauker. En revanche, vous devez passer par une période de formation – au maniement des armes en particulier. J'ai cru comprendre que ça ne poserait pas de problème à votre employeur.

— Ça ne m'en pose pas à moi non plus.

— Très bien, alors soyez à Braşov dès que possible et, une fois là-bas, présentez-vous à la réception du Grand Hôtel Aro et demandez à parler à Octavian. Vous lui direz que c'est Ghiţă qui vous envoie.

À Mihail, j'avais expliqué que je partais dans les Carpates pour une série de reportages sur la vie quotidienne de notre jeune roi Michel (vingt ans) et de sa mère, la reine Hélène, en leur château de Sinaia, proche de Braşov. Le maréchal Antonescu livrait bataille pour reconstruire la grande Roumanie, restaurer sa souveraineté sur la Bessarabie et la Bucovine, mais la victoire acquise il remettrait les clés du pays à Michel Ier dont il avait détrôné le père – telle était du moins la fable qu'entretenaient certains caciques du régime pour asseoir sa légitimité.

J'étais soulagée de m'éloigner de Mihail, même si les nouvelles du front l'avaient un peu sorti de sa torpeur en lui redonnant de l'espoir. Nous étions en décembre et Moscou, que l'on avait annoncé « vaincu et en flammes » dès le mois de juillet, n'était toujours pas tombé. Quand au siège de Leningrad, il se poursuivait, certes, mais la ville résistait. L'Armée rouge venait même de reprendre Rostov aux Allemands. Berlin, qui n'avait pas commenté ce revers, parlait désormais d'une « trêve d'hiver », laissant entendre que l'interruption de son offensive, due au froid et à la neige, était absolument normale. Cependant Mihail, qui avait bien lu *Guerre et Paix* et venait de découvrir Oswald Spengler, se surprenait à rêver d'une défaite possible du Reich. « Savez-vous une chose, Eugenia ? Spengler considère qu'il est impossible de gagner une guerre contre la Russie. Écoutez ce qu'il écrit dans *Années décisives* : "La population de cette immense plaine, la plus vaste du monde, est inattaquable du dehors. L'étendue est une puissance politique et militaire que personne n'a jamais pu vaincre. Napoléon lui-même a dû faire cette expérience." L'étendue serait invincible... S'il pouvait dire vrai ! »

Oui, j'étais soulagée de m'éloigner de Mihail car certains jours je devais bien m'avouer qu'il me décevait. Où était passé l'intellectuel impavide qui se moquait du lâche soulagement d'Emil Cioran s'envolant pour notre ambassade à Paris ? Qui souriait des contorsions de Mircea Eliade ou de Nae Ionescu pour s'attirer les faveurs de tel ou tel ministre ? Il n'écrivait plus, semblait appeler la mort de ses vœux, et en l'attendant se terrait. Un soir, j'avais été tentée de lui avouer que je ne partais pas dans les Carpates pour rencontrer le roi Michel dont je me fichais, mais pour m'entraîner au maniement des armes et devenir une de ces « terroristes » que le régime pendait aux réverbères pour l'exemple lorsqu'il parvenait à les arrêter. « Partons ensemble, Mihail, nous survivrons ensemble ou nous mourrons ensemble. » J'avais les mots sur la langue mais je ne les avais pas prononcés en constatant combien il semblait prendre plaisir à cultiver son impuissance, amaigri et pâle, sans désir, sans force, et le regard vide.

« Nous mourons si mal, nous autres ! écrit-il dans *Depuis deux mille ans*. Les siècles de mort que nous avons traversés ne nous ont même pas appris si peu de chose. Nous vivons mal, mais nous mourons encore plus mal, dans le désespoir, dans la bataille. Nous manquons notre dernière chance de paix, notre unique chance de salut. Triste mort juive de gens qui, n'ayant pas vécu parmi les arbres et les bêtes, n'ont pas pu apprendre la beauté de l'indifférence dans la mort, sa dignité végétale. »

Aujourd'hui, je pense qu'en ne passant pas dans la Résistance Mihail a manqué, en effet, son « unique chance de salut » et que j'aurais dû lui proposer de partir avec moi.

26

Notre campement était installé quelque part entre la petite station de chemin de fer de Predeal et le mont Paltin qui culmine à près de 2 000 mètres. Une dizaine de baraques faites de rondins, construites sous le couvert des épicéas et à proximité d'une clairière pour les parachutages. Personne n'avait jamais vécu dans ce coin des montagnes Baiului, aucune piste tracée n'y menait et il fallait quatre à cinq jours de marche, les pieds chaussés de raquettes, pour l'atteindre. Les abords du camp avaient été minés, de sorte qu'on ne pouvait pas y pénétrer sans un guide. Seules les fumées de nos poêles à bois auraient pu éventuellement nous dénoncer à un avion par temps clair, et c'est pourquoi on ne chauffait pas ces jours-là. Sinon, nous n'étions pas repérables sous l'épaisse brume givrée qui recouvrait la chaîne de montagnes durant l'hiver.

À Braşov, Octavian m'avait équipée, échangé ma valise contre un sac à dos, et deux jours plus tard j'étais partie pour Predeal où Petru m'attendait sur le quai de la gare. Le commandant du camp était une femme, Lena, médecin de formation, membre du parti communiste. Elle avait connu la prison sous Carol II, puis avait rejoint Moscou pour acquérir une formation militaire et était revenue à Bucarest bien avant la rupture du pacte germano-soviétique pour y réimplanter clandestinement des cellules communistes. Elle était à l'origine de la construction du camp, durant le printemps 1940 – sa vocation étant alors de former des militants à l'esprit pionnier sur le modèle de l'URSS.

Lena m'avait reçue dès mon arrivée et j'avais été assez stupide pour songer qu'avec son physique elle aurait pu être actrice – une Doris Duranti au regard sombre et peu soucieuse de plaire. Elle occupait une petite chambre au fond de la baraque qui faisait office de réfectoire. L'interrogatoire (plutôt que la conversation) avait duré près d'une heure à l'issue de laquelle elle m'avait expliqué le mode de fonctionnement propre à son réseau, et voulu par elle : tous les agents opéraient en binôme, l'un couvrant l'autre de façon à assurer sa fuite, mais aussi à l'abattre en cas de menace certaine d'arrestation. Tous avaient un pseudonyme, personne, à part elle, Lena, ne connaissait la véritable identité des membres du réseau, si bien que même sous la torture... L'objectif de notre formation était de commettre des attentats ponctuels susceptibles d'affaiblir le régime et de désorganiser l'arrière du front, afin de préparer la victoire de l'Union soviétique. Une fois prête, je serais renvoyée à Bucarest avec mon « double » et je recevrais régulièrement des ordres de mission.

Avais-je des questions ? Énormément, oui. Cette seconde partie de la rencontre avait été plus détendue. Ici, au camp, j'allais apprendre le maniement des armes à feu et des explosifs. Les techniques d'approche sur l'objectif, et de fuite, qui me permettraient d'acquérir confiance et sang-froid. Mon « double » me serait désigné le moment venu. Ce pouvait être une femme ou un homme – nous étions actuellement trente-huit au camp, treize femmes et vingt-cinq hommes. Bien entendu, je pourrais choisir Jassy, plutôt que Bucarest, l'important étant de bien connaître la ville d'implantation. Le ravitaillement du camp était assuré par les Russes avec lesquels nous étions reliés par radio – Lena m'avait désigné l'émetteur-récepteur sur sa droite. Une fois par mois environ, selon la météo, nous recevions des vivres, des armes et des munitions par parachutages.

— As-tu d'autres questions ?

— Oui. Y a-t-il des juifs dans le groupe ?

— Quelques-uns. Nous accueillons tous ceux qui sont prêts à mourir pour la victoire, quelle que soit leur croyance.

Dès les premiers jours, j'avais été impressionnée par la solidarité qui régnait à l'intérieur du camp, on se parlait peu mais on s'entraidait. Les horaires et la discipline y étaient militaires, mais entre les membres du réseau circulait une discrète bienveillance qui semblait se transmettre naturellement aux nouveaux venus. Je crois qu'elle était la marque de Lena qui jouissait d'un grand prestige et accordait à chacun la même attention et le même respect. Et puis nous savions que nous étions là pour un temps limité – trois à quatre mois – que certains d'entre nous allaient mourir et que nous n'étions pas appelés à nous revoir, chacun retournant par la suite dans sa ville ou sa région d'origine.

Je m'étais révélée obtuse dans la préparation des explosifs mais excellente au tir. Nous nous entraînions à la fois au maniement du pistolet sur de vieux Tokarev pour des attentats sur le trottoir, quasiment à bout touchant, et au maniement du fusil à lunette sur les Mosin-Nagant de l'armée soviétique pour des interventions sur des convois officiels, ou au cours de cérémonies sur les places publiques comme les aimait le maréchal Antonescu.

L'essentiel, cependant, serait de ne pas trembler le jour dit au moment de « tirer pour tuer » et, pour cela, nous avions des cours d'endoctrinement politique destinés à nous convaincre que l'ennemi fasciste était un péril pour l'humanité et qu'à ce titre il devait être exterminé, comme on extermine la vermine. Secrètement, j'appelais cela des cours d'entraînement à la haine et je songeais qu'ils étaient moins efficaces, en ce qui me concernait, que de me remémorer certaines scènes du pogrom de Jassy. Le dégoût et la colère pouvaient éveiller en moi un violent esprit de vengeance qui me donnait la certitude que j'étais prête à tuer. Pourtant, aussitôt que j'essayais de me projeter dans une situation concrète je n'étais plus sûre de rien. Qu'arriverait-il, par exemple, si je recevais l'ordre d'abattre le sergent Mircea Manoliu ? Certes, c'était un assassin, mais il n'était pas que cela, il était aussi le mari d'Adriana et le père de leur enfant. En le tuant d'une balle dans le dos – comme il avait procédé lui-même avec les juifs – j'allais également ruiner la vie de sa femme et celle de leur enfant qui n'avaient fait aucun mal.

Le premier des deux parachutages auquel j'avais assisté, en renforçant mon sentiment d'appartenance à une armée secrète, avait semblé balayer mes scrupules de « petite bourgeoise », pour reprendre les termes de Leonid, notre instructeur. Lena avait été prévenue par radio que l'opération se déroulerait la nuit suivante si la météo demeurait favorable et j'avais été désignée pour faire partie de l'équipe qui allumerait les feux aux quatre coins de la clairière. Tout l'après-midi nous avions préparé les fagots, et à proximité de chacun d'entre eux un demi-litre de pétrole et une pelle. Le pétrole était difficile à acheminer, nous en avions très peu, et cependant les fagots devaient s'embraser immédiatement avant d'être étouffés sous des pelletées de neige aussitôt les largages terminés.

Par dix-huit degrés en dessous de zéro nous avions dû patienter la moitié de la nuit, les pieds dans la neige et la tête dans les étoiles, avant d'entendre un lointain vrombissement. Juste ce bruit, et d'un seul coup mon cœur m'avait semblé bien trop gros pour ma poitrine : nous n'étions plus seuls au monde, toute une nation pensait à nous et nous envoyait ce messager. Aussitôt les quatre feux avaient délimité la clairière et, un moment plus tard, l'avion avait fait un premier passage avant d'aller virer au-dessus des épicéas pour revenir vers nous. Comme les premières corolles se déployaient au-dessus du terrain et que l'appareil virait de nouveau sur son aile gauche, j'avais pu apercevoir le pilote et l'ombre d'un homme par la porte béante de la soute. Ils avaient fait trois passages et largué une vingtaine de caisses avant de nous saluer d'un battement d'ailes et de repartir vers l'est, tous feux éteints, très vite absorbés par la nuit.

Les lendemains de largages étaient jours de fête. Aux dizaines de kilos de conserves et de légumes frais, les Russes ajoutaient invariablement des cigarettes en quantité, du chocolat et de la vodka. Le repas de midi, bien arrosé, resserrait les liens et se terminait par des chansons et des accolades. Je m'étais liée avec une fille qui se faisait appeler Marga, était originaire de Chişinău, en Bessarabie, et avait accueilli les Russes avec enthousiasme en juillet 1940. Quand Antonescu avait repris Chişinău un an plus tard, avec le soutien de la Luftwaffe, elle avait assisté à la déportation des juifs, à des exécutions en pleine rue, et pris la décision de rejoindre la Résistance. Elle avait parcouru à pied la centaine de kilomètres entre Chişinău et Jassy et traversé des villages « libérés » où l'on se réjouissait du départ des juifs. Parfois leurs maisons avaient été brûlées, mais le plus souvent elles étaient occupées par des voisins chrétiens qui avaient trouvé là l'opportunité de s'agrandir. Marga et moi partagions la honte d'être roumaines.

Serions-nous appelées à former un binôme ? Il m'arrivait de le souhaiter parce que c'était une fille qui ne perdait jamais son calme et dont la détermination paraissait sans faille. J'imaginais que ce serait à la fois rassurant et réconfortant de « travailler » avec elle. D'un autre point de vue, ce serait un handicap en cas de coup dur : trouverais-je la force de lui tirer dessus pour lui épargner la pendaison en place publique (je ne doutais pas que de son côté elle la trouverait) ?

Vers le milieu du mois d'avril, alors que certains après-midi la neige commençait à fondre, tombant par paquets des branches des épicéas, Lena m'avait convoquée pour m'annoncer que j'allais prochainement repartir pour Bucarest et que mon alter ego était Igor, un grand garçon maigre et silencieux auquel je ne me souvenais pas d'avoir adressé la parole. Nous étions repartis ensemble pour Predeal, guidés par Petru, après une brève cérémonie d'adieu. Ce n'est que dans le train pour Bucarest que nous avions pu échanger quelques confidences en violation des consignes : il n'avait que vingt-deux ans et était le fils d'un colonel qui avait participé à la prise d'Odessa aux Soviétiques (le 16 octobre 1941, après soixante-treize jours de combats acharnés). Je m'étais retenue de lui dire que j'étais la sœur d'un chef de la Légion mais je lui avais parlé de ma rencontre décisive avec une femme qui aurait pu se trouver aujourd'hui à la place de Lena si elle ne s'était pas donné la mort. Il n'était pas timide comme je l'avais cru, et il brûlait intérieurement du désir de combattre. Je m'étais demandé s'il n'était pas un peu trop exalté, un peu fou, puis j'avais décidé que non, songeant que Lena savait ce qu'elle faisait. Nous allions désormais nous croiser tous les jours à midi à la bibliothèque de l'université. Il arriverait que l'un ou l'autre ait été entre-temps contacté pour une mission – alors seulement nous nous installerions à la même table pour en mettre au point l'exécution. Sinon, nous ne ferions qu'échanger un regard.

Mihail ne m'avait pas manqué, ou du moins je m'étais appliquée à ce qu'il ne me manque pas : chaque fois que m'apparaissait son beau visage triste je l'avais chassé de mon esprit, pensant que ma vie était ailleurs désormais, au service d'une cause qui ne laissait plus guère de place aux promesses d'avenir.

Cependant, j'avais été frappée par sa vitalité lorsqu'il m'avait ouvert : j'avais laissé derrière moi un être traqué, fragile et pâle, et je retrouvais un homme au teint hâlé, manifestement plus vigoureux.

— Eugenia ! Je ne pensais pas vous revoir…

— Pardonnez-moi, je vous ai laissé sans nouvelles.

— J'ai remarqué, oui.

— Si vous voulez bien, acceptez la chose telle qu'elle est, je ne peux pas vous en dire la raison.

— En tout cas vous ne semblez pas vous être ennuyée, je ne vous ai jamais vue si lumineuse. Avez-vous passé votre temps sur des skis en compagnie de notre petit roi ?

— En quelque sorte, oui. Sur la neige en tout cas. Mais on dirait que vous aussi, Mihail.

— Moi, je sors de quelques semaines dans un bataillon de juifs réquisitionnés pour déneiger les voies ferrées. Je pensais qu'après ça ils allaient nous envoyer à Moguilev, j'avais même commencé à vous écrire une lettre d'adieu, et puis non, ils nous ont libérés. Leur politique est incohérente : ils ont déporté ceux qui nous ont précédés au déneigement, et nous, on ne sait pas pourquoi…

La porte refermée, je m'étais approchée pour l'embrasser, sur la joue d'abord, puis sur la bouche – j'avais oublié combien ça pouvait être bon, la soudaine montée du désir pendant le baiser, son corps qui se tend et le mien qui s'ouvre, puis les gestes précipités pour se déshabiller et l'ivresse du plaisir qui fait qu'on ne pense plus à rien d'autre.

Après l'amour, il m'avait gardée contre lui et s'était endormi. J'avais pensé que moi aussi j'allais lui écrire une lettre qu'il aurait pour consigne de n'ouvrir qu'en cas d'accident, et commencé à en chercher les premières phrases. Une lettre d'amour et d'adieu. Puis il s'était réveillé et nous avions parlé.

Nicuşor Constantinescu, le dramaturge, lui avait rendu visite, accompagné de Leny, et l'avait encouragé à écrire une nouvelle pièce de théâtre, lui proposant de la signer à sa place et de lui reverser les droits d'auteur – puisque les écrivains juifs étaient interdits de publication –, étant entendu qu'après la guerre lui et Mihail révéleraient le subterfuge.

— Allez-vous accepter ?

— Oui. La nuit même qui a suivi sa visite j'ai eu l'idée de la pièce. Je n'ai pas pu dormir, sa proposition m'a ressuscité. Pour un temps, au moins, je vais pouvoir cesser de vivre à vos crochets, chère Eugenia, gagner un peu d'argent et parvenir à me regarder dans une glace sans rougir de honte.

— Écrire ne vous fait pas plus plaisir que cela ?

— À vingt-cinq ans je pensais qu'écrire allait résoudre tous mes problèmes, que les livres me donneraient une place tout en dissipant cette impuissance, ou ce découragement qui me donne si souvent envie de laisser tomber, pour ne pas dire de mourir.

— Vous n'êtes pas impuissant, Mihail, j'adore comme vous me faites l'amour, en tremblant, comme si c'était une chose si grave.

— Merci de votre soutien, mais je crois que votre amour pour moi, parfaitement immérité, vous aveugle... Et puis mon impuissance ne se limite pas à la sexualité, malheureusement. Enfin, je vous disais qu'à vingt-cinq ans j'ai pensé que l'écriture me sauverait. Mais non, bien sûr que non, l'écriture est un leurre comme tout le reste, un leurre derrière lequel nous courons durant quelques livres avant que la conscience nous vienne que tous les livres du monde, si puissants soient-ils, si magnifiques soient-ils, ne parviendront jamais à compenser notre vacuité.

Il s'était interrompu pour prendre ses cigarettes et nous en avions fumé une à deux, serrés l'un contre l'autre, lui me la portant aux lèvres sans que j'aie à bouger.

— Vous aviez raison en octobre dernier, quand vous vous êtes mise en colère, avait-il repris : la seule chose qui me sauverait, à mes propres yeux, serait de prendre une arme et d'aller tirer sur celui qui veut me tuer. En même temps que j'entrerais enfin dans la vraie vie, je serais condamné à en sortir, mais au moins j'aurais vécu.

— Aimez-moi encore, vous voulez bien ? J'en ai très envie.

Mon premier ordre de mission m'avait été porté chez moi, un soir, par un jeune homme qui m'avait remis une enveloppe cachetée avant de repartir sans s'être présenté. Comme à son habitude, Mihail ne m'avait posé aucune question.

Le surlendemain, un officier roumain devait déjeuner en tête à tête à l'Athénée Palace avec sa femme dont c'était l'anniversaire. Il sortirait du restaurant de l'hôtel peu avant quinze heures car il avait rendez-vous au palais royal à quinze heures précises, juste en face. Je devais abattre cet homme durant les cent mètres qui séparent l'hôtel du palais.

Les indications étaient sommaires. On ne me disait pas le nom de l'officier et je devais supposer qu'il serait en tenue militaire et au bras de sa femme, deux détails qui me permettraient de le distinguer d'autres officiers, et sans doute d'autres couples, qui ne manqueraient pas de sortir du même endroit à peu près au même moment.

Le flou des informations m'avait incitée à choisir le tir lointain au fusil à lunette, plutôt que le tir de proximité car l'attente sur le trottoir, devant l'Athénée, m'aurait à coup sûr fait repérer.

Le lendemain à midi, à l'heure de rencontrer Igor, tout était organisé dans ma tête. J'avais repéré l'immeuble d'où je tirerais, rue Victoriei (et pu grimper sur le toit avec succès pour choisir mon emplacement, bien calée contre un conduit de cheminée avec une vue dégagée sur le large trottoir de l'Athénée). Mon idée était qu'une grenade explose à proximité de la scène du meurtre, trois à quatre secondes après mon coup de feu – une grenade lâchée par une moto lancée à pleine vitesse. Nous avions appris ces techniques de diversion, souvent plus efficaces pour s'exfiltrer qu'une couverture formelle. La confusion et la panique qui s'en suivraient, alors que la victime serait au sol, me permettraient de m'enfuir. Nous disposions de grenades, Igor pouvait-il dénicher une moto ? Il avait acquiescé. Il se tiendrait à hauteur de la statue de Carol Ier sur son cheval, moteur ronflant, et à l'instant où il verrait l'officier s'abattre il dégoupillerait, démarrerait en trombe et laisserait rouler la grenade sur l'asphalte. L'explosion couvrirait ainsi nos deux fuites.

Les choses, cependant, ne s'étaient pas déroulées comme prévu. Le couple était bien sorti à l'heure dite, aisément identifiable car la femme portait un bouquet de fleurs tandis que l'homme, en uniforme, la tenait par le coude. Je ne tremblais pas à l'instant de tirer, j'avais sa casquette dans mon viseur, mais curieusement je l'avais touché à l'épaule plutôt qu'à la tête, de sorte qu'il avait chancelé mais n'était pas tombé. Constatant que j'avais échoué, Igor avait immédiatement réagi : il avait bien dégoupillé mais au lieu de laisser rouler la grenade au hasard pour provoquer une explosion de diversion, il s'était arrêté à hauteur du couple pour la leur lancer dessus, tuant la femme et l'homme, avant de redémarrer en trombe. J'avais assisté à la scène depuis le toit de l'immeuble, sidérée par sa témérité. Puis je m'étais enfuie sans rencontrer de difficultés.

Nous avions appris le lendemain par les journaux que nous avions tué le général Valerian Roman, vainqueur d'Odessa, pressenti par Antonescu pour devenir le chef d'état-major des forces roumaines. Presse écrite et radio ne parlaient que de ce « lâche attentat ». Quelques jours plus tôt, j'avais lu le portrait de cet homme dans le journal. Il avait été décoré par le maréchal et distingué par Hitler qui l'avait reçu à Berlin. On le comparait à Guderian pour ses qualités de stratège et on racontait que durant le siège d'Odessa les Russes avaient tenté à deux reprises de l'assassiner, estimant que sa mort débanderait l'armée roumaine. Il était par ailleurs le père de deux garçons, tous deux officiers sur le front.

Aurais-je tremblé si j'avais su l'identité de l'homme qu'on me demandait d'abattre ? Sans doute. Igor et moi avions réussi un attentat d'une portée considérable, mais sans rien en savoir, et j'avais loué secrètement nos chefs de nous avoir laissés dans l'ignorance. Le lendemain, à la bibliothèque, Igor était égal à lui-même, calme, fermé et silencieux, apparemment indifférent, et j'avais compris que sous ses airs timides il était un redoutable « terroriste ».

La gravité du coup porté au régime – la presse anglaise avait largement repris l'information, m'avait indiqué M. Hurtig – avait inquiété Berlin qui avait dépêché à Bucarest une dizaine d'enquêteurs de la Gestapo. Les coupables devaient être très vite arrêtés et exécutés selon M. Himmler qui avait fait part à la presse allemande de son agacement devant « le laisser-aller qui semblait être la règle en Roumanie ».

Passant devant l'Athénée Palace pour me rendre à l'agence, j'avais pu constater qu'un double cordon de policiers entourait l'établissement et j'avais aperçu l'ambassadeur du Reich, Manfred von Killinger, en conversation avec le chef de notre police. L'information selon laquelle le général Roman fêterait l'anniversaire de sa femme à l'Athénée était vraisemblablement venue d'une indiscrétion d'un employé de l'hôtel, expliquaient les journalistes (dont moi, qui avais été chargée de suivre l'affaire) et c'est pourquoi les enquêteurs avaient entrepris d'interroger tout le personnel, du chasseur au grand patron, et de perquisitionner les bureaux.

Parallèlement, on recherchait l'homme à la moto qui avait lancé la grenade. La moto avait été volée la veille devant la gare, c'était une Eska de 98 cm^3, l'homme avait été vu dessus par deux témoins devant la statue de Carol Ier, mais il était casqué, un foulard sur le nez, aussi aucun des deux n'était capable de le décrire, sinon de dire qu'il était grand. On recherchait également celui, ou celle, qui avait tiré sur le général puisque l'autopsie avait révélé qu'une balle, entrée par la crête de l'épaule, lui avait fracassé l'omoplate. Selon la trajectoire, on pouvait en déduire que l'assassin s'était posté sur le toit d'un immeuble.

En attendant d'arrêter les coupables (mais à moins d'interpeller le petit messager qui m'avait remis la lettre, comment remonteraient-ils jusqu'à nous alors que nous n'avions eu aucun contact avec l'Athénée et que personne dans le réseau ne connaissait notre véritable identité ?), Killinger avait donné l'ordre d'arrêter cent juifs et de les exécuter, les juifs étant les meilleurs alliés des communistes pour Berlin comme pour Bucarest.

Lorsqu'il l'avait appris, Mihail était entré dans une sombre colère contre l'« indignité » des résistants qui, au lieu de se livrer, allaient laisser des juifs mourir à leur place.

Et nous nous étions disputés.

— Ne confondez pas les responsabilités, Mihail. L'indignité est du côté des nazis qui exécutent systématiquement des innocents lorsqu'ils ne trouvent pas les coupables.

— Que les coupables se désignent !

— Les résistants sont des soldats, ils doivent continuer de se battre tant qu'ils ne sont pas tués.

— Au prix de la mort des juifs – vous trouvez cela acceptable ?

— Excusez-moi de vous le dire crûment, mais si tous les juifs rejoignaient la Résistance, ils ne payeraient pas pour les autres et mourraient un fusil à la main. La Résistance serait cent fois, mille fois plus forte. Mais nous avons déjà eu cette discussion.

— Eugenia, rejoignez-la donc la Résistance, au lieu de nous donner des leçons. Personnellement, je n'ai aucun goût pour les armes et je crois que je préfère encore mourir que de tuer qui que ce soit.

— Vous me disiez le contraire quand nous nous sommes retrouvés.

— Il y a la théorie et l'épreuve des faits. Songer que deux irresponsables vont faire tuer cent juifs est intolérable. Si je suis parmi les morts, continuerez-vous à tenir les mêmes propos ?

J'avais quitté la chambre pour aller me promener, lui volant une cigarette au passage. Il avait raison : il y a la théorie et l'épreuve des faits. En théorie, nous devions continuer à harceler l'ennemi, mais comment porter le fardeau de cent morts, voire plus, pour un seul responsable assassiné, autant dire une goutte d'eau ? J'étais glacée d'horreur, j'aurais voulu que quelqu'un me décharge de cette responsabilité – entendre les mots fermes et indiscutables d'une Lena, d'une Irina –, après tout je n'avais fait qu'obéir. Mais j'étais seule et j'allais être seule à assister à l'arrestation des cent otages et à leur exécution. Il me reviendrait même de couvrir l'événement pour l'agence. Alors que j'avais le pouvoir de les sauver en me livrant.

L'avais-je vraiment, ce pouvoir ? Le régime tuait chaque jour des centaines de juifs et il ne s'encombrait d'aucun prétexte pour justifier ses crimes. En admettant que je me livre, libérerait-il les otages ? Rien n'était moins sûr, nous étions gouvernés par des assassins. C'est d'ailleurs pourquoi notre devoir était de les combattre. Non, je ne devais pas me livrer. Me livrer revenait à faire leur jeu. Eux violaient toutes les règles régissant l'humanité, il ne fallait donc céder à aucun prix, mais au contraire riposter, rendre coup pour coup.

J'étais rentrée apaisée et déterminée, et me plaçant derrière Mihail qui était assis à sa table en train d'écrire, je l'avais prié de me pardonner.

— Écrivez, mon chéri, c'est le sens de votre vie, c'est votre façon de résister. Ne sacrifiez pas l'écriture, je regrette ce que je vous ai dit.

27

Je me souviendrais de cet été 1942 comme de celui où j'ai souhaité secrètement mourir tant les succès de nos soldats, aux côtés des Allemands, étaient insultants. L'offensive avait repris dès le mois de mai, et sur toute l'immensité du front les Russes reculaient. Tout ce que nous tentions à l'arrière pour ralentir l'élan de nos troupes semblait voué à l'échec, et quand enfin nous réussissions une opération, elle ne paraissait pas plus les handicaper qu'une piqûre de moustique sur l'échine d'un bison lancé à pleine vitesse.

Juillet avait été catastrophique, les Allemands avaient enfoncé le front russe entre Kharkov et Koursk, pris Voronej et franchi le Don. Plus au sud, Rostov, repris en décembre par l'Armée rouge, était retombée aux mains des Allemands et des Roumains qui fonçaient maintenant sur Stalingrad, ne rencontrant plus guère de résistance. S'ils prenaient Stalingrad – ce qui était donné pour certain en août –, ils couperaient le Caucase et son pétrole du reste de la grande Russie et s'en empareraient en quelques semaines. Alors ils n'auraient plus qu'à concentrer toutes leurs forces sur Moscou et la victoire leur serait acquise avant l'hiver.

De Paris à Moscou régnerait l'ordre nazi, autant dire les ténèbres. Mihail et moi évitions d'évoquer ce cauchemar, synonyme d'une mort certaine pour lui, comme pour tous les juifs d'Europe. Dans mon idée, nous prendrions ses bourreaux de vitesse en nous donnant la mort, à l'exemple de Stefan Zweig qui s'était suicidé en février de cette désastreuse année 1942. J'y pensais souvent, la nuit, balançant entre peur et soulagement. Pourquoi donc la mort continue-t-elle de nous effrayer quand la vie ne nous offre plus aucune joie ? Pourquoi donc ? Du moins la défions-nous avec plus de légèreté, ce que j'avais fait en décidant seule d'une action contre le véritable chef de la Roumanie, l'ambassadeur Manfred von Killinger. Le ministre d'Hitler à Bucarest faisait trembler le pays, et le maréchal Antonescu lui-même qui se pliait à ses remontrances. Le tuer nuirait aux relations entre les deux pays, disqualifierait Antonescu aux yeux d'Hitler pour son incapacité à assurer la sécurité de son représentant et montrerait au reste du monde que toute la Roumanie ne marchait pas comme un seul homme derrière Berlin. Killinger était en outre celui qui avait fait fusiller cent otages juifs après l'assassinat du général Roman et je songeais que c'était à moi de leur rendre justice.

J'avais appris par M. Hurtig que l'ambassadeur passait tous ses week-ends avec sa maîtresse – sa secrétaire les jours ouvrables – dans une villa discrète qu'il avait louée à Sbftica, un bourg rural à proximité de Bucarest, sur la route de Ploiesti. Il s'y rendait généralement le vendredi en fin d'après-midi à bord de sa Mercedes grise et en rentrait le dimanche soir. Je connaissais bien la route de Ploiesti : peu avant Sbftica, elle traversait un bois, et c'est de l'existence de ce bois qu'était né mon projet. J'allais me poster sur une branche, en surplomb de la route, et tenter d'abattre Killinger avec l'une des huit balles de mon Parabellum.

Un vendredi vers midi, j'avais pris l'autocar de Ploiesti déguisée en campeuse, sac au dos et chaussures de marche, mon pistolet roulé dans ma couverture, et j'avais demandé au chauffeur de me déposer à l'entrée du bois. C'était une belle journée d'août, une famille était descendue en même temps que moi avec le projet, m'avait dit la mère dans un aimable sourire, de trouver un endroit pour pique-niquer. J'avais marché un moment le long de la route, cherchant l'arbre qui me conviendrait le mieux. Les camions-citernes constituaient l'essentiel de la circulation puisque notre production pétrolière, à ce moment-là sous le contrôle des Allemands, se concentre à Ploiesti. Quelques autos passaient également, que j'aurais pu compter tant elles étaient rares.

Je cherchais un endroit pour tuer un homme et je n'étais ni émue ni même nerveuse, seulement à mon affaire, soucieuse de mettre toutes les chances de réussite de mon côté, et j'avais pu mesurer ce jour-là combien je m'étais endurcie depuis ma rencontre avec Irina (et mes colères contre Stefan) six ou sept ans plus tôt. Enfin, j'avais trouvé l'arbre qu'il me fallait, situé en pleine ligne droite. Un tronc puissant aux ramifications multiples, celles-ci inaccessibles sans une corde – et j'avais pensé à en prendre une. Une fois perchée, je pourrais me tenir à plat ventre sur une branche en porte à faux au-dessus de la chaussée, voir venir l'auto dissimulée dans la frondaison et la suivre après son passage.

J'avais attendu là toute la fin de l'après-midi, m'entraînant à viser les vitres arrière des voitures. Je pensais devoir toucher le ministre allemand à la nuque, mais quand la Mercedes grise était apparue, j'avais été surprise de constater qu'elle roulait sans escorte et que l'ambassadeur lui-même se tenait au volant, sa jeune maîtresse à son côté. Cela allait faciliter mes plans : je l'abattrais plus

facilement de face, le voyant venir dans mon viseur, que par la lunette arrière de la Mercedes qui était étroite et trop haut placée.

Le vendredi suivant, 28 août, j'étais donc repartie en tenue de campeuse avec l'intention de tirer, cette fois. Dans l'hypothèse où le ministre roulerait sous escorte mes chances de survie étaient assez minces, mais s'il était de nouveau seul et au volant, j'estimais ne courir pratiquement aucun risque car la consigne donnée aux dignitaires pris sous le feu d'une embuscade était de ne jamais s'arrêter, mais au contraire d'accélérer – à moins que le chauffeur soit touché, bien entendu. En l'occurrence, c'est ce qui allait se produire si je réussissais, et dans ce cas j'avais prévu d'abattre également la femme avant de m'enfuir (si elle n'était pas tuée dans l'accident qui risquait de survenir).

À quinze heures j'étais en position, à califourchon sur une branche de gros diamètre, tenant dans mon viseur, et sur une portion de route longue de plus de trois cents mètres, toutes les automobiles arrivant de Bucarest. Bien qu'enfouie dans les feuillages, je disposais d'une lucarne de tir quasi parfaite que je m'étais ménagée en arrachant ici et là quelques jeunes pousses. J'étais satisfaite de ne trouver aucune circonstance atténuante à l'homme que j'espérais tuer, nazi de la première heure, ancien SA et bourreau impitoyable des juifs et des communistes dans son land de Saxe, avant de faire régner la terreur en Slovaquie puis en Roumanie. À cinquante-quatre ans, cet aristocrate rondelet aux bajoues de notaire n'avait fait que le mal autour de lui. J'étais plus embêtée pour la secrétaire dont je ne savais rien. Couchait-elle avec lui par amour ? J'avais du mal à le croire. En ce cas, j'allais supprimer une victime plutôt qu'une complice. J'aurais préféré tuer sa femme, Gertrud, qui l'avait soutenu durant toute sa carrière, mais on racontait que Gertrud ne se sentait pas en sécurité auprès de cet homme unanimement détesté et qu'elle préférait donc mener une vie tranquille en Allemagne.

À dix-neuf heures, tandis que la lumière se ternissait lentement, le ministre d'Hitler n'était toujours pas apparu. Encore une demi-heure peut-être et les autos allumeraient leurs phares, alors je ne pourrais plus les distinguer les unes des autres et je n'aurais plus qu'à rentrer chez moi. C'est dans cette ultime demi-heure qu'avait surgi la Mercedes. Sans escorte ! J'avais senti mon cœur bondir, pas suffisamment cependant pour m'empêcher de viser. La première balle avait fait voler le pare-brise en éclats et, durant une seconde peut-être, j'avais pu voir la stupeur altérer le faciès de l'ambassadeur. Il avait ralenti, surpris par le souffle du vent et ne voyant sans doute plus grand-chose, de sorte que j'avais pu tirer une deuxième, puis une troisième balle, mais sans parvenir à le tenir dans mon viseur car l'auto s'était mise à zigzaguer – avant d'accélérer brutalement. L'avais-je touché ? Sûrement pas mortellement, et le temps de changer de position je n'avais pas pu tirer mes dernières balles sur la lunette arrière.

J'avais immédiatement fui le bois, jeté le Parabellum dans le lac de Corbeanca et rejoint Bucarest à pied par des chemins secondaires, traversant des villages endormis mon sac de campeuse sur le dos. Vers cinq heures du matin, Mihail m'avait fait une place dans le lit et j'avais sombré dans ses bras.

Curieusement, ni les journaux ni la radio n'avaient évoqué l'attentat, si bien que j'avais dû attendre le lundi après-midi pour avoir des nouvelles du ministre.

— On a tenté de tuer Killinger, Eugenia, m'avait confié M. Hurtig comme nous nous trouvions seuls dans la petite pièce poussiéreuse des archives. Je vous le dis sous le sceau du secret car nous avons interdiction de diffuser l'information.

— A-t-il été blessé ?

— Même pas. Il allait dans cette maison de Săfica dont je vous ai parlé. Avec sa secrétaire.

— Et elle ?

— Rien non plus, si ce qu'on m'a dit est exact. Mais il va y avoir une enquête et, d'après les balles retrouvées dans la voiture, l'arme qui a tiré est un Parabellum.

— Ah oui ?

— Oui. Gardez l'information dans un coin de votre tête, mon petit. Je peux compter sur vous, n'est-ce pas ?

Tandis que j'écris ces lignes, au milieu de l'été 1946, je ne sais toujours pas quel rôle a joué

M. Hurtig dans la Résistance. Bien que la guerre soit finie, il refuse de m'en dire quoi que ce soit.

— Qu'est-ce qui vous laisse penser que je sois entré dans la clandestinité ? En 1941-1942 n'importe qui aurait pu vous avoir un Parabellum, on les achetait au marché noir pour le prix d'un paquet de beurre. Alors, je vous en prie, n'en tirez aucune conclusion.

Depuis que les communistes tiennent les tribunaux, des dizaines de journalistes ont été arrêtés et condamnés – lui n'a jamais été inquiété. Il m'est arrivé de penser qu'il était Ghiţă, mais Lena, que j'ai revue au ministère de la Justice dans les bureaux d'Ana Pauker, a refusé de me le confirmer. Elle est manifestement en froid avec lui. Secret et bourru, M. Hurtig n'apprécie pas ce que font les communistes pour s'emparer du pouvoir – et il ne se gêne pas pour l'écrire –, de sorte que je n'aurai sans doute aucune information par Lena. Lui m'a confié il y a deux semaines qu'il envisageait de quitter le pays pour s'installer en France, sachant que les communistes s'apprêtent à truquer les prochaines élections.

— Vous aurez là-bas un ami, Eugenia, sachez-le.

Hurtig à Paris, Sartori à Naples, Leny à Bucarest, Andrei (et mes parents) à Jassy – quel tour prendra ma vie à l'automne, une fois ce texte terminé ?

En septembre 1942, tandis que le sort du monde semblait se jouer à Stalingrad, nous avions reçu pour mission de faire dérailler un train allemand à destination de Stalingrad, précisément. L'ordre concernait six ou sept groupes de résistants du réseau Ghiţă et nous nous étions tous retrouvés le vendredi 25 septembre à midi dans un appartement luxueux du centre de Bucarest. Sur le moment j'avais été surprise par cette convocation en pleine journée, dans un quartier quadrillé par notre police et où l'on ne pouvait pas faire cent mètres sans croiser un officier allemand. Aujourd'hui, je sais que l'appartement était une des résidences du roi Michel et que ce dernier, déjà secrètement engagé auprès des Alliés, acceptait de couvrir certaines opérations à hauts risques.

Nous étions seize, enfermés dans un petit salon aux murs tapissés d'un tissu vieux rose, et outre Igor qui s'était assis à côté de moi, j'avais retrouvé Marga, mon amie du camp d'entraînement au-dessus de Predeal.

Je n'ai jamais revu l'homme qui avait planifié la mission – un militaire, manifestement, si je me fie à la précision technique de son vocabulaire. Le train que nous devions « neutraliser » transportait des Panzers de la dernière génération sur lesquels comptait le général Paulus pour écraser les « ultimes poches de résistance à Stalingrad » selon la version du ministère de la Guerre roumain. Cette seule indication m'avait électrisée : pour la première fois nous pouvions donc enrayer le Blitzkrieg allemand et ainsi, peut-être, peser sur l'issue de la guerre. Les Anglais ayant bombardé les voies ferrées de Pologne, le train arriverait de Vienne et Budapest, franchirait la rivière Prut à hauteur du petit village de Bogdăneşti avant d'entrer en Bessarabie et de poursuivre sa route à travers la vaste plaine russe en direction de Stalingrad. Notre mission consistait à le faire chuter dans la rivière Prut (profonde à cet endroit) afin que les Panzers ne soient pas récupérables.

Cependant, depuis que la Résistance s'attaquait aux voies ferrées dans la plupart des pays occupés, tous les trains allemands étaient désormais précédés d'un leurre (généralement une vieille locomotive et son tender) qui déraillait ou explosait en cas d'attentat, permettant ainsi au convoi principal de s'arrêter à temps.

La technique d'interception, déjà expérimentée en Ukraine et peu coûteuse en matériel, consistait à déboulonner le rail d'entrée sur le pont – rail que l'on tirait avec une corde à l'instant où le convoi s'y engageait, le précipitant dans le vide. Mais il fallait auparavant que le leurre franchisse le pont sans encombre et, pour cela, on laissait seulement trois à quatre tire-fonds, en partie dévissés, pour maintenir le rail en place avant de les retirer dans le court laps de temps qui séparait le passage du leurre de celui du convoi. L'opération comportait de multiples risques, le principal étant la chute du leurre, si les tire-fonds cédaient, entraînant aussitôt l'arrêt du convoi et l'anéantissement par les SS chargés de le protéger des résistants cachés à proximité du pont.

Dès le passage du train à Vienne, le dimanche 27 septembre à six heures du matin, nous avions été mis en alerte. Nous étions tous déjà sur place, répartis dans différents villages autour de Murgeni, le bourg le plus proche du pont de Bogdăneşti. Compte tenu de la lenteur du convoi – 50 km/heure en moyenne – nous pouvions espérer que l'opération se déroulerait dans la nuit, celle de dimanche à lundi, ce qui nous assurerait une meilleure protection. Le rendez-vous avait été fixé à vingt-deux heures sous le pont.

Prétendument en vacances, et munie de faux papiers, j'avais trouvé une chambre à louer dans une ferme et passé la matinée du dimanche à me promener le long de la rivière Prut, jusqu'à apercevoir le pont métallique d'où nous escomptions précipiter les Panzers. La rivière s'élargissait à ce niveau (avant de se jeter dans le Danube un peu plus bas) et charriait une eau noire et bien plus tumultueuse qu'à hauteur de Jassy, cent cinquante kilomètres en amont.

À midi, j'étais rentrée pour déjeuner avec les propriétaires, un couple âgé dont le fils était engagé sur le front russe, dans la 4e armée roumaine du général Constantin Constantinescu, et qui hébergeait donc leur belle-fille et leur petit-fils âgé de deux ans. Durant tout le déjeuner la radio était restée allumée, distillant des nouvelles de Stalingrad qui étaient accueillies par de timides sourires et, parfois, un commentaire religieux.

— Mon Dieu, faites que nos soldats l'emportent et qu'ils reviennent vite !

C'est la grand-mère du petit qui avait dit cela, et la mère s'était aussitôt signée. Andrei était également soldat dans la 4e armée, et moi aussi j'avais pensé : « Oh oui, mon Dieu, faites qu'ils rentrent vite », et cependant j'allais tenter dans quelques heures de leur faire perdre cette bataille décisive, de reculer ce retour tant espéré. Je n'avais pas revu Andrei depuis plus d'une année, il avait traversé l'hiver dans la région du Don, n'avait pas été blessé dans les combats, et il continuait d'être en « bonne santé » et d'avoir « bon moral » si l'on se fiait à ses cartes militaires visées par la censure.

Tous les communiqués allemands faisaient état de « terrain conquis » à Stalingrad, et cela depuis le mois de juillet, si bien qu'on se demandait pourquoi la ville n'était toujours pas tombée. Mais ce dernier dimanche de septembre, Berlin avait tenté une explication que l'homme de la radio roumaine avait développée avec zèle : le commandement allemand aurait pu en finir en quelques heures au prix d'un assaut massif, mais dans le souci d'économiser des vies civiles et de ne pas endommager la ville plus que nécessaire, il avait été décidé d'avancer prudemment et de s'assurer la reddition des quartiers immeuble par immeuble.

La réalité était moins angélique – les semaines suivantes la révéleraient au monde : en vérité, le général Paulus n'avait pas les moyens matériels de l'assaut final et les Russes, après avoir longtemps reculé, donnant aux Allemands et aux Roumains l'illusion d'une victoire facile, s'étaient enterrés dans les caves et les égouts de Stalingrad avec l'intention d'en défendre désormais chaque mètre carré.

> « Dans les rues de Stalingrad, devait écrire Malaparte, les combattants soviétiques disputent à l'ennemi chaque once de terrain, chaque monticule de gravats, chaque pierre des murets écroulés : la bataille, depuis les caves et les rez-de-chaussée, monte au premier étage, puis au deuxième, au troisième, et se poursuit acharnée sur les toits [...]. Les hommes qui s'affrontent sous nos yeux, parmi ces ruines, qui tirent des coups de feu, qui s'empoignent, qui se mordent, qui se roulent dans la boue, sont ces mêmes soldats russes et allemands que nous venons de voir de près, recroquevillés dans des trous, dans des fossés, derrière les murs en ruine, le visage contracté, les mains crispées sur la crosse de leur fusil-mitrailleur, les yeux emplis de peur, de rage, de haine, de fureur homicide. Et maintenant les voici, ils se lèvent, ils s'élancent hors de leurs trous, ils se jettent les uns

contre les autres, se tirent dans le ventre à quelques mètres de distance, se frappent avec la crosse de leurs fusils ; ils tombent, se relèvent, retombent, se traînent en hurlant, s'agrippent aux bottes de leurs adversaires, disparaissent dans un nuage de poussière et de fumée, qui en se dissipant, laisse apparaître d'autres hommes accourant en renfort dans la brume fendue par les éclairs des explosions. »

Chaque jour, des deux côtés, les combattants commençaient à mourir par centaines, par milliers, mais nous ne le savions pas, c'était encore un secret.

À vingt-deux heures, nous nous étions retrouvés sous le pont de Bogdăneşti. Les seize de Bucarest. J'avais quitté la ferme par la fenêtre après avoir souhaité bonne nuit à mes hôtes – quoi qu'il arrive, ils ne me reverraient pas. Les rôles avaient été rapidement distribués : deux hommes s'étaient attelés au dévissage des tire-fonds (nous ne disposions que de deux clés) tandis qu'un groupe mettait en place la corde pour arracher le rail aux encoches des traverses depuis le talus en surplomb de la rivière. Igor s'était porté volontaire pour attacher la corde autour du rail après le passage du leurre et moi pour être la petite main qui retirerait les derniers tire-fonds avant l'arrivée du convoi de Panzers. C'étaient peut-être les deux tâches les plus périlleuses car si le mitrailleur installé sur le toit de la locomotive des Panzers nous surprenait dans le faisceau de son projecteur, affairés au bord de la voie, il tirerait et donnerait l'alerte, c'était évident. Nous risquions plus sûrement nos vies que le reste du groupe et, de surcroît, la réussite de l'opération reposait sur notre dextérité – nous ne disposerions que de deux minutes, tout au plus, avant de rouler sous le pont pour nous mettre à couvert.

Pourquoi avions-nous voulu cela ? Pour Igor, qui est mort aujourd'hui, je n'ose pas répondre. Pour moi, je crois qu'à l'orgueil d'être distinguée se mêlait encore une fois l'envie de vérifier si je continuais d'être plus rusée que la mort.

Nous nous étions préparés à devoir patienter jusqu'à l'aube, or, peu après minuit, nous avions vu s'élever de la fumée blanche dans la nuit sans lune, au-dessus de la plaine, avant de ressentir d'infimes vibrations sur les rails. C'était ça. « À vos postes ! » avait crié une voix, mais c'était inutile : chacun se tenait déjà à plat ventre à proximité de ce qu'il avait à faire. Igor, que je ne devais pas revoir, couché sur la corde le long du rail, le visage enfoui dans le ballast. Moi, à trois ou quatre mètres derrière lui, couchée sur ma lourde clé en forme de T, m'apprêtant également à embrasser le ballast. Il y avait peu de risques que le conducteur du leurre remarque notre présence et, si c'était le cas, nous escomptions qu'il nous confondrait avec les traverses endommagées abandonnées ici et là le long de la voie.

Il ne nous avait pas vus, mais sentant les tremblements du sol se répercuter dans mon squelette à l'instant où les roues de la locomotive et du tender étaient passées à quelques centimètres de mon visage, j'avais cru un instant mourir. Puis le vacarme s'était estompé, laissant derrière lui un tourbillon brûlant et, avant même que la conscience me revienne, j'avais bondi et arraché le premier tire-fond. Igor et moi jouions nos vies. Pas une seconde je ne l'avais regardé, mais j'étais certaine qu'il s'occupait à nouer la corde autour du rail avec le stupéfiant sang-froid dont il avait fait preuve pour lancer sa grenade sur le général Roman et sa femme.

Quand le convoi avait surgi, précédé par un puissant faisceau lumineux, j'avais déjà roulé sous le pont depuis quelques secondes et je m'y tenais tapie. Cependant Igor, qui aurait dû m'y rejoindre, ne l'avait pas fait.

Tout était allé très vite ensuite. Comme le pont se mettait à vibrer sourdement à l'approche du train, j'avais vu le groupe de résistants se dresser sur le talus et tirer sur la corde, j'avais vu le rail tomber dans l'herbe et, presque aussitôt, l'énorme masse sombre de la locomotive basculer sous mes yeux, illuminant la rivière et crachant des braises incandescentes avant de s'enfoncer dans l'eau noire d'où s'était élevé un nuage de vapeur qui m'avait complètement caché la chute des premiers wagons. Puis la vapeur s'était dissipée et le fracas des plateformes et de leurs Panzers s'était poursuivi, comme par automatisme, sous le ciel étoilé de cette fin d'été. C'est un spectacle hallucinant que celui d'un train s'abattant vingt mètres plus bas car si robustes qu'ils soient les wagons et les plateformes se télescopent et se tordent comme des jouets d'enfants avant de continuer à caramboler sous la poussée des suivants qui parfois se dressent un instant de toute leur longueur pour finalement s'abattre à leur tour, les roues en l'air, précédés de leur précieux chargement, ces Panzers dont j'apercevais parfois les chenilles d'acier étinceler brièvement.

Je n'avais fait que hurler pendant la chute du train, à la fois sidérée et ravie, appelant par moments Igor que j'aurais voulu prendre à témoin, que j'aurais voulu embrasser et dont l'absence commençait à me tourmenter.

Puis le mouvement s'était progressivement ralenti car le lit de la rivière ne pouvait pas contenir autant de wagons (ce que nous n'avions pas envisagé), aussi les derniers s'étaient-ils immobilisés en travers de la voie, tandis que d'autres demeuraient couchés sur le talus. J'étais timidement sortie de ma cachette et je tentais de rejoindre les autres quand j'avais entendu des coups de feu. Ils provenaient du pont. J'avais reconnu la silhouette de Marga, armée d'un fusil, à côté d'un homme qui éclairait l'eau avec une lampe torche. Je les avais rejoints.

— Tire sur tout ce que tu vois bouger, m'avait-elle soufflé. Certains de ces salauds sont encore vivants.

Je n'avais que mon vieux Tokarev soviétique mais je m'étais mise en position, moi aussi, suivant attentivement le mouvement du faisceau lumineux qui revenait fouiller l'amoncellement des wagons, puis la surface de l'eau, puis les berges. Une tête était apparue soudain, celle d'un homme qui se débattait pour rejoindre la rive, et j'avais tiré.

— Bravo, tu l'as eu !

De fait, l'homme avait disparu.

Un peu plus tard, nous avions entendu des échanges de coups de feu – remontant vers l'arrière du train, le reste du groupe était tombé sur trois SS et les avait abattus.

Avec le recul, je peux écrire aujourd'hui que de cette nuit du 27 au 28 septembre 1942 est né en moi le sentiment que la victoire était possible, que les Allemands n'étaient pas invincibles en dépit de leurs bottes impeccablement lustrées, de leurs

Panzers et de leur voix gutturale – la preuve, une fois jetés à l'eau, ils n'étaient pas plus habiles à s'en sortir que de malheureux canards. Je dois écrire aussi qu'après en avoir tué un, durant cette nuit d'ivresse, j'aurais voulu que l'occasion me soit donnée d'en tuer beaucoup d'autres.

Hier soir, regardant un reportage sur l'Allemagne en ruine (avec Leny qui m'avait traînée au cinéma), un reportage où l'on voyait des femmes et des enfants survivre comme des rats dans des caves en partie inondées – à Hambourg, je crois –, je me suis soudain rappelé la femme que j'étais devenue à l'automne 1942, et brusquement j'ai eu honte. Nous l'avions emporté, certes, et voilà tout ce qu'il restait de nos puissants ennemis : des orphelins tristes et affamés. « La joie et l'orgueil des vainqueurs, écrit quelque part Malaparte, semblent défaits par l'angoisse et le désespoir des vaincus. » Pour cette seule phrase, je voudrais revoir Malaparte et l'embrasser.

Igor avait achevé le nœud autour du rail quand la locomotive du convoi de Panzers était apparue et que l'homme qui dirigeait le fanal l'avait découvert agenouillé au bord de la voie. Tous ceux du talus avaient assisté à la scène dans les secondes qui avaient précédé le déraillement. Ils lui avaient hurlé de se planquer, mais outre qu'ils étaient devenus inaudibles, lui n'avait pas bougé,

comme paralysé, ou fasciné, par ce qu'il voyait venir. L'Allemand avait tiré à l'instant même où la locomotive, ne trouvant plus de rail sous son flanc gauche, commençait à basculer.

28

Pendant que nous faisions dérailler le train de Panzers pour Stalingrad, Mihail était au théâtre avec Antoine Bibesco. Le prince, qui s'ennuyait, était tout naturellement passé le prendre dans notre chambre de bonne, comme s'il avait oublié que Mihail était juif et qu'à tout instant il pouvait être arrêté et expédié dans un camp. Il s'était présenté dans un de ces complets de coutil blanc qu'on porte généralement sur les plages, et les pieds chaussés de pantoufles. Comme Mihail refusait de l'accompagner, arguant que dans cette tenue ils se feraient doublement remarquer, le prince lui avait rétorqué :

— Pourquoi voulez-vous que je change de costume, cher ami ? Il fait affreusement chaud et je suis bien dans celui-ci. Quant aux pantoufles, c'est bien commode, vous pouvez les enlever une fois assis sans même avoir besoin de vous pencher. Et puis quoi, en Roumanie les gens ne savent pas s'habiller, alors à quoi bon tant d'histoires ?

En dépit des risques qu'il avait encourus, Mihail ne regrettait pas d'avoir finalement cédé à l'invitation et j'avais compris en l'écoutant combien cette soirée extravagante lui avait été profitable en le sortant pour quelques heures de son manuscrit et de sa mélancolie.

De reclus, il s'était retrouvé à parcourir les rues de Bucarest les cheveux au vent, à bord de la Mercedes 380 du prince qui l'avait d'abord emmené prendre un verre à l'Athénée Palace, parmi les généraux allemands dont plusieurs étaient venus saluer le diplomate et, dans la foulée, le juif Mihail Sebastian qu'Antoine Bibesco leur avait présenté comme « l'un des écrivains roumains les plus talentueux ». Un seul d'entre eux avait eu la curiosité de s'enquérir des œuvres de cet auteur, penchant aimablement sa haute silhouette en direction de Mihail – un certain général Hans Speidel. Pris au dépourvu, et n'osant citer *Depuis deux mille ans*, Mihail s'en était sorti en bafouillant qu'il écrivait surtout pour la scène et en ne nommant que *Jouons aux vacances*.

— Général, si vous le souhaitez, avait alors bondi le prince, je vous ferai porter le texte de la pièce, c'est une merveille !

— Ce serait avec plaisir, mais je m'envole demain matin pour le front.

Mihail venait de mourir quand ce général Speidel a soudain refait parler de lui durant l'été 1945. Arrêté par les troupes françaises dans sa cachette après s'être évadé des prisons de la Gestapo, il fut à l'origine, a-t-on appris, de l'attentat raté contre Hitler, le 20 juillet 1944, et le seul des conjurés à ne pas avoir été exécuté grâce aux interventions des généraux Keitel et Guderian.

Après l'Athénée Palace, les deux amis avaient filé au National où l'on donnait *Une nuit orageuse* et *Sieur Leonida face à la réaction*, de Ion Luca

Caragiale. Mais comme le prince supporte difficilement de voir un spectacle en entier sans s'agacer, il avait pris des billets pour le même soir dans un autre théâtre où l'on jouait *La Maison Monestier*, du Français Denys Amiel.

— Voyez-vous, Eugenia, je trouvais déjà angoissant de faire mon apparition dans un théâtre, moi qui ne sors quasiment plus depuis deux ans, n'est-ce pas, mais dans deux c'était carrément de la folie ! Nous étions partis sains et saufs de l'Athénée Palace, ce qui constituait déjà en soi un petit miracle, qu'arriverait-il si on me reconnaissait au National ?

Par chance, ils y étaient arrivés trente secondes avant le lever de rideau, de sorte que toute l'attention s'était portée sur l'accoutrement du prince – personnalité connue des Bucarestois –, suscitant ici et là des chuchotements ravis et quelques rires. Selon Mihail, nul n'avait semblé le reconnaître.

Il n'en était pas allé de même pour la seconde pièce, *La Maison Monestier*, qu'ils avaient attrapée au deuxième acte, leur entrée tapageuse suscitant un blanc chez les comédiens et des éclats de rire dans le public (après un vent de protestation) quand le prince avait été reconnu et que le nom de Sebastian avait soudain fusé.

— Imaginez un peu : une salle archipleine a suivi l'entrée d'Antoine en costume de plage, qui s'est avancé jusqu'à un mètre de la scène et s'est planté là, debout. Moi, sur ses talons, amusé certes, vous vous en doutez, mais commençant à m'inquiéter sérieusement des conséquences de sa désinvolture. Je l'avais prié à l'avance de ne pas parler fort pendant le spectacle et de ce point de vue-là les choses se sont passées presque normalement, bien que de temps en temps, quand il ne comprenait pas une réplique, il se tournât vers moi : « Quoi ? Qu'est-ce qu'il dit ? Mais voyons qui est-ce ? Je ne comprends plus rien... »

Le prince ne comprenant pas (et comment aurait-il pu en être autrement après avoir raté le premier acte ?), ils avaient fini par sortir pour aller se promener à pied rue Victoriei où ils avaient terminé la soirée assis sur un muret à parler de Marcel Proust, l'ami, le grand ami d'Antoine, qui avait cependant échoué à convaincre Gide de publier *Du côté de chez Swann* en 1912 (le livre devait être finalement imprimé à compte d'auteur l'année suivante).

— À la vérité, chère Eugenia, avait conclu Mihail, Antoine n'est pas fou, comme on pourrait le croire, et d'ailleurs sa conversation sur Proust était passionnante, mais il ne se donne pas la peine de plaire aux Roumains qu'il regarde comme des barbares – bien que Roumain lui-même, n'est-ce pas. Il vit parmi nous comme il vivrait parmi des Noirs, des Jaunes ou des Peaux-Rouges, s'intéressant parfois à nos coutumes, mais sans s'estimer tenu de s'y plier. Savez-vous : il m'a raconté qu'Asquith, le Premier ministre du Royaume-Uni, apprenant que sa fille Élisabeth souhaitait épouser un Roumain – lui, en l'occurrence –, avait été profondément choqué. Pour Asquith, m'a-t-il dit, c'était comme si elle était allée chercher un Chinois ! Et, là-dessus, il a éclaté de rire. Il était près de minuit et nous étions encore assis sur notre muret, en plein centre de Bucarest. Pour un peu, j'en aurais oublié que nous sommes en guerre et que ma vie ne tient plus qu'à un fil.

La mienne aussi, avais-je pensé et, le voyant rire pour une fois, je lui avais demandé de me prendre dans ses bras. À l'heure où nous bavardions joyeusement, les polices allemandes et roumaines devaient être sur les traces des « terroristes du pont de Bogdăneşti », selon l'expression du speaker de la radio qui avait parlé de « haute trahison » après ce « mauvais coup porté à l'effort de guerre de nos deux grandes nations ». Le fait que nous soyons nombreux à être impliqués dans l'attentat (quinze, après la mort d'Igor) et que nous ayons tous dormi dans la région avant de disparaître multipliait les risques d'être identifiés. Certes, nous n'avions montré que de faux papiers, mais nos visages avaient été vus par nos logeurs, et sans doute par d'autres personnes. Qu'un seul des quinze soit reconnu, arrêté, qu'il parle sous la torture et conduise la Gestapo au camp d'entraînement des montagnes Baiului et tout le réseau pouvait tomber. Je m'étais figuré en un éclair les bruits de bottes de la police dans notre cage d'escalier, son irruption dans la chambre, mon arrestation, et par voie de conséquence celle de Mihail. Depuis des mois, j'entendais le cacher, le protéger, le sauver – il avait une confiance aveugle en moi – et par ma faute il allait mourir. *Nous* allions mourir. Moi pendue à un réverbère, offerte en spectacle durant des jours comme un objet de honte, et lui dans un de ces camps de Transnistrie où le régime déportait maintenant les juifs, les laissant mourir de froid et de faim quand les gardiens ne les abattaient pas d'une balle dans la nuque.

Je m'étais dégagée de ses bras pour aller tourner le verrou de la porte.

— Ça, c'est votre façon de me signifier que vous aimeriez faire l'amour, avait-il dit, recommençant à rire.

Puis, comme je revenais dans ses bras, il s'était étonné.

— Mais vous tremblez, Eugenia. Quelque chose ne va pas ?

— Non, j'ai juste besoin de vous sentir là, bien vivant.

— Eh bien je m'efforce de l'être, vous voyez bien.

— C'est tellement bon de vous entendre rire.

Durant un moment nous n'avions plus bougé, debout au milieu de la pièce, étroitement enlacés. Et soudain les mots m'avaient échappé.

— Après la guerre, vous m'accompagnerez à Naples ?

— Pourquoi Naples ?

— Chez mon ami Sartori. Je nous imagine heureux, là-bas, vous à votre table de travail, en train d'écrire, et moi… Moi je ne sais pas…

— Vous ne savez pas quoi ?

— Il me semble que vous savoir heureux me suffirait, que je pourrais passer mes journées à vous attendre.

Il m'avait déposé un baiser dans les cheveux mais n'avait pas relevé. Il était flatté que je l'aime, que j'aie pour lui du désir, mais je ne l'intéressais pas plus que cela, au fond. S'il avait été plus attentif, il aurait entendu que quelque chose ne collait pas avec la fille qu'il connaissait. Je l'aimais, oui, mais pouvait-il imaginer que je passe mes journées à l'attendre ? Je n'étais pas ce genre de femme. En vérité, ma soudaine exaltation pour Naples, pour notre vie après la guerre, avait surgi pour étouffer mon insupportable sentiment de culpabilité. S'il l'avait voulu, il aurait pu me faire avouer ce jour-là que j'étais résistante, impliquée dans le déraillement du train de Bogdăneşti, et que je tremblais à l'idée que par ma faute il soit arrêté.

Alors je lui aurais dit de se trouver une autre cachette, je lui aurais dit qu'il ne devait plus compter sur moi pour le protéger.

Pendant quelques semaines j'avais éprouvé la sensation glaçante de vivre en sursis. Je partais le matin pour l'agence en me demandant si je n'embrassais pas Mihail pour la dernière fois. Au bureau, à chaque coup de sonnette je sursautais, m'attendant à voir débarquer les sinistres policiers de la Gestapo, ou ceux de notre Sûreté dont les manières expéditives choquaient même leurs collègues allemands. Je travaillais mal, en permanence essoufflée, incapable de me concentrer sur un sujet plus de trois minutes, incapable de rester en place, et la nuit je ne dormais pas, en proie à des crises d'angoisse qui me faisaient cogner le cœur.

Par chance, Mihail dormait, lui. Toutes nos conversations du soir tournaient autour de Stalingrad dont les nouvelles étaient porteuses d'espoir. « Si Stalingrad tient jusqu'au 1er octobre, lui avait assuré Antoine Bibesco, les Allemands sont perdus. » Nous étions en novembre et Stalingrad tenait. Après avoir annoncé une « offensive décisive » du général Paulus, Berlin évoquait maintenant une reprise des combats au printemps et la nécessité de préparer ses troupes à hiberner. Se pouvait-il que nous ayons joué un rôle dans le revers des Allemands en les privant des Panzers espérés ?

Ils n'étaient peut-être pas « perdus », mais la résistance des Russes à Stalingrad jetait pour la première fois le doute chez ceux qui avaient tout misé sur une victoire rapide d'Hitler, et en particulier au sein de l'entourage d'Antonescu. Tandis que le maréchal avait jusqu'ici consenti à la déportation des juifs voulue par Berlin, il semblait désormais plus réservé.

À la mi-octobre, le Conseil des ministres avait soudain décidé de suspendre les « expatriations » (terme préféré à celui de « déportations ») en attendant la création d'un organisme spécialement dévolu à cette entreprise.

Comme me l'avait fait discrètement remarquer M. Hurtig, c'était une étrange façon de répondre au discours d'Hitler du 30 septembre dans lequel celui-ci promettait que « la juiverie serait bientôt complètement exterminée ». Quelques jours plus tard, le *Bukarester Tageblatt* s'était d'ailleurs autorisé à écrire que « d'ici l'automne 1943 il n'y aurait plus un seul juif en Roumanie ». Le nouvel attentisme du maréchal n'allait pas dans ce sens.

— Comme s'il craignait de devoir un jour rendre des comptes, avait noté M. Hurtig. Ce n'est pas votre avis, Eugenia ?

— J'ai bien du mal à imaginer le jour où le maréchal devra rendre des comptes.

— Je peux pourtant vous dire que lui y pense, je l'ai appris de la bouche d'un homme qui le fréquente beaucoup en ce moment.

À la peur de voir débarquer la Gestapo, s'était ajoutée une inquiétude déchirante quant au sort d'Andrei. Nos parents avaient appris par une carte sibylline d'un certain soldat Miron, se présentant comme son ami, qu'il avait été blessé lors de la dernière offensive de Paulus à laquelle avaient pris part plusieurs régiments roumains, et « ramené à l'arrière ». Blessé, mais blessé où ? À la tête ? Au ventre ? Aux jambes ? On pouvait tout imaginer sous ce mot et si je me fiais aux rares images de Stalingrad qui avaient échappé à la censure et nous étaient parvenues à l'agence, il me paraissait inconcevable qu'on puisse sortir vivant de cet enfer. On voyait des dizaines de corps inertes reposant dans la neige au pied de carcasses d'immeubles noircies par les flammes et criblées d'impacts d'obus ; on voyait un tankiste brûler vivant près de son char en feu ; on voyait des assauts interrompus par de formidables explosions qui labouraient le sol et démembraient les corps ; on voyait des hommes recouverts de chiffons, certains la tête emmaillotée dans des bandages sanguinolents, tenter de se réchauffer autour d'un feu parmi des amoncellements de décombres ; on voyait un avion allemand en flammes à quelques mètres de ce qui avait été une centrale électrique. Qui pouvait encore prendre soin des blessés dans cet impitoyable chaos où les bien-portants semblaient sur le point de mourir de froid et de faim ? Et comment ramenait-on les blessés « à l'arrière », quand l'arrière se trouvait à plus de trois mille kilomètres, que les moteurs gelaient, que les avions étaient abattus au décollage et que les partisans communistes faisaient sauter les voies ferrées derrière les lignes allemandes et roumaines ? Comment ramenait-on les blessés ? Voilà les questions que je me posais, songeant qu'Andrei était peut-être déjà mort depuis longtemps quand nos parents continuaient à se rendre chaque jour au bureau militaire de Jassy pour tenter de savoir où se trouvait leur fils.

Et pendant ce temps-là Mihail écrivait. Dopé par la proposition de Nicuşor Constantinescu de signer ses œuvres à sa place, il avait repris et fini *Édition spéciale,* sa comédie sur la corruption des journalistes. Il continuait d'être obsédé par le personnage de Mona, la femme inaccessible incarnée par Leny dans la vraie vie, l'Étoile filante d'une pièce dont il avait en tête le récit mais dont il repoussait l'écriture – *L'Étoile sans nom*. À la place, il s'était lancé dans *L'Île,* un drame qui devait rester inachevé, plaçant ses héros, Manuel, Boby et Nadia dans un pays où la guerre et la famine sévissaient. Nadia y incarne l'espoir et il m'arrive aujourd'hui de penser que j'ai pu au moins lui inspirer ce personnage, surtout dans cette ultime scène qu'il me semble avoir vécue :

Nadia : Boby ! Prends mon médaillon ! Va vite chez Lopez, demande-lui ce qu'il en donne.

Boby, *doucement* : Nadia, tu ne peux pas vendre ton médaillon, c'est un souvenir.

Manuel : Et nous, nous ne pouvons pas vivre de la vente de tes souvenirs.

Nadia : Mes souvenirs ? Je n'en ai pas. Je n'en ai plus... Nous avons faim. Et nous devons survivre. Rien d'autre ne compte. Ni mon médaillon, ni... Que ferions-nous de ces choses, de tant de choses mortes ? Les traîner derrière nous, nous y accrocher ? Pleurer quand nous les perdons ? Mourir avec chacune d'entre elles ? Pour chacune d'entres elles ? Il a fallu que je tombe sur deux mâles sentimentaux, stupides et orgueilleux, pour apprendre de leur bouche qu'un médaillon vaut plus qu'un pain [...]. Je vous regarde et je prends peur. Je ne pensais pas vivre sous le même toit que deux moribonds. J'ignorais qu'il n'y avait pas ici d'autre être vivant que moi. Car je suis vivante, moi, *vivante*, vous m'entendez, mes amis ? Vivante pour vous aussi. Vivante pour trois, vivante pour trente ! Si votre vie est épuisée, je peux vous en donner, car j'en ai à revendre ! [...] Je veux vivre, moi. Parce que je ne veux pas que le soleil, demain matin, se lève sans nous.

Voilà donc ce qu'écrivait Mihail pendant que j'échouais à tuer Manfred von Killinger mais réussissais à jeter à la rivière les Panzers qu'attendait le général Paulus pour écraser Stalingrad.

Mihail se protégeait plus ou moins de la mort qui planait au-dessus des siens, et de sa propre tête, en s'absorbant dans des fictions où il pouvait remettre inlassablement sur l'établi son impuissance à garder la femme aimée, ou à conquérir la femme rêvée – son impuissance à vivre de mon point de vue.

Mais parfois la guerre venait le frapper au cœur jusque dans son repaire, tandis qu'il était dans le feu d'un dialogue avec Nadia, ou avec Mona, bientôt, et alors il reprenait son *Journal* pour y noter son amertume.

La disparition sur le front russe du poète Emil Gulian, son ami, lui fait écrire ces lignes l'après-midi du mercredi 23 décembre 1942 :

Pas de nouvelles d'Emil Gulian. J'ai téléphoné à Ortansa, que j'ai trouvée au désespoir.

— Pourvu qu'il soit vivant ! disait-elle.

Sa dernière lettre remonte au 15 novembre. Le 18 il y a eu l'attaque entre la Volga et le Don – depuis, pas un signe. Si nous devions le perdre, ce serait trop affreux. Pourquoi lui, pourquoi ? Cette guerre, c'est Mircea Eliade qui la voulait. Il l'attendait, il la souhaitait, il y croyait, il y croit – mais il se tient à Lisbonne. Et ce serait Emil

Gulian qui tomberait ? Dans une guerre où il se demande ce qu'il fait ?

Ce soir-là, veille de Noël, nous avions pleuré ensemble – lui, Emil, qui ne devait pas revenir, moi, Andrei, dont nous étions toujours sans nouvelles. La mort probable d'Emil Gulian était venue donner une sorte d'évidence à celle d'Andrei. Le front russe était un tombeau, il allait être celui d'Hitler et d'Antonescu, c'est ce que nous avions tant voulu, tant espéré, mais sans pouvoir imaginer que les deux dictateurs emporteraient dans leurs tombes ceux que nous aimions.

Comment se réjouir, alors, de ce qui se passait à Stalingrad ? Berlin et Bucarest avaient escompté organiser l'hibernation de leurs troupes pour reprendre l'offensive aux premiers jours du printemps 1943, mais les Russes n'étaient pas dans les mêmes dispositions. Ils s'étaient repris après leur interminable retraite et avaient acheminé autour de Stalingrad plus d'un million d'hommes, ainsi que des chars, des canons et des transports de troupe tout juste sortis d'usine quand Allemands et Roumains étaient moins d'un demi-million et ne pouvaient plus compter que sur un matériel éprouvé par des mois de campagne.

En fait d'hibernation, les Russes n'avaient plus laissé passer un seul jour sans attaquer. Tout au long du mois de décembre les communiqués allemands avaient donné le sentiment de difficultés grandissantes, ne parlant plus de « terrain conquis » mais de « durs combats défensifs ».

M. Hurtig avait appris que l'aviation allemande ne parvenait plus à ravitailler les troupes de Paulus et de Constantinescu, livrant moins de la moitié de ce qu'il aurait fallu pour équiper contre le froid et nourrir les quatre cent cinquante mille hommes qui se battaient de jour comme de nuit par des températures de moins trente, voire moins trente-cinq.

Aux premiers jours de janvier 1943, le ton était sensiblement devenu plus alarmiste, reflétant l'inquiétude des états-majors. Ils évoquaient des « attaques lancées par des forces numériques supérieures », sans toutefois parler de retraite, ou de terrain perdu. Ils glorifiaient le courage de nos soldats « engagés depuis plusieurs semaines dans une héroïque bataille défensive ».

Le 18 janvier, il aurait fallu être sourd pour ne pas entendre les échos d'une effroyable tuerie, derrière les mots du communiqué de Berlin. « Au sud du front de l'Est, la violente bataille d'hiver, qui dure depuis deux mois, continue avec le même acharnement. Les troupes allemandes de la région de Stalingrad, qui se battent dans les conditions les plus dures, résistent à de nouvelles attaques violentes, faisant preuve d'une persévérance héroïque et d'une volonté tenace. »

Le 22 janvier, le communiqué avait de nouveau loué la « résistance acharnée des armées allemandes », mais il ne parvenait plus à cacher que le dénouement dramatique était proche, évoquant des « percées de l'ennemi sur toute l'étendue du front » et avouant pour la première fois que les troupes allemandes de Stalingrad étaient « étroitement encerclées par l'ennemi ».

Le 30 janvier, Friedrich Paulus avait été promu maréchal par Hitler. La nouvelle avait laissé perplexe les commentateurs de la radio. Tous les journalistes de Bucarest savaient que la défaite était désormais consommée – les généraux russes étaient en effet parvenus à prendre en tenaille les troupes allemandes et roumaines – alors pourquoi cet honneur était-il décerné à un vaincu ?

— Pour qu'il ne tombe pas vivant dans les mains des Russes, avait estimé M. Hurtig en conférence de rédaction. Un maréchal allemand ne se rend pas, c'est une façon de lui signifier qu'il doit se suicider.

Mais le lendemain 31 janvier, le maréchal Paulus s'était rendu aux Soviétiques. Il souffrait du typhus, était très amaigri, méconnaissable, et on racontait que lorsqu'il était sorti de la cave où il venait de tenir sa dernière réunion d'état-major et s'était avancé vers les soldats russes pour annoncer la reddition de ses troupes, ceux-ci n'avaient pas voulu croire qu'il s'agissait de Paulus et avaient demandé à voir ses papiers.

Avec lui avaient été faits prisonniers vingt-quatre généraux et près de cent mille hommes, les survivants d'une bataille qui avait fait un million de morts, également répartis entre les deux camps.

Un million de morts et la détresse des vaincus dont les premières photos nous étaient parvenues à l'agence – misérable troupeau d'hommes déguenillés parmi lesquels j'avais cherché le visage d'Andrei à la loupe –, nous avaient ôté l'envie de nous réjouir. La chute de Stalingrad annonçait peut-être le revirement que nous espérions, mais le prix payé était inconcevable pour un cerveau normalement constitué.

29

Nous étions le 18 février de l'année 1943 – une date désormais inoubliable – et Mihail était de nouveau en train de m'expliquer le dispositif de *L'Étoile sans nom*, qu'il appelait alors *La Grande Ourse* :

— Mon personnage masculin, Marin, est professeur de mathématiques dans une petite ville de province. Vous m'écoutez, Eugenia ?

— Non seulement je vous écoute, mais je vous aime.

— Ah oui, oui, merci… Il est passionné d'astronomie, passe ses nuits à observer le ciel avec un télescope, et il se trouve à la gare pour réceptionner un traité de James Jeans. Le livre est bien là, et comme il ouvre le paquet surgit d'un train une femme en robe du soir. Elle est belle, elle n'a pas de bagage et semble un peu perdue. Il va la fasciner par sa connaissance des étoiles et elle passera la nuit chez lui.

— Mona.

— Oui, Mona.

— Et ils feront l'amour.

— Ils ne s'aimeront que cette nuit-là, et jamais il ne pourra oublier ce moment.

— Mais si elle s'est donnée à lui, s'il a su se faire aimer, pourquoi le quitte-t-elle ?

— Au troisième acte surgira son amant, Grig, personnage cynique et vulgaire qui la convaincra de le suivre et ce sera pour Marin la chute du ciel sur la terre.

Oui, Mihail était de nouveau en train de m'expliquer le dispositif de *L'Étoile sans nom* quand j'avais entendu des pas précipités dans l'escalier et songé : « La Gestapo ! À l'instant justement où il me parle de la chute du ciel sur la terre... »

On avait frappé fort, Mihail s'était interrompu et je m'étais levée pour aller ouvrir. Mon cœur cognait, et cependant j'éprouvais une forme de soulagement – cela faisait des semaines que je m'étais figurée cet événement, il me réveillait presque chaque nuit, eh bien voilà, nous y étions.

Mais ce n'était pas la Gestapo, c'était un employé du télégraphe, un grand bonhomme hors d'haleine, botté et casqué, qui m'avait tendu un télégramme.

Mihail me dirait plus tard que je tremblais en l'ouvrant.

J'avais lu tout bas : « Andrei vivant. Appelle-nous d'urgence. Papa. » Alors je m'étais mise à crier : « Il est vivant ! Il est vivant ! Andrei est vivant ! » et comme je me jetais dans les bras de Mihail, je n'avais pas pu me retenir de pleurer.

Puis j'avais couru jusqu'à la Grande Poste et dans l'interminable file d'attente (notre quartier était privé de téléphone depuis plusieurs semaines parce que les Allemands avaient réquisitionné le central) je n'avais pas cessé de sourire et de m'agiter à tel point que certaines personnes avaient commencé à me regarder comme si j'étais une demeurée. Les

Roumains n'avaient aucune raison de se réjouir en ce début d'année 1943 où l'on estimait à plus de trois cent mille le nombre de familles endeuillées par la campagne de Russie, ou sans nouvelles de leur fils, et je suis consciente de l'indécence qu'il y avait alors à étaler un bonheur quelconque.

Enfin, ç'avait été mon tour, et c'est mon père qui avait décroché.

— Jana ! Tu as eu la nouvelle ?

— Oh oui ! Je n'arrive pas à y croire... Où est-il ?

— À Chişinău, dans un hôpital militaire.

— Tu lui as parlé ?

— Cinq minutes. Il a eu le temps de me dire qu'il avait été touché à l'épaule et qu'il avait marché durant trois semaines, avec d'autres, pour rejoindre une gare. De là, ils ont été embarqués dans des wagons à bestiaux jusqu'en Bessarabie. On lui a sauvé ses orteils qu'il croyait gelés.

— Mon Dieu, ce qu'il a dû souffrir !

— Je vais aller le chercher, les Allemands reculent partout, les Russes viennent de reprendre Rostov, à cette allure ils pourraient être à Chişinău dans quelques semaines, je ne veux pas qu'il tombe entre leurs mains.

Il y avait eu un silence, les questions se bousculaient dans ma tête, et soudain je m'étais entendue dire :

— Attends-moi, je viens avec toi.

— Mais Jana, tu es à Bucarest !

— Attends-moi jusqu'à demain, papa. Je vais trouver un train pour Jassy, je vais me débrouiller. Je veux être là, c'est le plus beau jour de ma vie !

— Je m'en doute, ma chérie, je m'en doute. D'accord, je t'attends.

J'étais arrivée à Jassy le lendemain après-midi, après un voyage de plus de vingt heures. Nous avions dû nous arrêter à plusieurs reprises pour laisser passer des transports de troupes qui montaient au front. Dans les milieux diplomatiques on considérait que nous avions perdu la guerre, on disait que le maréchal Antonescu lui-même ne croyait plus en la victoire et qu'il avait dépêché un émissaire auprès des Alliés pour tenter de négocier un renversement d'alliance – et cependant son gouvernement continuait à sacrifier des milliers de vies. Jusqu'à quand allait durer cette absurdité criminelle ?

Par bonheur il avait neigé tout au long du voyage. Sur le moment, je n'aurais pas su dire pourquoi cette neige qui tombait en abondance apaisait mon angoisse, me réconfortait d'une certaine façon, mais aujourd'hui je sais : enfouie sous ce linceul immaculé, Jassy me semblerait morte, et c'était au fond ce que je voulais : que cette ville soit vidée de ses habitants et abandonnée aux promeneurs comme un cimetière, telle qu'elle était au soir du 6 juillet 1941 quand on avait eu fini d'entasser les morts sur des charrettes pour aller les jeter dans des fosses communes et que seuls demeuraient sur le pavé des taches de sang, quelques vêtements et surtout des souliers – des souliers d'enfants, de femmes et d'hommes. Abandonnée aux promeneurs dans cet état, oui, juste après qu'on eut fini de ramasser les morts ; je veux dire les boutiques largement ouvertes avec tout dedans, exactement comme c'était ce soir-là, les chapeaux chez le chapelier, les rasoirs et les ciseaux chez le barbier, les costumes chez le tailleur, les icônes et les cierges dans les églises etc. pour qu'on voie bien que nous vivions parfaitement normalement, que nous ne manquions de rien, avant de devenir subitement des assassins.

J'étais montée d'un pas pressé de la gare à la place Unirii, évitant de croiser le regard des passants, satisfaite de cette neige épaisse qui recouvrait les trottoirs, étouffait le bruit des rires et des conversations, et arrivée rue Lăpuşneanu je m'étais carrément mise à courir, pas suffisamment vite cependant pour ne pas remarquer qu'un jeune visage, rose et poupin, avait remplacé celui du vieux Kane derrière ses bocaux de bonbons.

Papa m'avait serrée dans ses bras un long moment et comme il n'y avait plus de champagne, nous avions ouvert une de ses dernières bouteilles de bordeaux. Maman allait-elle se lever pour dîner avec nous ? Il l'espérait mais n'en était pas certain. Après la mort des Mayer, elle avait petit à petit perdu l'appétit, elle qui aimait bien manger. Et puis elle pleurait subitement, sans pouvoir expliquer quoi que ce soit. Papa avait pensé que son chagrin s'estomperait avec le temps, mais elle avait continué à pleurer silencieusement à certains moments et n'était plus descendue avec lui à la boutique. Le commerce, comme la nourriture, avait cessé de l'intéresser. Certains jours, elle ne faisait même plus l'effort de se lever et de s'habiller, sauf ces dernières semaines pour accompagner papa au bureau militaire.

— Le retour d'Andrei va lui faire du bien.

— Je n'en suis même pas sûr, ma chérie. Son visage s'est illuminé quand nous avons appris qu'il était vivant. Mais tu vois, elle savait que tu arrivais, et ça ne l'a pas empêchée d'aller se coucher. Elle est épuisée, elle ne pense qu'à dormir. Au fond, je ne sais pas de quoi elle souffre, j'ai fait venir différents médecins et ils n'ont rien trouvé.

Elle s'était levée et avait même pris la peine de passer une robe élégante pour le dîner. Elle posait des questions, mais parfois ne parvenait pas à écouter les réponses, je voyais à son regard, qui se figeait soudain, qu'elle avait décroché, comme rattrapée par une fatigue qui semblait occuper toute la place en elle.

Oh, bien sûr, elle était heureuse du retour d'Andrei ! Et d'ailleurs elle n'avait pas pu s'empêcher de pleurer quand j'avais évoqué le sujet.

— Raconte-moi comment vous l'avez appris, maman.

Elle avait raconté, et comme elle parlait tout en pleurant, et tout en s'excusant de pleurer, j'avais eu le sentiment douloureux qu'elle était devenue une vieille dame en quelques mois seulement. Une vieille dame un peu folle, pour tout dire.

Plus tard, sachant combien elle se faisait du souci pour Stefan, son fils chéri, je m'étais enquise de lui alors que je n'avais aucune envie d'avoir de ses nouvelles, et là seulement j'avais compris, en l'écoutant se perdre, dans quel dilemme elle se trouvait prise.

— Oh, Stefan va bien, par bonheur ! Nous avons reçu une lettre de lui la semaine dernière, il est toujours à Berlin, dans l'entourage proche de monsieur Goebbels.

C'était une coïncidence : le journal parlait justement du discours que M. Goebbels avait prononcé la veille au palais des sports de Berlin, appelant une foule électrisée à la guerre totale et à l'« extermination radicale des juifs » accusés de préparer une « révolution mondiale ». J'avais vu le quotidien posé sur la table de la salle à manger en arrivant et j'avais lu l'exhortation du ministre en charge de la propagande qui barrait toute la première page.

— Comment peut-il travailler avec Goebbels... c'est insupportable, avais-je simplement rétorqué, mais tout bas, ne cherchant en aucune façon à ranimer ce vieux débat.

— Quoi ? Quoi ? Qu'est-ce qui est insupportable ?

— Maman, après ce qui s'est passé, comment ne comprend-il pas...

— Mais de quoi parles-tu ? On dirait que tout ce qui vient de Stefan te met en colère !

— Parce que toi, maman, avais-je dit calmement, cherchant à capter son regard, tu ne fais pas le lien entre les appels aux meurtres de monsieur Goebbels, aujourd'hui encore dans le journal, et ce qui s'est passé à Jassy ?

— Jana, comment oses-tu !

— Comment j'ose quoi, maman ?

— Stefan n'est pour rien dans ces atrocités ! Je t'interdis, je t'interdis...

Elle s'était mise à hurler, perdant tout contrôle d'elle-même, et comme les sanglots l'étouffaient, qu'elle n'était plus capable d'articuler trois mots, elle s'était finalement enfuie pour aller s'enfermer dans sa chambre.

Nous avions pris la route de Chişinău le lendemain matin. Le libraire, M. Jonescu, avait insisté pour nous prêter sa vieille Mercedes-Benz 170. La voie avait été dégagée par les chasse-neige de l'armée qui était pratiquement la seule à l'emprunter. Papa conduisait silencieusement, prenant garde aux ornières qu'avaient creusées les Panzers durant la grande offensive de l'été 1941. Après la sortie de maman, la veille au soir, il ne m'avait fait aucune remarque, s'appliquant à me poser mille questions sur mon métier de journaliste à Bucarest, comme s'il voulait à tout prix éviter le sujet. Je me demandais ce qu'il pensait, lui. Avait-il changé de position sur Stefan ? Ou s'interdisait-il de réfléchir pour ne pas avoir à se formuler que les discours de son fils adulé, tant aimé, étaient bien à l'origine des morts de Jassy ? Il en était capable, préférant appeler de nouveaux médecins au chevet de sa femme plutôt que de lui faire admettre, et d'admettre avec elle, que leur fils aîné était un criminel et que la seule position tenable était de le lui dire, en dépit de la rupture que cela impliquerait. Papa était si mal à l'aise dans les disputes, si malheureux de devoir trancher pour l'un contre l'autre, qu'il préférait généralement se réfugier dans la cécité.

Nous venions de franchir la rivière Prut, d'entrer en Bessarabie, quand il avait paru soudain se rappeler ma présence.

— Jana, cette nuit j'ai repensé à cet échange que tu as eu avec ta mère... Je ne dis pas que tu as tort dans ton analyse, il est certain que par leurs discours les légionnaires ont contribué à éveiller nos consciences sur la place qu'occupaient les juifs dans notre société, mais il est injuste de leur faire porter la responsabilité de ces horreurs.

— Je me demandais justement ce que tu pensais.

— Je regrette ce qui est arrivé à Jassy, tu le sais. Les gens ont perdu la tête, c'est impensable, inimaginable, affreux, affreux... Jamais je n'oublierai cette image des Mayer sur le trottoir, puis tous ces malheureux allongés jusque dans les caniveaux. Tu peux me croire, ma chérie, jamais. Mais je pense aussi que les juifs portent une responsabilité au moins équivalente à celle de ceux qui les ont frappés, qui ont perdu toute mesure. Attends, écoute-moi jusqu'au bout s'il te plaît.

— Je t'écoute, papa.

— Tu ne peux pas t'installer comme ça chez des gens qui ne t'ont pas invité et commencer à faire des affaires sur leur dos, à leur enlever le pain de la bouche comme on dit. Nous sommes une nation, nous avons notre histoire, nos usages, notre langue, nos héros... que jamais nous ne partagerons avec les juifs qui sont de nulle part et dont le seul intérêt dans la vie se résume à commercer. Ils l'ont fait avec nous avant la guerre, ils recommenceront à le faire demain dans un autre pays, au détriment d'un autre peuple, je ne me fais pas de souci pour eux, ça dure depuis deux mille ans. S'ils avaient continué d'affluer chez nous comme ils le faisaient dans les années 1920, que resterait-il de la Roumanie à l'heure actuelle ? De son identité ? De ses coutumes ? Et même de sa langue ? Pose-toi ces questions en toute honnêteté, Jana, prends le temps d'y réfléchir et nous en reparlerons. Tu veux savoir ce que je pense, eh bien je vais te le dire : je crois qu'on peut être reconnaissant aux légionnaires, et en particulier à ton frère, d'avoir eu le courage de tirer la sonnette d'alarme, même si, je te le répète, je suis consterné par le tour qu'ont pris les choses.

Je viens de passer la matinée à tenter de reconstituer cette conversation avec mon père sur la route de Chişinău. Naturellement, nous n'avons plus jamais reparlé de rien, ni de l'« identité » de la Roumanie qu'aurait menacée la présence des juifs, ni de la responsabilité des juifs dans leur propre mort, ni, bien sûr, de celle de Stefan dont les restes sont enfouis aujourd'hui quelque part sous les ruines de Berlin avec des milliers d'autres (nous avons perdu l'espoir d'apprendre quoi que ce soit sur les circonstances de sa mort).

J'étais folle de joie de ce voyage avec mon père dans la confortable Mercedes de M. Jonescu, bien chauffée et capitonnée de velours. Nous allions chercher Andrei, c'était le plus beau jour de ma vie, je ne lui avais pas menti. Et c'était la première fois que nous partions ensemble, que je l'avais pour moi toute seule. Tout à l'heure je souriais en retranscrivant ses expressions – « je ne me fais pas de souci pour eux », « c'est impensable, inimaginable », « le tour qu'ont pris les choses » – et sur le moment, déjà, j'avais souri, comme si ce qu'il disait et pensait avaient brusquement cessé de compter. Il aurait pu dire bien pire encore que ça n'aurait pas gâché mon plaisir. Je n'aurais pas cru qu'on pouvait aimer quelqu'un en dépit de ce qu'il pense – je l'ai découvert ce jour-là. Enfin *quelqu'un*, non, seulement un père ou une mère, ou peut-être un oncle ou une tante, car c'est le petit en nous qui, soudain, prend le pas sur l'adulte. Le petit que nous gardons enfoui dans un coin de notre mémoire et qui ne cesse jamais d'aimer, lui, entêté et stupide comme un petit veau. Papa avait été surpris, me connaissant, que je lui rétorque gentiment : « Oui, je vais réfléchir », ne se doutant pas une seconde que ce qu'il disait ou rien, c'était la même chose. Je l'aimais, voilà tout.

Les larges avenues de Chişinău étaient vides, abandonnées à quelques tramways aux vitres cassées qui brinquebalaient entre deux talus de neige. Les faubourgs portaient encore les marques de la bataille qu'avait dû livrer l'armée roumaine pour reprendre la ville aux Russes, un an et demi plus tôt : des usines à demi-effondrées, des carcasses de chars d'assaut prises dans les glaces au fond de larges fossés, des maisons à l'abandon aux fenêtres crevées et, dans le centre-ville, quelques pans d'immeubles criblés d'impacts dressés sous un ciel de neige, gris et lourd, qui m'avaient rappelé les funèbres images de Stalingrad. Au même moment je m'étais souvenue de Marga qui avait fui Chişinău quand les Roumains victorieux avaient commencé à martyriser les juifs qu'ils soupçonnaient, comme à Jassy, d'être les alliés des Soviétiques. On disait qu'il n'y avait plus un juif à Chişinău, plus une synagogue, et comme nous croisions des files d'attente devant des commerces et des bâtiments administratifs, je m'étais demandé si tous ces gens emmitouflés et silencieux se sentaient à présent plus heureux sans leurs voisins à chapeau noir et papillotes (enfin, pour les plus religieux, les papillotes).

Nous avions beaucoup tourné avant de découvrir l'hôpital militaire installé dans un lycée. En pénétrant dans la cour, j'avais pris le bras de mon père.

— Papa, est-ce que tu te rends compte qu'il est là ? Dans un de ces bâtiments ?

— Bien sûr ! Pourquoi aurions-nous fait toute cette route sinon ?

Un homme âgé, dans un uniforme élimé, se tenait à l'accueil.

— Andrei Rădulescu ? Rădulescu… Rădulescu…

J'avais observé son index jauni par la cigarette descendre une interminable colonne de noms inscrits à la plume. Puis il avait tourné la page du registre et recommencé. Il allait nous dire qu'il y avait bien des Rădulescu, mais pas d'Andrei… Et déjà le soir tombait – qui nous indiquerait où le trouver dans cette ville à moitié détruite, à moitié morte ? Mais soudain le doigt s'était immobilisé.

— Bâtiment D2, venez, je vous montre.

Nous l'avions suivi jusqu'au seuil et il nous avait indiqué le D2.

J'avais repris le bras de mon père et nous avions traversé la cour en diagonale sous de jeunes flocons qui nous picotaient les joues et s'accrochaient à nos manteaux. Lui sifflotait, maintenant, cela aurait beaucoup agacé maman – « Oh, Gheorghe, tais-toi s'il te plaît, je suis déjà suffisamment nerveuse comme ça ! » – tandis que son optimisme affecté convenait à mon impatience.

Nous étions entrés – personne pour nous demander quoi que ce soit, et comme nous parcourions à pas feutrés le large couloir qui distribuait les salles, papa l'avait vu.

— Ton frère, là, sur la droite, avait-il chuchoté en s'immobilisant. Cinquième lit à partir de la porte.

J'avais compté jusqu'à cinq et mon regard s'était arrêté sur un visage qui m'était familier – ça pouvait être lui, en effet, mais en beaucoup plus âgé : le nez plus long que le sien et les narines pincées, chauve, de grandes oreilles, tandis que les siennes étaient petites dans mon souvenir, la peau jaunie et comme parcheminée sur les pommettes, les orbites si profondément creusées qu'on aurait dit qu'elles étaient vides.

Nous nous étions approchés – il dormait.

— Oh mon Dieu, papa ! avais-je soufflé.

Il m'avait prise par les épaules et attirée contre lui.

— Tout va bien, ma chérie, tout va bien, ne t'affole pas, à son âge on se remet facilement.

Mais j'avais reconnu au timbre de sa voix, subitement étranglée, qu'il était plus touché qu'il ne voulait le montrer.

Puis l'homme dans le lit d'à côté avait toussé. J'avais croisé son regard – lui aussi était chauve avec cette même peau qu'on aurait dit momifiée –, je lui avais souri, et après un court instant son visage s'était faiblement éclairé. Alors, échappant à l'étreinte de mon père, je m'étais approchée.

— Bonjour, avais-je dit tout bas. Vous le connaissez ? Je suis sa sœur.

— On s'est rencontrés ici, il y a quelques jours.

— Comment va-t-il ?

— Oh, bien mieux que nous autres ! Il a ses deux jambes, lui, et tous ses doigts de pied.

Il y avait eu un silence. Comme je ne savais plus quoi dire, je lui avais de nouveau souri.

— Merci. Merci beaucoup.

— Vous feriez mieux de le réveiller, avait-il ajouté. Ensuite ça va être la soupe et ils ne le laisseront pas sortir pendant le service.

— Ah, d'accord.

De nouveau je l'avais remercié.

En quelques mots, et grâce à lui, je m'étais faite à l'idée de cet Andrei si différent de celui que j'avais connu. Je ne dirais pas que j'avais rattrapé le temps perdu, non, mais je pouvais admettre qu'il nous soit rendu dans cet état, terriblement vieilli, puisque tous, finalement, revenaient chauves, amaigris et jaunes.

Tandis que papa se tenait toujours au pied du lit, j'étais venue au chevet d'Andrei, je m'étais penchée sur son visage, et posant doucement la main sur son crâne je l'avais caressé.

— Andrei, lui avais-je murmuré, c'est nous, papa et moi, nous sommes là.

Il avait ouvert les yeux, semblé se demander un instant où il se trouvait et qui je pouvais bien être, avant d'ébaucher un sourire et d'articuler d'une voix d'enfant ensommeillé :

— Jana ? C'est toi, Jana ? C'est toi là, ou je rêve ?

— Mais non, tu ne rêves pas, c'est bien moi.

— Attends, laisse-moi te regarder...

Et brusquement il avait enfoui ma tête au creux de son cou et nous étions restés comme cela sans bouger.

— Je suis tellement heureuse ! Je suis tellement heureuse !

Voilà tout ce que j'étais parvenue à dire, à répéter, tandis qu'il me gardait contre lui.

Puis papa, à son tour, l'avait embrassé – « Quel bonheur, mon fils ! » –, dissimulant parfaitement son émotion.

Andrei était en train de me raconter qu'ils avaient marché de nuit, avec son convoi de blessés, pour échapper aux Russes qui étaient déjà en train d'encercler Stalingrad, quand un jeune médecin était entré.

La peau jaune et qui se craquelait par endroits, c'était le typhus associé à la gale, « mais tous ceux-là, avait dit le médecin, embrassant la salle d'un geste du bras, peuvent être considérés comme guéris ». Pour Andrei, spécifiquement, il nous faudrait veiller à la bonne cicatrisation des phlegmons apparus sur les deux genoux et sur la hanche droite, et naturellement à son épaule dont l'omoplate avait été en partie « pulvérisée » par la balle. Le chirurgien avait tenté de la reconstruire et maintenant il fallait voir si l'ossification s'opérerait correctement.

Une heure plus tard nous roulions vers Jassy. Allongé sur la banquette arrière, confortablement enroulé dans une couverture, Andrei s'était endormi, et comme nous nous taisions, devant, spectateurs des tourbillons de neige que découpaient les phares, je m'étais demandé ce que dirait papa s'il apprenait que j'étais une « terroriste » (ce qui ne manquerait pas d'arriver si j'étais arrêtée). Il aimait trop ses enfants, et pas suffisamment les idées, pour renier l'un d'entre eux. Alors il devrait trouver un discours pour justifier à la fois ma position et celle de Stefan, ses deux enfants qui se livraient une guerre à mort sans se l'avouer. L'un des deux mourrait-il, d'ailleurs ? Ce serait logique, avais-je pensé, c'est bien le sens de la guerre, l'un meurt quand l'autre revient en héros. Papa serait inconsolable. Mais avant, avant l'annonce de la mort qui le laisserait sans voix, il parlerait de « sincérité », d'« engagement », de « foi en certaines convictions », lui qui n'en avait pas beaucoup, de convictions. Papa était un incorrigible bavard, comme la plupart des petits commerçants. Finalement, avais-je songé, le plus dur serait pour lui de justifier les souffrances d'Andrei, celui de ses trois enfants qui s'était contenté d'obéir. Qu'étions-nous allés faire jusqu'à Stalingrad, quand nous, Roumains, avions pour seule ambition de récupérer la Bessarabie et la petite Bucovine ? Une fois reprises nos deux provinces, nous avions suivi Hitler dans sa folle conquête de la Russie et Andrei, qui n'avait jamais voulu d'aucune guerre, qui écrivait de la poésie et se nourrissait d'Eminescu, de Rilke ou de Gulian, avait souffert pour rien. Non seulement la Russie n'était pas conquise, mais c'était maintenant la Roumanie qui risquait de l'être par la Russie. J'en étais certaine, et c'était d'une grande inhumanité : on s'efforcerait d'oublier les vaincus de Stalingrad.

30

Un lent travail de réflexion avait dû s'opérer en moi depuis mon bref séjour à Jassy car un matin du printemps 1943, tandis que je me rendais à pied à l'agence, il m'était apparu que je n'allais pas m'en sortir si facilement avec Jassy, je veux dire par là en détournant simplement le regard et en maudissant silencieusement les gens de ma ville. Quelques jours plus tôt, Mihail avait dîné avec son ami Constantin Balmus, professeur de grec à l'université de Jassy, et celui-ci, évoquant le pogrom, avait eu ces quelques mots que Mihail m'avait rapportés : « Ce furent les journées les plus bestiales de l'histoire de l'humanité. » En l'écoutant, je m'étais rendu compte avec surprise que je ne lui avais jamais rien dit de ces scènes d'épouvante dont j'avais pourtant été témoin, tout comme M. Balmus. Mais pourquoi ? Pourquoi m'étais-je tue ? Ça ne relevait pas d'une décision consciente – je m'étais tue, tout simplement. Peut-être parce que c'est une humiliation insoutenable pour nous tous, hommes et femmes, avais-je songé, de devoir décrire de tels gestes. Déjà, on tente d'en écarter le souvenir, car le souvenir seul nous fait soudain nous lever, aller et venir nerveusement, prendre une cigarette, se brûler en l'allumant, ou se coincer les doigts dans la fenêtre en la refermant après avoir fumé, comme si on cherchait à se blesser, à se punir – alors naturellement on préfère se taire. C'est probablement indicible, voilà.

Mais non, m'étais-je rétorqué vivement, rien n'est indicible. Tout ce qui a existé, tout ce qui nous constitue, peut être dit, et sans doute *doit* être dit. J'étais donc furieuse contre moi-même en arrivant à l'agence – comment avais-je pu me détourner durant deux années de Jassy alors qu'il s'était déroulé là-bas un événement que jamais nous n'aurions cru possible et qui témoignait en effet d'une bestialité, c'était le mot, que nous portions en nous en dépit de notre culture, de notre goût pour la poésie et la haute couture française, ou encore de l'attention que nous accordons à l'éducation de nos enfants à travers nos multiples écoles et universités ?

Ma décision avait été prise au fil des heures de cette journée : j'allais momentanément quitter la Résistance active et retourner à Jassy pour tenter de retrouver ceux qui s'étaient armés d'une barre de fer ou d'un bâton pour prêter main forte à nos policiers et à nos soldats dans l'extermination de nos voisins juifs. Retrouver par exemple cet homme plutôt élégant, qui aurait pu être mon père, et qui frappait une femme avec sa canne sur un coin de trottoir en hurlant : « Saleté ! Saleté de youpine ! Tu vas crever, oui, ou t'en veux encore ? »

M. Hurtig avait accepté de me recevoir en fin d'après-midi.

— Jamais je n'aurais dû rentrer de Jassy en juillet 41, monsieur, tous ces gens qui venaient de massacrer des juifs, tous ces gens qui étaient hors d'eux, il fallait les écouter. J'ai le sentiment d'avoir laissé échapper une vérité que nous n'entendrons peut-être plus jamais maintenant que la colère est retombée. Rendez-vous compte : je courais en regagnant la gare pour ne plus les voir ni les entendre, alors que tout le travail restait à faire. J'allais dire que je suis partie comme une voleuse, mais non, justement, je n'ai rien volé du tout, j'ai tout laissé sur place.

— Nous avons fait notre travail, Eugenia, je ne comprends pas vos regrets : le premier article sur le pogrom, c'est nous qui l'avons écrit et diffusé. Il a même été repris par *Newsweek* huit jours plus tard, ce qui m'a valu pas mal d'ennuis, je peux vous l'assurer.

— Je vois que vous ne comprenez pas, en effet : nous avons relaté le pogrom, c'est entendu, mais à quel moment avons-nous décrit ce qui a traversé la tête du cordonnier de la rue Cuza Vodă lorsqu'il s'est emparé d'une hache pour aller assassiner la famille juive qui habitait la maison d'à côté – les parents et les trois enfants – dont il ressemelait pourtant les souliers et qu'il saluait tous les matins ? À quel moment ? Nous ne l'avons pas fait. Peut-être ne saurons-nous jamais pourquoi cet homme a tué ses voisins. En février, quand je suis allée chercher mon frère, je l'ai aperçu à travers la vitrine, derrière ses machines, et quand il a levé les yeux j'ai détourné les miens. Je ne voulais pas croiser son regard – nous nous connaissons, enfin mes parents le connaissent. Mais quelle importance mon dégoût ? Quelle importance ? Ce qui compte, c'est ce que cet homme a à dire de ce qui l'a soudain poussé à se lever pour aller chercher sa hache de bûcheron dans son appentis et venir frapper à la porte de ses voisins.

— Nous sommes là pour rendre compte des faits, Eugenia, laissez donc aux prêtres le soin de confesser les âmes.

— Je m'attendais à cette réponse : pourquoi les journalistes ne veulent-ils pas entendre ce qui relève de nos sentiments obscurs, de notre intimité, de notre folie, passagère ou non ? On s'en tient à écrire que le maréchal Paulus s'est rendu aux Russes, puis on passe à autre chose, on ne cherche pas à approcher Paulus pour apprendre, par exemple, ce qu'il a pensé durant la nuit qui a précédé sa reddition. A-t-il songé à se suicider ? A-t-il tenté de joindre par téléphone sa femme ? A-t-il repensé à certaines scènes de son enfance ? A-t-il pleuré sur ses soldats, ou plutôt sur son propre destin ?

— Mais nous ne sommes pas romanciers !

— Qui vous parle de romans ? Si le cordonnier accepte de se souvenir, s'il n'est pas trop tard, son récit donnera une forme d'humanité à l'horreur, quand la simple relation des faits nous laisse avec nos interrogations.

— D'*humanité* ? Eugenia, vous vous foutez de moi. Ne dites pas n'importe quoi, s'il vous plaît !

À partir de ce seul mot, nous nous étions disputés, et plus le ton montait plus j'avais regretté de ne pas avoir gardé mon projet pour moi car je tenais à l'amitié qui nous liait. Finalement, M. Hurtig m'avait priée de sortir de son bureau, me répétant qu'il ne m'enverrait pas à Jassy confesser des cinglés. Il avait bien dit « des cinglés », et moi, très en colère : « Pas plus cinglés que vous et moi, c'est ça que vous ne comprenez pas ! »

Le lendemain, j'étais venue lui présenter mes excuses, nous nous étions réconciliés, mais je tenais à mon idée et, à la fin, comme son regard était redevenu amical, je lui avais remis ma lettre de démission.

J'étais arrivée à Jassy au mois d'août 1943. Dès ma descente de train, je m'étais efforcée de regarder cette ville avec curiosité, comme si je ne la connaissais pas. La gare, eh bien j'en avais fait le tour, ayant lu ici et là différents témoignages sur ce qui s'y était passé le dimanche 29 juin 1941 dans l'après-midi.

Celui du policier Constantin Ciuhat : « Moi, j'ai escorté les déportés à la gare. Là, on a reçu un ordre, je ne sais plus de qui, que tous les juifs s'allongent par terre. Puis des groupes de trente à quarante personnes étaient levés et conduits aux wagons par le chef de section Petre Acostachioaiei. »

Celui du docteur Iosef Finkelstein : « Devant la gare de Jassy, il y a une grande place où nous nous sommes retrouvés et on a reçu l'ordre de rester couchés face contre terre. Les directives, données en allemand, stipulaient : "Celui qui lève la tête sera tué sur-le-champ". »

Ou encore celui d'un certain Morit Suhar : « Devant la gare, nous étions tous allongés à même le sol, face contre terre, jusqu'à l'arrivée d'un officier de police qui nous a comptés en nous frappant tour à tour avec une matraque. Puis on nous a entassés dans les wagons. »

Dans ce train, qui s'était ébranlé vers quatre heures du matin, le lundi 30 juin, devaient succomber mille cinq cents personnes environ sur les deux mille cinq cents qui y avaient été enfermées.

Foulant la grande place dont parle le docteur Finkelstein, j'avais tenté de me figurer tous ces gens allongés, puis j'avais parcouru le chemin qu'ils avaient dû emprunter pour se rendre jusqu'aux wagons à bestiaux qui les attendaient sur le quai numéro 1, traversant obligatoirement la vaste salle d'attente d'inspiration ottomane. Dans ma liste des personnes à rencontrer figurait le chef de section Petre Acostachioaiei auquel je comptais demander de m'accompagner à la gare. Était-ce lui qui avait donné les coups de matraque ? Et, sinon, pouvait-il me conduire à cet officier de police mentionné par M. Morit Suhar ? J'avais lu, par ailleurs, que des employés de la gare avaient frappé les juifs tandis qu'ils couraient vers les wagons, le chef de section (ou l'officier de police) en avait-il gardé le souvenir et, si c'était le cas, pouvait-il me présenter certains de ces employés ?

Tout en redécouvrant la gare, allant et venant du parvis au quai numéro 1, j'étais donc déjà au travail, prenant des notes dans mon carnet et réfléchissant calmement à la façon dont j'allais permettre à chacun des protagonistes de s'exprimer – je leur laisserais tout le temps nécessaire et, me gardant de les interrompre où de manifester la moindre réserve, je m'en tiendrais à acquiescer sans cesser de retranscrire leur témoignage. Les entretiens seraient à la fois appliqués et sereins, de sorte que je pourrais compter sur le concours des uns et des autres, tous satisfaits d'avoir été entendus, pour retrouver tel ou tel citadin qui s'était investi dans le pogrom à titre bénévole, si j'ose dire, sans obéir à une consigne quelconque, mais simplement parce qu'il était habité d'un profond ressentiment à l'égard des juifs. Oui, ressentiment était le mot que j'emploierais, de préférence à colère, ou à détestation, naturellement. Ainsi, nous essaierions de remonter à l'origine de ce *ressentiment* – chacun pouvait avoir ses raisons et il était essentiel de parvenir à les formuler avec justesse.

J'étais si certaine de l'importance et de la nécessité de ce travail, si certaine d'avoir raison contre M. Hurtig, que je n'avais eu aucun mal à convaincre Rosetti, l'éditeur de Mihail, de me signer un contrat. Il est vrai aussi qu'en cet été 1943 l'espoir avait changé de camp et que l'on commençait à s'interroger, des deux côtés, sur la portée des crimes qui avaient été commis. En mai, les Alliés avaient libéré l'Afrique, emprisonnant les dernières forces germano-italiennes du général Rommel acculées en Tunisie. En juillet, les mêmes Alliés avaient débarqué en Sicile et bombardé Rome pour la première fois, tandis que sur le front Est les Russes reprenaient aux Allemands tout le terrain conquis deux ans plus tôt. Un soir de juillet, nous avions dîné à Mogoşoaia, chez les Bibesco, où nous avions retrouvé Alexandru Rosetti. Antoine Bibesco, qui avait conservé d'excellentes relations dans les milieux diplomatiques de Washington, avait soulevé une forte émotion autour de la table en assurant que le président Roosevelt avait été mis au courant du sort des juifs, non seulement en Allemagne et en Pologne, mais en Roumanie où les pogroms de Bucarest et de Jassy avaient fait l'objet d'une note spécifique à son intention. Les diplomates américains, et probablement le président lui-même, cherchaient à comprendre, nous avait expliqué le prince, d'où provenait l'antisémitisme des Roumains qui n'avait pas été « théorisé » comme l'avait été celui des Allemands par Hitler. Si Rosetti avait douté de la pertinence de mon projet, ces propos l'auraient assurément convaincu.

Puis remontant de la gare, mon gros sac de voyage sur l'épaule, je n'avais pas cessé de me montrer souriante et ouverte, cherchant à capter le regard des personnes que je croisais, prête à engager la conversation si l'on m'en donnait le prétexte (ce qui ne s'était pas produit), rompant ainsi avec la fille en colère et fuyante que j'avais été par le passé. J'avais loué, sans le visiter, un petit appartement meublé rue Vasile Conta. Il m'aurait été impossible de mener ce travail à la maison où mes parents et Andrei m'auraient sans cesse ramenée à l'Eugenia d'avant, celle qui refusait de rester à table en présence de Stefan. Stefan m'intéressait, désormais, il était trop tard pour lui donner la parole mais j'allais inviter ses amis à s'exprimer, à me présenter leurs propres amis, accédant ainsi, je l'espérais, à ces volontaires du pogrom, tel le cordonnier, qui s'y étaient livrés pour des raisons que nous cherchions à élucider, aussi bien les diplomates américains que moi-même. Avoir un lieu à moi s'était donc très vite imposé comme une condition indispensable à la métamorphose que j'allais m'imposer. Je n'avais d'ailleurs pas prévenu les miens de mon retour à Jassy, ils l'apprendraient, ou je le leur dirais, peu importe, pour le moment j'avais bien d'autres préoccupations.

L'appartement m'avait plu – deux pièces et une petite cuisine – à l'étage d'une maison dont le rez-de-chaussée était occupé par les propriétaires.

Comme les deux chambres étaient meublées de lits, nous avions procédé à un déménagement avec le monsieur, afin que celle du fond soit un bureau, ce qui exigeait de remplacer le lit par une table, et la coiffeuse par des étagères.

— Alors comme ça vous écrivez... Mais vous écrivez quoi ?

Il m'avait prise de court, il y avait eu un silence embarrassant.

— Pardonnez-moi, je suis trop curieux. Ne me répondez pas...

Mais j'avais décidé de me lancer, ce serait un test.

— Sur la mort des juifs, en juin 41, avais-je dit.

— Oh !

Il était resté un moment à me considérer, mais sans intention, simplement étonné, m'avait-il semblé. Un homme d'une quarantaine d'années, brun, au visage charnu et carré comme on en croise beaucoup dans notre pays.

— Oui, avais-je confirmé en soutenant son regard.

— Ici, en bas, ils en ont tué... je m'en souviendrai toujours.

Nous nous tenions dans la pièce transformée en bureau, lui près de la porte, moi vaguement adossée à un battant de la fenêtre qui était restée ouverte tout l'après-midi. Et soudain, il s'était approché.

— Tenez, penchez-vous un peu, on peut encore voir les impacts de balles sur le trottoir.

— Mon Dieu !

— Dix-huit, ils en ont tué. Des gens qu'on ne connaissait pas, qui n'étaient pas du quartier. Ils les ont amenés jusqu'ici, même une petite fille avec ses parents, et ils leur ont dit de se coucher sur le trottoir. Avec ma femme on ne comprenait pas... On se demandait... Et d'un seul coup un char d'assaut est passé par là, et du char ils les ont criblés de balles. Un gars assis sur le char avec une mitraillette. Ma femme a hurlé, je m'en souviens. L'instant d'après, le char avait disparu et ils étaient tous morts. La petite, ses parents... On n'en a pas dormi pendant des mois... Des juifs, avait-il repris après un assez long silence, il y en avait pas mal où je travaille, maintenant ils sont tous partis. Notez que moi, à leur place, j'aurais fait la même chose. Bon, je vous laisse, si vous avez besoin de quelque chose, vous savez où me trouver.

Les premiers jours, je n'avais fait qu'arpenter la ville pour me prouver que je pouvais, moi aussi, marcher la tête haute et le sourire aux lèvres à travers ces rues que nous avions connues jonchées de morts. La plupart des boutiques autrefois tenues par des juifs avaient été reprises, elles vendaient les mêmes articles, seul le nom du propriétaire avait été changé sur la devanture. C'était l'été, les jeunes étaient en vacances, ils mangeaient des glaces et fumaient aux terrasses des cafés. On se saluait d'un trottoir à l'autre, comme autrefois, et parfois on se rejoignait au milieu de la chaussée pour bavarder. Des femmes avec un panier rempli de provisions, des hommes en complet blanc et chapeau. Ils échangeaient des considérations qui les assombrissaient ou les faisaient subitement s'esclaffer et rire. C'était aussi vivant qu'avant, non ? Sans cesse je me posais la question, soucieuse d'être objective. Les gens s'étaient efforcés d'oublier, il fallait bien, sinon comment vivre ? Et cependant non, quelque chose avait changé : ils étaient moins affairés, il n'y avait plus cette joyeuse cohue sur les trottoirs qui parfois tournait à la bousculade, et sur le pavé on ne se disputait plus guère le passage entre calèches et automobiles. Oui, bien moins de circulation que par le passé. Et tiens, où étaient passés les petits livreurs de bois et de charbon avec leurs charrettes à bras ? Ils montaient de Nicolina, de Tătărasi ou de Târgul Cucului. Ceux-là avaient carrément disparu. On aurait dit que la ville flottait dans des habits trop grands, voilà, c'est l'image qui m'était venue. Et comment aurait-il pu en être autrement si tous les juifs étaient partis, comme le prétendait mon logeur ? Enfin « partis », certains peut-être avaient pu partir, oui, mais la plupart avaient dû être déportés, comme à Chişinău. C'était une information que je devais vérifier, et tandis que j'y songeais, le souvenir de Sami m'était revenu. Trouverais-je la force d'aller à Târgul Cucului voir si lui et les siens y habitaient encore ? Me souvenir d'eux m'avait soudain replongée dans la frayeur de ces journées. Bon, revenir à la ville. Je devais convenir qu'il y régnait maintenant une espèce de vacuité, ou de mélancolie, qui pouvait être due à la mémoire de tous ces morts, de tous ces disparus. Cependant, je ne devais pas négliger non plus l'inquiétude qui était forcément dans les esprits depuis que sur tous les fronts les Allemands battaient en retraite. Les Russes, tant haïs des Roumains, se rapprochaient chaque jour un peu plus de notre pays : après Rostov, ils venaient de reprendre Marioupol, sur la mer d'Azov. Ensuite, ce serait Melitopol, puis Odessa. Qu'arriverait-il s'ils nous envahissaient ?

Enfin était venu le jour où je m'étais engagée sans trembler rue Vasile Alecsandri avec l'intention de revoir la cour de la questure. Longtemps, j'avais évité ces deux rues, Cuza Vodă et Vasile Alecsandri, mais à présent je me sentais prête à les redécouvrir sereinement, comme je l'avais fait avec la gare.

Par chance, les grilles de la cour étaient ouvertes, et tout naturellement je m'étais avancée, foulant ces pavés sur lesquels tant de juifs avaient agonisé. Je m'étais avancée et j'étais allée m'asseoir au fond, sur un banc qui n'y était pas à l'époque, j'en étais certaine. On avait donc installé un banc dans cette cour, mais rien d'autre – ni planté quelques arbres ni créé un ou deux massifs de fleurs. Qui pouvait trouver un plaisir quelconque à s'asseoir ici, dans ce lieu gris et vide, sous les fenêtres de la questure ? Je me le demandais, et cependant je m'y tenais, moi, le cœur serré, quand avait surgi par une porte latérale un homme qui s'était immobilisé en me découvrant. Un homme à la carrure impressionnante, portant un costume sombre et un cartable, et dont le visage était en partie caché par des lunettes de soleil et un chapeau. Il était resté là un instant à m'observer de loin, puis il avait marché dans ma direction.

— Mademoiselle Rădulescu !

Et comme il retirait ses lunettes, j'avais reconnu le commissaire, celui qui m'avait désigné Avram Froim et M. Zelinger depuis la fenêtre de son bureau en m'assurant qu'ils étaient communistes et allaient être exécutés.

— Ah, bonjour.

— Je vous croyais à Bucarest.

— Je suis de retour, et tôt ou tard je pensais venir vous voir. Enfin, vous demander un rendez-vous...

— Vous permettez que je m'asseye une seconde ?

— Je vous en prie.

— On vous dit proche de certains milieux cosmopolites et, à ce que j'ai appris, toujours très soucieuse du sort des juifs.

J'avais eu du mal à dissimuler mon émotion, d'autant plus que nos visages étaient tout proches l'un de l'autre et qu'il me dévisageait, comme si je lui devais des comptes.

— La police me surveille, c'est ça que vous êtes en train de me dire ?

— Nous sommes en guerre, je ne vous apprends rien.

— Et moi je suis journaliste, je ne vous apprends rien non plus.

— Vous êtes même à l'origine de l'article sur les événements de juin 41 diffusé par l'agence Rador, n'est-ce pas ? Non signé, bien entendu.

— Les dépêches d'agence ne le sont jamais. Mais je voulais vous voir à ce propos, justement. En parcourant la ville, j'ai constaté que beaucoup de juifs avaient disparu. Il y a deux ans, quand nous nous étions rencontrés, vous m'aviez expliqué que les juifs étaient au service des Russes. Vous êtes bien placé, en tant que chef de la police, pour savoir que c'est faux, comme les parachutistes russes prétendument hébergés par des juifs, et tout le reste. Il n'y a jamais eu de parachutistes russes, nous le savons tous aujourd'hui, et encore moins de juifs pour guider les bombardiers russes. Ces rumeurs ont été lancées à dessein pour aboutir à ce que nous avons connu. Vous le savez aussi bien que moi. Aujourd'hui, ce qui m'intéresserait d'apprendre, c'est ce que vous pensez de ce que nous avons fait aux juifs, nous, les gens de Jassy. N'avons-nous pas commis un acte insensé, que nous allons regretter durant des générations, et cela sous un prétexte fallacieux ?

— Pour qui travaillez-vous, mademoiselle Rădulescu ? Les Russes et leurs alliés n'ont pas encore gagné la guerre, vous savez, et vous pourriez avoir de gros ennuis avant que la chose se produise. Si elle se produit...

— Vous ne comprenez pas, je me fiche d'accuser qui que ce soit ! Je ne cherche pas de preuves pour vous envoyer un jour devant un tribunal, ni vous ni le colonel Lupu ni le questeur Chirilovichi – auquel vous n'avez fait qu'obéir, après tout. Non, ce qui m'intéresse, c'est de savoir si à un moment vous avez éprouvé des regrets, si les scènes dont vous avez été témoin vous ont empêché de dormir certaines nuits, si vous en avez parlé en famille, si vous êtes conscient de vous être trompé – ou d'avoir été trompé.

— Écoutez, mademoiselle, comme j'ai le plus grand respect pour votre frère, je vais simplement vous demander de ne pas revenir traîner à la questure. Accompagnez-moi jusqu'à la grille, vous n'avez rien à faire ici, et que je ne vous croise plus sur mon chemin.

Il s'était levé le premier et je n'avais pas discuté. Nous avions traversé la cour, marchant côte à côte comme deux amis – je pouvais même l'entendre souffler –, puis j'avais pris à droite sans le saluer, vers la rue Cuza Vodă et la place Unirii.

L'erreur que j'avais commise avec le commissaire avait été de croire qu'on pouvait, d'une minute à l'autre, arrêter de jouer la comédie et se dire sans fard ce que l'on avait sur le cœur. Ça ne marchait pas comme ça. La vie, avais-je songé, est une pièce de théâtre dans laquelle chacun tient au rôle que le hasard, ou sa propre volonté, lui a permis d'obtenir. Parlant de Paulus à M. Hurtig, j'avais sans doute commis la même erreur : non, le maréchal ne m'aurait pas confié ses chagrins et ses remords sur ma seule bonne mine, comme je voulais le croire, mais peut-être seulement après quelques années d'internement dans un camp de prisonniers, ou à la veille de sa mort. Même si la pièce est affreusement mauvaise, les hommes s'accrochent à leur costume de scène avec l'énergie du désespoir, et c'est bien pourquoi il est si difficile d'expliquer certains grands naufrages de l'histoire, comme par exemple, m'étais-je dit, celui que nous nous apprêtons à vivre, nous, Roumains. Il est lié au rôle qu'a endossé Antonescu et dont il ne semble plus savoir comment se défaire. Notre maréchal a été fasciné par Hitler, lui qui sort pourtant des écoles militaires françaises, républicaines et raffinées. Bon, mais la France a été battue par le petit caporal et le maréchal, qui préfère les vainqueurs aux vaincus, ce qui est bien naturel pour un soldat, a vu en Hitler le chef de demain. Il a avalé les pires couleuvres pour lui plaire, devenir son ami, jusqu'à accepter de martyriser les juifs alors qu'il n'avait rien contre eux. Aujourd'hui, il a conscience de s'être trompé, d'avoir entraîné son pays dans une catastrophe désormais prévisible puisqu'il dépêche secrètement des émissaires auprès des Alliés, mais pour autant il ne pense pas avoir d'autres choix que de continuer à s'afficher avec Hitler et à clamer sa foi en la victoire. Se confie-t-il à sa femme, au moins ? Lui avoue-t-il sa honte, sa tristesse, sa peur d'être fusillé pour ses crimes (ce qui est arrivé, en effet) ? Je me l'étais demandé et j'avais éprouvé pour lui, comme pour le commissaire, un élan passager de pitié.

Cependant, moi non plus je n'avais pas d'autres choix que de continuer. Il me faudrait être plus rusée, plus patiente aussi – j'avais retenu cela de mon échec à faire parler le commissaire.

Le lendemain, comme je continuais d'arpenter la ville et me trouvais sur le boulevard Ştefan cel Mare, mon attention avait été attirée par le restaurant Lully. Qui m'avait parlé de Lully ? Ah voilà, le sergent Mircea Manoliu lorsqu'il m'avait raconté l'histoire de ses parents qui tenaient un kiosque sur le boulevard. Ils avaient rêvé d'acheter cet endroit et c'était un couple de « youpins » qui leur avait grillé la priorité. Du trottoir d'en face, j'étais restée un moment à observer les clients manger au soleil avant d'avoir l'idée d'y aller m'asseoir à mon tour. Les propriétaires avaient sorti quelques tables, mais j'avais préféré m'installer à l'intérieur où il faisait moins chaud.

L'homme était aux fourneaux, par moments je pouvais voir sa tête à travers la lucarne du passe-plat, tandis que la femme servait. Un couple de l'âge de mes parents, peut-être, lui le sourcil broussailleux, manifestement peu enclin à plaisanter, au contraire de sa femme, une brune un peu forte à la peau mate et aux lèvres rouges dont le visage avenant était agréable à regarder.

J'avais attendu que la salle soit vide pour lui dire que j'avais trouvé le menu très bien. Mon intention était de lui demander comment ils avaient vécu les événements de juin 1941 et si finalement, aujourd'hui, certains de leurs clients ne manifestaient pas des regrets, ou de la tristesse.

— Je m'interrogeais, avais-je poursuivi : aujourd'hui, les affaires marchent-elles aussi bien qu'avant ?

— C'est la guerre ! m'avait-elle répondu en passant l'éponge sur la table voisine. Mais les gens travaillent et il faut bien qu'ils mangent.

— C'est certain. Et vous n'êtes pas trop cher.

— Vous n'étiez jamais venue ? Vous n'êtes pas d'ici ?

— Si, j'ai grandi rue Lăpuşneanu, mais je n'étais pas revenue depuis les événements.

— Quels événements ? s'était-elle exclamée en riant. Chaque jour nous en apporte de nouveaux, et malheureusement ils ne sont pas réjouissants !

— L'arrestation des juifs, je voulais dire.

— Ah ça ! Mais qu'est-ce qu'on y peut, hein ?

Son visage s'était assombri d'un seul coup et elle avait interrompu la conversation pour se diriger vers la cuisine. Le sujet était-il trop douloureux ? Trouvait-elle que ce n'était ni le lieu ni l'heure pour en parler ?

Comme je n'avais pas encore payé, j'avais un bon prétexte pour rester et je m'étais mise à écrire tranquillement dans mon carnet sur ce qui m'avait traversé l'esprit durant la matinée.

— Pardonnez-moi, je ne voulais pas vous être désagréable, avais-je repris en souriant un moment plus tard. Je retrouve ma ville après deux années à Bucarest et j'essaie de savoir ce que pensent les gens, s'ils sont heureux malgré tout.

— Vous êtes journaliste ? Je vous vois noter des choses...

— Oui, mais là je ne travaille pas pour un journal. Pour une fois, je ne suis pas pressée, j'ai tout mon temps. En fait, j'aimerais savoir comment les gens se sont remis de ces journées de juin et juillet 41.

— Je ne comprends pas. Remis de quoi ?

— Mais... des massacres, des morts.

Quelque chose n'allait pas, décidément. Son regard s'était durci. Puis elle avait ouvert la bouche mais aucun son n'en était sorti.

— Excusez-moi, avais-je repris, peut-être aviez-vous pris la précaution de quitter la ville, et c'est sans doute ce qu'il y avait de mieux à faire. Mais moi j'étais là, et je peux vous assurer que pour tous ceux qui ont vu, comme moi, ces journées resteront gravées à jamais. C'était épouvantable. Mais vous avez forcément su, tout le monde a su !

— Et vous êtes entrée ici par hasard pour parler de ça ?

Pourquoi adoptait-elle ce ton, à la fois acrimonieux et soupçonneux ?

— Non, je vais tout vous dire : il se trouve qu'un monsieur m'a raconté dans quelles conditions vous aviez repris ce restaurant et que passant tout à l'heure devant votre terrasse j'ai pensé... Enfin, je me suis dit qu'il serait intéressant, avec le recul, de bavarder avec des juifs, de recueillir leurs impressions sur leur vie maintenant, ici, à Jassy, après tout ça.

— Bavarder avec des juifs ! Vous voulez *bavarder* avec des juifs !

Elle s'était mise à rire, mais c'était un mauvais rire, grinçant, ironique.

— Eh bien soit vous vous êtes trompée de porte, avait-elle poursuivi, soit vous vous moquez de nous.

Et là-dessus, elle avait appelé son mari.

— Filip, viens voir par là s'il te plaît.

L'homme était sorti de sa cuisine et elle lui avait fait un résumé succinct de la situation, sans me perdre des yeux.

— Cette personne est journaliste et entre ici pour bavarder avec des juifs après les *événements*, comme elle dit, de l'été 41. Tu crois ça ?

— Je ne comprends pas, qu'est-ce que vous cherchez exactement ? s'était enquis son mari.

— C'est à mon tour de ne pas comprendre.

— Si vous cherchez vraiment des juifs, vous en trouverez peut-être encore quelques-uns du côté de Nicolina. Mais moi je vais vous dire ce qui vous amène : vous êtes envoyée par les Braustein, les Neuschotz ou l'une de ces fortunes de la juiverie mondiale, réfugiée à Londres ou à New York, pour nous intimider. Ce restaurant, il n'était plus à personne quand nous l'avons repris. Les Kuhnfeld, qui l'exploitaient, ont disparu du jour au lendemain sans laisser d'adresse. Et leur prétendu cousin, qui nous menace par téléphone, n'a jamais pu nous montrer le moindre titre de propriété.

— Pardonnez-moi, m'étais-je écriée en me levant précipitamment, je vous ai pris... je vous ai pris pour les anciens propriétaires. Je ne suis pas en train de vous intimider, je n'ai rien contre vous, c'est un malentendu. C'est tout, ce n'est que ça. Pardonnez-moi, je suis vraiment désolée.

— Vous aurez du mal à me faire avaler ça, avait-il rétorqué en s'approchant. Donnez-moi donc votre nom, j'en aurai vite le cœur net.

— Bien sûr ! Tenez, voilà ma carte. Je vous assure que je ne suis l'envoyée de personne.

— Et faites-moi voir un peu ce que vous écrivez dans votre carnet...

— Ça, sûrement pas ! avais-je dit en le glissant dans mon sac.

Il était en colère et peut-être me l'aurait-il arraché pour s'emparer du carnet si sa femme ne l'avait pas retenu.

— Laisse, ça va. Qu'elle paye et qu'elle s'en aille.

Désormais, je faisais un détour pour éviter la maison Lully. La hargne de ce couple m'avait atteinte plus profondément que je ne l'avais ressenti sur le moment. On aurait dit que mon esprit s'acharnait à l'amplifier, au point que je faisais sans cesse le même cauchemar : ils me séquestraient dans la salle du restaurant, et chaque fois que je me retrouvais seule pour quelques minutes devant le combiné du téléphone, mon unique espoir reposant sur Mihail, il m'était impossible de me rappeler notre numéro. J'essayais différentes combinaisons, en nage, paniquée, et je me réveillais le corps baigné de transpiration, apeurée et grelottante.

Je n'avais pu joindre Mihail qu'une seule fois et j'avais eu le sentiment de le déranger avec mes histoires. Il était très occupé et paraissait agacé de devoir m'écouter. Pour survivre, il s'était mis à traduire Jane Austen, *Pride and Prejudice*, il relisait Balzac, venait de terminer *La Vieille Fille*, « admirable, Eugenia », et commençait *Le Cabinet des Antiques*. Mais surtout, il s'était enfin mis à écrire les premières scènes de *L'Étoile sans nom* ! Il n'avait plus aucun besoin de moi pour le réconforter, il était momentanément heureux – du moins était-ce ce que j'avais cru deviner à sa voix, à son désir manifeste de raccrocher rapidement.

Mais à l'instant je m'interromps dans mon texte, j'ouvre son *Journal*, et je vois que je me trompais.

> Je fais semblant de vivre, écrit-il à la même période, mais je ne vis pas. Des gestes machinaux, la routine, une fausse vivacité. À part ça, un grand désert, qui est ma vie. J'attends la fin de la guerre – et après ? Qu'est-ce que j'attendrai après ? J'ai vu beaucoup de monde ces trois derniers jours. Nul ne remarque peut-être que, parmi tant de gens vivants (qui ont leurs envies, leurs intérêts, leurs amours, leurs liaisons), je suis un absent.

Si je me faisais encore des illusions sur ma place auprès de lui, les voilà donc levées.

À part le nom et l'adresse du cordonnier, dont je reculais la rencontre, subitement prise de peur, me disant que je n'y étais pas encore prête, je n'avais pas dans mon carnet l'identité d'une seule personne ayant volontairement participé au pogrom. Et cependant j'en avais vu beaucoup frapper des juifs, ne serait-ce que le dimanche après-midi lorsque le cortège des prisonniers que l'on conduisait à la gare passait au milieu de la foule en liesse et que parmi celle-ci beaucoup brandissaient des barres de fer, des gourdins, ou de simples manches à balai. Oui, mais comment retrouver ces hommes et ces femmes dont tous les visages hilares se confondaient dans mon souvenir ?

Durant plusieurs jours, je m'étais résolue à entrer dans les commerces, dans certains lieux publics également, comme les parcs, les bibliothèques et le palais de justice, et à me présenter comme historienne de la vie locale. Les gens auraient-ils un moment pour me parler des leurs ? À quelle époque leurs aïeux étaient-ils arrivés à Jassy ? Venant d'où ? Dans quel quartier avaient-ils trouvé à se loger et quels avaient été leurs différents métiers ? Naturellement, tous n'acceptaient pas de me confier des récits aussi intimes, mais beaucoup se prêtaient au jeu, ils voyaient combien cela m'intéressait et quand j'estimais que leur confiance en moi était suffisante, je glissais dans une phrase le mot de « juif », escomptant éveiller chez eux une curiosité qui me permettrait d'en venir petit à petit au pogrom et au rôle éventuel qu'ils auraient pu y tenir. J'avais recueilli d'assez beaux témoignages, mais curieusement aucun de mes interlocuteurs (ou interlocutrices) n'avait saisi la perche que je lui tendais. Le mot de « juif » semblait les laisser de marbre, ils poursuivaient comme s'ils n'avaient pas entendu, ou après un temps d'arrêt, et peut-être d'atermoiement intérieur, ils partaient sur autre chose.

Comment était-ce possible ? Aussi loin que je remontais dans ma mémoire d'enfant, les juifs étaient pratiquement de toutes les conversations : il y en avait trop, mais aussi pourquoi leur avait-on donné la nationalité roumaine ? se demandait sans cesse ma mère (qui pourtant connaissait la réponse) ; ils avaient encore acheté un nouveau commerce rue Lăpuşneanu, rapportait mon père ; ils se croyaient chez eux, mais un jour ils le regretteraient, menaçait Stefan. Et d'un seul coup, on semblait les avoir oubliés, au point de ne plus les nommer. Il est vrai qu'ils avaient disparu de la vie quotidienne et que, de ce fait, ils ne posaient plus de problème à quiconque. Mais leur disparition était récente, et ne serait-ce que pour évoquer le soulagement, le souvenir de leur présence aurait dû venir dans nos échanges.

Tous les jours, en fin d'après-midi, je m'asseyais aux terrasses des cafés les plus fréquentés et j'écoutais les conversations dans l'espoir de m'y mêler si, par hasard, le sujet venait à y affleurer. On parlait de la reprise de Smolensk par les Russes, de l'occupation de Naples par les Alliés, de la chute de Mussolini, du prix du pain ou de celui des pommes de terre, mais jamais on ne parlait des juifs.

C'était pour moi si bizarre que, tombant un soir sur mon logeur, je lui avais demandé si je pouvais entrer chez lui un instant. Depuis mon retour à Jassy, il était la seule personne à ne pas avoir fait la sourde oreille lorsque j'avais évoqué la mort des juifs, en juin et juillet 1941, ou à se mettre en colère et à me menacer comme l'avaient fait les restaurateurs et le commissaire.

— Ça n'a pas l'air d'aller, vous ne vous plaisez pas dans la maison ?

— Non, ça va, je suis très bien chez vous. Mais je n'avance pas dans mon travail, je n'arrive à rien. Je voudrais vous demander une chose : le premier jour, quand je vous ai parlé de mon sujet, je vous ai choqué ? Je vous ai fait peur ?

— Une goutte de Ţuică ?

— Avec plaisir, oui.

Il m'avait également proposé une cigarette et sa gentillesse, un peu rude mais sincère, m'avait fait ressentir d'un coup combien ces semaines m'avaient épuisée. Nous nous taisions, confortablement installés au fond des fauteuils de son petit salon. Il avait bien entendu, et il allait me répondre, j'en étais certaine.

— J'ai pensé que vous étiez un peu folle, avait-il fini par lâcher. Excusez-moi de vous le dire comme ça. Ou que vous aviez un compte à régler. J'ai même dit à ma femme : « Elle doit être juive. Elle ne s'appelle sûrement pas Rădulescu. » Vous êtes juive ? À moi, vous pouvez le dire, vous ne risquez rien.

— Non, je ne suis pas juive.

— Alors vous êtes folle. Ici, les gens n'ont jamais aimé les juifs, hein, ils les battaient jusque dans la rue, là, sous vos yeux, et je n'ai jamais vu personne prendre la défense d'un seul. Il avait son utilité, le juif : quand quelque chose n'allait pas, que vous étiez en colère, eh bien c'était sa faute. Tout s'arrangerait, tout irait mieux dans le pays, et même à la maison, quand on serait parvenu à le mettre dehors. Mais je suis sûr que personne n'aurait imaginé ce qui est arrivé. Ça, c'est impossible. Personne à Jassy n'a voulu ça, je peux vous l'assurer. Qu'on tue des femmes et des enfants, qu'on frappe des hommes à mort. Personne. Personne.

En moi-même, j'avais songé : « Si, Stefan, Stefan et ses amis l'ont voulu », mais au fond je n'étais pas certaine qu'ils auraient dit de tuer également les enfants.

— Alors après ça, qu'est-ce qui s'est passé dans la tête des gens ? avait-il poursuivi après un silence. Ils se sont réveillés avec la gueule de bois. « C'est moi qui ai fait ça ? Ah non, moi ce jour-là j'étais à la campagne. » Et l'autre : « Moi, c'est vrai que je suis sorti avec un manche de pioche, mais de là à ramasser des cadavres par centaines il y a une marge, n'essayez pas de me faire porter cette horreur. » Je vais vous dire une chose, mademoiselle : les juifs ont fait des gens de Jassy des criminels malgré eux, et c'est ça que vous n'avez pas compris. Qu'espériez-vous ? Qu'ils allaient se féliciter ? Vous raconter par le menu comment ils ont réglé la question ? Non, des criminels malgré eux, c'est ça qu'il faut que vous entendiez. Je pense qu'aujourd'hui le seul mot de « juif » leur glace le cœur.

Quelques jours après cette conversation, et alors que je finissais ma toilette dans la cuisine, mon logeur m'avait appelée de l'escalier. Un homme me demandait, pouvait-il le laisser monter ?

— Non, lui avais-je crié en entrebâillant ma porte, faites-le patienter, s'il vous plaît, je descends.

Andrei se tenait sur le seuil, pâle et souriant.

J'étais si préoccupée par mon travail que j'avais soigneusement évité de penser aux miens, remettant sans cesse au lendemain le moment de les prévenir que j'habitais à huit cents mètres de chez eux.

— Andrei ! Mais qu'est-ce que tu fais là ?

— Je suis désolé, je pense que tu tenais à être tranquille…

— Viens vite, monte, je vais t'expliquer.

Mon petit frère, de nouveau beau comme autrefois, encore amaigri mais des cheveux sur le crâne.

— Quel bonheur de te voir ! avais-je dit en l'embrassant.

— Et pour moi la guerre est finie, tu sais. Avec mon épaule, je ne peux plus tenir un fusil, le Conseil vient de me réformer.

— Je pensais venir vous voir très vite, mais j'ai tellement de soucis...

— Jana, je ne te demande rien, ne t'excuse pas. Et en plus, je t'apporte un nouveau souci.

— Quoi ? Les parents ?

— Non, non, tout le monde se porte bien. Mais un gars du journal local te cherche, il est venu sonner à la maison, c'est comme ça qu'on a appris que tu étais ici.

— Un gars du journal local ! Mais qui ? Mais comment a-t-il su...

— Il ne nous a pas dit, mais il sait que tu travailles sur l'arrestation des juifs au début de la guerre. Il veut t'interroger. Du coup, je me suis permis d'appeler Mihail, c'est lui qui m'a donné ton adresse. Tiens, le nom et le téléphone du journaliste. Leurs bureaux sont à côté, place Unirii, dans une aile de l'hôtel Traian, tu aurais aussi vite fait d'y aller.

J'avais préparé du café et nous avions passé la matinée à bavarder. Une soirée allait être organisée au Grand Théâtre à la mémoire d'Emil Gulian, disparu à Stalingrad, et c'est Andrei qui lirait ses textes sur scène. Mihail et lui avaient évoqué cette soirée au téléphone, et Mihail lui avait dit combien la mort de Gulian le laissait triste et amer. Maman allait mieux, elle avait repris goût au magasin, aux repas, aux sorties. D'ailleurs, les gens qui avaient repris la pharmacie des Mayer étaient venus dîner à la maison – un couple, originaire de Chişinău, qui avait jugé prudent de se replier sur Jassy avant l'arrivée des Russes. Dans sa dernière lettre, Stefan recommandait à nos parents de ne pas s'inquiéter, les Russes n'entreraient jamais à Jassy. Avec l'apparition prochaine des nouvelles armes allemandes, Stefan prévoyait un retournement de la situation et une victoire écrasante d'Hitler pour le printemps 1944.

Comme à son habitude, Andrei avait décliné ces nouvelles avec une grande bienveillance pour les uns et les autres, suggérant seulement qu'il fallait tout de même espérer que Stefan soit aveuglé par ses « idées ». On aurait dit que la guerre ne l'avait ni endurci ni aigri.

Comment ce journaliste, du nom de Viktor Roller, avait-il appris que je travaillais sur « l'arrestation des juifs » ? Tout l'après-midi j'avais hésité à le rencontrer, ne serait-ce que pour lui préciser que je ne travaillais pas sur l'arrestation des juifs mais sur l'écho de leur massacre dans la conscience – et la vie quotidienne – des gens de Jassy. Si je répondais à son attente, j'allais du même coup donner foi à son information et, aussi bien, il était capable d'écrire un article qui achèverait de me fermer les portes. Le plus sage était peut-être de ne pas me manifester et de laisser sa curiosité s'émousser. C'était plus ou moins ce que j'avais décidé, soucieuse cependant de savoir qui l'avait informé. Je penchais pour les restaurateurs du Lully, qui avaient ma carte et auxquels j'avais parlé de la rue Lăpuşneanu (quelle idiote, quand j'y pense !), mais ce pouvait être également n'importe qui parmi les dizaines de personnes auxquelles j'avais demandé de me raconter leur histoire et dont certaines avaient pu deviner où je voulais en venir.

J'avais pris pour habitude d'acheter mes cigarettes dans le kiosque qui se trouvait à quelques pas du Jockey Club, sur le même trottoir, de sorte que certains matins j'y prenais également le journal que j'allais lire en terrasse, devant un café.

— Je vous voyais aller et venir et je me demandais ce que vous pouviez bien fabriquer, m'avait dit le kiosquier, ce matin-là. Eh bien maintenant je sais !

— Qu'est-ce que vous savez donc ?

— Tout est écrit dans le journal.

Une pleine page m'était consacrée, sous le titre : « Ne nous laissons pas abuser ! » Quant à la photo, il n'y avait aucun doute – c'était bien moi, en plus jeune et en plus jolie. Un cliché qu'avait pris mon père en septembre 1940, dans nos vignes, pendant les vendanges, neuf mois avant le début de la guerre, je m'en souvenais parfaitement. Elle provenait donc de la maison. Comment mes parents avaient-ils pu donner une photo de moi à un journal ? Et ce « Ne nous laissons pas abuser ! » énorme, sur cinq colonnes ! Mais abuser par qui ? Je ne comprenais rien. C'était une telle tempête sous mon crâne et dans mon cœur que je ne parvenais pas à lire, tremblante, déchirée entre sidération et colère. Comment mes parents avaient-ils pu… La réponse devait probablement se trouver parmi ces milliers de caractères minuscules qui dansaient sous mes yeux. Ce que j'aurais voulu c'est que quelqu'un me lise l'article, Andrei par exemple, si seulement il avait été là, enfin me lise tous les articles car il y en avait plusieurs, dont le premier signé de ce Viktor Roller dont il m'avait parlé. Mais qu'avant même de lire, Andrei me rassure, qu'il me dise que c'était bon pour moi, qu'après ça les gens allaient adhérer à mon travail parce qu'ils seraient convaincus de sa justesse. Je ne me sentais pas la force de lire calmement toute cette page, ni la force ni le sang-froid, et d'ailleurs sans que je le veuille mon regard attrapait déjà des mots ici et là, dans le corps du texte : le mot « mensonge » associé à mon nom, Rădulescu, dont le R majuscule me sautait aux yeux partout, le mot « pogrom » aussi, mais celui-ci faisait même l'objet d'un titre qui coupait la page en deux : « Pogrom ? Vous avez dit pogrom ? »

Malgré tout, je m'étais mise à lire, sautant parfois une ligne ou deux pour aller plus vite, et plus j'avançais plus je tremblais. Issue d'une famille « honorablement connue » à Jassy dont l'aîné travaillait auprès du ministre allemand, Joseph Goebbels, et dont le cadet s'était illustré à Stalingrad, j'avais très tôt, et bien que « choyée » par mes parents, adopté une attitude « contestataire et antipatriotique » qui m'avait conduite à fréquenter les milieux communistes à l'université. Le nom d'Irina Costinas, morte à Moscou « dans des conditions troubles », était mentionné à trois reprises. Il était écrit que j'étais tombée « sous la coupe » de cette femme, membre de l'Internationale communiste, « immorale et divorcée », qui m'avait introduite auprès des chefs clandestins de la « cinquième colonne juive ». « Esprit fragile et influençable », j'avais cru en la « sempiternelle plainte des juifs », et c'était moi, devenue entre-temps journaliste à Bucarest (« Ne faudrait-il pas être plus vigilant sur les critères d'admission dans la profession ? » s'interrogeait au passage M. Roller), c'était moi, donc, que l'agence nationale

Rador avait choisi d'envoyer à Jassy pour couvrir les premiers jours de la guerre ! Il fallait « se pincer pour y croire ». Et comment s'étonner alors des « contre-vérités invraisemblables », pour ne pas dire des « âneries grossières », contenues dans la longue dépêche diffusée par l'agence, et reprise dans le monde entier, à propos du « prétendu pogrom de Jassy » ? « À l'exception de Mlle Rădulescu », aucun journaliste présent dans la ville n'avait été témoin d'un quelconque pogrom. En revanche, tous les professionnels « dignes de ce nom » avaient vu de leurs yeux comment les juifs de Jassy s'étaient employés à guider les bombardiers russes et ainsi à trahir le pays qui leur avait offert l'hospitalité. Nombreux avaient été les juifs qui avaient caché des parachutistes russes et s'étaient battus à leur côté contre nos soldats. Que le lecteur veuille bien lire ci-dessous le « remarquable article de M. Malaparte, journaliste mondialement reconnu, lui », et il serait édifié sur « les méthodes et les partis pris de notre jeune "reporter" ».

Ce M. Roller, que je ne connaissais pas, dressait de moi ce portrait ahurissant, dans lequel j'apparaissais à la fois profondément antipathique et à la limite de la débilité. Mais j'avais franchi le pas, compris où le journal voulait en venir, et maintenant je pouvais lire la suite.

Il n'y avait pas eu de pogrom à Jassy, seulement des juifs qui avaient trahi et qui pour cela avaient été châtiés. La meilleure preuve en était l'article de Malaparte dans le *Corriere della Serra* du 5 juillet 1941 dont le journal publiait plusieurs passages édifiants, en effet.

Ceux-ci notamment :

La révolte a éclaté dans les quartiers de Nicolina, de Socola et de Păcurari où s'entassent les couches les plus misérables et les plus dangereuses socialement du prolétariat hébraïque.

Derrière la longue haie de maisons, toutes égales, qui donnent sur les rues, s'étend un labyrinthe de bicoques, une jungle de masures de type levantin, construites partie en bois, partie en paille mêlée de boue. C'est de ce dédale de misérables cabanes que les insurgés, armés de fusils et de mitrailleuses légères, et appuyés de détachements de parachutistes soviétiques, ont ouvert le feu.

La révolte fut étouffée dans le sang. La bataille désespérée que la cinquième colonne soviétique avait déchaînée pour soutenir les contre-attaques russes qui entre-temps se succédaient sur le front du Prut, à seize kilomètres de Jassy, était définitivement perdue.

Qui me croirait si je disais que Malaparte n'était pas présent à Jassy durant les journées du pogrom ? Si je disais que c'était moi qui lui avais fait le récit de ces journées, et que de mon témoignage il avait tiré cet article mensonger ?

Cependant, une colère immédiate recouvrait l'amertume qui commençait à me ronger : comment mes parents avaient-ils pu accepter de recevoir ce journaliste et me trahir, cracher sur tout ce qui avait dirigé ma vie depuis ma rencontre avec Irina ?

J'avais replié le journal, payé mon café et m'étais dirigée vers la maison, à trois cents mètres de là. Je n'étais même pas certaine de pouvoir énoncer trois phrases tant la colère m'étouffait.

Elle était derrière le comptoir, et lui avec un client.

— J'ai à vous parler, avais-je dit sans autre préambule. Vous allez fermer le magasin. Et au client : Monsieur, soyez gentil, laissez-nous s'il vous plaît, vous repasserez plus tard.

— Mais Jana, tu deviens folle ! avait protesté maman.

— Oui, c'est ça, je deviens folle (tout en poussant le client vers la porte et en la refermant à clé derrière lui). Vous avez vu cet article infect ?

— Bien sûr, ma chérie, et c'est très bien que tu sois venue aussitôt, ta mère et moi allons tout t'expliquer.

— Ah bon... Alors je vous écoute.

— Je ne vois pas en quoi cet article est infect ? avait coupé maman. Il rétablit les choses, voilà tout.

— Parce que toi, maman, tu as vu des juifs armés de mitraillettes tirer sur nos soldats ?

— C'est bien ce que dit ce journaliste italien, non ?

— Ce journaliste est un menteur.

— C'est ça, tous ceux qui ne pensent pas comme toi sont des menteurs. Stefan était un menteur, je t'ai même entendu le traiter de « salaud ». C'est bien simple, du jour où tu as rencontré cette femme, cette Irina, le monde entier a eu tort contre toi.

— Papa, tu es sorti, toi, pendant le pogrom. Est-ce que tu as vu un seul juif armé ? Un seul juif en train de tirer sur la police ou l'armée ?

— Je dois t'avouer que non, mais je me suis bien gardé d'aller m'aventurer du côté de Nicolina ou de Păcurari...

— Vous avez vu comme moi comment ils ont tué les Mayer. Comment ils ont tué le vieux Kane et tous les juifs de la rue. Est-ce qu'ils étaient armés, eux ? Est-ce que vous avez vu le vieux Kane derrière un fusil ?

— Calme-toi, Jana, et Carmen ne lui réponds pas, je t'en supplie. Est-ce qu'on peut essayer de parler raisonnablement un moment, sans se lancer des invectives ? Jana, monsieur Roller a eu la correction, quand nous l'avons reçu, de nous apporter toutes les pièces de son dossier et il faut bien reconnaître que tu es la seule journaliste à avoir employé le mot de « pogrom ».

— Parce que ce n'était pas un pogrom, pour toi ?

— Il y a eu des excès inadmissibles, je te l'accorde. Les Mayer n'auraient jamais dû mourir, les malheureux, mais ma chérie dans toutes les guerres il y a des victimes innocentes. De là à parler de pogrom... Crois-tu qu'en 1917 les femmes et les enfants ont été épargnés ? Tu as la chance de ne pas avoir connu d'autres guerres, c'est ce qui peut expliquer que tu te sois laissée abuser par certaines scènes.

— Je dois dire que j'ai découvert ton article avec stupeur, avait renchéri maman, s'efforçant de calquer son ton sur celui de mon père. Monsieur Roller, qui nous l'a lu à haute voix, semblait lui aussi abasourdi. J'aurais voulu que tu le voies : à chacune de tes descriptions il dressait les sourcils. Où as-tu vu ces troupeaux de juifs frappés par la foule ? Ces centaines de morts... Tout ce que tu écris est très exagéré.

— Très exagéré ? Mais comment oses-tu...

— Jana, s'il te plaît ! Gardons notre calme. Les juifs qui ont été arrêtés ne l'ont pas été sur un coup de tête des autorités. C'est ça que tu ne sembles pas comprendre. À te lire, et ta mère a raison, on a le sentiment d'une vaste rafle sans autre motivation que la méfiance, ou la prétendue haine que nous, Roumains, éprouverions pour les juifs. Tu aurais dû mentionner que certains s'étaient dressés contre nos troupes, comme l'écrit monsieur Malaparte et tous tes autres collègues.

— Mon Dieu, c'est insupportable de vous entendre !

— Eh bien sors, et laisse-nous travailler si c'est insupportable ! avait hurlé maman, frappant de la main sur le comptoir. C'est tout de même un comble, tu débarques ici pour nous demander des explications et quand on te les donne...

— Carmen, par pitié !

— C'est elle qui salit notre nom par ses accusations insensées, mais c'est nous qui sommes insupportables... Si l'attitude de tes deux frères ne nous protégeait pas, nous pourrions être traînés dans la boue et peut-être même arrêtés, figure-toi. Tu jettes l'opprobre sur toute une ville et tu ne te soucies pas une seconde des conséquences pour nous, tes parents, de ce que les gens vont penser et dire. Tout le monde ici...

— Carmen, est-ce que je peux placer un mot ? Bon, merci. Et maintenant, si tu veux bien, Jana, écoute-moi. Je comprends parfaitement l'émotion que tu as pu ressentir durant ces journées – tu étais très jeune pour vivre de tels événements. C'est d'ailleurs ce que nous avons expliqué à monsieur Roller pour plaider ta cause, si j'ose dire. En outre, que tu le veuilles ou non, tes prises de position personnelles ont forcément influencé ton regard. Ta mère n'a pas tort de rappeler tes passes d'armes avec Stefan – il est certain que vous vous êtes opposés, tous les deux, du jour où tu as rencontré cette professeur, Irina Costinas. Je ne veux en aucune façon salir sa mémoire, mais il est établi aujourd'hui que cette femme était communiste.

— Ça va, papa. Ça va. Là, tu es en train de m'expliquer que vous m'avez défendue auprès de ce monsieur Roller en me faisant passer pour une imbécile, et c'est en effet ce qu'on retient à la lecture de l'article : une jeune idiote, influençable et exaltée, sous l'emprise d'un professeur à la réputation douteuse, a vu un pogrom là où il ne fallait voir que de banales scènes de guerre avec leurs inévitables excès. Irina était une femme remarquable et je veux que vous sachiez que pas un jour je n'ai regretté de l'avoir connue. Elle m'a ouvert les yeux et continue à conduire ma vie. Mais je ne vais pas vous faire changer d'opinion, et vous non plus. Alors restons-en là. Au revoir.

J'étais ressortie du magasin le visage brûlant, avec le sentiment d'avoir été battue.

31

J'avais envisagé de renoncer, songeant que je n'étais pas de taille contre toute une ville, tout en sachant que je ne me remettrais pas de cet échec. Il pèserait désormais sur chacune de mes pensées, sur chacun de mes choix – les gens de Jassy l'ont emporté, me dirais-je, on ne parle plus de pogrom, les juifs ont été massacrés parce qu'ils ont trahi, et moi, en abandonnant, je me suis faite la complice de ce mensonge. Qu'entreprendre après ça ? Ma honte, ma secrète honte, me discréditerait à mes propres yeux. Je n'oserais plus écrire, défendre la moindre opinion, et petit à petit je m'effriterais, jusqu'à tomber malade et mourir.

C'était à cela que je réfléchissais, continuant d'arpenter la ville comme je le faisais depuis mon arrivée, mais recluse en moi-même, ne cherchant plus à bavarder avec qui que ce soit. De nombreuses personnes me reconnaissaient à présent, je les surprenais à se pousser du coude sur mon passage tandis que d'autres me fixaient avec l'air de se demander où elles m'avaient déjà vue – manifestement, l'article de M. Roller avait été largement partagé et commenté. Il avait atteint son objectif :

désormais, les habitants de Jassy étaient prévenus contre moi et aucun ne se laisserait plus aller à me parler. Bien entendu, ce n'était pas les restaurateurs du Lully qui avaient pu obtenir de M. Roller qu'il consacre toute une page à l'entreprise d'une journaliste de vingt-six ans absolument inconnue. On reconnaissait là l'efficacité du SSI, notre service de propagande, et c'était dire que toute cette opération avait été montée par le commissaire. Elle avait une portée qui allait bien au-delà de ma personne : en donnant une large audience à l'article de Malaparte, on récrivait l'histoire dans l'espoir que jamais le nom de « pogrom » ne soit plus associé à celui de Jassy et à ceux de nos dirigeants qui avaient programmé l'extermination des juifs.

Aujourd'hui je souris tandis que j'écris ces lignes et qu'on évoque dans les journaux le procès à venir des « criminels de Jassy » (dont le commissaire, détenu à la prison de Jilava), songeant que c'est le même Malaparte qui a alerté le monde entier sur le pogrom grâce au chapitre qu'il lui consacre dans *Kaputt*. Sans ce texte, nos dignitaires, d'Ana Pauker au roi Michel, se seraient sûrement dispensés de rouvrir cette plaie supplémentaire parmi toutes celles que nous a laissées la guerre. Étrange de penser qu'un même homme aura ainsi exhumé, et de façon inoubliable, ce qu'il avait si bien contribué à enterrer.

« Si l'Europe survit à ce que nous traversons aujourd'hui, Eugenia, m'avait-il dit, je voudrais que demeure au-dessus des cendres le roman que je suis en train d'écrire, *Kaputt*. J'y figure sous ma véritable identité, Malaparte, mais je n'y suis qu'un caméléon, acquiesçant aux bourreaux, aux massacres, enjambant les corps, insensible aux plaintes des victimes, aux populations déplacées, aux villages qu'on brûle, aux enfants qui meurent de faim dans les ghettos. Je n'y suis que le peintre et le greffier de ces hommes qui nous conduisent à la mort – et accessoirement de leurs victimes. »

Et en effet, comment Malaparte aurait-il pu écrire *Kaputt*, demeurer vivant pour écrire *Kaputt*, s'il n'avait pas acquiescé aux bourreaux ? À Varsovie il dîne avec Hans Frank, à Zagreb il plaisante avec Ante Pavelic, à Rome il fait la fête avec le comte Ciano, gendre et ministre de Mussolini, à Jassy il trinque avec le général von Schobert et ses officiers. Et pendant tout ce temps-là, il écrit *Kaputt* dont il cache le manuscrit dans le double fond de sa cantine. Le livre paraît en Italie en octobre 1944, bien avant la fin de la guerre, légitimant par son existence les mensonges de son auteur dans le *Corriere della Serra*.

Après quelques jours, j'avais trouvé ce que j'allais faire : à l'exemple de Malaparte, j'allais me fondre parmi les bourreaux pour demeurer à Jassy sans y être reconnue. Qu'on ne m'en chasse pas, qu'on m'y laisse travailler. J'étais entrée chez un coiffeur tsigane de Păcurari et je lui avais demandé de me teindre les cheveux et les sourcils en noir. Puis, la chose faite, je l'avais prié de les nouer en chignon. Dans une friperie du même quartier j'avais choisi quelques vêtements colorés et amples comme en portent les Tsiganes qui ne comptent pas à Jassy.

L'effet était si réussi que mon logeur lui-même ne m'avait pas reconnue.

Puisqu'il n'y avait aucun espoir que les gens me parlent de cette soudaine bouffée de colère qui avait fait d'eux des assassins, ni des cicatrices que ces journées avaient laissées en eux, ni des regrets qu'ils éprouvaient peut-être de ne plus croiser aucun juif dans les rues de leur ville, j'avais décidé de travailler sur la disparition des juifs. Ils avaient constitué la moitié de notre population, ils avaient créé des manufactures, de grands et de petits commerces, des hôtels, des écoles, des synagogues, un cimetière, un théâtre, de vastes quartiers de cabanes où ils s'entassaient avec leurs poules, leurs lapins et leurs chiens – et tout cela aujourd'hui leur avait été volé quand ce n'était pas à l'abandon. Ce serait un travail silencieux puisque les uns refusaient de parler tandis que les autres étaient morts ou en fuite.

— Expliquez-moi ce qu'est un travail silencieux, Eugenia, m'avait interrompu Rosetti au téléphone.

— Eh bien seulement des images. Et en légende, ce que je trouverai d'écrit sur place, un nom sur une boîte aux lettres par exemple, ou ce qu'on me dira si quelqu'un intervient pendant que je prends la photo.

J'avais trouvé d'occasion, chez un revendeur, un Rolleiflex K2, et après m'être demandé par où commencer, la curiosité m'avait ramenée à Târgul Cucului. La synagogue avait été incendiée, mais une partie du toit avait résisté aux flammes de sorte que des chiens, abandonnés par leurs propriétaires, s'étaient réfugiés là. Sous les pluies d'automne, le chemin que j'avais connu poussiéreux était méconnaissable, creusé et raviné, ne laissant aux habitants qu'une étroite bande de terre en son milieu. Dans mon souvenir, Sami avait surgi de derrière un cabanon, et je cherchais à retrouver cet endroit tout en étant troublée par la quantité d'enfants tsiganes qui jouaient autour des cabanes et dans les flaques d'eau. On les reconnaissait à leurs habits bariolés, à leurs cheveux longs, quand les enfants juifs avaient la nuque rasée pour les garçons, des nattes pour les filles, et qu'ils portaient des chemises blanches sur des jupes ou des pantalons noirs. Je n'avais pas retrouvé le cabanon, mais j'étais arrivée sans difficulté jusque chez Sami. Je me rappelais que nous avions retrouvé la porte d'entrée arrachée, qu'il ne m'avait pas invitée à entrer chez eux et que je m'étais assise sur une pierre en l'attendant. L'après-midi même, lui et les siens avaient quitté notre maison de la rue Lăpuşneanu, avec un panier de provisions que leur avait préparé ma mère, pour retourner vivre dans cette cabane minuscule.

Je me tenais là, devant, me demandant si par hasard... mais c'était une Tsigane qui était sortie.

— Tu cherches quelque chose ?

— Avant, ici, il y avait des juifs, le garçon s'appelait Sami. Tu les as connus ?

— Ah non, la maison était vide quand on est arrivés. Il n'y a plus de juifs par ici.

Un peu plus loin, j'avais constaté que l'école était également occupée par plusieurs familles tsiganes. Elles avaient laissé l'enseigne en caractères hébraïques, mais du linge était suspendu juste dessous, cachant en partie les fenêtres de ce qui avait été des salles de classe. En passant la tête par l'une de ces fenêtres, restée ouverte, j'avais constaté que personne n'avait songé à effacer sur le tableau noir cette phrase qu'aimaient à répéter les juifs : « A studia si iar a studia » – « Étudier et encore étudier ».

Nous nous enfoncions dans l'hiver et comme je me rendais à pied au cimetière juif de Păcurari, il s'était mis à tomber des flocons gros comme des pétales de rose. Des dizaines de chiens étaient couchés au bas de la colline, autour de l'arche édifiée à la mémoire de Georges Gratz, le bienfaiteur des défunts. Les chiens ne semblaient pas souffrir du froid, mais quand ils m'avaient vue emprunter le sentier pour grimper jusqu'aux tombes, sept ou huit d'entre eux s'étaient ébroués pour me suivre. Ils n'étaient pas agressifs, ils paraissaient plutôt soucieux et neurasthéniques, comme ceux de la synagogue de Târgul. Nous avions marché ensemble silencieusement, franchi ensemble l'enceinte du cimetière dont les grilles étaient ouvertes, et c'étaient eux qui m'avaient conduite jusqu'au long monticule de terre que la neige commençait à recouvrir. Au mois de juin 1941, croisant sous le soleil un convoi de juifs équipés de pelles et de pioches qu'on menait au cimetière, j'avais pu croire qu'on les conduisait là-bas pour nettoyer le pourtour des tombes et les allées. Qui aurait pu imaginer ce qui allait arriver ?

Au mois de janvier de la nouvelle année 1944, j'avais décidé de rentrer à Bucarest pour quelques jours. Je voulais faire tirer mes photos et les montrer à Rosetti. Et puis Mihail me manquait.

Je l'avais découvert en plein tourment, à la fois euphorique parce que plusieurs de ses amis comédiens auxquels il avait lu les premières scènes de *L'Étoile sans nom* parlaient d'un chef-d'œuvre, et fou d'inquiétude pour Poldy. Il venait d'apprendre que de nouvelles rafles avaient eu lieu en France et il n'avait plus aucune nouvelle de son frère aîné.

Je parle, je ris, je marche dans la rue, je lis, j'écris, mais tout le temps, tout le temps, je pense à lui,

rapporte-t-il dans son *Journal* à la veille de mon retour.

Devant un petit comité constitué de Leny, de Nora Piacentini, de Mircea Septilici, du metteur en scène Soare Z. Soare et de quelques autres, Mihail avait donc dévoilé le début de sa pièce. L'enthousiasme avait été tel que Soare avait immédiatement programmé *L'Étoile* au théâtre de l'Alhambra, présentant l'œuvre aux journalistes comme celle d'un professeur soucieux de conserver l'anonymat et qui signerait donc du pseudonyme de Victor Mincu.

Toutes les nouvelles qui nous parvenaient étaient à l'image de ce que traversait Mihail. On se réjouissait secrètement que Berlin soit bombardée par les Alliés mais on apprenait quelques jours plus tard que le maréchal Antonescu avait signé un nouvel accord de coopération militaire avec Hitler. On se félicitait que l'Armée rouge ait repris Kiev, que les Allemands reculent sur tous les fronts, mais on redoutait l'arrivée des Russes et on adhérait à ce que souhaitait l'opposition clandestine à Antonescu : que la Roumanie tombe dans l'escarcelle des Anglo-américains plutôt que dans celle des Soviétiques. Il se murmurait que Iuliu Maniu, l'ex-président du Parti national paysan, avait pris langue avec les Occidentaux pour éviter aux Roumains le joug de Staline.

La guerre n'allait plus être bien longue, tous les journaux évoquaient désormais l'imminence d'un débarquement à l'ouest (Hitler lui-même s'y préparait), mais nous, Roumains, tout en nous réjouissant de la fin des hostilités, savions que le pire était à venir. Que nous lâchions les Allemands et ils nous anéantiraient en quelques jours, que nous leur demeurions fidèles et les Russes nous écraseraient. Nous étions pris entre le marteau et l'enclume. Combien survivraient à ce qui nous attendait ? La mort n'était plus seulement dans le cœur des juifs, elle était maintenant dans tous les esprits et cela se sentait dans les rues de Bucarest à une certaine excitation, une certaine précipitation à vivre qui se traduisait par des rires exagérés, des exclamations de joie outrancières quand on se rencontrait par hasard, comme si la chose ne devait plus se produire, ou encore par des bousculades insensées dans les derniers magasins qui vendaient encore du luxe, comme s'il était grand temps de se faire plaisir.

On aurait dit que la perspective de mourir nous rendait à la fois plus joyeux et plus audacieux. Je me rappelle cet après-midi où, sortant de chez Rosetti (auquel j'avais montré mes photos), j'avais été intriguée par un couple qui marchait devant moi, l'homme légèrement plus petit que la femme, avant de reconnaître Leny au bras de Mihail. Peut-être sortaient-ils du cinéma, ou peut-être venaient-ils de s'aimer dans une chambre d'hôtel, ils semblaient heureux en tout cas, Leny volubile, agitant sa main libre et se tournant parfois de profil pour acquiescer à ce que lui disait Mihail. Sachant combien Leny l'attirait, je m'étais demandé si Mihail avait réussi à vaincre ses « vieilles infortunes personnelles » pour lui faire enfin l'amour comme il en rêvait, et je m'étais même surprise à l'espérer, avant de m'effacer par une rue transversale.

Rosetti était-il convaincu par mon travail ? Il m'avait encouragée à continuer et j'étais repartie pour Jassy au milieu de février alors que l'Alhambra annonçait pour le 1er mars la pièce d'un inconnu, *L'Étoile sans nom*, avec Leny Caler dans le rôle de Mona – l'étoile tombée du ciel dans une gare minuscule des environs de Bucarest.

Avec l'arrivée du printemps, les événements s'étaient précipités. Longtemps épargnée par l'aviation alliée qui frappait en priorité l'Allemagne, la Roumanie était à son tour ciblée. Je me souviens de notre stupeur devant la place Unirii soudain prise sous le feu des bombardiers, habitants et chevaux fuyant en tous sens tandis que les sirènes hurlaient. Nous étions des dizaines à nous être réfugiés dans les caves de l'hôtel Traian. J'étais ressortie aussitôt après l'alerte, le soir tombait, il pleuvait, des chevaux gisaient sur les pavés luisants, plusieurs maisons étaient en flammes et du Grand Café ne restait plus que la façade au travers de laquelle on voyait s'abattre des braises incandescentes. Pompiers et secouristes ramassaient des blessés, peut-être des morts, tandis que quelques personnes erraient comme moi sous une pluie d'orage intense, au milieu des cadavres de chevaux et des cratères laissés par les bombes.

Cependant, le bombardement de Jassy n'était rien en comparaison de celui qui avait frappé Bucarest. La radio parlait de milliers de morts et de quartiers entiers réduits en cendres. Après trois heures d'attente devant le bâtiment du télégraphe, j'avais enfin réussi à joindre Mihail. Les siens et lui étaient saufs, et Leny aussi, par miracle, car son immeuble s'était effondré. Parmi les techniciens du théâtre, on comptait au moins deux morts, mais peut-être plus. Les représentations avaient été interrompues, bien sûr, et il était impossible de savoir comment tout cela allait tourner, si nous n'allions pas tous disparaître dans les prochains jours. « Désormais, m'avait-il dit, nous sommes tous logés à la même enseigne, chrétiens, juifs et Tsiganes : à tout moment la mort peut nous emporter. »

Je retrouve à l'instant ce qu'il écrit dans son *Journal*, le samedi 8 avril 1944, à la veille de notre conversation téléphonique :

> Quatre jours après le bombardement, la ville est encore en pleine folie. L'ahurissement des premiers instants (personne ne comprenait ce qui se passait au juste, personne ne voulait y croire) s'est transformé en panique. Tout le monde fuit ou voudrait fuir. Dans les rues, à chaque pas, des camions, des charrettes, toutes sortes d'attelages, un empilage de bric-à-brac – un immense et tragicomique déménagement.
>
> Quelques tramways recommencent à circuler aujourd'hui, ici et là. La plupart des lignes sont encore bloquées. La moitié de la ville est privée de courant électrique. Pas d'eau. Les radiateurs ne marchent pas. De longues files de femmes et d'enfants portant des seaux se rendent aux puits et aux fontaines, où l'on fait la queue. En une heure (et je ne crois pas que le bombardement proprement dit ait duré une heure), une ville d'un million d'habitants a été paralysée dans ses fonctions vitales. On ne connaît pas le nombre de morts. Les chiffres les plus contradictoires sont avancés. Quelques centaines ? Quelques milliers ? Quatre mille deux cents, me disait avant-hier Rosetti, mais ce n'est pas sûr non plus.
>
> Hier après-midi, je suis allé dans le quartier de Grivita. De la gare au boulevard Basarab, pas une maison, pas une, n'est intacte. Un spectacle déchirant. On dégageait encore des morts, on entendait encore des plaintes sous

les décombres. À un coin de rue, trois femmes poussaient des cris aigus, s'arrachaient les cheveux, déchiraient leurs vêtements : elles pleuraient un cadavre carbonisé qu'on venait de sortir des ruines. Une petite pluie était tombée le matin, et une odeur de boue, de suie, de bois brûlé flottait sur le quartier. Une vision atroce, cauchemardesque. Incapable d'aller plus loin, je suis rentré à la maison, en proie à un sentiment de dégoût, d'horreur et d'impuissance.

La maison de Leny est complètement démolie. J'y suis allé avant-hier pour l'aider à chercher dans les gravats ce qui pouvait être récupéré.

Mary, la petite manucure qui venait tous les vendredis matin, a été tuée. Elle était si jeune, si mignonne, si propre. Une midinette, mais gracieuse comme un enfant et sage comme une demoiselle de pensionnat. Lorsque, parmi des milliers de morts anonymes, l'un d'eux a un visage, un sourire qu'on connaissait, la mort redevient quelque chose d'effroyablement concret.

Aristide, Rosetti, Camil, Visoianu se sont enfuis. Chacun où il a pu. Personne ne reste là, sauf nous, pour qui toute idée de départ est exclue.

La stupeur provoquée par le bombardement de mardi s'estompera peu à peu. Restera l'attente anxieuse du prochain. Quand ? Comment ? Dans quel quartier ? En réchapperons-nous ? Qui en réchappera ? Il ne s'agit pas seulement d'en réchapper physiquement. Il y a aussi toute la misère qui s'ensuit, tout le danger tapi dans une atmosphère générale de désespoir, de colère, de haine. Pour le moment, aucun symptôme de crise antisémite. Mais une crise antisémite est toujours possible.

Bucarest sans cesse bombardé durant les mois d'avril et mai, puis de nouveau Jassy, Braşov, Ploiesti... Dans le même temps, Sébastopol repris par les Russes, et Rome enfin occupée par les Alliés.

Et le 6 juin, l'annonce du débarquement sur les côtes françaises !

Durant ce printemps 1944 où l'on sentait venir la victoire (ou la défaite, selon le camp auquel on appartenait), les vieux partis étaient discrètement sortis de la clandestinité pour créer ce que l'on devait appeler le « Bloc national démocrate ». Il regroupait le Parti national paysan d'Iuliu Maniu, le Parti national libéral de Constantin Brătianu, le Parti social-démocrate de Constantin Titel Petrescu et le Parti communiste de Lucretiu Pătrăşcanu et Ana Pauker.

Le « Bloc », qui souhaitait entraîner le pays du côté des Alliés avait le soutien du roi Michel, opposant de la première heure à l'alliance avec Berlin mais qui n'avait aucun pouvoir, si ce n'est celui d'aider secrètement la Résistance. Tandis que Maniu était en négociation avec les Alliés et discutait avec le souverain des modalités d'un coup d'État pour renverser Antonescu, résistants et démocrates se réunissaient ici et là pour préparer l'avenir. Isolée à Jassy, je n'avais pris aucune part au Mouvement de libération où s'étaient retrouvés (je l'appris par le suite) Lena et la plupart de mes anciens compagnons du réseau Ghiţă. Mihail lui même, je le découvre à l'instant dans son *Journal*, fut alors approché par des membres du parti communiste et participa à quelques réunions clandestines « dans une ferme, non loin de Bucarest ». « Une maison ravissante, ajoute-t-il, on eût dit un décor pour *Jouons aux vacances*. »

À la mi-août, les troupes russes avaient repris la Bessarabie et se trouvaient massées sur la rivière Prut, aux portes de Jassy. Depuis plusieurs jours, déjà, les gens s'enfuyaient, et ceux qui n'étaient pas partis se terraient. Comment rendre en images le silence et la peur qui s'étaient abattus sur la ville ? J'avais en mémoire les foules en liesse de l'été 1941 tandis que se déroulait « le joyeux et féroce labeur du pogrom », mais voilà que le vent avait tourné et que les fêtards d'hier songeaient maintenant à sauver leur peau. J'avais décidé de photographier la rue Cuza Vodă des premières heures du jour au coucher du soleil, celle où les cortèges de juifs avaient défilé, celle où les corps s'amoncelaient le dimanche matin, celle où j'avais vu l'homme frapper de sa canne une femme qui rampait sous ses coups. La rue Cuza Vodă à présent silencieuse, seulement traversée par instants d'ombres furtives. Et soudain l'homme était apparu sur son coin de trottoir, sortant de sa boutique avec une valise, non plus dans ce tablier gris dont ma mémoire d'enfant avait gardé le souvenir, mais dans un complet sombre et coiffé d'un feutre – le cordonnier. Il avait jeté un regard rapide à droite, puis à gauche (m'avait-il aperçue, à l'autre bout, penchée sur mon Rolleiflex ?), avant d'abaisser son rideau métallique, de le verrouiller soigneusement, et de prendre le chemin de la gare.

Les Russes étaient entrés dans Jassy le lendemain, 20 août, dépenaillés et souriants sous leurs gros manteaux d'hiver et leurs calots de travers, marchant en ordre dispersé, le fusil mitrailleur sur l'épaule, derrière d'interminables convois de chars d'assaut et de camions couverts de poussière. Nous n'étions pas nombreux à les applaudir et à leur lancer des fleurs et des baisers depuis nos fenêtres. La veille de leur arrivée, et alors que les derniers soldats allemands quittaient discrètement Jassy, nos journaux relataient encore en première page la visite du maréchal Antonescu sur le front « venu dire sa confiance inébranlable en la victoire » et remettre quelques décorations.

Dès le retour du maréchal à Bucarest, le roi l'avait prié de venir lui rendre visite au palais. C'était le mercredi 23 août, date devenue inoubliable. On dit que l'entretien fut bref – les deux hommes ne s'aimaient pas, et peut-être même se méprisaient-ils.

Michel, qui avait alors vingt-trois ans, exigea du maréchal, qui en avait soixante-deux, qu'il conclût immédiatement un armistice pour éviter des milliers de morts supplémentaires et la destruction du pays. Pourquoi Antonescu refusa-t-il alors que nous savons aujourd'hui qu'il avait dépêché auprès des Alliés plusieurs émissaires pour tenter de sortir du piège où l'avait enfermé Hitler ? Par fierté, sans doute, devant ce jeune homme qui aurait pu être son fils.

— Vous ne m'avez pas compris, monsieur le maréchal, ce n'est pas un vœu, c'est un ordre.

— Majesté, je n'ai pas d'ordre à recevoir de vous.

— Alors dans ce cas, considérez-vous en état d'arrestation.

Tout avait été préparé. Les gardes attendaient derrière la porte, le roi les fit entrer et le maréchal fut aussitôt ligoté et emmené à la prison de Jilava (dans l'enceinte de laquelle il devait être fusillé quelques mois plus tard).

Le soir de ce même 23 août, on avait enfin entendu le roi à la radio. La constitution de 1923 était rétablie, toutes les mesures discriminatoires abrogées, et en particulier celles qui frappaient les juifs, le Parlement allait être de nouveau convoqué et l'armistice allait être demandé. Pour rétablir la démocratie, le roi venait de nommer au poste de

Premier ministre le général Constantin Sănătescu dont on apprit très vite qu'il avait été son ambassadeur auprès des Alliés. Les représentants des quatre partis démocratiques allaient être appelés à entrer au gouvernement dès le lendemain.

Tout cela était enthousiasmant, inespéré, et facilement compréhensible. Ce qui l'était moins, c'était qu'à partir de ce jour nous déclarions la guerre au Reich. Comment était-ce possible alors que les Allemands étaient encore à Bucarest et occupaient l'essentiel de notre pays, y compris l'aérodrome de Băneasa d'où décollaient jour et nuit leurs chasseurs et leurs bombardiers ? Le roi ne donnait pas les modalités de ce formidable retournement, mais toute à la joie de ce qu'il venait d'annoncer j'avais décidé de lui faire confiance et dévalé aussitôt l'escalier pour courir rejoindre Andrei et nos parents.

> Dans toute la ville, les gens hurlaient de bonheur, écrit Mihail dans son *Journal*. Antonescu avait été renversé en cinq minutes. Le nouveau gouvernement constitué. L'armistice accepté. Je n'avais même pas eu le temps de boire une coupe de champagne pour Paris reconquis par les Français, que l'avalanche de nos propres événements nous rattrapait. J'ai écrit toute la nuit pour *România liberă* [journal communiste, jusqu'ici clandestin], qui devait paraître à l'aube. J'étais heureux que les événements aient refait de moi un journaliste précisément pendant la nuit de la victoire.

La joie avait été certainement moins exubérante à Jassy où nous étions occupés par les Russes, mais j'avais tout de même passé la nuit dehors avec Andrei et ses amis, avant que le théâtre nous ouvre ses portes à l'aube pour des lectures, des proclamations de fraternité et des chants révolutionnaires.

Contrairement à ce qu'écrit Mihail, l'armistice n'avait pas été « accepté » – il ne fut signé que le 13 septembre, soit trois semaines exactement après le discours du roi.

Durant ces trois semaines, et tandis que la délégation roumaine conduite par le communiste Pătrăşcanu était à Moscou pour négocier les termes de l'armistice, la Roumanie s'était retrouvée sous les feux croisés des deux belligérants : l'Allemagne d'un côté, les Alliés de l'autre.

Dès le 24 août, les premières bombes allemandes s'étaient abattues sur Bucarest, s'ajoutant à celles des avions américains et anglais, pendant que les troupes soviétiques fonçaient sur notre capitale, faisant des centaines de prisonniers parmi les soldats roumains qui avaient reçu l'ordre de ne plus tirer sur les Russes mais que les Russes continuaient à considérer comme leurs ennemis.

Que resterait-il de Bucarest, déjà en partie détruite, si Russes et Allemands s'y affrontaient ? Pour éviter cette ultime catastrophe, le nouveau gouvernement dépêcha deux émissaires auprès du ministre d'Hitler à Bucarest, l'inflexible Manfred von Killinger, l'homme que j'avais vainement tenté d'abattre. Killinger connaissait bien ses deux visiteurs pour s'être assuré leur collaboration dans la traque des juifs – l'un était le général de gendarmerie Constantin Tobescu, l'autre le chef du SSI, le colonel Eugen Cristescu. La rencontre eut lieu dans la discrète villa de Săftica où le ministre allemand passait le week-end avec sa maîtresse. Les deux Roumains lui demandèrent amicalement d'ordonner le retrait des troupes allemandes avant l'arrivée des Russes, l'invitant à rejoindre lui-même

Berlin avant d'être fait prisonnier. Pourquoi Killinger refusa-t-il, alors qu'il savait ne plus disposer des moyens militaires suffisants pour affronter les troupes soviétiques ? Par fierté, lui aussi, sans doute. Les deux officiers lui exprimèrent alors leurs regrets de devoir l'assigner à résidence dans l'espoir qu'il reviendrait à la raison.

Killinger était toujours retenu à Sbftica, le jeudi 31 août, quand les troupes russes entrèrent dans Bucarest. Entre-temps, se dispensant de ses ordres, le général allemand Johannes Friessner avait organisé la retraite de ses hommes sous le feu des soldats roumains, leurs alliés d'hier.

À peine arrivés, les Russes exigèrent du gouvernement roumain que les prisonniers allemands leur soient livrés et, bien entendu, le premier d'entre eux, Killinger. Cependant, prévenu à temps par ses amis du SSI, le ministre parvint à se donner la mort dans l'après-midi du 2 septembre, quelques heures seulement avant qu'on vienne le chercher.

À compter du 13 septembre, l'armistice enfin signé, la Roumanie entra officiellement en guerre au côté des Alliés. Du 20 septembre au 25 octobre, près de quatre cent mille hommes participèrent aux campagnes de Slovaquie et de Transylvanie, et cinquante mille d'entre eux y furent blessés ou y laissèrent la vie. Puis le front se déplaça vers la Hongrie où la Roumanie perdit onze mille hommes. Dans le même temps, sur le front tchèque, où les combats se prolongèrent de décembre 1944 à mai 1945, les troupes roumaines perdirent soixante-dix mille hommes.

Par souci d'équité, les historiens roumains font ainsi le compte précis de nos morts contre le régime nazi, comme si ces morts pouvaient alléger notre honte d'avoir soutenu ce même régime, et peut-être racheter les massacres commis par nos soldats – les mêmes soldats, n'est-ce pas – sous l'autorité du maréchal Antonescu tout au long de la campagne de Russie (et en particulier à Odessa où nos troupes exécutèrent plus de quarante mille civils en octobre 1941, après la prise de la ville).

Et maintenant ? Nous étions enfin du bon côté, les juifs n'avaient plus à se cacher, Mihail et les siens étaient sauvés. Il m'avait raconté au téléphone sa peur d'un retour des Allemands durant les quelques heures de flottement qui avaient précédé l'entrée des Russes – « Eugenia, une seule heure leur aurait suffi pour nous exterminer jusqu'au dernier. Personne, personne n'en aurait réchappé. »

J'avais décidé de poursuivre mon travail photographique à Jassy. Les gens revenaient petit à petit. Les Russes étaient partout dans la ville, mais il n'y avait plus aucune raison de les craindre puisque nous nous battions désormais à leurs côtés. Ils étaient devenus nos amis et ils se laissaient volontiers photographier au bras de leur petite amie roumaine. Les gens revenaient, oui, et parmi eux quelques familles juives qui s'étaient cachées chez des paysans, quelques rescapés de la déportation aussi. Ils étaient murés dans le silence et le deuil et je n'imaginais pas leur poser la moindre question. Dans cinq ans, dans dix ans peut-être, mais là seulement les voir passer soulevait une telle tristesse, une telle émotion, qu'on se figeait ou détournait le regard. Je devais prendre sur moi pour les photographier, de dos le plus souvent, traînant une charrette où ils avaient entassé le peu qu'il leur restait, et parfois couché un enfant sur cet amoncellement.

C'était octobre, puis novembre 1944. Il ne restait à Mihail que six mois à vivre, mais bien sûr nous ne le savions pas et nous faisions comme si nous avions l'éternité devant nous, lui sollicité en tous sens à Bucarest où *L'Étoile sans nom*, reprise au théâtre Comœdia, connaissait un succès considérable, moi enfermée dans mon livre silencieux. Rosetti, qui m'avait rendu visite à Jassy, souhaitait maintenant que le livre soit suivi d'une exposition dans les grands salons de l'hôtel Traian. Je n'étais donc pas près de retrouver Mihail à Bucarest. Et lui n'avait pas le temps de venir à Jassy, il ne voulait rien rater de l'opportunisme des uns et des autres pour se placer auprès du nouveau pouvoir, car ce serait l'épilogue du livre qu'il envisageait d'écrire sur la guerre – « Je dois écrire ce livre, Eugenia, pour me soulager et m'apaiser. »

Il l'annonce en ces termes dans les dernières pages de son *Journal* :

> Il y a partout une bousculade terrible. Tout le monde s'empresse d'occuper des positions, de faire valoir des titres, d'établir des droits. Je ne peux pas, je ne brigue rien, je ne veux pas. Attendre, voilà le mieux. En ce moment, on ne peut pas parler. Tout au plus, hurler. Il est vrai que, des années durant, j'ai attendu l'instant où je pourrais pousser un cri vengeur – après tant de nausée, après tant de dégoût. Un jour, j'écrirai un livre. C'est encore la meilleure chose que je puisse faire. Je ne suis pas l'homme des réunions, des comités, des assemblées. Tout le monde me convoque, soit au lycée, soit au collège, soit à la société des écrivains. Qu'y ferai-je ? Ce que j'ai à dire, je le dirai en son temps. Surtout pas aujourd'hui, où l'on n'entend plus rien que des cris.

Était-il en colère, amer, ou mélancolique, le 29 mai 1945 en sortant d'un déjeuner avec ses parents dans le petit appartement familial de la rue Antim ? Il était attendu à l'Université populaire de Bucarest pour inaugurer son cours de littérature par une leçon sur Balzac. Il traversait le boulevard Regina Maria pour prendre le bus sur le trottoir d'en face, où quelques personnes patientaient à l'arrêt, quand un camion a surgi, lancé à pleine vitesse. Une des dames qui attendait sur le trottoir, et avait reconnu Mihail, a été témoin de la scène et me l'a décrite quelques jours plus tard. Il a vu le camion, il aurait pu s'écarter, courir, il lui aurait suffi de deux ou trois pas pour l'éviter, mais il est resté comme paralysé au milieu du boulevard et le poids lourd l'a percuté de plein fouet.

Un camion russe dont les freins avaient lâché.

Mihail est mort dans l'ambulance qui le conduisait à l'hôpital.

Remerciements

Merci à tous ceux qui m'ont aidé dans la préparation de ce roman : Ioana Lionte, Dan Daia, Carol Iancu, Monica Salvan, Carmen Dinescu, Sorina Dănăila, Micky Sebastian, Petrus Costea, Annie Assouline, Delphine de la Panneterie, Frédéric Mitterrand et Olivier Dumas.

Note bibliographique

Tous les extraits reproduits dans cet ouvrage, indiqués par une typographie et une présentation distinctes, sont tirés d'œuvres existantes.

En dehors des passages du *Journal de Mihail Sebastian, traduit par Alain Paruit et paru chez Stock, coll. « La Cosmopolite », 1998*, et de son roman *Depuis deux mille ans, également traduit par Alain Paruit et paru chez Stock, coll. « Nouveau Cabinet cosmopolite », 1998*, identifiés comme tels dans le texte, d'autres citations de Mihail Sebastian ont été insérées dans des dialogues. Pour un meilleur confort de lecture, elles sont signalées par de simples guillemets.

Citations provenant du Journal

p. 59 :

« Il y a quelque chose de mystérieux en Leny, rien de ce qui la constitue ne retient le regard par une beauté particulière et cependant l'ensemble me bouleverse. »

p. 134 :

« les juifs ventrus et leurs grosses juives pleines de bijoux »

p. 134 :

« Moi, j'ai envie de laisser tomber, de dire : Tirez, tuez-nous, finissez-en ! »

p. 484 :

« Ce furent les journées les plus bestiales de l'histoire de l'humanité. »

p. 536 :

« une seule heure leur aurait suffi pour nous exterminer jusqu'au dernier. Personne, personne n'en aurait réchappé. »

p. 537 :

« Je dois écrire ce livre pour me soulager et m'apaiser. »

Citations provenant
de Depuis deux mille ans

p. 35 :

« Brăila est un port sur le Danube, en amont de l'estuaire. Mon grand-père paternel y était docker et je le revois, rentrant à la maison, blanchi de la tête aux pieds par la poussière des sacs de blé et de maïs qu'il avait charriés depuis le matin. »

p. 36 :

« Il vivait dehors, vent debout, les pieds sur la pierre et la terre, scrutant l'horizon inondé des marais, parlant fort pour couvrir le grondement du fleuve, les sirènes des vapeurs, le vrombissement des élévateurs »

p. 37 :

« entièrement résignée dans la vieillesse, sans regrets, sans vanités tardives, toujours vêtue du même genre de robe noire fermée dans le dos avec des boutons ordinaires »

p. 37 :

« encore vive, orgueilleuse, portant des chapeaux de soie, de grandes boucles d'oreilles serties de diamants, un collier en or, des lunettes à monture d'or, un bracelet orné d'un rubis (tous ces joyaux, œuvres de son mari) »

p. 37 :

« Il ne se passe pas de jour sans que mes pensées me ramènent à Brăila, [...] si un jour Brăila devait m'être défendue, eh bien je crois que je me surprendrais à douter de ma propre existence, et sans doute perdrais-je pied. N'éprouvons-nous pas tous la nécessité d'être de quelque part ? »

Les extraits des pièces de théâtre *Jouons aux vacances* et *L'Île,* sont tirés de *Théâtre (Jouons aux vacances, L'Étoile sans nom, Édition spéciale, L'Île),* de Mihail Sebastian, traduit par Alain Paruit, préface de Georges Banu, Éditions de l'Herne, 2007.

Autres sources

L'article de Curzio Malaparte cité p. 402-403 ; 514 a été publié dans *Conversations à Jassy*, de Pierre Pachet, Denoël, 2010.

Les passages de *Kaputt* sont tirés de *Kaputt*, de Curzio Malaparte, traduit par Juliette Bertrand, Gallimard, coll. « Folio », 1972.

Le texte de Corneliu Zelea Codreanureproduit p. 354-355 est extrait du livre *Les Voix de Iasi*, de Jil Silberstein, Les éditions Noir sur Blanc, 2015.

Le passage cité p. 448-449 est tiré de l'ouvrage de Curzio Malaparte, *Prises de bec*, Les Belles Lettres, 2017.

12421

Composition
NORD COMPO

Achevé d'imprimer en Slovaquie
par NOVOPRINT SLK
le 13 septembre 2019.

Dépôt légal : juillet 2019.
EAN 9782290194010
OTP L21EPLN002502A002

ÉDITIONS J'AI LU
87, quai Panhard-et-Levassor, 75013 Paris

Diffusion France et étranger : Flammarion